Wybrzeże
Szkieletów

Clive CUSSLER
JACK Du BRUL

Wybrzeże
Szkieletów

Przekład
MACIEJ PINTARA
KRZYSZTOF ULISZEWSKI

AMBER

Redakcja stylistyczna
Lucyna Łuczyńska

Korekta
Renata Kuk

Projekt graficzny serii *Bestsellery do kieszeni*
Małgorzata Cebo-Foniok

Ilustracja na okładce
© Larry Rostant/Artist Partners Ltd.

Skład
Wydawnictwo Amber

Druk
Wojskowa Drukarnia w Łodzi Sp. zo.o.

Tytuł oryginału
Skeleton Coast

ISBN 978-83-241-4088-6

Warszawa 2011. Wydanie II

Wydawnictwo AMBER Sp. z o.o.
00-060 Warszawa, ul. Królewska 27
tel. 620 40 13, 620 81 62

www.wydawnictwoamber.pl

Rozdział 1

Nie powinien kazać im porzucić broni. Ta decyzja miała ich kosztować życie. Ale co mogli zrobić? Kiedy ostatni juczny koń okulał, zdjęli z niego ładunek, a to znaczyło, że trzeba było pozostawić część ekwipunku. Musieli zabrać zapasy wody, które dźwigało zwierzę, no i torby wypchane nieoszlifowanymi kamieniami. Zostawili namioty, śpiwory, prawie czternaście kilogramów jedzenia, karabiny Martini-Henry i amunicję. Ale mimo zmniejszenia ładunku ocalałe konie były mocno przeciążone, i gdy zaczęło wschodzić słońce, żaden z pięciu mężczyzn nie liczył na to, że wierzchowce przeżyją następny dzień.

H.A. Ryder niepotrzebnie zgodził się przeprowadzić ich przez Kalahari. Znał Afrykę jak własną kieszeń. Gdy Kimberley ogarnęła diamentowa gorączka, zostawił nędzną farmę w Sussex łudzony nadzieją, że stanie się milionerem. Zanim przybył na miejsce w roku 1868, całe wzgórze Colesberg Kopje, gdzie odkryto pierwsze diamenty, zostało już opalikowane, tak jak okoliczne pola w promieniu kilku kilometrów. Zajął się więc dostarczaniem żywności armii robotników.

On i kilku miejscowych przewodników przemierzali tysiące kilometrów dwoma wozami pełnymi worków soli do konserwowania upolowanej zwierzyny. Ryder wiódł samotnicze życie, ale pokochał je, tak jak pokochał ten ląd z pięknymi zachodami słońca i gęstymi

5

lasami, strumieniami tak czystymi, że woda wyglądała jak szkło, i horyzontami tak odległymi, że wydawały się nieosiągalne. Nauczył się języków różnych plemion, Matabele, Maszona i groźnego, wojowniczego Herero. Rozumiał nawet niektóre z dziwnych mlasków i gwizdów, jakimi porozumiewali się Buszmeni na pustyni.

Służył bogatym Anglikom i Amerykanom za przewodnika na safari, żeby mogli ozdabiać ściany swoich rezydencji trofeami, i wyszukiwał odpowiednie trasy dla firmy telegraficznej, która przeciągała linie na południu, obejmując siecią jedną trzecią tej części kontynentu. Walczył w tuzinie potyczek i zabił dziesięć razy tyle ludzi. Znał i rozumiał Afrykanów, a jeszcze lepiej zdawał sobie sprawę, jak dziki jest sam ląd. Wiedział, że nie powinien podejmować się przeprowadzenia pozostałych z Beczuany przez rozległą pustynię Kalahari do morza. Ale skusiła go sowita zapłata, syreni śpiew o natychmiastowym wzbogaceniu się, a przecież właśnie po to przybył do Afryki.

Gdyby jakoś zdołali dotrzeć do celu, gdyby nie pochłonęła ich bezlitosna pustynia, miałby majątek, o którym zawsze marzył.

– Myśli pan, że wciąż nas tropią, H.A.?

Ryder tak mocno mrużył oczy w blasku wschodzącego słońca, że na ogorzałej twarzy rysowały się tylko dwie szparki. Na horyzoncie widział jedynie zasłony drgającego gorącego powietrza. Tworzyły się i rozpływały jak dym. Między nimi a prażącym słońcem ciągnęły się białe wydmy. Przypominały fale na wzburzonym morzu. O świcie zerwał się wiatr i zdmuchiwał ze szczytów wydm tumany gryzącego pyłu.

– Owszem, chłopcze – odrzekł, nie patrząc na stojącego obok mężczyznę.

– Skąd pan wie?

H.A. odwrócił się do swojego towarzysza, Jona Varleya.

– Będą nas ścigać do bram piekła za to, co im zrobiliśmy.

Pewność w jego ochrypłym głosie sprawiła, że Varley zbladł pod opalenizną. Tak jak Ryder, czterej pozostali mężczyźni byli Anglikami i przybyli do Afryki w poszukiwaniu fortuny, choć żaden nie miał takiego doświadczenia jak ich przewodnik.

– Lepiej ruszajmy – powiedział Ryder. Wędrowali dotąd pod osłoną chłodnej ciemności. – Zdążymy pokonać kilka kilometrów, zanim słońce wzejdzie wysoko.

– Uważam, że powinniśmy rozbić tu obóz – odparł Peter Smythe, najbardziej zielony i najmniej wytrzymały. Stracił całą butę wkrótce po wejściu w morze piasku i opuszczały go siły, powłóczył nogami jak starzec. W kącikach ust i niebieskich, niegdyś bystrych, teraz przygasłych oczach miał biały osad.

Ryder zerknął na niego i natychmiast rozpoznał objawy. Wszystkim przysługiwały jednakowe porcje wody, odkąd dziesięć dni wcześniej napełnili manierki i puszki w słonawym źródle, ale Smythe najwyraźniej potrzebował jej więcej niż inni. To nie była kwestia chęci czy braku silnej woli, chłopak po prostu musiał więcej pić, żeby przeżyć. H.A. wiedział co do kropli, ile wody zostało, i zdawał sobie sprawę, że jeśli nie uda mu się znaleźć następnego pustynnego źródła, Smythe umrze pierwszy.

Ale myśl, żeby dać mu dodatkową porcję, nawet nie przemknęła Ryderowi przez głowę.

– Idziemy.

Spojrzał na zachód i zobaczył lustrzane odbicie terenu, który już przebyli. Szeregi wydm zdawały się nie mieć końca. Niebo przybierało miedzianą barwę, gdy światło odbijało się od pustyni. Obejrzał swojego konia. Zwierzę cierpiało, a on miał większe poczucie winy wobec niego niż młodego Smythe'a, bo biedne stworzenie nie mogło nic zrobić i musiało znosić swoją niedolę. Wydłubał kozikiem kamień z końskiego kopyta i poprawił derkę w miejscu, gdzie paski sakwy otarły zwierzęciu bok. Lśniąca niegdyś skóra zmatowiała i zwisała luźno.

Pogłaskał konia po pysku i uspokajał łagodnym tonem. Nie było mowy, żeby któryś z mężczyzn mógł jechać wierzchem. Mimo zmniejszenia ładunku konie ledwo żyły. Ryder wziął wodze i ruszył. Buty zapadały mu się po cholewy, kiedy sprowadzał zwierzę z wydmy. Piasek pod nimi osuwał się z sykiem ze zbocza i każdy nieostrożny krok groził upadkiem. H.A. nie oglądał się za siebie. Pozostali mieli do wyboru iść za nim lub umrzeć tam, gdzie stoją.

Szedł przez godzinę, słońce było coraz wyżej na bezchmurnym niebie. Włożył do ust gładki kamyk i ssał go, co trochę zmniejszało suchość w ustach – oszukiwał samego siebie, że nie odczuwa pragnienia. Gdy przystanął, by wytrzeć w środku duży miękki kapelusz, żar pozostawił na ciemieniu czerwoną plamę. Zamierzał iść przez następną godzinę, ale słyszał, że ludzie za nim ledwo dyszą. Nie nadeszła jeszcze chwila, kiedy rozważyłby, czy ich nie zostawić, doprowadził więc wszystkich na zawietrzną stronę wyjątkowo wysokiej wydmy i zaczął wznosić osłonę z końskich derek, chroniącą trochę przed słońcem. Mężczyźni osunęli się na ziemię bez tchu, gdy budował lichy obóz.

H.A. sprawdził, jak czuje się Peter Smythe. Młody człowiek miał na wargach ropiejące pęcherze i tak czerwone policzki, jakby ktoś przypalił je gorącym żelazem. Ryder przypomniał mu, żeby tylko poluzował sznurowadła. Wszystkim spuchły stopy, gdyby zdjęli buty, nie włożyliby ich z powrotem. Patrzyli na niego wyczekująco, kiedy wreszcie sięgnął do sakwy. Otworzył manierkę i natychmiast jeden z koni poczuł zapach wody. Inne stłoczyły się wokół i wierzchowiec Rydera otarł się łbem o jego ramię.

Aby nie uronić ani kropli, H.A. nalał porcję wody do miski i podsunął zwierzęciu. Koń siorbał głośno i burczało mu w żołądku, gdy pierwszy raz od trzech dni pił. Ryder dolał trochę wody i znów napoił konia, a potem pozostałe, nie zważając na swoje pragnienie i gniewne spojrzenia towarzyszy.

– Jeśli one padną, wy też umrzecie – powiedział. Nie musiał mówić nic więcej, mężczyźni wiedzieli, że ma rację.

Napoił konie, dał im owsa, potem spętał je i dopiero wtedy zajął się mężczyznami. Przydzielił im jeszcze mniej wody niż koniom, tylko po jednym dużym łyku, resztę schował do torby. Nikt nie zaprotestował. Tylko H.A. przemierzał wcześniej tę pustynię, wiedział, co i jak trzeba robić, żeby tu nie zginąć; zdali się więc na niego.

Cień rzucany przez osłonę z derek był żałośnie mały w porównaniu z rozpalonym piecem, jakim jest Kalahari, jedno z najbardziej gorących i suchych miejsc na ziemi, gdzie deszcz może spaść raz w roku lub nie padać przez lata. Kiedy z nieba lał się żar, mężczyźni leżeli w letargu i poruszali się tylko po to, by przesunąć się w ślad za cieniem. Cierpieli z pragnienia i wyczerpania, ale znosili to z chciwości, bo wkrótce mogli być o wiele bogatsi, niż kiedykolwiek sobie wyobrażali.

Gdy słońce znalazło się w zenicie, prażyło jakby jeszcze mocniej. Oddychanie stało się walką o to, by nabierać powietrza, nie wchłaniając gorąca. Z każdym płytkim oddechem upał wysysał z mężczyzn wilgoć i palił w płucach.

A coraz większy skwar wydawał się ciężarem przygniatającym ich do ziemi. Przed laty, kiedy Ryder przemierzał Kalahari, nie było aż takiego upału. Teraz miał wrażenie, że słońce spadło z nieba i leży na piasku, wściekłe, że jeszcze ich nie pokonało. Pustynia parzyła. To wystarczyło, by doprowadzić człowieka do szaleństwa, a oni mieli jeszcze przed sobą długie popołudnie i modlili się, żeby dzień wreszcie się skończył.

Gdy słońce zachodziło, malując piasek smugami czerwieni, purpury i żółci, temperatura spadła tak szybko, jak wcześniej się podniosła. Mężczyźni wyłonili się wolno spod osłony i otrzepali z kurzu ubrania. Ryder wszedł na wydmę i przyglądał się przez składaną lunetę pustyni za nimi, wypatrując oznak pościgu. Widział tylko ruchomy piasek. Ślady zatarł wiatr, ale to niewiele go pocieszyło. Podążający za nimi ludzie należeli do najlepszych tropicieli na świecie. Wiedział, że znajdą ich w morzu piasku tak łatwo, jakby ustawiał za sobą kamienie milowe, by wskazać im drogę.

Nie wiedział tylko, jaką odległość pokonują dziennie prześladowcy, nadludzko wprost odporni na słońce

i upał. Oceniał, że kiedy wszedł ze swoimi towarzysza-
mi na pustynię, wyprzedzali pościg o pięć dni. Obawiał
się, że teraz przewaga skurczyła się do najwyżej jednej
doby. Jutro zostanie pół dnia. A potem? Pojutrze zapłacą za to, że porzucili broń, kiedy okulał juczny koń.

Mieli jedyną szansę – znaleźć dzisiejszej nocy tyle wody, by napoić porządnie wierzchowce i móc ich
dosiąść.

Drogocennego płynu zostało zbyt mało, by napoić
konie, a porcje dla ludzi były o połowę mniejsze niż
o świcie. Na domiar złego ciepła strużka zdawała się
wsiąkać Ryderowi w język, zamiast gasić pragnienie,
które teraz objawiało się bólem w żołądku. Zmusił się
do zjedzenia kawałka suszonej wołowiny.

Patrzył na wymizerowane twarze wokół siebie
i wiedział, że dzisiejszy nocny marsz będzie torturą.
Peter Smythe chwiał się na nogach, Jon Varley też nie
mógł ustać prosto. Tylko bracia Tim i Tom Watermenowie trzymali się dobrze, ale byli w Afryce dłużej
niż tamci dwaj. Przez ostatnich dziesięć lat pracowali
w Prowincji Przylądkowej na wielkim ranczu, gdzie
hodowano bydło. Zdążyli się zaaklimatyzować.

H.A. wyczesał palcami piasek z wielkich bokobro-
dów i siwiejących włosów. Kiedy się schylił, by zawią-
zać sznurowadła, poczuł się tak, jakby miał sto, a nie
pięćdziesiąt lat. Zabolały go plecy i nogi, strzeliło mu
w krzyżu, gdy się prostował.

– W drogę, panowie. Macie moje słowo, dzisiejszej nocy będziemy pić, ile dusza zapragnie – powiedział, żeby podnieść ich na duchu.

– Co? Piasek? – zażartował Tim Watermen.

– Buszmeni, zwani Sana, żyją na tej pustyni od
tysiąca lat lub nawet dłużej. Podobno potrafią wyczuć
zapach wody odległej nawet o sto pięćdziesiąt kilometrów. Gdy przemierzałem Kalahari dwadzieścia lat
temu, miałem przewodnika z tego plemienia. Ten mały
drań znajdował wodę tam, gdzie mnie nawet nie przy-
szłoby do głowy szukać. Sana zbierają ją z roślin, kiedy
jest poranna mgła, i wypijają z pierwszej komory żołądka przeżuwaczy, które zabijają zatrutymi strzałami.

– Z żołądka czego? – Varley nie pojmował, w czym rzecz.

Ryder wymienił spojrzenia z braćmi Watermen, jakby chciał dać do zrozumienia, że każdy powinien wiedzieć, o co chodzi.

– Takich zwierząt jak krowa lub antylopa. Płyn w pierwszej komorze ich żołądka to głównie woda i sok roślinny.

– Wypiłbym to teraz – wymamrotał spękanymi wargami Peter Smythe. W kąciku ust pojawiła się kropla krwi. Zlizał ją, zanim zdążyła spaść na ziemię.

– Ale najcenniejszą umiejętnością Sana jest znajdowanie wody ukrytej pod piaskiem w starych wyschniętych korytach rzek.

– Umie pan znaleźć wodę tak jak oni? – zapytał Jon Varley.

– Szukałem jej przez ostatnich pięć dni w każdym korycie rzeki, które przecinaliśmy.

Wyglądali na zaskoczonych. Żaden z nich nie zdawał sobie sprawy, że przecinali jakieś wyschnięte rzeki. Widzieli tylko pustą połać piasku. To, że Ryder wiedział, gdzie są pozostałości dawnych dolin rzecznych, wadi, umocniło ich w przekonaniu, iż wyprowadzi ich z tego piekła.

– Przedwczoraj miałem nadzieję – ciągnął H.A. – lecz nie byłem pewien, a nie mogliśmy sobie pozwolić na stratę czasu, gdybym się mylił. Oceniam, że jesteśmy dwa, może trzy dni drogi od wybrzeża, to znaczy w części pustyni, gdzie dociera wilgoć z oceanu i sporadycznie ze sztormów. Znajdę wodę, panowie. Możecie mi wierzyć.

Ryder nie mówił tyle od chwili, gdy kazał im zostawić ekwipunek, i odniosło to pożądany skutek. Bracia Watermen uśmiechnęli się szeroko, Jon Varley zdołał wyprostować ramiona i nawet młody Smythe przestał chwiać się na nogach.

Wschodził już zimny księżyc, ostatnie promienie słońca pogrążyły się w odległym Atlantyku i wkrótce na niebie pojawiło się więcej gwiazd, niż człowiek mógłby zliczyć w ciągu stu żywotów. Na pustyni panowała grobowa cisza, słychać było tylko chrzęst piasku pod butami i kopytami i od czasu do czasu skrzypnięcie skórzanego ekwipunku koni. Szli równymi, odmierzonymi krokami. Byli osłabieni, ale H.A. zdawał sobie sprawę, że pościg za nimi trwa.

Pierwszy postój zarządził o północy. Pustynia trochę się zmieniła. Choć nadal brnęli przez piasek do kostek, w wielu dolinach widniały spłachcie luźnego żwiru. Dostrzegł stare wodopoje w kilku miejscach, gdzie zalegały aluwia i antylopy dokopały się do twardej gleby w poszukiwaniu wody. Nie zauważył jednak śladów korzystania z tych źródeł przez ludzi, dlatego przypuszczał, że wyschły wieki temu. Nie wspomniał mężczyznom o swoim odkryciu, ale nabrał pewności, że znajdzie wodę.

Pozwolił wszystkim wypić podwójne porcje przekonany, że uda mu się napełnić manierki i napoić konie przed wschodem słońca. A jeśli nie zdoła, pomyślał, to racjonowanie wody nie ma sensu, bo nazajutrz czeka ich śmierć. Podzielił się swoją porcją z koniem, ale pozostali wypili łapczywie wszystko, nie dbając o zwierzęta.

Ruszyli dalej, po półgodzinie księżyc przysłoniła rzadka chmura, a gdy odpłynęła, zmieniające się światło sprawiło, że coś na pustyni przykuło uwagę Rydera. Według kompasu i gwiazd kierował się na zachód i żaden z mężczyzn nie odezwał się, kiedy nagle skręcił na północ. Oddalił się od grupy, słysząc chrzęst łupkowego podłoża pod butami, i gdy dotarł do celu, opadł na kolana.

Zagłębienie w skądinąd płaskiej dolinie miało zaledwie metr średnicy. Rozejrzał się wokoło i uśmiechnął na widok kawałków rozbitej skorupy jaja i jednego prawie bez uszkodzeń, z wyjątkiem długiego pęknięcia, które biegło niczym linia uskokowa wzdłuż jego gładkiej powierzchni. Skorupa miała wielkość pięści Rydera i równy otwór wywiercony na szczycie. Dziura została zatkana suchą trawą zmieszaną z klejem wyrabianym przez tubylców. Strusie jaja należały do najcenniejszych rzeczy, jakie posiadał lud Sana, gdyż służyły do transportu wody. Rozbicie jednego przy napełnianiu mogło przesądzić o losie grupy Buszmenów, którzy ostatnio korzystali ze źródła.

H.A. niemal czuł na sobie wzrok ich duchów patrzących na niego z brzegu koryta dawnej rzeki – małe zjawy w trzcinowych koronach na głowach miały pasy z niewyprawionych skór zwierzęcych z kieszeniami na strusie jaja i kołczany pełne krótkich zatrutych strzał.

– Co pan znalazł, H.A.? – Jon Varley klęknął obok przewodnika. Niegdyś lśniące ciemne włosy teraz opadały mu w strąkach na ramiona, ale w oczach pozostał szelmowski błysk. Miał chytre spojrzenie zdesperowanego intryganta owładniętego marzeniami o szybkim wzbogaceniu się, który jest gotów zaryzykować życie, dążąc do ich spełnienia.

– Wodę, panie Varley. – Choć H.A. był dwadzieścia lat starszy od niego, starał się zwracać do swoich klientów z szacunkiem.

– Co? Gdzie? Nie widzę.

Bracia Watermenowie siedzieli na pobliskim głazie, Smythe osunął się na ziemię. Tim pomógł chłopakowi usiąść i oparł go plecami o wypłukaną przez wodę skałę. Peter oddychał z trudem, głowa opadła mu na chudą pierś.

– Mówiłem, że jest pod ziemią.

– Jak ją wydobędziemy?

– Dokopiemy się do niej.

Mężczyźni zamilkli i zaczęli usuwać ziemię – jakiś Buszmen zasypał pracowicie źródło, żeby nie wyschło. H.A. miał duże i tak stwardniałe dłonie, że z powodzeniem zastępowały mu łopaty. Rył nimi w miękkim podłożu, nie bacząc na ostre odłamki skalne. Varley miał ręce hazardzisty, gładkie i niegdyś wypielęgnowane, ale też kopał zawzięcie. Myśląc tylko o ugaszeniu pragnienia, nie zwracał uwagi na zadrapania, skaleczenia i krew na palcach.

Usunęli ponad pół metra ziemi, lecz woda wciąż się nie pojawiała. Musieli powiększyć dziurę, bo byli dużo potężniejsi niż drobni buszmeńscy wojownicy, odkopujący źródła. Na głębokości metra H.A. nabrał garść gliniastej ziemi i odrzucił na bok, ale pozostała warstewka, która przylgnęła mu do skóry. Zrobił z niej glinianą kulkę, obracając w palcach. Gdy ją ścisnął, w świetle gwiazd zalśniła drżąca kropla wody.

Varley wydał okrzyk radości i nawet H.A. pozwolił sobie na uśmiech, co rzadko mu się zdarzało.

Podwoili wysiłki i wybierali glinę z dołu w szaleńczym zapamiętaniu. Ryder musiał położyć Varleyowi dłoń na ramieniu, żeby go powstrzymać, kiedy uznał, że dokopali się wystarczająco głęboko.

– Teraz zaczekamy.

Mężczyźni stłoczyli się wokół studni i patrzyli w wyczekującym milczeniu, jak ciemne dno przybiera nagle białą barwę. To księżyc odbijał się w wodzie, która sączyła się do dołu z otaczającej go warstwy wodonośnej. H.A. oderwał ze swojej koszuli kawałek materiału, który posłużył mu za filtr, i zanurzył w mętnej wodzie manierkę. Po kilku minutach napełniła się do połowy. Peter jęknął, kiedy usłyszał chlupot, gdy Ryder wyjął naczynie z dołu.

– Proszę, młodzieńcze. – H.A. podał mu manierkę. Peter sięgnął po nią niecierpliwie, ale Ryder go powstrzymał. – Powoli, mój chłopcze. Pij powoli.

Smythe był zbyt spragniony, by posłuchać jego rady. Po pierwszym dużym łyku dostał ataku kaszlu i wypluł wodę na ziemię. Kiedy doszedł do siebie, zawstydzony pociągnął tylko łyczek. Minęły cztery godziny, zanim mężczyźni wybrali ze studni dość wody, by ugasić pragnienie, i wreszcie zjedli pierwszy posiłek od kilku dni.

Ryder jeszcze poił konie, gdy zza horyzontu na wschodzie zaczęło się wyłaniać słońce. Poił je ostrożnie, żeby nie dostały wzdęcia lub kurczu, i karmił oszczędnie, ale burczało im w wielkich żołądkach z zadowolenia, kiedy nasyciły się i oddały mocz po raz pierwszy od paru dni.

– H.A.! – Tim Watermen, który poszedł za potrzebą, stał teraz na wydmie i machał szaleńczo kapeluszem, wskazując w stronę wschodzącego słońca.

Ryder wyciągnął z sakwy lunetę, zostawił konie i wbiegł na wzgórze. Rzucił się na Watermena i obaj

14

runęli na piasek. Zanim Tim zdążył zaprotestować, zakrył mu dłonią usta.

– Ciszej – syknął. – Na pustyni głos się niesie.

Leżąc, H.A. rozciągnął lunetę i przyłożył ją do oka. Co za widok, pomyślał. Boże, wyglądają wspaniale.

Tych pięciu mężczyzn połączyła bezgraniczna nienawiść Petera Smythe'a do własnego ojca, przerażającego człowieka, który twierdził, że widział archanioła Gabriela. Anioł kazał Lucasowi Smythe'owi sprzedać cały dobytek, wyjechać do Afryki i głosić Słowo Boże wśród dzikich. Niezbyt religijny przed wizją, Smythe oddał się studiowaniu Biblii z takim zapałem, że kiedy chciał zostać członkiem Londyńskiego Stowarzyszenia Misjonarzy, rozważano, czy nie należy odprawić fanatycznego chrześcijanina z kwitkiem. W końcu jednak go przyjęto tylko po to, by pozbyć się szybko z siedziby stowarzyszenia. Wysłano go wraz z niechętną temu żoną i synem do Beczuany, gdzie miał zastąpić pastora, który zmarł na malarię.

Niezwiązany regułami stowarzyszenia, pełniąc misję w samym sercu terytorium ludu Herero, Smythe stał się religijnym tyranem, bo jego mściwy Bóg żądał całkowitego poświęcenia i prawdziwej skruchy nawet za najlżejszy grzech. Peter dostawał od ojca lanie trzciną, jeśli niewyraźnie odmawiał ostatnie słowa modlitwy, lub szedł spać bez kolacji, jeśli nie umiał wyrecytować jakiegoś psalmu.

Gdy przyjechali do Beczuany, król Herero, Samuel Maharero, ochrzczony kilkadziesiąt lat wcześniej, prowadził zażarty spór z władzami kolonialnymi, toteż stronił od niemieckiego duchownego, którego przysłało Reńskie Towarzystwo Misyjne. Lucas Smythe i jego rodzina cieszyli się względami króla, mimo że Maharero odnosił się z rezerwą do tyrad Smythe'a o ogniu piekielnym i siarce.

Młody Peter zaprzyjaźnił się z licznymi wnukami króla, monotonne życie nastolatka przy dworze królewskim urozmaicały tylko chwile grozy, kiedy ojca nawiedzał Duch – chłopiec niczego bardziej wtedy nie pragnął niż uciec.

Planował ucieczkę i zwierzył się z tego najlepszemu przyjacielowi, Assie Maharero, wnukowi króla. Podczas jednej z wielu strategicznych narad Peter dokonał odkrycia, które miało odmienić jego życie.

Był w magazynie zwanym *rondoval*, okrągłej chacie, gdzie Herero składowali paszę dla tysięcy sztuk bydła, gdy brakowało pożywienia na pastwiskach. Peter i Assa wybrali to miejsce na swoją kryjówkę, i choć Peter przychodził tam bardzo często, po raz pierwszy zauważył, że klepisko przy ścianie z gliny i trawy zostało rozkopane. Czarną ziemię starannie udeptano, ale dostrzegł różnicę.

Rozgrzebał rękami ziemię i natrafił na tuzin dużych glinianych dzbanów do piwa. Miały wielkość jego głowy, otwory zakrywała naciągnięta krowia skóra. Podniósł jeden. Był ciężki, w środku coś zagrzechotało.

Peter poluzował ostrożnie szwy wokół skórzanego wieczka i kiedy przechylił dzban, na dłoń wypadło kilka niewyróżniających się niczym kamieni. Zadrżał. Choć nie przypominały stylizowanych rysunków klejnotów, które widział, zorientował się po tym, jak rozpraszają słabe światło w chacie, że trzyma w ręku sześć nieoszlifowanych diamentów. Najmniejszy miał wielkość paznokcia jego kciuka, największy był co najmniej dwa razy taki.

W tym momencie przyszedł Assa i zobaczył, co znalazł przyjaciel. Był przerażony; obejrzał się szybko za siebie, sprawdzając, czy w pobliżu są jacyś dorośli. Za palisadowym ogrodzeniem kilku chłopców pilnowało bydła, w odległości kilkuset metrów szła kobieta z wiązką chrustu na głowie. Assa wyjął dzban z trzęsących się rąk Petera.

– Coś ty zrobił? – Mówił dziwną angielszczyzną z niemieckim akcentem.

– Nic, Assa, przysięgam – wykrztusił Peter z miną winowajcy. – Zobaczyłem, że coś zostało zakopane, i byłem ciekaw, co to jest.

Assa wyciągnął rękę i Peter wrzucił mu kamienie na dłoń. Młody afrykański książę wepchnął je z powrotem pod skórzane wieczko.

– Pod karą śmierci nie wolno ci nikomu o tym powiedzieć.

– To diamenty, prawda?

Assa spojrzał na przyjaciela.

– Tak.

– Skąd się wzięły? Tutaj nie ma diamentów. Są w Prowincji Przylądkowej wokół Kimberley.

Assa usiadł po turecku przed Peterem i milczał chwilę. Pamiętał o przysiędze, którą złożył dziadkowi, ale jednocześnie rozpierała go duma z tego, co zdobyło jego plemię. Był trzy lata młodszy od Petera, miał trzynaście lat i mimo że walczył z sobą, chęć pochwalenia się wzięła górę nad dochowaniem tajemnicy.

– Powiem ci, pod warunkiem że nikomu tego nie powtórzysz.

– Przyrzekam, Assa.

– Odkąd odkryto diamenty, mężczyźni z plemienia Herero podróżowali do Kimberley i tam pracowali w kopalniach. Po rocznym kontrakcie wracali do domu z wypłatą od białych górników, ale brali jeszcze coś. Kradli kamienie.

– Słyszałem, że robotnicy są rewidowani, zanim opuszczają obozy górnicze, strażnicy zaglądają im nawet w odbyt.

– Nasi mężczyźni, kiedy tam wyjeżdżali, rozcinali sobie wcześniej skórę. Przyjmujący ich strażnicy widzieli, że mają rany zabliźnione. Kiedy odjeżdżali, świeżych ran nie było, a stare nie budziły podejrzeń. Właśnie w nich ukrywali diamenty. Po powrocie otwierali rany sagajami i oddawali kamienie mojemu pradziadkowi, wodzowi Kamaharero, który wysyłał ich na południe do Kimberley.

– Niektóre z tych diamentów są dosyć duże i na pewno zostałyby znalezione – zauważył Peter.

Assa się roześmiał.

– Niektórzy wojownicy Herero też są dosyć duzi. – Po chwili spoważniał i mówił dalej. – Trwało to wiele lat, bo aż dwadzieścia, ale w końcu biali górnicy zorientowali się, co robią Herero. Stu aresztowano i nawet tych, którzy jeszcze nie ukryli kamieni pod skórą, uznano za winnych kradzieży. Wszystkich skazano na śmierć. Kiedy nadejdzie właściwa pora, wykorzystamy te diamenty do zrzucenia niemieckiego jarzma – jego ciemne oczy zabłysły – i znów będziemy wolni. Przysięgnij mi jeszcze raz, że nie powiesz nikomu o skarbie.

Peter spojrzał przyjacielowi w oczy.

– Przysięgam.

Dotrzymywał obietnicy przez niecały rok. Kiedy skończył osiemnaście lat, opuścił wioskę. Nikomu nie powiedział, że odchodzi, nawet matce, i z tego powodu czuł się winny. Będzie musiała sama dźwigać ciężar szlachetnej misji Lucasa Smythe'a.

Peter zawsze uważał, że potrafi przetrwać, bo on i Assa nieraz obozowali w terenie, ale zanim dotarł do faktorii oddalonej o osiemdziesiąt kilometrów od misji, był ledwo żywy z wyczerpania. Wydał tam kilka cennych monet, które uciułał z prezentów urodzinowych od matki. Ojciec nigdy mu nic nie dał, bo wyznawał zasadę, że rodzina powinna świętować jedynie narodziny Jezusa Chrystusa.

Ledwo wystarczyło mu na zapłacenie właścicielowi wozu zaprzężonego w dwadzieścia wołów, który wracał na południe z ładunkiem kości słoniowej i solonego mięsa, za zabranie go do Kimberley. Starszy człowiek nosił wielki biały kapelusz i miał najgęściejsze bokobrody, jakie Peter kiedykolwiek widział. H.A. Ryderowi towarzyszyło dwóch mężczyzn, którzy byli braćmi. Urząd kolonialny obiecał pastwiska, ale okazało się, że jego siedzibę już zajęło plemię Matabele. Nie mając ochoty walczyć z armią, roztropnie postanowili wrócić na południe. Podróżował z nimi chudy mężczyzna o ostrych rysach, nazwiskiem Jon Varley.

W czasie wielotygodniowej jazdy na południe Peter nie mógł się zorientować, co robi Varley i co rzuciło go tak daleko od Prowincji Przylądkowej. Czuł, że nie powinien mu ufać.

Pewnej nocy, gdy rozbili obóz po niebezpiecznej przeprawie przez rzekę, Varley wyjął alkohol. Miejscowa brandy była mocna jak czysty spirytus, ale wypi li w pięciu dwie butelki, kiedy siedzieli przy ognisku i jedli perliczkę, którą jeden z braci, Tim Watermen, ustrzelił.

Peterowi, który po raz pierwszy pił alkohol, brandy uderzyła do głowy już po kilku ostrożnych łykach.

Jak było do przewidzenia, rozmowa zeszła na temat poszukiwań minerałów, bo to stawało się drugą naturą każdego w buszu. Niemal co dzień znajdowano diamenty, żyłę złota lub złoża węgla i ktoś błyskawicznie zostawał milionerem.

Peter wiedział, że nie powinien otwierać ust. Złożył Assie przysięgę. Ale chciał pasować do tych twardych ludzi mówiących z taką znajomością rzeczy o sprawach, o których on nie miał pojęcia. Byli obyci w świecie, zwłaszcza Varley i Ryder, a Peter niczego tak w życiu nie pragnął jak tego, żeby go szanowali. Brandy rozwiązała mu język i powiedział im o tuzinie glinianych dzbanów pełnych nieoszlifowanych diamentów w kraalu króla Maharero.

– Skąd o tym wiesz, chłopcze? – syknął jak żmija Varley.

– Jego ojciec jest kaznodzieją w kraju Herero – odezwał się H.A. i popatrzył na Petera. – Teraz przypominam sobie ciebie. Poznałem twojego ojca kilka lat temu, kiedy wybrałem się do króla z prośbą o pozwolenie na polowania na jego ziemi. – Powiódł spokojnym spojrzeniem po grupie. – On żył wśród Herero. Jak długo tam byłeś, pięć lat?

– Prawie sześć – odparł z dumą Peter. – Znają mnie i mi ufają.

Zanim minął kwadrans, dyskutowali otwarcie o możliwości kradzieży kamieni. Peter przystał na to dopiero wówczas, gdy mężczyźni obiecali, że wezmą tylko pięć dzbanów, po jednym dla każdego, i zostawią siedem dla plemienia Herero; inaczej nie zdradzi im, gdzie są ukryte diamenty.

W faktorii oddalonej o kolejnych sto pięćdziesiąt kilometrów na południe H.A. Ryder sprzedał wóz wraz z cennym ładunkiem za połowę tego, ile mógłby dostać w Kimberley za kość słoniową, i pieniądze przeznaczył na zakup odpowiednich koni oraz ekwipunku. Już zdecydował, jaką trasą wydostaną się z królestwa Herero – wybrał jedyną drogę, którą mieli szansę uciec, gdyby odkryto kradzież. Faktoria leżała na końcu nowo przeciągniętej linii telegraficznej. Mężczyźni czekali trzy dni, aż Ryder dojdzie do porozumienia ze znajomym kupcem w Kapsztadzie. H.A. lekceważył ogromny koszt tego, co zamówił, wychodząc z założenia, że albo będzie milionerem zdolnym spłacić dług, albo trupem gnijącym w palącym słońcu na pustyni Kalahari.

Nie można było przemknąć niepostrzeżenie do królewskiego kraalu. Zwiadowcy zameldowali władcy o obecności białych, gdy tylko Anglicy wkroczyli na jego terytorium. Ale król znał H.A., a Lucas Smythe z pewnością czekał niecierpliwie na powrót Petera, choć ten podejrzewał, że zostanie potraktowany bardziej jak Hiob niż syn marnotrawny.

Podróż od granicy do kraalu zajęła im tydzień. Samuel Maharero osobiście powitał jeźdźców, kiedy dotarli do obozu. Władca i H.A. rozmawiali przez godzinę w języku króla. Przewodnik przekazywał mu wieści ze świata, gdyż władca przebywał na wygnaniu z rozkazu niemieckich władz kolonialnych. Król z kolei powiedział Peterowi, ku wielkiej uldze chłopca, że rodzice właśnie wyruszyli do buszu, gdzie ojciec ma ochrzcić grupę kobiet i dzieci: wrócą dopiero nazajutrz.

Władca pozwolił im zanocować, ale odrzucił prośbę H.A. o zgodę na polowania na ziemi Herero, tak jak cztery lata wcześniej.

– Trzeba próbować, Wasza Wysokość.

– Upór to wada białego człowieka.

W nocy zakradli się do okrągłej chaty. *Rondoval* był zapchany sianem aż po dach i musieli ryć w stercie jak krety, żeby się dostać do ukrytych diamentów. Kiedy Jon Varley wydobył z ziemi drugi dzban i przesypał zawartość do sakwy, Peter Smythe zrozumiał, że mężczyźni od początku zamierzali go oszukać. Bracia Watermen też opróżnili kilka dzbanów do swoich toreb. Tylko H.A. dotrzymał obietnicy i zadowolił się zawartością jednego.

– Jeśli pan ich nie bierze, ja wezmę – szepnął w ciemności Varley.

– Jak pan chce – odrzekł Ryder. – Ja dotrzymuję słowa.

Nie wystarczyło im toreb, żeby zabrać wszystkie kamienie, i gdy wypchali kieszenie spodni i pochowali gdzie się tylko dało, cztery dzbany pozostały nietknięte. H.A. zamaskował starannie schowek i zrobił, co mógł, żeby ukryć kradzież. O świcie podziękowali królowi za gościnę i opuścili obóz. Maharero zapytał Petera, czy chce zostawić jakąś wiadomość matce. Chłopiec zdołał tylko wymamrotać, żeby jej przekazać, że ją przeprasza.

Leżąc na wydmie nad dołem z wodą, H.A. pozwolił sobie przez chwilę poobserwować ludzi króla.

Za złodziejami wyruszyła z terytorium plemienia cała *impi*, armia złożona z tysiąca wojowników. Ale forsowny pościg przez osiemset kilometrów przerzedził ich szeregi. H.A. ocenił, że pozostało jeszcze ponad stu najsilniejszych. Biegli w szybkim tempie mimo głodu i pragnienia. Słońce stało już na tyle wysoko, że odbijało się w grotach sagajów, oszczepów bojowych, którymi rozprawiali się z każdym, kto wszedł im w drogę.

H.A. klepnął w nogę Tima Watermena i obaj zsunęli się na dno suchej doliny, dołączając do pozostałych. Konie wyczuły nagłą zmianę nastroju. Grzebały kopytami w piasku i strzygły uszami, jakby słyszały zbliżające się niebezpieczeństwo.

– Na koń, panowie – zarządził Ryder i wziął wodze od Petera Smythe'a.

– Będziemy jechać? – zdziwił się młody człowiek. – Za dnia?

– Tak, chłopcze. Inaczej któryś w wojowników króla Maharero przystroi sobie nakrycie głowy twoimi wnętrznościami. Chodźmy. Tamci są tylko dwa kilometry za nami i nie wiem, jak długo konie wytrzymają upał.

Ryder zdawał sobie sprawę, że gdyby w nocy nie znaleźli wody, Herero już by ich dopadli jak sfora dzikich psów. Teraz, gdy zarzucał nogę na szeroki koński grzbiet, miał pełno wody tylko w jednej manierce.

Wyjeżdżając z wadi, zostawili za sobą zacienione obniżenie terenu i zaraz poczuli na karkach słoneczny żar.

Najpierw jechali równym kłusem i na każdych trzech kilometrach zyskiwali kilometr przewagi nad Herero. Słońce piekło ziemię i wysuszało na nich pot, gdy tylko wydostawał się z porów. Pod osłoną dużego kapelusza H.A. mocno mrużył oczy, żeby nie oślepiał go blask odbijający się od wydm.

Kiedy Kalahari zamieniała się w rozgrzany piec, nawet odpoczynek w cieniu wyczerpywał, a co dopiero próba pokonania tego pustkowia w bezlitosnym skwarze. To była najtrudniejsza rzecz, jaką H.A. kiedykolwiek robił w życiu. Spiekota i blask doprowadzały go do szaleństwa, miał wrażenie, że gotuje mu się mózg. Łyk wody, sporadycznie, tylko parzył gardło i przypominał o dręczącym pragnieniu.

Stracił poczucie czasu i musiał maksymalnie koncentrować się, by pamiętać o sprawdzaniu na kompasie, czy wciąż kierują się na zachód. Przy bardzo niewielu punktach orientacyjnych wskazujących mu drogę tylko się domyślał, dokąd jechać, ale parli przed siebie, bo nie mieli innego wyjścia.

Podobnie jak słońce, stale towarzyszył im wiatr. H.A. oceniał, że są najwyżej trzydzieści kilometrów od Atlantyku, i spodziewał się morskiej bryzy od czoła, ale wiatr ciągle dął im w plecy i popychał naprzód. Ryder modlił się, żeby kompas nie zawiódł i żeby igła magnetyczna, która powinna kierować ich na zachód, nie poprowadziła w głąb lądu. Patrzył na nią nieustannie i czuł ulgę, że mężczyźni zostają trochę z tyłu i nie widzą konsternacji na jego twarzy.

Wiatr przybrał na sile i kiedy H.A. obejrzał się, zobaczył, że szczyty wydm znikają. Tumany piasku były niesione od jednego wzniesienia do drugiego. Pył kłuł w skórę i powodował łzawienie oczu. Nie podobało mu się to. Jechali w dobrym kierunku, ale wiatr wiał w złym. Gdyby burza piaskowa złapała ich na otwartej przestrzeni, mieliby małe szanse przeżycia.

Zastanowił się, czy nie zarządzić postoju i nie ustawić osłony. Pomyślał o uderzeniu burzy, bliskości oceanu i rozwścieczonej armii, która nie spocznie dopóty, dopóki nie położy ich trupem. Słońce mogło zajść mniej więcej za godzinę. Odwrócił się tyłem do wiatru i popędził konia. Mimo osłabienia zwierzę nadal poruszało się szybciej niż piechur.

H.A. znalazł się na szczycie kolejnej wydmy tak nagle, że zakręciło mu się w głowie, i zobaczył, że następnych wydm już nie ma. Pod nim rozpościerały się szare wody południowego Atlantyku i po raz pierwszy poczuł zapach jodu. Nadciągające fale zamieniały się w białą pianę, gdy zalewały szeroką plażę.

Zsiadł z konia, po długiej jeździe bolały go nogi i plecy. Nie miał siły krzyczeć z radości, stał więc w milczeniu, tylko w kącikach ust błąkał się cień uśmiechu, gdy słońce chowało się w zimnym, ciemnym oceanie.

– Co się stało, H.A.? Dlaczego pan się zatrzymał? – zawołał Tim Watermen, który był dwadzieścia metrów dalej i właśnie wjeżdżał na ostatnią wydmę.

Ryder spojrzał na niego z góry i zobaczył, że brat Tima jest niedaleko. Za nim jechał Smythe, trzymając się kurczowo końskiego grzbietu. Jona Varleya nie było jeszcze widać.

– Udało się.

Więcej nie musiał mówić. Tim spiął konia, żeby szybciej dotrzeć na górę, i na widok oceanu wydał triumfalny okrzyk. Przechylił się w siodle i ścisnął ramię przewodnika.

– Nigdy w pana nie wątpiłem, panie Ryder. Ani przez chwilę.

H.A. się roześmiał.

– A ja tak.

Pozostali dołączyli do nich po paru minutach. Varley wyglądał najgorzej i H.A. podejrzewał, że zamiast wydzielać sobie wodę, Jon wypił większość rano.

– No więc dojechaliśmy do oceanu – usłyszał przez wycie wiatru głos rozdrażnionego Varleya. – I co dalej? Wciąż ściga nas banda dzikich i na wypadek, gdyby pan nie wiedział, tego nie możemy pić. – Wskazał drżącym palcem Atlantyk.

H.A. zignorował go. Wyciągnął zegarek kieszonkowy Baumgart i przechylił w stronę zachodzącego słońca, żeby widzieć tarczę.

– Półtora kilometra stąd nad brzegiem oceanu jest wysokie wzgórze. Za godzinę musimy być na szczycie.

– I co wtedy będzie? – zapytał Peter.

– Przekonamy się, czy jestem tak dobrym przewodnikiem, za jakiego chyba mnie uważacie.

Wydma była najwyższa w polu widzenia, wyrastała sześćdziesiąt metrów ponad plażę. Na szczycie hulał tak silny wiatr, że konie pląsały w kółko. W powietrzu unosił się pył i gęstniał z każdą chwilą. Ryder kazał braciom Watermen i Varleyowi patrzeć wzdłuż plaży na północ, podczas gdy on i Peter obserwowali południowy brzeg.

Słońce dawno zaszło, gdy według zegarka Rydera minęła siódma. Powinni już dać sygnał, pomyślał z niepokojem. Poczuł ucisk w żołądku. Za wiele żądań: jak mógł sądzić, że po przebyciu setek kilometrów pustyni uda mu się znaleźć zaledwie kilka kilometrów od określonego punktu na wybrzeżu? Mogli być sto pięćdziesiąt lub więcej kilometrów od miejsca spotkania.

– Tam! – krzyknął Peter, wyciągając rękę.

H.A. zmrużył oczy i wpatrzył się w ciemność. Daleko od nich przy brzegu rozżarzyło się maleńkie czerwone światełko. Po chwili zniknęło.

Człowiek stojący na poziomie morza sięga wzrokiem na odległość około pięciu kilometrów, dalej widok przysłania krzywizna Ziemi. Po wejściu na szczyt urwiska H.A. zwiększył ten zasięg do prawie trzydziestu kilometrów w każdym kierunku. Uwzględniając wysokość, jaką osiągnęła raca, ocenił, że są mniej więcej trzydzieści kilometrów od miejsca spotkania. Jednak udało mu się doprowadzić ich do punktu, skąd mieli cel w polu widzenia. Nie lada wyczyn.

Mężczyźni byli na nogach przez czterdzieści osiem morderczych godzin, ale myśl, że najgorsze mają już za sobą i nagrodą za trudy będzie bajońska suma, dodawała im sił do pokonania tych ostatnich kilku kilometrów. Urwiska chroniły szeroką plażę przed burzą piaskową, ale pył przysłaniał wodę wzdłuż linii przyboju, kiedy osiadał na oceanie. Białe grzbiety fal przybierały brązową barwę błota i zdawało się, że morze staje się ociężałe pod tonami nawiewanego doń piasku.

O północy zobaczyli światła małego statku zakotwiczonego sto metrów od brzegu. Frachtowiec opalany węglem miał stalowy kadłub i długość około sześćdziesięciu metrów. Z nadbudowy przesuniętej daleko ku rufie wyrastał wysoki komin, część dziobową zajmowały cztery oddzielne ładownie z lukami obsługiwanymi przez dwa patykowate żurawie. H.A. nie mógł dostrzec przez kurzawę, czy kotły są pod parą. Światło księżyca ledwo się przebijało przez tumany piasku, nie miał więc pewności, czy z komina unosi się dym.

Kiedy zrównali się ze statkiem, wyciągnął z sakwy małą racę, jedyną oprócz kamieni rzecz, której nie zostawił po drodze. Zapalił ją i pomachał nad głową, wrzeszcząc na całe gardło, żeby go usłyszano przez wichurę. Mężczyźni przyłączyli się do niego. Krzyczeli i wiwatowali, pewni, że za kilka minut będą bezpieczni.

Rozbłysnął reflektor zamontowany na mostku parowca, snop światła przeciął kurzawę i spoczął na grupie mężczyzn. Spłoszone konie kręciły się nerwowo. Chwilę później opuszczono ze statku płaskodenną łódź rybacką. Dwaj wprawni wioślarze szybko pokonali odległość do brzegu, z tyłu ktoś jeszcze siedział. Mężczyźni wbiegli do wody, kiedy dno łodzi zaryło w piasek tuż za linią przyboju.

– To ty, H.A.?! – zawołał czyjś głos.

– We własnej osobie, Charlie.

Charles Turnbaugh, pierwszy oficer na HMS „Rove", wyskoczył z łodzi i stanął po kolana w falach przyboju.

– Czy to największa blaga, jaką kiedykolwiek słyszałem, czy naprawdę tego dokonałeś?

H.A. uniósł jedną z sakw. Potrząsnął nią, ale wiatr zagłuszył grzechot kamieni w środku.

– Powiedzmy, że postarałem się, żeby ten rejs ci się opłacił. Jak długo czekaliście na nas?

– Przypłynęliśmy tu pięć dni temu i wystrzeliwaliśmy racę co wieczór o siódmej, tak jak prosiłeś.

– Sprawdź swój chronometr okrętowy. Późni się o minutę. – Zamiast dokonać prezentacji, H.A. przeszedł od razu do rzeczy: – Słuchaj, Charlie, ściga nas co najmniej setka Herero, więc im prędzej wyniesiemy się z tej plaży i znajdziemy za horyzontem, tym bardziej będę zadowolony.

Turnbaugh już kierował wyczerpanych mężczyzn do łodzi.

– Możemy was zabrać z tej plaży, ale na razie nie za horyzont.

Ryder położył dłoń na jego brudnej kurtce mundurowej.

– O co chodzi?

– Podczas odpływu osiedliśmy na mieliźnie. Piasek wzdłuż wybrzeża stale się przemieszcza. Kiedy nadejdzie przypływ, ruszymy w drogę. Bez obaw.

– Aha, jeszcze jedno – powiedział Ryder, zanim wsiadł do małej łodzi. – Masz pistolet?

– Co? Dlaczego?

H.A. wskazał głową przez ramię miejsce, gdzie tłoczyły się konie, coraz bardziej przerażone, gdy burza piaskowa przybierała na sile.

– Kapitan chyba ma starego webleya.

– Byłbym zobowiązany, gdybyś go dla mnie pożyczył.

– To tylko konie – odezwał się skulony w łodzi Varley.

– Po tym, co dla nas zrobiły, zasługują na coś lepszego niż zdychanie na tej zapomnianej przez Boga i ludzi plaży.

– Zaczekaj tutaj – zwrócił się Charlie do Rydera.

H.A. pomógł zepchnąć małą łódź na wodę i podszedł do koni. Przemawiał do nich kojąco, głaskał je po łbach i karkach. Turnbaugh wrócił po piętnastu minutach i wręczył mu bez słowa broń. Chwilę później H.A. wszedł wolno do łodzi i siedział bez ruchu, gdy płynęli do trampa.

Znalazł swoich ludzi w mesie oficerskiej, gdzie pożerali półmiski jedzenia i opijali się wodą, aż pozielenieli. H.A. brał odmierzone łyczki, żeby przyzwyczaić organizm. Kiedy ugryzł pierwszy kęs mięsa, do małego pomieszczenia wkroczył kapitan James Kirby w towarzystwie Charliego i mechanika okrętowego.

– Masz więcej żyotów niż kot, H.A. – zagrzmiał kapitan, wielki jak niedźwiedź mężczyzna z gęstymi ciemnymi włosami i brodą, która sięgała mu do połowy piersi. – Gdyby kto inny zwrócił się do mnie z tą piekielnie głupią propozycją, kazałbym mu iść do diabła.

Uścisnęli sobie serdecznie dłonie.

– Wiedziałem, że za sumę, której zażądałeś, czekałbyś nawet do końca świata.

– Pomówimy o zapłacie? – Jedna z krzaczastych brwi Kirby'ego uniosła się do połowy czoła.

Ryder położył sakwę na podłodze i urządził całe przedstawienie z odpinaniem sprzączek, celebrował czynności, obserwując reakcję żeranej chciwością załogi. Otworzył klapę, pogrzebał w torbie, wyszukał odpowiedni kamień i położył go na stole. Wszyscy wciągnęli głośno powietrze. Mesę oficerską oświetlały tylko dwie latarnie zawieszone na hakach pod sufitem, ale diament lśnił takim blaskiem, jaki może być chyba wewnątrz tęczy.

– To powinno ci wynagrodzić twój trud – oświadczył śmiertelnie poważnie H.A.

– Z nawiązką – wysapał kapitan Kirby i dotknął kamienia.

Następnego ranka o szóstej obudziła Rydera czyjaś twarda ręka. Próbował to zignorować i odwrócił się na drugi bok na wąskiej koi, z której korzystał, gdy Charlie Turnbaugh pełnił wachtę.

– H.A., wstawaj, do diabła.

– Co się stało?

– Mamy problem.

Ponury ton głosu pierwszego oficera sprawił, że Ryder natychmiast oprzytomniał. Podniósł się i sięgnął po ubranie. Kiedy wkładał spodnie i koszulę, sypał się z nich piasek.

– Co się dzieje?

– Sam zobaczysz.

H.A. zorientował się, że burza piaskowa szaleje z niespotykaną siłą. Wicher wył jak dzikie zwierzę, od jego podmuchów trząsł się cały statek. Turnbaugh poprowadził Rydera na mostek. Przez przednią szybę ledwo sączyło się światło, dziób „Rove'a" oddalony tylko o czterdzieści pięć metrów był prawie niewidoczny. H.A. natychmiast zrozumiał, w czym problem. Wiatr nawiał na pokład tyle piasku, że ciężar przygniatał frachtowiec do dna mimo przypływu. Co gorsza, stumetrowa odległość między parowcem a brzegiem zmalała o ponad połowę.

Kalahari i Atlantyk toczyły ze sobą odwieczną walkę o terytorium, erozyjne działanie fal przeciwstawiało się ogromnej ilości piasku wsypującego się do morza. Te zmagania trwały od zarania dziejów, stale zmieniając kształt linii brzegowej, gdy piasek znajdował miejsca, gdzie prądy i pływy słabiej podmywały ląd, i pustynia powiększała się o decymetr, metr lub kilometr. Żywioły ścierały się ze sobą, wydając statek na pastwę losu.

– Wszyscy do kopania – zarządził Kirby. – Jeśli burza piaskowa nie osłabnie, przed nadejściem nocy zostaniemy uwięzieni na plaży.

Turnbaugh i Ryder wezwali swoich ludzi i mężczyźni wyposażeni w szufle z maszynowni, garnki z kuchni okrętowej i wannę z kapitańskiej łazienki wybiegli w kurzawę. Zasłonili usta chustami i w wichurze, która uniemożliwiała rozmowy, spychali góry luźnego piasku z pokładu do wody. Wściekali się na żywioł i przeklinali go, bo każda szufla wyrzucona za burtę zdawała się do nich wracać.

Było tak, jakby próbowali powstrzymać przypływ. Gdy wreszcie zdołali oczyścić jeden luk, na trzech pozostałych leżała już podwójna warstwa piasku. Pięciu poszukiwaczy przygód i dwudziestu marynarzy nie mogło sobie poradzić z burzą piaskową, która posuwała się przez tysiące kilometrów kwadratowych spalonej ziemi. Widoczność spadła niemal do zera, pracowali z mocno zaciśniętymi powiekami, by chronić oczy przed gryzącym pyłem, który atakował „Rove'a" ze wszystkich stron.

Po godzinie szaleńczego odkopywania statku H.A. odszukał Charliego.

– To na nic. Musimy czekać i mieć nadzieję, że burza osłabnie.

Mimo że dotykał wargami ucha Turnbaugha, musiał powtórzyć to trzy razy, zanim pierwszy oficer zrozumiał słowa zagłuszane wyciem wiatru.

– Masz rację! – odkrzyknął Charlie i poszli odwołać ludzi.

Załoga i pasażerowie wchodzili do wnętrza nadbudowy, a przy każdym kroku osypywał się z nich piasek. H.A. i Jon Varley weszli przez właz ostatni, H.A. czuł się w obowiązku sprawdzić, czy wszyscy są cali, a Varley nigdy się nie poddawał, kiedy wiedział, że czeka go nagroda.

Nawet w środku statku słabo się słyszeli z powodu wiatru.

– Jezu, błagam cię, niech to się wreszcie skończy. – Peter był tak przerażony siłami żywiołu, że niemal płakał.

– Nikogo nie brakuje? – zapytał Charlie.

– Chyba nie. – H.A. osunął się pod przegrodę. – Policzyłeś ludzi?

Turnbaugh zaczął ich liczyć, gdy rozległo się głośne stukanie we właz.

– Wielki Boże, ktoś tam został! – zawołał któryś z mężczyzn.

Jon stał najbliżej włazu i odryglował go. Wiatr tak gwałtownie szarpnął drzwiami, że uderzyły w odbojniki, podmuch wdarł się do środka, zrywając farby ze ścian. Za progiem nikogo nie było. Najwyraźniej jakaś luźna część osprzętu narobiła hałasu.

Varley rzucił się naprzód, żeby zatrzasnąć właz, i prawie mu się udało, kiedy tuż za jego plecami błysnął srebrzysty grot. Koniec oszczepu przybrał czerwoną barwę, i gdy został wyciągnięty z rany, oszołomionych ludzi opryskała krew. Jon obrócił się dookoła i runął na pokład. Poruszał bezdźwięcznie ustami, na koszuli powiększała się szkarłatna plama. Ciemna postać w pióropuszu i przepasce na biodrach stanęła nad Varleyem z sagajem w rękach. Za pierwszym napastnikiem pojawili się następni, ich okrzyki wojenne brzmiały głośniej niż wycie wiatru.

– Herero – szepnął z rezygnacją H.A., gdy tłum wojowników wtargnął do wnętrza statku.

Taka burza piaskowa była wybrykiem natury zdarzającym się raz na sto lat, szalała ponad tydzień i na zawsze zmieniła południowo-zachodnie wybrzeże Afryki. Jedne wydmy zostały całkowicie spłaszczone, inne znacznie urosły. Miejsce zatok zajęły wielkie piaszczyste półwyspy wrzynające się w zimne wody południowego Atlantyku. Kontynent powiększył się w niektórych miejscach o osiem kilometrów, gdzie indziej o szesnaście, gdy Kalahari wygrała jedną z bitew ze swoim największym wrogiem. Mapę setek kilometrów wybrzeża trzeba byłoby narysować od nowa, gdyby komuś na tym zależało. Ale każdy marynarz wiedział, że lepiej trzymać się z dala od tego niebezpiecznego brzegu.

„Rove'a" uznano oficjalnie za statek zaginiony na morzu wraz z wszystkimi osobami na pokładzie. I nie było to dalekie od prawdy, choć spoczął nie pod setkami metrów wody, lecz czystego białego piasku niemal trzynaście kilometrów w głąb lądu od miejsca, gdzie lodowate fale Prądu Benguelskiego omywają afrykańskie Wybrzeże Szkieletów.

Rozdział 2

Laboratoria Merrick/Singer
Genewa, Szwajcaria
Czasy współczesne

Susan Donleavy siedziała zgarbiona nad okularem mikroskopu jak sęp i obserwowała akcję rozgrywającą się na szkiełku niczym bogini z mitologii greckiej, zabawiana przez śmiertelnych. W pewnym sensie była nią, bo sama stworzyła to, czemu się teraz przyglądała. Tchnęła życie w ten organizm podobnie jak bogowie uformowali człowieka z gliny.

Trwała w bezruchu prawie godzinę, urzeczona tym, co widzi, i zdumiona tak dobrymi wynikami już na początku pracy. Postępując wbrew wszelkim naukowym zasadom, ale wierząc przeczuciu, zabrała szkiełko spod mikroskopu i położyła je na blacie. Podeszła do chłodziarki przy ścianie i wyjęła jeden z kilku czterolitrowych dzbanków z wodą przechowywaną w temperaturze dokładnie dwudziestu stopni Celsjusza.

Woda stała w chłodziarce niecały dzień. Dostarczono ją do laboratorium samolotem, gdy tylko pobrano próbki. Świeża woda była niezbędna do eksperymentów Susan i dużo kosztowała – niemal tyle, ile sekwencjonowanie genów.

Otworzyła dzbanek i poczuła słony zapach oceanu. Zanurzyła kroplomierz, po czym przeniosła niewielką ilość wody na szkiełko. Umieściła je pod mikroskopem i zajrzała do królestwa mikroorganizmów. Próbka tętniła życiem. W kilku mililitrach wody roiło się od zooplanktonu i okrzemek, jednokomórkowych roślin mikroskopijnej wielkości.

Maleńkie organizmy zwierzęce i roślinne były podobne do tamtych, które oglądała wcześniej, ale te nie zostały zmodyfikowane genetycznie.

Zadowolona, że woda nie uległa degradacji podczas transportu, wlała trochę do zlewki. Uniosła ją nad głowę i w oślepiającym blasku jarzeniówek zobaczyła niektóre z większych okrzemek. Była tak pochłonięta pracą, że nie usłyszała, jak otwierają się drzwi laboratorium, a poza tym zrobiło się bardzo późno i nawet nie pomyślała, że ktoś tu może zajrzeć.

– Co tam masz? – Głos tak ją przestraszył, że omal nie upuściła zlewki.

– O, doktor Merrick. Sądziłam, że pan już wyszedł.

– Prosiłem cię, tak jak wszystkich w firmie, żebyś zwracała się do mnie Geoff.

Susan zmarszczyła lekko brwi. Geoffrey Merrick w gruncie rzeczy nie był zły, ale nie lubiła takiego bratania się, drażniło ją zachowanie szefa, jakby uważał, iż to, że jest miliarderem, nie może mieć wpływu na stosunek ludzi do niego, zwłaszcza doktorantów pracujących w Merrick/Singer.

Miał pięćdziesiąt jeden lat, ale zachował dobrą formę dzięki temu, że jeździł na nartach niemal przez okrągły rok, jeśli nie w Alpach Szwajcarskich, gdzie latem brakowało śniegu, to w Ameryce Południowej. Chlubił się też swoim wyglądem, który zawdzięczał systematycznym wizytom w gabinecie kosmetycznym. Choć sam był doktorem chemii, dawno porzucił pracę w laboratorium i zajął się nadzorowaniem firmy badawczej założonej przez niego i wspólnika, Dana Singera. Teraz prowadził ją sam.

Merrick wziął od Susan zlewkę i przyjrzał się zawartości.

– To jest projekt, który przedstawił mi przed paroma miesiącami twój promotor?

Susan nie potrafiła skłamać, żeby się go pozbyć ze swojego laboratorium.

– Tak, panie doktorze… to znaczy, Geoff.

– Pomysł wydał mi się wtedy interesujący, choć nie mam zielonego pojęcia, jak można by go wykorzystać. – Oddał jej zlewkę. – Ale tak tu pracujemy; kiedy coś nam przychodzi do głowy, od razu bierzemy się do roboty, żeby sprawdzić, co z tego wyniknie. Jak ci idzie?

– Myślę, że dobrze – odparła speszona. Merrick zawsze ją onieśmielał. Choć prawdę mówiąc, onieśmielała ją większość ludzi, zaczynając od szefa, poprzez starszą kobietę, od której wynajmowała mieszkanie, po mężczyznę za kontuarem w restauracji, gdzie piła poranną kawę. – Miałam właśnie przeprowadzić nienaukowy eksperyment.

– Świetnie, popatrzmy na to. Proszę, kontynuuj.

Susan drżały ręce, postawiła więc zlewkę na podstawce. Wzięła pierwsze szkiełko, to ze spreparowanym fitoplanktonem, pobrała próbkę świeżym kroplomierzem i wpuściła ostrożnie do zlewki.

Merrick pochylił się nad jej ramieniem.

– Zapomniałem szczegółów tego, nad czym pracujesz. Co powinniśmy zobaczyć?

Susan odsunęła się, nie chcąc dać po sobie poznać, że czuje się nieswojo z powodu jego bliskości.

– Jak wiadomo, okrzemki mają ścianę komórkową z krzemionki. Znalazłam, a raczej próbuję znaleźć sposób na rozpuszczenie tej ściany i zwiększenie gęstości soku komórkowego w wakuoli. Spreparowane przeze mnie okazy powinny zaatakować niezmienione okrzemki w wodzie i wpaść w szał replikacji, jeśli wszystko pójdzie dobrze... – urwała. Znów sięgnęła po zlewkę i wsunęła dłoń w rękawicę ochronną, żeby móc dotknąć szklanego naczynia. Przechyliła je na bok, ale woda, zamiast wylać się szybko, spływała po wewnętrznej powierzchni naczynia tak, jakby miała lepkość oleju. Susan wyprostowała zlewkę, zanim cokolwiek zdążyło kapnąć na stół laboratoryjny.

Merrick klasnął, zachwycony jak dziecko, któremu właśnie pokazano magiczną sztuczkę.

– Zmieniłaś wodę w jakąś maź.

– Coś w tym rodzaju. Okrzemki połączyły się w taki sposób, że uwięziły wodę w swoim soku komórkowym. Ona nie zniknęła, tylko jakby trwa w zawieszeniu.

– A niech mnie. Dobra robota, Susan.

– To jeszcze nie sukces – zastrzegła. – Reakcja jest egzotermiczna. Generuje ciepło. Około sześćdziesięciu stopni Celsjusza w odpowiednich warunkach. Dlatego włożyłam grubą rękawicę. Żel się rozpada zaledwie po dwudziestu czterech godzinach i spreparowane okrzemki obumierają. Nie mogę rozgryźć, jaki proces zachodzi podczas reakcji. Oczywiście chemiczny, to wiem, ale nie umiem go zatrzymać.

– Mimo wszystko uważam, że to doskonały początek. Na pewno masz jakiś pomysł, jak można by wykorzystać ten wynalazek. Myśl, żeby zmienić wodę w żel, nie przychodzi człowiekowi do głowy ni z tego, ni z owego. Kiedy Dan Singer i ja zaczynaliśmy pracować nad organicznymi sposobami zatrzymywania siarki, uważaliśmy, że będzie to mogło znaleźć zastosowanie w elektrowniach do zmniejszenia emisji zanieczyszczeń. Twój projekt musi czemuś służyć.

Susan zamrugała, ale powinna wiedzieć, że Geoffrey Merrick nie zaszedłby tak wysoko, gdyby był mniej bystry.

– To prawda. Myślałam o wykorzystaniu tego do ochrony kopalń przed zalewaniem i w stacjach uzdatniania wody, a może nawet do zapobiegania rozprzestrzenianiu się plam ropy.

– No właśnie, pamiętam z twoich akt personalnych, że jesteś z Alaski.

– Tak, z Seward.

– Byłaś chyba nastolatką, kiedy „Exxon Valdez" wpadł na rafę i ropa zalała Zatokę Księcia Williama. Z pewnością ucierpieliście i ciężko wam się żyło.

Susan wzruszyła ramionami.

– Niespecjalnie. Rodzice prowadzili mały hotel, więc kiedy zjechały ekipy do usuwania skutków katastrofy, poradzili sobie. Ale rodziny wielu moich znajomych straciły wszystko. Rodzice mojej najlepszej przyjaciółki nawet się rozwiedli, bo jej ojciec stracił pracę w fabryce konserw.

– Więc te badania to dla ciebie sprawa osobista.

Susan zjeżyła się, słysząc w jego głosie protekcjonalny ton.

– Uważam, że to powinna być sprawa osobista każdego, komu zależy na ochronie środowiska.

Merrick się uśmiechnął.

– Wiesz, o co mi chodzi. Jesteś jak badaczka raka, której rodzic zmarł na białaczkę, albo jak facet, który zostaje strażakiem, bo kiedy był dzieckiem, jego dom spłonął. – Milczała, więc uznał, że przyznaje mu rację. – To nic złego, że motywem jest chęć zemsty, Susan. Za raka, za pożar czy za katastrofę ekologiczną. Człowiek koncentruje się wtedy na pracy o wiele bardziej, niż gdyby robił to tylko dla pieniędzy. Podziwiam cię, i z tego, co dziś widziałem, idziesz we właściwym kierunku.

– Dzięki – odparła nieśmiało Susan. – Czeka mnie jeszcze mnóstwo pracy. Może lata. Nie wiem. Od maleńkiej próbki w laboratorium do powstrzymania plamy ropy jest daleka droga.

– Realizuj swoje pomysły, tylko tyle mogę ci powiedzieć. Jedź, dokąd cię ciągnie, i na jak długo potrzebujesz. – W ustach kogoś innego zabrzmiałoby to banalnie, ale Geoffrey Merrick mówił szczerze i z przekonaniem.

Ich spojrzenia spotkały się po raz pierwszy, odkąd wszedł do laboratorium.

– Dziękuję... Geoff. To dla mnie wiele znaczy.

– Kto wie, co będzie? Kiedy opatentowaliśmy nasze filtry siarki, stałem się obiektem ataku ruchu ekologicznego, bo twierdzono, że mój wynalazek wcale nie zmniejsza zanieczyszczenia środowiska, a wręcz działa na szkodę. Może uratujesz moją reputację. – Wyszedł z uśmiechem.

Wróciła do swoich zlewek i probówek. Włożyła rękawice, wzięła szklane naczynie z genetycznie zmodyfikowanymi okrzemkami i znów przechyliła je wolno na bok. Minęło dziesięć minut, odkąd ostatnio trzymała zlewkę, i tym razem próbka wody przylgnęła do dna jak klej. Dopiero po odwróceniu gorącego naczynia do góry dnem zaczęła ściekać w dół wolno jak schłodzona melasa.

Susan pomyślała o zdychających wydrach i ptakach morskich, które widziała w dzieciństwie, i zdwoiła wysiłki.

Rozdział 3

Rzeka Kongo na południe od Matadi

Dżungla w końcu musiała wchłonąć opuszczoną plantację i stumetrowy drewniany pomost zbudowany wzdłuż rzeki. Dom stojący półtora kilometra w głębi lądu już zamienił się w ruinę, zarósł roślinnością i nie było wątpliwości, że wcześniej czy później zniknie przystań, zawali się też pobliski magazyn, blaszak. Dach zapadał się jak łękowaty koński grzbiet, blacha falista rdzewiała, farba się łuszczyła. Wyludnionego miejsca nie mogła ożywić nawet łagodna mleczna poświata trzech czwartych księżyca.

Duży frachtowiec, który zbliżał się powoli do pomostu, górował nawet nad wielkim magazynem. Dziób statku celował w dół rzeki, silniki pracowały na wstecznym biegu, woda za rufą pieniła się, gdy walczył z prądem, by utrzymać pozycję. To wymagało precyzji na pełnym wirów Kongu.

Kapitan spacerował po prawym skrzydle mostka z krótkofalówką przy ustach, wymachiwał teatralnie wolną ręką i wykrzykiwał rozkazy do sternika i mechanika. Przepustnice były przesuwane minimalnymi skokami, by ustawić stusiedemdziesięciometrowy statek dokładnie tam, gdzie chciał kapitan.

Grupa mężczyzn w czarnych mundurach polowych czekała na przystani i obserwowała operację. Wszyscy z wyjątkiem jednego trzymali kałasznikowy. Ten bez AK-47 miał dużą kaburę na biodrze. Uderzał szpicrutą w bok nogi i mimo ciemności nosił przeciwsłoneczne lustrzane okulary lotnicze.

Kapitan był wielkim czarnym mężczyzną w czapce greckiego rybaka na ogolonej głowie. Mięśnie klatki piersiowej i ramion rozciągały białą mundurową koszulę. Na skrzydle mostka towarzyszył mu nieco niższy i nie tak atletycznie zbudowany mężczyzna, który mimo to wyglądał bardziej władczo. Z jego bystrego spojrzenia i swobodnej postawy wprost emanowała siła autorytetu. Mostek był trzy piętra nad pomostem, nikt nie mógł więc podsłuchać ich rozmowy. Kapitan szturchnął swojego towarzysza, którego bardziej interesował uzbrojony oddział na brzegu niż ryzykowne manewrowanie statkiem.

– Nasz dowódca rebeliantów chyba wrócił prosto z jakiegoś castingu, co, prezesie?

– Sądząc po szpicrucie i okularach, na to wygląda – zgodził się prezes. – Ale my też pokazujemy lu-

dziom to, co spodziewają się zobaczyć, „kapitanie"
Lincoln. To przedstawienie z krótkofalówką dobrze
wyszło.

Linc spojrzał na krótkofalówkę w swojej wielkiej
dłoni. Do małego urządzenia nie włożono nawet baterii. Zachichotał cicho. Był najstarszym Afroamery-
kaninem w załodze i dlatego został wybrany przez
prawdziwego kapitana, Juana Cabrilla, do odegrania
jego roli podczas tej operacji. Cabrillo wiedział, że wy-
słannik Samuela Makambo, przywódcy Kongijskiej
Armii Rewolucyjnej, będzie bardziej odprężony, mając do czynienia z człowiekiem o tym samym kolorze
skóry, co on.

Lincoln znów wyjrzał za reling zadowolony, że
duży frachtowiec jest stabilny.

– Okej – krzyknął w noc. – Przycumować statek!

Marynarze na dziobie i rufie opuścili grube liny
przez kluzy kotwiczne. Na skinienie swojego dowódcy
dwaj rebelianci zarzucili karabinki na ramię i założyli pętle cum na zardzewiałe pachołki. Kabestany wy-
brały liny i duży frachtowiec dotknął lekko odbojów
ze starych opon od ciężarówek zawieszonych wzdłuż
przystani. Woda nadal pieniła się za rufą statku, gdyż
silniki wciąż pracowały na wstecznym biegu, by utrzymać frachtowiec w miejscu pod prąd. Inaczej wyrwał-
by pachołki ze spróchniałego drewnianego pomostu
i podryfował w dół rzeki.

Cabrillo obrzucił jednym spojrzeniem wskaźniki
prądu rzecznego, wiatru, steru, mocy i pozycji frachtowca. Zadowolony skinął Lincowi głową.

– Do dzieła.

Weszli do sterówki. Pomieszczenie oświetlały dwie
czerwone nocne lampy, ich blask nadawał wnętrzu
upiorny wygląd i uwydatniał jego opłakany stan. Na
podłodze leżało brudne, popękane i odstające w rogach
linoleum. Zakurzone od środka szyby otaczała na zewnątrz skorupa soli. Parapety stały się cmentarzami
wszelkiego rodzaju martwych owadów. Jedna wska-
zówka poczerniałego mosiężnego telegrafu maszynowni dawno odpadła, w kole sterowym brakowało kilku

szprych. Statek był wyposażony w niewiele nowoczesnych pomocy nawigacyjnych, radiostacja w kabinie za sterownią miała zasięg ledwie dwunastu mil morskich.

Cabrillo skinął głową sternikowi, skupionemu Chińczykowi po czterdziestce, który posłał prezesowi krzywy uśmiech. Cabrillo i Franklin Lincoln udali się na dół szeregiem zejściówek oświetlonych w niektórych miejscach słabą żarówką w drucianej osłonie. Wkrótce dotarli na główny pokład, gdzie czekał jeden z członków załogi.

– Gotów do odegrania roli jubilera w dżungli, Max? – powitał go Juan.

Max Hanley, drugi najstarszy członek załogi, jak na sześćdziesięcioczterolatka czuł się całkiem dobrze. Ubyło mu rudych włosów, z których pozostał wianuszek wokół czaszki, i przybyło kilka centymetrów w pasie, ale wciąż radził sobie doskonale w ogniu walki; i był u boku Cabrilla od dnia, w którym Juan założył Korporację, firmę będącą właścicielem frachtowca. Stawiali razem czoło niezliczonym niebezpieczeństwom, z czego zrodziła się ich przyjaźń i wzajemny szacunek.

Hanley podniósł neseser z powgniatanego pokładu.

– Znacie to powiedzenie, że diamenty są najlepszym przyjacielem najemnika.

– Pierwsze słyszę – odparł Linc.

– Ale oni tak mówią.

Transakcję przygotowywano od miesiąca przez niezliczonych pośredników. Odbyło się kilka potajemnych spotkań. Umowa była prosta. W zamian za sto piętnaście gramów nieoszlifowanych diamentów Korporacja dostarczy Kongijskiej Armii Rewolucyjnej Samuela Makambo pięćset karabinków AK-47, dwieście granatów rakietowych, pięćdziesiąt wyrzutni i pięćdziesiąt tysięcy sztuk amunicji 7,62 milimetra używanej przez wojska Układu Warszawskiego. Makambo nie pytał, gdzie załoga frachtowca zdobyła tyle broni, a Cabrillo nie chciał wiedzieć, skąd przywódca rebeliantów ma taką liczbę diamentów. Choć Juan był pewien, że kamienie pochodzące z tej części świata zo stały wykopane w krwawym znoju przez niewolników, żeby sfinansować rewolucję.

Makambo werbował do armii nawet trzynastoletnich chłopców, toteż bardziej potrzebował broni niż żołnierzy i ta dostawa dawała mu dużą szansę obalenia słabego rządu.

Członek załogi opuścił trap na pomost i Linc poprowadził Cabrilla i Hanleya na przystań. Jedyny oficer wśród rebeliantów odłączył się od swojej gwardii pretoriańskiej i podszedł do Franklina Lincolna. Zasalutował mu energicznie, na co Linc dotknął niedbałym ruchem daszka rybackiej czapki.

– Kapitanie Lincoln, nazywam się Raif Abala i jestem pułkownikiem Kongijskiej Armii Rewolucyjnej.

Abala mówił po angielsku z mieszaniną francuskiego i miejscowego akcentu. Miał beznamiętny ton głosu bez cienia modulacji. Nie zdjął okularów przeciwsłonecznych i nadal uderzał szpicrutą w szew spodni mundurowych.

– Witam, pułkowniku. – Linc podniósł ręce do góry, żeby adiutant z dziobatą twarzą mógł bo obszukać.

– Nasz najwyższy przywódca, generał Samuel Makambo, przesyła wyrazy szacunku i żałuje, że nie mógł spotkać się z panem osobiście.

Makambo prowadził trwającą od roku wojnę powstańczą, mając tajną bazę gdzieś głęboko w dżungli. Nie widziano go, odkąd się zbuntował. Zdołał udaremnić wszystkie próby infiltracji jego kwatery głównej, zabijając dziesięciu starannie wyselekcjonowanych żołnierzy sił rządowych, którzy usiłowali przyłączyć się do KAR z rozkazami zlikwidowania go. Podobnie jak bin Ladena czy Abimaela Guzmana, byłego przywódcę peruwiańskiego Świetlistego Szlaku, Makambo otaczała aura niezwyciężonego, co zjednywało mu zwolenników, mimo że miał na rękach krew tysięcy ofiar rebelii.

– Przywiózł pan broń? – Zabrzmiało to bardziej jak stwierdzenie niż pytanie.

– Zobaczy ją pan, gdy tylko mój wspólnik obejrzy kamienie. – Lincoln wskazał niedbałym gestem Maxa.

– Zgodnie z umową – odparł Abala. – Chodźmy.

Na pomoście stał stół oświetlony lampą zasilaną z przenośnego generatora. Abala przerzucił nogę nad krzesłem, usiadł i położył szpicrutę na blacie. Przed nim leżał brązowy worek z nadrukowaną w języku francuskim nazwą jakiejś firmy produkującej paszę. Max usiadł na wprost afrykańskiego rebelianta i otworzył neseser. Wyjął wagę elektroniczną, odważniki do jej wyskalowania, cylindryczne plastikowe pojemniki z podziałką wypełnione przezroczystym płynem, notesy, ołówki i mały kalkulator. Część żołnierzy stanęła za Abalą, jeszcze więcej za Maxem Hanleyem. Dwaj inni zajęli stanowiska obok Cabrilla i Linca, gotowi w każdej chwili, na znak pułkownika, położyć ich trupem. W wilgotnym nocnym powietrzu wyczuwało się groźbę użycia przemocy i nerwowe napięcie.

Abala położył rękę na worku i spojrzał na Linca.

– Kapitanie, myślę, że czas okazać trochę dobrej woli. Chciałbym teraz zobaczyć kontener z bronią.

– Tego nie zawiera umowa. – W głosie Linca pojawił się niepokój. Adiutant Abali zachichotał.

– Jak powiedziałem, to byłby gest dobrej woli z pańskiej strony, dowód zaufania. – Zdjął rękę z worka i uniósł palec. Z ciemności wyłoniło się jeszcze dwudziestu żołnierzy. Abala odprawił ich gestem. Zniknęli tak szybko, jak się pojawili. – Moi ludzie mogliby zabić pańską załogę i po prostu zabrać broń. Oto gest dobrej woli z mojej strony.

Linc nie miał wyboru; odwrócił się twarzą do statku, gdzie przy relingu stał członek załogi, i zakręcił ręką młynka nad głową. Marynarz odmachał i po chwili rozległ się warkot małego silnika dieslowskiego. Środkowy z trzech żurawi na pokładzie dziobowym frachtowca ożył ze zgrzytem, grube liny nawinęły się na zardzewiałe bloki i uniosły z dna ładowni standardowy dwunastometrowy kontener, jakich setki tysięcy używa się co dzień w transporcie morskim. Żuraw wydobył ciężar z luku, przeniósł go do relingu i postawił na pokładzie. Dwaj marynarze otworzyli drzwi kontenera i weszli do środka. Krzyknęli coś do operatora żurawia i ładunek znów powędrował w górę. Przesunął się nad relingiem, znalazł za burtą statku i został opuszczony w dół, ale zawisnął dwa i pół metra nad pomostem.

Mężczyźni w kontenerze oświetlili latarkami jego zawartość. Wzdłuż ścian ciągnęły się stojaki z kałasznikowami, czarne karabinki lśniły oleiście. Światło padło na ciemnozielone skrzynie. Jedna była otwarta i marynarz przyłożył do ramienia nienaładowany granatnik, jakby demonstrował go na targach broni. Paru najmłodszych rebeliantów krzyknęło na wiwat i nawet Raif Abala nie mógł powstrzymać uśmiechu.

– Oto dowód mojej dobrej woli – powiedział Lincoln, kiedy dwaj członkowie załogi zeskoczyli na ziemię i wrócili na statek.

Abala bez słowa wysypał zawartość worka na stół. Oszlifowane diamenty są najlepszymi naturalnymi refraktorami na świecie. Rozszczepiają białe światło na barwy tęczy, rzucając takie błyski i blask, że są przedmiotem pożądania od niepamiętnych czasów. Ale w stanie surowym niczym się nie wyróżniają. Kamienie na blacie nie skrzyły się, były matowymi bryłkami kryształu. Większość tworzyła pary czworobocznych piramid zespojonych podstawami, część nie miała określonego kształtu. Białe lub jasnożółte, jedne bez skazy, niektóre popękane i wyszczerbione. Ale Max i Juan natychmiast zauważyli, że żaden z diamentów nie jest mniejszy niż karat. Ich cena w Nowym Jorku, Tel Awiwie czy Amsterdamie przekroczyłaby znacznie wartość ładunku kontenera, ale na tym polegała istota handlu. Abala zawsze mógł zdobyć więcej kamieni, natomiast o broń było trudno.

Max odruchowo wziął największy diament, co najmniej dziesięciokaratowy. Oszlifowany na cztero- lub pięciokaratowy klejnot, kamień kosztowałby około czterdziestu tysięcy dolarów, zależnie od barwy i czystości. Hanley zacisnął wargi i z kwaśną miną obejrzał go uważnie pod światło przez lupę jubilerską. Odłożył go bez komentarza, sięgnął po drugi diament, potem po trzeci. Cmoknął kilka razy, jakby rozczarowany tym, co zobaczył, po czym wyciągnął z kieszeni koszuli okulary do czytania. Kiedy je włożył, zerknął na Abalę z wyrazem zawodu na twarzy, otworzył jeden ze swoich notesów i nagryzmolił ołówkiem automatycznym kilka linijek.

– Co pan pisze? – zapytał Abala, który nagle poczuł się niepewnie w obecności zachowującego się jak ekspert Maxa.

– Że te kamienie to bardziej żwir niż diamenty – odparł Hanley nieprzyjemnym, piskliwym głosem ze strasznym holenderskim akcentem. Abala już zrywał się z krzesła po takiej zniewadze, ale Max powstrzymał go gestem. – Jednak po wstępnych oględzinach oceniam je na tyle zadowalająco, że możemy dokonać transakcji.

Wyciągnął z kieszeni spodni płaski kawałek topazu o mocno porysowanych powierzchniach.

– Zapewne pan wie – zaczął mentorskim tonem – diament to najtwardszy minerał na świecie. Zajmuje najwyższą, dziesiątą pozycję w skali Mohsa. Kwarc, oznaczony numerem siódmym, jest często wykorzystywany do oszukiwania niewtajemniczonych, którzy myślą, że trafia im się życiowa okazja.

Z tej samej kieszeni wyjął ośmiościenny kryształ i z dużym naciskiem przesunął kwarcem po płaskim topazie. Nie pozostał na nim żaden ślad.

– Jak pan widzi, topaz jest twardszy niż kwarc, dlatego nie można go zarysować. Jest ósmy w skali Mohsa. – Wziął jeden z mniejszych diamentów i zrobił to samo. Z przyprawiającym o ciarki zgrzytem krawędź kamienia zagłębiła się w powierzchni topazu. – A tu mamy minerał twardszy niż ósmy w skali Mohsa.

– Diament – stwierdził z zadowoleniem Abala.

Max westchnął, jakby nierozgarnięty uczeń palnął bzdurę. Dobrze się bawił, udając gemmologa.

– Albo korund, dziewiąty w skali Mohsa. Jedynym sposobem upewnienia się, że to diament, jest sprawdzenie jego gęstości.

Choć Abala miał do czynienia z diamentami wiele razy, mało wiedział o ich własnościach ponad to, że są cenne. Nie zdając sobie z tego sprawy, Hanley rozbudził w nim ciekawość i uśpił jego czujność.

– Co to jest gęstość? – zapytał pułkownik.

– Stosunek ciężaru kamienia do ilości wypieranej przez niego wody. Dla diamentu wynosi on dokładnie trzy i pięćdziesiąt dwie setne. – Max wziął wagę i wyskalował ją przy użyciu mosiężnych odważników z wyłożonej welwetem skrzyneczki. Kiedy waga została wyzerowana, położył na szalce największy kamień. Dwa i dwadzieścia pięć setnych grama. Jedenaście i pół karata. Otworzył jeden z plastikowych cylindrów z podziałką, wrzucił diament do środka i zapisał w notesie ilość wypartej wody. Potem zrobił obliczenie na kalkulatorze. Kiedy zobaczył wynik, zgromił wzrokiem Raifa Abalę.

Abala wytrzeszczył oczy z gniewu i oburzenia. Jego ludzie zacieśnili kordon. Ktoś przycisnął Juanowi lufę do pleców.

Nieporuszony nagłym przejawem agresji Max przybrał obojętną minę, po czym pozwolił sobie na lekki uśmiech.

– Trzy przecinek pięćdziesiąt dwa. To prawdziwy diament, panowie.

Pułkownik Abala opuścił się wolno na krzesło i nacisk palców na spuście zelżał. Cabrillo miał ochotę udusić Hanleya za to, że trochę za dobrze gra swoją rolę.

Max sprawdził na chybił trafił jeszcze osiem kamieni. Za każdym razem wynik był ten sam.

– Dotrzymałem mojej części umowy – powiedział Abala. – Sto piętnaście gramów diamentów za kontener broni.

Kiedy Hanley sprawdzał następne kamienie, Linc zaprowadził Abalę do otwartego kontenera i dał sygnał członkowi załogi na frachtowcu, żeby opuścił go na pomost. Drewno zaskrzypiało pod ciężarem. Towarzyszyło im pięciu rebeliantów. W blasku latarki Abala i jego ludzie wzięli dziesięć AK-47 z różnych stojaków i około stu sztuk amunicji zapakowanej w woskowany papier, który rozcięli maczetą.

Linc stanął blisko Abali, żeby żołnierze nie próbowali żadnych sztuczek, i przyglądał się, jak Afrykanie pracowicie ładują lśniące mosiężne naboje do

charakterystycznych łukowych magazynków kałaszni-
ków. Juan, który miał lekką kamizelkę kuloodporną
pod obszerną bluzą sportową, nie odstępował Maxa
z tego samego powodu. Z każdego karabinka oddano
dziesięć strzałów, cztery pojedyncze i sześć w dwóch
seriach po trzy, do celu na bocznej ścianie nieużywa-
nego magazynu. Hałas niósł się przez szeroką rzekę
i płoszył stada ptaków, które wzbijały się w powietrze.
Żołnierz pobiegł obejrzeć skutki ostrzału i krzyknął
entuzjastycznie.

– Dobrze – mruknął Abala do Linca. – Bardzo
dobrze.

Z tyłu przy stole Hanley zważył pusty worek i zapisał wynik w notesie. Potem, pod czujnym okiem ludzi
Abali, zebrał kamienie czerpakiem na długim trzonku,
wsypał je z powrotem do worka i znów położył go na
szalce wagi. Wziął kalkulator i odjął pierwszą wartość
od drugiej. Zerknął przez ramię na Cabrilla i szepnął:

– Brakuje ośmiu karatów.

W zależności od diamentów tych osiem karatów
mogło się przełożyć na kilkadziesiąt tysięcy dolarów.
Juan wzruszył ramionami.

– Będę zadowolony, jeśli wydostaniemy się stąd
żywi. Chodźmy. Kapitanie! – zawołał do Linca, który
demonstrował jeden z granatników Abali i rebelian-
towi o wyglądzie zawodowego sierżanta: – Władze
portowe w Bomie nie będą trzymać dla nas miejsca.
Musimy ruszać.

Linc odwrócił się do niego.

– Oczywiście, panie Cabrillo. Dziękuję. – Spojrzał na Abalę. – Żałuję, że nie mogę zaoferować panu
więcej broni, pułkowniku, ale wielkość zamówienia
zaskoczyła mnie i moją załogę.

– Gdybyście… eee… jeszcze kiedyś zostali tak
zaskoczeni, to wie pan, jak się z nami skontaktować.

Podeszli do stołu.

– Wszystko załatwione? – zapytał Maxa Linc.

– Tak, kapitanie, wszystko w porządku.

Abala uśmiechnął się szeroko. Oszukał ich, wiedząc, że przytłaczająca liczba jego uzbrojonych ludzi

przestraszy załogę frachtowca i zmusi ją do przyjęcia mniejszej ilości kamieni niż to było uzgodnione. Brakujące diamenty schował do kieszeni kurtki mundurowej i miały przebyć długą drogę, by zasilić jego konto w szwajcarskim banku.

– W takim razie chodźmy, panowie. – Linc wziął od Maxa worek z drogimi kamieniami i ruszył szybkim krokiem w stronę statku. Cabrillo i Hanley ledwie za nim nadążali. Byli już blisko trapu, gdy ludzie Abali weszli do akcji. Dwaj stojący najbliżej pochylni zastąpili drogę trzem mężczyznom, kilkudziesięciu rebeliantów wypadło z dżungli, wrzeszczeli na całe gardło, strzelając w powietrze. Co najmniej tuzin Afrykanów otoczyło kontener i próbowało odczepić liny żurawia.

Sprawa byłaby przesądzona, gdyby członkowie Korporacji nie spodziewali się pułapki. Sekundę wcześniej, niż Abala krzyknął rozkaz do ataku, Cabrillo i Linc zerwali się do biegu. Dopadli dwóch rebeliantów u podnóża trapu, zanim tamci zdążyli użyć broni. Linc wrzucił jednego młodego żołnierza do wody między frachtowcem a pomostem, Juan wbił drugiemu palce w gardło tak mocno, że rebeliant zwymiotował. Kiedy kaszlał, Cabrillo wyrwał mu kałasznikowa z rąk i walnął go kolbą w brzuch. Afrykanin upadł, zgięty wpół. Juan odwrócił się i otworzył ogień do atakujących, żeby osłonić Maxa i Linca, którzy już wspinali się po trapie. Potem wskoczył na pochylnię i wcisnął przycisk pod poręczą. Dolne półtora metra trapu uniosło się gwałtownie do góry o dziewięćdziesiąt stopni. Solidne boki i ustawiony teraz pionowo koniec pochylni chroniły ich przed ostrzałem. Pociski gwizdały im nad głowami, trafiały w burtę statku i rykoszetowały od metalowych bocznych ścian trapu, gdy kulili się w bezpiecznej opancerzonej kryjówce.

– Jakbyśmy nie wiedzieli, co się święci! – krzyknął z nonszalancją Max przy wtórze ogłuszającej strzelaniny.

Operator wewnątrz frachtowca poruszył sterownikami pochylni i uniósł ją z pomostu, żeby mężczyźni mogli wbiec do nadbudowy. Udawanie się skończyło i Juan natychmiast objął dowództwo. Wcisnął przycisk interkomu na przegrodzie.

– Meldunek sytuacyjny, panie Murphy – zażądał.

Głęboko w czeluściach statku Mark Murphy, główny operator uzbrojenia, patrzył na monitor pokazujący obraz z kamery zamontowanej na jednym z pięciu żurawi frachtowca.

– Po podniesieniu trapu strzela już tylko paru facetów. Abala chyba próbuje zorganizować natarcie. Otacza go mniej więcej setka ludzi, którym wydaje rozkazy.

– A co z kontenerem?

– Już prawie go odczepili... Moment... Tak, mają go. Uwolniliśmy się od niego.

– Niech pan Stone przygotuje się do zabrania nas stąd.

– Ale, prezesie... – Mark się zawahał. – Jesteśmy jeszcze przycumowani do pachołków na przystani.

Cabrillo starł palcem strużkę krwi z ucha, gdzie drasnął go kawałek drewna odłupany przez pocisk.

– Wyrwiemy je. Już idę.

Ich statek pasował wyglądem do rozpadającego się pomostu, ale skrywał tajemnicę, którą znało bardzo niewiele osób spoza załogi. Kadłub z rdzawymi zaciekami i plamami farby w różnych kolorach, zniszczone żurawie i pokład, wszechobecny brud – to stanowiło tylko kamuflaż maskujący prawdziwy frachtowiec. „Oregon" był prywatnym okrętem szpiegowskim należącym do Korporacji i dowodzonym przez Juana Cabrilla, jego pomysłem i jedyną prawdziwą miłością.

Jednostkę wyposażono w najnowocześniejsze rodzaje uzbrojenia na świecie – pociski manewrujące i torpedy kupione od skorumpowanego rosyjskiego generała, trzydziestomilimetrowe działka Gatling, studwudziestomilimetrową armatę z takim samym systemem celowniczym jak czołg M1A2 Abrams i serwosterowane karabiny maszynowe kaliber 7,62 milimetra do obrony przed abordażem. Całe uzbrojenie zamontowano za pancernymi płytami wzdłuż kadłuba lub zamaskowano jako złom zaśmiecający pokład. Zdalnie sterowane kaemy ukryto w zardzewiałych beczkach po oleju rozmieszczonych w strategicznych punktach przy relingu. Po otwarciu pokryw wyłaniała się broń z kamerami noktowizyjnymi.

Kilka pokładów poniżej mostka, gdzie Cabrillo i Lincoln stali wtedy, gdy „Oregon" przybijał do przystani, mieściło się centrum operacyjne, mózg statku. Z tego pomieszczenia załoga złożona z byłych wojskowych i agentów CIA zarządzała całym frachtowcem, od silników i dynamicznego systemu pozycjonującego do wszystkich rodzajów uzbrojenia. Mieli też do dyspozycji sprzęt radarowy i sonarowy w jednej z najlepszych dostępnych specyfikacji.

Właśnie z centrum operacyjnego doskonały sternik, Eric Stone, kierował „Oregonem", kiedy statek podchodził do pomostu. Manewrował frachtowcem, korzystając z poprzecznych pędników dziobowych i rufowych oraz odbiornika GPS, połączonych z superkomputerem, który obliczał prędkość wiatru, parametry prądu rzecznego i wykonywał mnóstwo innych operacji. To ten komputer regulował odpowiednio wsteczny ciąg silników, żeby „Oregon" utrzymywał się na pozycji w nurcie rzeki Kongo.

Cabrillo i Max weszli do podręcznego magazynu gospodarczego, w którym cuchnęło terpentyną, Linc udał się na spotkanie z Eddiem Sengiem i resztą specjalistów od operacji lądowych na wypadek, gdyby okazali się potrzebni, by zapobiec zajęciu statku przez rebeliantów. Juan obrócił zawory nad zlewem niczym pokrętła sejfu, tylna ściana otworzyła się i odsłoniła korytarz.

W przeciwieństwie do sterówki i innych części nadbudowy, gdzie leżało zniszczone linoleum i łuszczyła się farba, tajne wewnętrzne przejście było jasno oświetlone, wyłożone mahoniową boazerią i miękkimi dywanami. Na ścianie wisiał oryginalny obraz Winslowa przedstawiający statek wielorybniczy podczas połowu, w oszklonej gablocie na końcu korytarza stała szesnastowieczna zbroja z mieczem i maczugą.

Minęli niezliczone drzwi kabin i doszli do centrum operacyjnego w sercu frachtowca. Pomieszczenie ze stanowiskami komputerowymi nie ustępowało nowoczesnością centrum kontroli lotów NASA, wielki płaski ekran dominujący na jednej ścianie pokazywał teraz chaos na przystani. Mark Murphy i Eric Stone siedzieli na przednich stanowiskach roboczych pod wyświetlaczem ściennym, Hali Kasim, główny specjalista od telekomunikacji, zajmował miejsce z prawej strony. Przy tylnej ścianie stali dwaj inspektorzy techniczni i obserwowali zintegrowane systemy bezpieczeństwa statku i baterię monitorów komputerowych, na których Max Hanley mógł śledzić pracę rewolucyjnych silników magnetohydrodynamicznych „Oregona".

Centrum operacyjne z dużym pulpitem pośrodku przypominało sterownię filmowego statku kosmicznego „Enterprise". Juan usiadł na miejscu nazywanym przez załogę fotelem Kirka, włożył słuchawkę z mikrofonem i wyregulował własny mały ekran komputera.

– Mam dwa zbliżające się obiekty – zameldował Hali znad wyświetlacza radaru, który rzucał upiorny zielony blask na jego ciemną twarz. – Niski pułap lotu wskazuje, że to helikoptery. Będą tu za około cztery minuty.

Mark Murphy odwrócił się do prezesa.

– Nic nam nie wiadomo, żeby Makambo miał śmigłowce. Hali dostał właśnie informację, że dwie maszyny ukradziono jakiejś firmie poszukującej ropę. Podają mało szczegółów, ale wygląda na to, że porwano też pilotów.

Juan skinął głową, nie wiedząc, co o tym sądzić.

– Ruch za nami – zawołał Eric Stone, kiedy przełączył osobisty ekran na widok z kamery zamontowanej na rufie.

Dwie łodzie patrolowe wyłoniły się zza zakrętu rzeki. Blask świateł na sterówkach utrudniał rozpoznanie, jak są uzbrojone, ale Mark Murphy na stanowisku ogniowym wywołał bazę danych o jednostkach pływających będących na wyposażeniu kongijskiego wojska.

– To amerykańskie łodzie typu Swift.

– Żartujesz – powiedział Max. Odsłużył na pokładzie swifta dwie tury w Wietnamie.

Murphy mówił dalej, jakby go nie usłyszał.

– Wyporność dwanaście ton, załoga dwunastu ludzi, uzbrojenie sześć karabinów maszynowych kaliber 12,7 milimetra. Prędkość maksymalna dwadzieścia pięć węzłów. Tu jest napisane, że kongijskie siły rzeczne doposażają łodzie w moździerze i załoga może mieć ręczne wyrzutnie rakietowe.

Sytuacja pogarszała się z każdą sekundą. Juan podjął decyzję.

– Hali, połącz się z Benjaminem Isaką. – Był ich kontaktem w kongijskim rządzie. – Powiedz mu, że jego wojskowi dowiedzieli się o naszej operacji i nie zdają sobie sprawy, że jesteśmy po ich stronie, albo dwa jego swifty opanowali ludzie Makambo. Eric, zabierz nas stąd do wszystkich diabłów. Murphy, miej na wszystko oko, ale nie otwieraj ognia bez mojego rozkazu. Jeśli ujawnimy nasze możliwości, Abala się domyśli, że jest wrabiany, i zostawi kontener z bronią na przystani. A skoro o tym mowa, co masz, Hali?

Hali Kasim odgarnął z czoła grzywę czarnych kręconych włosów i wpisał polecenie do komputera.

– Nadajniki działają, siła i czystość sygnału pierwsza klasa.

– Doskonale. – Cabrillo obrócił się w fotelu twarzą do Maxa Hanleya. – Co ty na to, stary?

– Wiesz, że pobieramy moc tylko z akumulatorów. Możemy rozwinąć najwyżej dwadzieścia węzłów.

„Oregon" miał najbardziej zaawansowany technicznie okrętowy system napędowy, jaki kiedykolwiek zbudowano. Silniki magnetohydrodynamiczne wykorzystywały cewki nadprzewodnikowe chłodzone ciekłym helem do pobierania wolnych elektronów z wody morskiej. Prąd elektryczny zasilał potem cztery potężne pompy, które tłoczyły silne strumienie wody przez dwie dysze kierunkowe w rufie, i jedenastotysięcznik osiągał prędkość zbliżoną do szybkości pełnomorskiej łodzi wyścigowej, a ponieważ woda morska służyła mu za paliwo, miał nieograniczony zasięg. Z powodu pożaru, który wybuchł dwa lata wcześniej na statku wycieczkowym z napędem magnetohydrodynamicznym, komisje bezpieczeństwa morskiego w większości krajów zakazały jego stosowania do czasu przeprowadzenia dalszych testów, więc „Oregon" pływał pod irańską banderą – Teheran lekceważył prawo morskie.

Przycumowany na rzece Kongo sto trzydzieści kilometrów od Oceanu Atlantyckiego frachtowiec był otoczony słodką wodą i dlatego Max nie mógł uruchomić jego silników. Pompy wytwarzające odrzut wody musiały być zasilane energią elektryczną zmagazynowaną w akumulatorach srebrowo-cynkowych.

Cabrillo ściśle współpracował z konstruktorami i stoczniowcami, kiedy przerabiali zwykły drewnowiec na zamaskowany okręt szpiegowski, wiedział więc, że nawet przy sprzyjającym prądzie rzecznym akumulatory wystarczą najwyżej na sto kilometrów żeglugi z pełną prędkością, o trzydzieści za mało, by dotrzeć do miejsca, gdzie rzeka uchodzi do oceanu.

– Panie Stone, jaki będzie poziom wody w rzece za trzy godziny? – zapytał sternika.

– Przypływ jest za dwie i pół – odpowiedział Eric Stone bez zaglądania do bazy danych. Znajomość pór pływów oraz prognoz pogody była częścią jego pracy, zbierał informacje z pięciodniowym wyprzedzeniem i dokładnością księgowego sprawdzającego arkusz kalkulacyjny.

– Będzie niewesoło – rzucił Cabrillo, ot tak, w przestrzeń. – Okej, Eric, wynośmy się stąd, zanim ludzie Abali przypuszczą szturm.

– Tak jest, prezesie.

Eric Stone uruchomił z wprawą odrzut wody. Bez gwizdu kriopomp i pomocniczego osprzętu silników magnetohydrodynamicznych rozlegało się tylko głębokie dudnienie, które rozbrzmiewało na całym statku. Włączył pędniki dziobowe i rufowe, frachtowiec zaczął się odsuwać od przystani i naprężać cumy.

Widząc, że ofiara ucieka, rebelianci na pomoście otworzyli ogień z broni automatycznej. Strzelali długimi seriami, które dziurawiły statek od dziobu do rufy. Okna sterówki eksplodowały, z bulajów posypało się szkło, setki pocisków rykoszetowały wśród iskier od pancernych płyt na kadłubie „Oregona". Choć wyglądało to widowiskowo, zniszczyli tylko farbę i wybili trochę szyb łatwych do wstawienia.

Z tyłu odezwały się karabiny maszynowe na nadpływających łodziach patrolowych. By dotrzeć do miejsca spotkania, frachtowiec miał za małe zanurzenie, gdyż opróżniono specjalne zbiorniki balastowe wzdłuż burt, które napełniano, by statek sprawiał wrażenie obciążonego ładunkiem. Toteż strzelcy pędzący brzegiem rzeki widzieli wyraźnie płetwę sterową. Skoncentrowali ogień na jej trzonie w nadziei, że go uszkodzą, i bezradny frachtowiec zostanie na łasce prądu rzecznego. Gdyby mieli przed sobą zwykły statek, tak by się stało. Tymczasem ster „Oregona" mógł nadawać mu kierunek, kiedy było to konieczne, na przykład w porcie pod czujnym okiem władz, ale manewrowość zapewniały mu głównie pędniki dobrze chronione poniżej linii wodnej.

Eric Stone ignorował ostrzał i przyglądał się przez kamerę telewizyjną żelaznym pachołkom na pomoście. Liny cumownicze napięły się mocno, gdy „Oregon" oddalił się od przystani. Dwaj przedsiębiorczy terroryści zarzucili automaty na ramię, chwycili się cumy rufowej i wdrapywali po niej jak szczury. Stone zwiększył moc pędnika rufowego. Rozległ się trzask spróchniałego drewna i pachołek w kształcie grzyba został wyrwany z pomostu jak zepsuty ząb. Pod własnym ciężarem wykonał wahadłowy ruch i uderzył w burtę „Oregona" z dźwiękiem ogromnego dzwonu.

Jeden strzelec runął do wody i wessały go łopaty pędnika rufowego, kiedy Eric odwrócił ciąg, by skorygować kurs frachtowca. Po drugiej stronie statku pojawiła się tylko ciemna plama, zabarwiając wodę na czerwono, zanim porwał ją prąd. Drugi terrorysta zdołał się utrzymać na linie, gdy automatyczne kabestany wciągały ją do góry. Kiedy dotarł do kluzy kotwicznej, próbował wgramolić się na pokład, ale tam czekali na niego Eddie Seng i Franklin Lincoln, którzy śledzili jego ruchy na wyświetlaczach sytuacji taktycznej przymocowanych do kamizelek bojowych.

Eddie wstąpił do Korporacji po odejściu na wcześniejszą emeryturę z CIA i choć nie miał takiego doświadczenia bojowego jak Linc, były komandos SEAL, nadrabiał to z powodzeniem determinacją. Dlatego Juan mianował go szefem operacji lądowych, dowódcą „psów myśliwskich", jak Max nazywał ich oddział byłych żołnierzy SEAL, wywiadu i sił specjalnych.

Terrorysta, który próbował dostać się na pokład, zamarł z przerażenia, trzymając się kurczowo burty, gdy Linc wycelował w niego strzelbę bojową Franchi SPAS-12, a Eddie przystawił mu do skroni lufę glocka.

– Wybór należy do ciebie, przyjacielu – powiedział łagodnie Eddie.

Mężczyzna runął do spienionej wody w dole.

W centrum operacyjnym Eric obserwował drugi pachołek. Mimo wielkiej siły, która go ciągnęła, żelazny grzyb wciąż tkwił w pomoście. W drewnie pojawiły się szerokie pęknięcia, pięciometrowy fragment przystani oderwał się od reszty konstrukcji i trzej żołnierze wylądowali w rzece, a duża część pomostu zaczęła się niebezpiecznie chwiać.

– Uwolniliśmy się – oznajmił Eric.

– Bardzo dobrze. – Juan spojrzał na swój ekran taktyczny. Helikoptery były dwie minuty lotu od nich i zbliżały się z prędkością ponad stu sześćdziesięciu kilometrów na godzinę. Wyobrażał sobie, że maszyny skradzione firmie poszukującej ropę są duże i nowoczesne. Wiedział, że z broni ukrytej na całym statku mogliby wystrzelać wszystkich żołnierzy na przystani, strącić oba śmigłowce i zatopić ścigające ich łodzie patrolowe, ale nie o to chodziło w operacji, do której ich wynajęto. – Przyspiesz do dwudziestu węzłów.

– Tak jest.

Duży frachtowiec nabrał gładko szybkości i opór wody oderwał w końcu kawałek pomostu wciąż trzymający się pachołka. Ostrzał z brzegu wkrótce ustał, ale dwie łodzie patrolowe nadal zasypywały „Oregona" gradem pocisków kaliber 12,7 milimetra.

– Granat rakietowy! – krzyknął nagle Mark Murphy.

Ludzie Abali musieli mieć pojazdy ukryte w dżungli, bo poruszali się teraz w tempie „Oregona" uciekającego w dół rzeki Kongo. Mały pocisk poszybował łukiem z zarośli nad wodę i trafił w dziób. Pancerz statku ochronił wnętrze, ale wybuch był ogłuszający i przez pokład przetoczyła się kula ognia. Niemal natychmiast na jednej z łodzi patrolowych odpalono następną rakietę. Granat nadleciał pod niskim kątem, minął reling na rufie wystarczająco blisko, by spalić farbę, i uderzył w komin. W środku ukryto wysokiej klasy radar „Oregona", zabezpieczony pancerzem, ale mimo to siła eksplozji uszkodziła system.

– Zajmę się tym – zawołał Hali, gdy zgasł jego wyświetlacz, i wybiegł z centrum operacyjnego. Komputer pokładowy automatycznie wysłał już do akcji strażaków i elektroników.

Linda Ross, drobna piegowata kobieta o wysokim, dziewczęcym głosie, natychmiast zajęła stanowisko Halego.

– Helikoptery są minutę lotu od nas, prezesie, a ostatni obraz z radaru pokazywał ruch z przeciwnego kierunku na rzece.

Juan podwyższył rozdzielczość kamer skierowanych w stronę dziobu. Woda była czarna jak smoła, wzgórza srebrzyły się w świetle księżyca. Zza zakrętu rzeki wyłaniał się właśnie duży prom. Miał trzy pokłady i tępy dziób, ale uwagę załogi zwrócił obraz w podczerwieni z kamer noktowizyjnych. Na górnym pokładzie roiło się od ludzi i wyglądało na to, że niższe pokłady też są zatłoczone pasażerami płynącymi w głąb lądu w kierunku portu w Matadi.

– Boże, tam musi być z pięćset osób – odezwał się Eric.

– I założę się, że o trzysta za dużo – odparł Cabrillo. – Weź prom z lewej burty. Trzeba go zasłonić przed ostrzałem z granatników.

Stone poruszył sterami i spojrzał na głębokościomierz. Dno rzeki wznosiło się gwałtownie.

– Prezesie, mamy niecałe sześć metrów wody pod kilem. Pięć i pół. Cztery i pół. Trzy.

– Trzymaj równo – polecił Juan, kiedy z dżungli znów bili seriami z AK-47 i pociski z granatników nadlatywały z szybkością ogni rzymskich.

Wybuchy kołysały frachtowcem, gdy pruł w stronę przeciążonego promu, każda eksplozja rozświetlała niebo. Jedna z rakiet chybiła i przez moment wydawało się, że trafi w burtę promu, ale w ostatniej chwili jej silnik zawiódł, wylądowała w wodzie i wybuchła przed kadłubem, wywołując panikę wśród pasażerów, którzy atakowani seriami z karabinów próbowali bezskutecznie ucieczki.

– Max, daj pełną moc – rozkazał gniewnie Juan, porażony bezdusznością żołnierzy Abali. – Musimy ochronić tych ludzi.

Max Hanley wyłączył zabezpieczenia obwodów akumulatorów i wycisnął z nich kilka amperów więcej do zasilania pomp. Prędkość statku wzrosła o trzy węzły, ale kosztem jego zasięgu, na co nie mogli sobie pozwolić.

Prom skręcił na środek rzeki i zostawił „Oregonowi" tylko tyle miejsca, by mógł go minąć bez wpadnięcia na brzeg. Chwilę później łodzie patrolowe rozdzieliły się i wzięły prom między siebie, znacząc powierzchnię wody dwoma łukami spienionych kilwaterów. W zamieszaniu, zza rufy promu wyłonił się drewniany skif motorowy z dwiema osobami na pokładzie, jedna z łodzi staranowała go bez zmniejszania szybkości, roztrzaskała mu kadłub i posłała pod fale.

Juan obserwował Erica przy sterach. Samo manewrowanie tak dużym statkiem na ciasnej rzece było trudne, a co dopiero omijanie pod ostrzałem innych jednostek pływających. Młody Stone jeszcze nie przeżył czegoś takiego. Juan miał do niego pełne zaufanie, ale wiedział, że mógłby go zastąpić.

W słuchawce zabrzmiał głos:

– Prezesie, tu Eddie. Mam już w zasięgu wzroku tamte dwa helikoptery. Nie rozpoznaję typu, ale są na tyle duże, że mogą transportować co najmniej dziesięciu ludzi. Chyba czas je strącić.

– Nie. Po pierwsze, pilotują je pod przymusem cywile porwani przez rebeliantów Makambo. Po drugie, nie możemy im pokazać naszych możliwości. Już o tym rozmawialiśmy. Solidnie oberwiemy, ale nasz staruszek dostarczy nas do domu. Pilnujcie tylko, żeby nie spróbowali zrzucić nam desantu na pokład.

– Jesteśmy na to przygotowani.

– Więc niech Bóg ma ich w opiece.

Pruli w dół rzeki Kongo godzinę, ścigani przez łodzie patrolowe i ostrzeliwani czasami z brzegu w miejscach, gdzie droga biegła na tyle blisko wody, że rebelianci mogli zorganizować zasadzkę. Śmigłowce leciały nad „Oregonem", ale nie próbowały wylądować ani zrzucić desantu. Juan podejrzewał, że ludzie w helikopterach zamierzają wtargnąć na statek, kiedy ostrzał z granatników osadzi go na mieliźnie.

Minęli tamę Inga na dopływie rzeki Kongo. Elektrownie wodne na Indze i bliźniaczej zaporze były głównymi źródłami energii w tej części Afryki. Statek wpłynął na wzburzoną wodę na styku dwóch nurtów i Eric musiał odwrócić ciąg silników pulsacyjnych, żeby „Oregon" nie ustawił się burtą do prądu rzecznego.

– Prezesie, mam na linii Benjamina Isakę – zawiadomiła Linda Ross. – Przełączam go na twoje stanowisko.

– Witam, panie ministrze, mówi kapitan Cabrillo. Przypuszczam, że zna pan naszą sytuację?

– Tak, kapitanie. Pułkownik Abala chce odebrać swoje diamenty. – Wiceminister obrony miał tak silny akcent, że Juan z trudem go rozumiał. – I ukradł nam dwie rzeczne łodzie patrolowe. Mam meldunek, że w porcie w Matadi, gdzie stacjonowały, zginęło dziesięciu naszych ludzi.

– Uprowadził też dwa helikoptery firmy poszukującej ropę.

– Rozumiem – odparł wymijająco Isaka.

– Przydałaby się nam jakaś pomoc.

– Nasz przyjaciel w Langley, który mi pana polecił, powiedział, że potrafi pan doskonale poradzić sobie sam.

Juan miał ochotę wrzasnąć na wysokiego urzędnika państwowego.

– Panie Isaka, jeśli rozgromię siły Abali, to broń, którą kupił, wyda mu się bardzo podejrzana. Ukryte w niej nadajniki naprowadzające są dobrze zamaskowane, ale można je wykryć. Plan był taki, że Abala zabierze kontener do kwatery głównej Makambo i tym samym wskaże waszemu wojsku jej lokalizację. Możecie stłumić powstanie w ciągu kilku dni, ale to wam się nie uda, jeśli Abala zostawi broń na przystani przy plantacji. – Odkąd Langston Overholt z CIA powierzył mu wykonanie tego zadania, Juan po raz trzeci czy czwarty tłumaczył to Isace.

Pierwszą część odpowiedzi Isaki zagłuszył huk moździerzy na łodziach patrolowych. Pociski eksplodowały tak blisko „Oregona", że wzdłuż jego burt wyrosły ściany wody.

– …wyruszą z Bomy natychmiast, dotrą do pana za godzinę.

– Może pan powtórzyć, panie ministrze?

Cała obsługa centrum operacyjnego znalazła się na podłodze, gdy „Oregon" uderzył kilem w dno rzeki. W mesie potłukła się droga porcelana, uległ zniszczeniu przenośny aparat rentgenowski w izbie chorych, który doktor Julia Huxley zapomniała zabezpieczyć.

– Eric, co się stało, do diabła? – odezwał się Juan, wstając.

– Dno wzniosło się tak nagle, że nie zdążyłem tego zauważyć.

– Max, co z silnikami?

Komputer automatycznie wyłączył je dla bezpieczeństwa, kiedy statek osiadł na mieliźnie. Max popatrzył uważnie na monitor, zmarszczył brwi i wystukał coś na klawiaturze.

– Max? – powtórzył Juan, przeciągając imię przyjaciela.

– Lewy kanał jest zapchany mułem. Mogę mieć dwadzieścia procent ciągu w prawym, ale tylko wstecz. Jeśli spróbujemy ruszyć do przodu, ten też się zablokuje.

– Eric – powiedział Juan – przejmuję ster.

– Tak jest.

Kanały silników pulsacyjnych zrobione z jakiegoś egzotycznego stopu były wypolerowane na gładko tak dokładnie jak lufy broni, by wyeliminować zjawisko kawitacji, powstawania mikroskopijnych pęcherzyków pary powodujących opór. Juan się obawiał, że muł i szlam już porysowały kanały i przepychanie przez nie jeszcze większej ilości błota może je całkowicie zniszczyć. Wziął na siebie odpowiedzialność za dalsze uszkodzenie swojego statku.

Zostawił lewy silnik w pogotowiu i wolno uruchomił wsteczny ciąg prawego, patrząc to na obraz z kamer zewnętrznych, które pokazywały kipiel pod dziobem statku, to na wskaźniki silnika. Zwiększył moc do dwudziestu pięciu procent, wiedząc, że niszczy kanały tak, jakby wszedł do nich z młotkiem.

„Oregon" nie zareagował, trzymany w miejscu przez muł i swój ogromny ciężar.

– Juan – rzucił Max ostrzegawczym tonem.

Cabrillo już wyłączał pompy. Miał do dyspozycji nowatorskie urządzenia, ale niewiele realnych możliwości. Zostało mu może piętnaście sekund na ułożenie jakiegoś planu, zanim helikoptery z rebeliantami usiądą na pokładzie. Dwie pięciosekundowe serie z trzydziestomilimetrowego działka Gatling strąciłyby śmigłowce, ale zabiłyby również cywilnych pilotów i ujawniły wojskowy potencjał „Oregona". Potem musieliby jeszcze unieszkodliwić łodzie patrolowe i wszelkie inne jednostki pływające, które Abala rzuciłby do akcji, kiedy zdałby sobie sprawę, że frachtowiec osiadł na mieliźnie. Juanowi nawet przez myśl nie przeszło, żeby zwrócić diamenty lub narazić operację na niepowodzenie.

– Max, mamy wiatr z tyłu, postaw zasłonę dymną na tyle gęstą, żeby ukryć statek, a potem uruchom pożarnicze armatki wodne. – Na frachtowcu były cztery działka zamontowane na rogach nadbudowy i każde wyrzucało trzy tysiące osiemset litrów wody na minutę, a pompy napędzał ich własny silnik dieslowski. – Mają zasięg ponad sześćdziesiąt metrów, powinny przeszkodzić helikopterom w lądowaniu. – Juan włączył mikrofon. – Eddie, wykorzystam armatki wodne, więc

57

się przygotuj. Jeśli to nie powstrzyma desantu, twoi chłopcy mają pozwolenie tylko na użycie strzelb i pistoletów. Taki arsenał nie wzbudzi podejrzeń na tych wodach.

– Przyjąłem.

– Eddie, przyjdźcie z Lincem do hangaru łodziowego, mam dla was zadanie. Weźcie dla bezpieczeństwa pełne oporządzenie.

Cabrillo wstał z fotela i był w połowie drogi do windy, którą miał zjechać dwa pokłady niżej do hangaru łodziowego na poziomie linii wodnej „Oregona", gdy Hanley zatrzymał go gestem.

– Rozumiem dym i użycie armatek wodnych, to mistrzowskie posunięcie, ale co, do diabła, zaplanowałeś dla Linca i Eddiego?

– Zamierzam spłynąć z tej mielizny za pół godziny.

Max nauczył się podczas ich wspólnych lat nigdy nie wątpić w prezesa, kiedy wygłasza takie oświadczenia; nie wiedział po prostu, jak Juan chce dokonać rzeczy niemożliwej.

– Odciążysz nas o parę tysięcy ton?

– Zrobię coś lepszego. Podniosę rzekę o trzy metry.

Rozdział 4

Na południe od Walvis Bay
Namibia

Piasek nawiewany na drogę, a raczej pył, krążył w wirach, które tworzyły się, ilekroć stygnące pustynne powietrze zetknęło się z ciepłym jeszcze asfaltem. Kurzawa wyglądała jak smugi dymu lub zamieć śnieżna. Słońce dawno zaszło i wydmy w głębi lądu zdawały się białe w księżycowej poświacie.

Samotny pojazd na szosie był jedyną ruchomą rzeczą poza wiatrem i łagodnym przybojem zalewającym plażę. Pikap z napędem na cztery koła znajdował się zaledwie około trzydziestu kilometrów na południe od Swakopmund i sąsiedniego miasta portowego Walvis Bay, ale wydawał się ostatnim samochodem na ziemi.

Prowadząca terenówkę Sloane Macintyre wzdrygnęła się.

– Możesz potrzymać kierownicę? – zapytała swojego towarzysza. Kiedy to zrobił, włożyła na siebie sportową bluzę z kapturem. Potrzebowała obu rąk, żeby wyciągnąć długie rude włosy spod kołnierza i opuścić je na ramiona. Miały miedziany odcień wydm o zmierzchu i podkreślały szary kolor jej błyszczących oczu.

– Nadal uważam, że powinniśmy poczekać do rana i uzyskać pozwolenie na wypłynięcie na zatokę Sandwich. – Tony Reardon znów narzekał, po raz trzeci, odkąd wyszli z hotelu. – Wiesz, jakie drażliwe są lokalne władze i jak ostro traktują turystów naruszających prawo.

– Jedziemy do rezerwatu ptaków, Tony, nie do kopalni diamentów – odparła Sloane.

– Mimo wszystko to wbrew prawu.

– Poza tym nie spodobał mi się sposób, w jaki Luka próbował nas zniechęcić do szukania Papy Heinricka. Zupełnie, jakby miał coś do ukrycia.

– Kto? Papa Heinrick?

– Nie, nasz wspaniały przewodnik, Tuamanguluka.

– Dlaczego tak mówisz? Luka jest bardzo pomocny, odkąd przyjechaliśmy.

Sloane zerknęła na niego z ukosa. W poświacie deski rozdzielczej Anglik wyglądał jak nadąsany chłopiec, który marudzi, aby marudzić.

– Nie masz wrażenia, że aż za bardzo? Jakim cudem znajduje nas w hotelu akurat taki przewodnik, który zna wszystkich rybaków w Walvis Bay i może nam załatwić helikopter w biurze turystycznym?

– Mieliśmy po prostu szczęście.

– Nie wierzę w szczęście. – Sloane skupiła uwagę na drodze. – Kiedy wspomnieliśmy Luce o starym rybaku nazywanym Papą Heinrickiem, robił wszystko, żeby nam wyperswadować szukanie go. Najpierw powiedział, że Heinrick łowi tylko przy brzegu i nie zna wód dalej niż milę morską od lądu. Potem dodał, że Papa ma nie po kolei w głowie. Kiedy to nie podziałało, ostrzegł nas, że Heinrick jest niebezpieczny i podobno kogoś zabił.

Czy tego dowiedzieliśmy się od rybaka, który pierwszy powiedział nam o Papie Heinricku? – ciągnęła Sloane. – Nie. Według niego nikt nie wie więcej o wodach wzdłuż Wybrzeża Szkieletów niż Papa Heinrick. Tak się dokładnie wyraził. Więc wygląda na to, że Heinrick jest najwłaściwszą osobą do przepytania w sprawie tego projektu, a nasz bardzo pomocny przewodnik nie chce, żebyśmy z nim porozmawiali. Coś tu nie gra, Tony, i dobrze o tym wiesz.

– Moglibyśmy poczekać do rana.

Sloane zignorowała tę uwagę.

– Wiesz, że liczy się każda minuta. Ktoś w końcu domyśli się, czego szukamy. A wtedy na wybrzeżu zaroi się od ludzi. Władze prawdopodobnie zamkną teren, zakażą połowów i wprowadzą stan wyjątkowy. Nigdy nie byłeś na takiej wyprawie, a ja tak.

– I znalazłaś coś? – zapytał cierpko Tony, choć znał odpowiedź.

– Nie. Ale to nie znaczy, że nie wiem, co robię.

W przeciwieństwie do większości obszaru Afryki drogi w Namibii są równe i dobrze utrzymane. Toyota z napędem na cztery koła sunęła gładko przez noc, dopóki nie dotarli do miejsca zasypanego warstwą piasku o wysokości opon samochodu. Sloane włączyła reduktor i ruszyła traktem przez piaszczyste pagórki, gdzie zakopałby się każdy pojazd z napędem tylko na jedną oś. Po dwudziestu minutach dojechali do parkingu z wysokim ogrodzeniem zakończonym drutem kolczastym. Tablice na parkanie informowały, że dalej jest zakaz wjazdu.

Byli nad zatoką Sandwich, rozległą bagnistą laguną zasilaną słodką wodą z podziemnych warstw wodonośnych, która gości rocznie do pięćdziesięciu tysięcy wędrownych ptaków. Sloane zaparkowała pikapa, ale zostawiła silnik na chodzie. Nie czekając na Tony'ego, wyskoczyła z samochodu i od razu buty zapadły się jej w miękki piasek. Podeszła do tyłu toyoty, gdzie leżał ponton i elektryczny kompresor, który mógł być zasilany z dwunastowoltowej instalacji samochodu. Napompowała szybko łódź pneumatyczną i sprawdziła moc baterii w dwóch latarkach. Włożyli do pontonu plecaki i wiosła, potem zanieśli go do wody. Powierzchnia osłoniętej od otwartego morza laguny była gładka jak tafla jeziora.

– Podobno Papa Heinrick mieszka na południowym krańcu laguny – powiedziała Sloane, kiedy usadowili się w łodzi i odepchnęli wiosłami od plaży. Wzięła namiar kompasowy z nocnego nieba i zanurzyła wiosło w spokojnej wodzie.

Wbrew temu, co mówiła Reardonowi, wiedziała, że ta wyprawa może być albo strzałem w dziesiątkę, albo będzie klapą; raczej to drugie. Jak dotąd, podążanie tropem pogłosek, półprawd i insynuacji prowadziło donikąd, ale się nie zrażała. Wierzyła, że kiedyś wreszcie odniesie sukces zawodowy. W nadziei na to znosiła samotność, zmęczenie, stres i towarzystwo takich pesymistów jak Tony Reardon.

Niewiele ryb rzucało się w ciemnej wodzie laguny, gdy wiosłowali na południe, czasem jakiś ptak stroszył pióra w trzcinach. Podróż do południowego krańca zatoki zajęła im półtorej godziny i miejsce nie różniło się od reszty okolicy – napotkali ścianę trzcin zdolnych przetrwać w słonawej wodzie. Sloane świeciła latarką wzdłuż brzegu w poszukiwaniu wejścia na ląd. Po dwudziestu minutach dostrzegła wąski przesmyk w wysokiej trawie, gdzie strumień wpadał do laguny. Bez słowa wskazała Tony'emu kierunek i wpłynęli do korytarza.

Trzciny wyrastały ponad ich głowy i łączyły się nad nimi, tworząc tunel, przez który sączyło się srebrzyste światło księżyca. Prąd w małym strumieniu nie był silny i płynęli w dobrym tempie. Po stu metrach wiosłowania przez mokradła dotarli do małego stawu w gąszczu trzcin z wysepką pośrodku, która ledwo wystawałaby z wody w czasie przypływu.

W blasku księżyca zobaczyli prymitywną chatę zbudowaną zapewne z drewna wyrzuconego na brzeg i kawałków skrzynek. Drzwi zastępował koc wiszący w wejściu, tuż obok był dół na ognisko, gdzie pod warstwą popiołu tlił się jeszcze żar. Na prawo znajdował się stojak do suszenia ryb, zardzewiałe beczki na słodką wodę i drewniany skif przywiązany do pniaka liną. Żagiel był mocno owinięty wokół masztu, ster i miecz leżały przymocowane w środku. Płaskodenna łódź nie nadawała się zbytnio do połowów na pełnym morzu i Sloane zastanawiała się, czy Luka nie miał racji, mówiąc, że Papa Heinrick trzyma się blisko lądu.

Warunki życia na wysepce były surowe, ale człowiek przyzwyczajony do obozowania pod gołym niebem mógłby chwalić sobie to miejsce.

– Co robimy? – spytał cicho Tony, kiedy wciągnęli ponton na plażę.

Sloane podeszła do drzwi, upewniła się, że odgłos, który słyszy, to chrapanie śpiącego, a nie szum wiatru czy fal przyboju, i cofnęła się. Usiadła na piasku, wyjęła z plecaka laptop i zaczęła pisać, przygryzając lekko dolną wargę.

– Sloane? – szepnął Tony natarczywiej.

– Zaczekamy, aż się obudzi.

– A jeśli to nie Papa Heinrick? Może mieszkać tu ktoś inny. Piraci albo bandyci.

– Powiedziałam ci, że nie wierzę w szczęście. Nie wierzę też w zbiegi okoliczności. Skoro znaleźliśmy jakąś chatę dokładnie w tym miejscu, gdzie według naszych informatorów powinien mieszkać Papa Heinrick, to znaczy, że trafiliśmy do niego. Wolę porozmawiać z nim rano niż straszyć go w środku nocy.

Wciąż słyszeli chrapanie dochodzące z chaty, gdy nagle siwy, pomarszczony Afrykanin w samym suspensorium odsunął koc. Stał na pałąkowatych nogach, tak chudy, że wystawały mu obojczyki i było widać żebra. Miał szeroki płaski nos, błyszczące żółte oczy i duże uszy przekłute rogowymi kolczykami.

Nadal chrapał i Sloane pomyślała, że to lunatyk, ale w końcu podrapał się nieprzyzwoicie i splunął do ogniska.

Sloane wstała. Była wyższa od Namibijczyka o głowę i uświadomiła sobie, że w jego żyłach, sądząc po mikrej posturze, musi płynąć buszmeńska krew.

– Papo Heinrick, przebyliśmy długą drogę, żeby się z tobą spotkać. Rybacy w Walvis Bay uważają, że jesteś najmądrzejszy z nich.

Zapewniono ją, że Papa Heinrick zna angielski, lecz mężczyzna przypominający gnoma nie zareagował na jej słowa. Ale przestał udawać chrapiącego i uznała to za dobry znak. Mówiła dalej:

– Chcemy się dowiedzieć czegoś o znanych ci miejscach na morzu, gdzie trudno jest łowić, gdzie tracisz liny i sieci. Możesz nam odpowiedzieć na kilka pytań?

Heinrick cofnął się do chaty, koc opadł i zasłonił wejście. Afrykanin pojawił się po chwili z kołdrą na ramionach. Była zrobiona z luźno zszytych kawałków i przy każdym ruchu ze szwów sypało się pierze. Odszedł na stronę i oddał głośno mocz do wody, drapiąc się leniwie w brzuch.

Kucnął przy ognisku plecami do Sloane i Tony'ego, jego kręgosłup wyglądał jak sznur czarnych pereł. Starzec rozdmuchiwał żar i dokładał do niego drewno, dopóki nie rozbłysnął mały płomień.

– Na tych wodach trudno jest łowić w wielu miejscach – odezwał się zaskakująco grubym głosem. Nie odwrócił się. – Znam je wszystkie i rzucam każdemu wyzwanie: niech pożegluje tam, gdzie się zapuszcza Papa Heinrick. Straciłem tyle lin, że można by je rozciągnąć stąd do Cape Cross. – Wymienił przylądek leżący ponad sto trzydzieści kilometrów na północ. – I z powrotem – dodał, jakby chciał ich sprowokować do podania tego w wątpliwość. – Straciłem tyle sieci, że można by nimi przykryć całą pustynię Namib. Zmagałem się z takimi falami, że inni umarliby ze strachu. Łapałem ryby większe od największego statku i widziałem takie rzeczy, że inni, gdyby je zobaczyli, dostaliby pomieszania zmysłów.

Odwrócił się w końcu. W chybotliwym blasku ognia jego twarz miała demoniczny wyraz. Uśmiechnął się i odsłonił trzy zęby. Uśmiech przerodził się w chichot, a potem w rechot, przerwany atakiem kaszlu. Kiedy doszedł do siebie, znów splunął do ogniska.

– Papa Heinrick nie zdradza swoich sekretów. Wiem o rzeczach, o których chcielibyście wiedzieć, ale nigdy się o nich nie dowiecie, bo nie chcę, żebyście o nich wiedzieli.

– Dlaczego? – zapytała Sloane, mając nadzieję, że dowie się więcej. Ukucnęła obok niego.

– Papa Heinrick jest największym rybakiem, jaki kiedykolwiek żył. Dlaczego miałbym cokolwiek powiedzieć? Nie potrzeba mi rywali.

– Nie chcę łowić na tych wodach. Szukam statku, który zatonął dawno temu. Mój przyjaciel i ja – przywołała gestem Tony'ego, który się cofnął, gdy poczuł woń ciała Papy Heinricka – chcemy znaleźć ten statek, bo… – Urwała, żeby coś zmyślić. – Bo wynajęto nas do odzyskania czegoś, co należało do pewnego bogatego człowieka, który to stracił, kiedy statek poszedł na dno. Pomyśleliśmy, że mógłbyś nam pomóc.

– Czy ten bogaty człowiek zapłaci? – Heinrick chytrze spojrzał.

– Tak, trochę.

Rybak machnął ręką, jakby odpędzał nietoperza.

– Papa Heinrick nie potrzebuje pieniędzy.

– A co byś chciał za to, że nam pomożesz? – wtrącił się nagle Tony. Sloane zgromiła go wzrokiem. Miała złe przeczucia co do tego, czego może zażądać stary człowiek.

– Tobie nie pomogę – zwrócił się Heinrick do Tony'ego i rzucił okiem na Sloane. – Tobie tak. Jesteś kobietą i nie łowisz ryb, więc nigdy nie będziesz moją rywalką.

Nie zamierzała mu mówić, że wychowywała się w Fort Lauderdale i każde lato spędzała jako załogantka na czarterowej łodzi rybackiej swojego ojca, a potem ją przejęła, kiedy zapadł na alzheimera w wieku pięćdziesięciu lat.

– Dziękuję, Papo Heinrick. – Wyjęła z plecaka dużą mapę i rozłożyła ją przy ognisku. Tony podszedł i włączył swoją latarkę. Mapa pokazywała wybrzeże Namibii. Na morzu widniały tuziny narysowanych ołówkiem gwiazdek. Większość grupowała się wokół Walvis Bay, ale pozostałe były rozrzucone wzdłuż brzegu. – Rozmawialiśmy z wieloma rybakami, pytaliśmy ich, gdzie tracą liny i sieci. Uważamy, że w jednym z tych miejsc może być zatopiony statek. Mógłbyś na to popatrzeć i powiedzieć mi, czy jakichś brakuje?

Heinrick przyglądał się uważnie mapie, strzelał oczami od jednego punktu do następnego, wodząc palcami po linii brzegowej. W końcu podniósł wzrok. Zobaczyła w jego spojrzeniu szaleństwo, jakby żył w innej rzeczywistości niż ona.

– Nie znam tej okolicy.

Zdezorientowana Sloane położyła palec na Walvis Bay i wymówiła nazwę miasta. Potem przesunęła rękę na południe.

– Jesteśmy teraz tutaj, w zatoce Sandwich. – Postukała palcem w górną krawędź mapy. – A tu jest Cape Cross.

– Nie rozumiem – odrzekł Heinrick. – Cape Cross jest tam. – Wskazał energicznie na północ. – Nie może być tu. – Dotknął punktu na mapie.

Sloane zdała sobie sprawę, że choć Papa Heinrick spędził całe życie na morzu, nigdy nie widział mapy morskiej. Jęknęła w duchu.

Przez następne dwie godziny rozmawiała ze starym rybakiem o miejscach, gdzie stracił sieci lub splątały mu się liny. Pustynia ciągnęła się pod oceanem przez setki kilometrów od brzegu, przeciąć liny lub rozedrzeć sieci mogło wypiętrzenie skalne albo uszkadzał je wrak statku. Papa Heinrick mówił Sloane, że dwa dni żeglugi na południowy zachód od zatoki Sandwich jest takie miejsce, a pięć dni rejsu na północny zachód jest podobne. Wszystkie wymieniane przez niego miejsca były na mapie, którą Sloane robiła przez ostatnie dni na podstawie informacji od rybaków i kapitanów statków wycieczkowych w Walvis.

Ale tylko o jednym miejscu Papa Heinrick powiedział więcej. Według oceny Sloane znajdowało się prawie siedemdziesiąt mil morskich od brzegu, daleko od pozostałych. Żaden z rybaków nawet nie napomknął, że kiedykolwiek łowił w tym rejonie. Papa Heinrick powiedział, iż niewiele rzeczy przyciąga do tego miejsca stworzenia morskie, a on znalazł się tam tylko dlatego, że niecodzienny wiatr zepchnął go z kursu.

Sloane zakreśliła to miejsce na mapie i zauważyła, że głębokość wody przekracza czterdzieści pięć metrów, zbliża się do granicy wydolności jej akwalungu. Nurkowanie byłoby jeszcze wykonalne, ale na takiej głębokości nawet w najbardziej przejrzystej wodzie zarys wraka nie byłby widoczny na tle piaszczystego dna – nawet z helikoptera, który zamierzali wynająć, by zbadać interesujące ich miejsca.

– Nie zapuszczaj się tam – ostrzegł Papa Heinrick, przerywając rozmyślania Sloane.

Ocknęła się.

– Dlaczego?

– W morzu żyją ogromne metalowe węże. To chyba czarna magia.

– Metalowe węże? – zadrwił Tony.

Stary człowiek zerwał się na nogi z groźną miną.

– Nie wierzysz Papie Heinrickowi? – zagrzmiał, opryskując Reardona kropelkami śliny. – Są ich tuziny, mają trzydzieści metrów długości albo więcej, wiją się i rzucają w wodzie. Jeden o mało nie zatopił mojej łodzi, kiedy chciał mnie pożreć. Zdołałem uciec z jego paszczy tylko dlatego, że jestem największym żeglarzem, jaki kiedykolwiek żył. Zsikałbyś się ze strachu i zginął, wrzeszcząc jak niemowlę. – Spojrzał na Sloane, szaleństwo w jego oczach było jeszcze bardziej wyraźne. – Papa Heinrick cię ostrzegł. Wybierz się tam, a na pewno zginiesz pożarta żywcem. A teraz zostaw mnie. – Usadowił się z powrotem przy swoim małym ognisku. Kołysał się na piętach i mamrotał coś w nieznanym Sloane języku.

Podziękowała mu za pomoc, ale nie zareagował. Wrócili do pontonu i odpłynęli wolno z siedziby Papy Heinricka. Kiedy wyłonili się z przesmyku między trzcinami, Tony wziął głęboki oddech.

– Ten facet jest stuknięty. Metalowe węże? Lu-uudzie!

– „Są rzeczy na niebie i ziemi, Horacy, o których się filozofom nie śniło".

– Co?

– Cytat z *Hamleta*; świat jest dziwniejszy niż możemy sobie wyobrazić.

– Chyba mu nie wierzysz?

– Jeśli chodzi ci o metalowe węże, to nie. Ale zobaczył coś, co go przeraziło.

– Założę się, że to był wynurzający się okręt podwodny. Południowoafrykańska marynarka wojenna musi je mieć do patrolowania wód.

– Możliwe – przyznała Sloane. – I mamy za dużo miejsc do zbadania, żeby jeszcze szukać węży morskich i okrętów podwodnych. Spotkamy się dziś po południu z Luką i ustalimy plan działania.

Wrócili do swoich pokoi w eleganckim hotelu Swakopmund o wschodzie słońca. Sloane wzięła prysznic, żeby zmyć z siebie piasek i sól. Chciała wydepilować nogi, ale odłożyła to i stała długo w strumieniach gorącej wody, która rozluźniała napięte mięśnie ramion i pleców.

Wytarła się i wsunęła nago pod przykrycie na łóżku. Śniły jej się monstrualne węże walczące ze sobą na otwartym morzu.

Rozdział 5

Kiedy Juan Cabrillo biegł truchtem do hangaru łodziowego tuż za nadbudówką, słuchał przez swoje radio meldunków ekip naprawczych. Zęza okazała się sucha, co go nie zaskoczyło. Dno rzeki było muliste i nic nie mogło przedziurawić kadłuba. Niepokoił go stan wielkich wrót w kilu „Oregona", które otwierały się na zewnątrz i tworzyły basen zanurzeniowy, skąd opuszczano prosto do morza dwa pojazdy podwodne transportowane na statku. Większa z miniłodzi podwodnych, używanych głównie do potajemnych penetracji i ewakuacji, mogła schodzić na głębokość trzystu metrów i miała ramię manipulatora, podczas gdy mniejszą, „Discovery 1000", wykorzystywano na płytszych wodach.

Ku ogromnej uldze Juana, technik dyżurny w ładowni z basenem zanurzeniowym zameldował, że wrota są całe i pojazdy podwodne spoczywają bezpiecznie na stojakach.

Cabrillo dotarł do hangaru łodziowego na poziomie linii wodnej statku. Duże pomieszczenie oświetlały czerwone lampy bojowe, w powietrzu unosił się zapach słonej wody i paliwa. Wielkie drzwi w burcie „Oregona" były szczelnie zamknięte, członkowie załogi przygotowywali czarną łódź pneumatyczną Zodiac. Duży silnik doczepny na rufie rozpędzał ją do prędkości ponad czterdziestu węzłów, choć miała też mały silnik elektryczny do cichych operacji. W hangarze stała również łódź szturmowa jednostki SEAL, która rozwijała jeszcze większą szybkość i zabierała na pokład dziesięciu uzbrojonych ludzi.

Eddie i Linc zameldowali się chwilę później. To Eddie Seng grał wcześniej rolę sternika, kiedy Linc udawał kapitana. Ci dwaj nie mogliby się bardziej różnić fizycznie. Ciało Linca pęczniało od mięśni, bo godzinami wyciskał sztangę w okrętowej siłowni, Eddie był chudy jak szczapa, gdyż przez całe życie ćwiczył sztuki walki.

Mieli na sobie czarne mundury polowe i pasy w takim samym kolorze z ładownicami, nożami oraz innym sprzętem. Każdy trzymał karabin szturmowy M-4A1, wersję M-16 przeznaczoną dla sił specjalnych.

– Jakie rozkazy, szefie? – odezwał się Eddie.

– Osiedliśmy na mieliźnie i nie mamy czasu czekać na wiosenne deszcze. Pamiętacie tę zaporę kilka kilometrów za nami?

– Mamy ją wysadzić w powietrze? – zapytał z niedowierzaniem Linc.

– Nie, nie, po prostu dostać się do środka i otworzyć przepusty. Wątpię, żeby była tam ochrona, ale jeśli jest, postarajcie się ich nie zabijać. – Obaj mężczyźni skinęli głowami. – Prawdopodobnie nie dacie rady dogonić statku, kiedy uniesie nas woda, więc spotkamy się w Bomie na wybrzeżu.

– Podoba mi się plan – powiedział Linc, całkowicie przekonany, że zdołają wykonać zadanie.

Juan włączył mikrofon na ścianie.

– Eric, chcę wiedzieć, kiedy będzie czysto, żebyśmy mogli otworzyć hangar i zwodować zodiaca. Gdzie są tamte łodzie patrolowe?

– Jedna została z tyłu, pewnie znów szykuje się do ostrzału moździerzowego. Druga właśnie minęła naszą rufę i podchodzi z lewej burty.

– A co na lądzie?

– W podczerwieni widać, że jest czysto, ale obaj wiemy, że Abala zaraz tu będzie.

– Dobra, dzięki. – Juan skinął do członka załogi, żeby otworzył drzwi zewnętrzne. Kiedy odsunęły się do góry, do hangaru wdarły się odór i upał dżungli. Powietrze miało taką wilgotność, że niemal można je było pić. Cuchnęło też chemikaliami z zasłony dymnej, którą Max przykrył statek. Ciemny brzeg rzeki porastała bujna roślinność. Mimo zapewnienia Erica, że na lądzie jest czysto, Juan czuł, że są obserwowani.

Z powodu małego zanurzenia „Oregona" pochylnia do wodowania znajdowała się półtora metra nad powierzchnią rzeki. Linc i Eddie popchnęli ponton w dół śliskiej płyty i skoczyli, gdy spadł do wody. Wynurzyli się i wtoczyli do niego przez miękką burtę. Eddie umocował ich broń, Linc włączył silnik elektryczny. Płynący wolno pod osłoną ciemności zodiac był prawie niewidoczny.

Kiedy oddalali się od „Oregona", Linc musiał zygzakować między łukowymi strumieniami wody z armatek pożarniczych, trzymających na dystans dwa helikoptery. Śmigłowce nurkowały, ale nie udawało im się podejść bliżej niż na trzydzieści metrów, bo strugi wody wyrzucane z działek natychmiast zmuszały pilotów do gwałtownych uników.

Eddie wyobrażał sobie, co się dzieje w środku każdej maszyny, gdy rebelianci przynaglają groźbami cywilnych pilotów, a jednocześnie wiedzą, że bezpośrednie trafienie strumienia wody w turbinę spowodowałoby jej zalanie i helikopter spadłby do rzeki.

Wyłonili się z zasłony dymnej i zobaczyli, że dwie łodzie patrolowe są na tyle daleko, by Linc mógł przejść na napęd spalinowy. Duży silnik czterosuwowy był dobrze wyciszony, ale wydawał basowy odgłos, który niósł się po wodzie.

Przy szybkości czterdziestu węzłów rozmowa była niemożliwa, płynęli więc w pełnej napięcia ciszy, przygotowani na wszystko. Nie usłyszeli wycia nadpływającej łodzi, dopóki nie wypadła zza przybrzeżnej wysepki.

Linc skręcił ostro w prawo i minął ją o włos. Rozpoznał ospowatą twarz adiutanta pułkownika Abali, który spojrzał na niego i też już wiedział, z kim ma do czynienia. Pchnął przepustnicę do oporu, gdy rebeliant zawrócił i ruszył za nimi w pościg. Smukłą łódź Afrykanina napędzały dwa silniki zaburtowe, niski kadłub zaprojektowano do ślizgu po powierzchni wody. Adiutantowi Abali towarzyszyli czterej mężczyźni uzbrojeni w kałasznikowy.

– Znasz go?! – krzyknął Eddie.

– Tak, jest prawą ręką Abali.

Łódź rebeliantów zbliżała się do zodiaca, za jej rufą wyrastał koguci ogon wody.

– Linc, jeśli on ma radio, sprawa się rypnie.

– Cholera, nie pomyślałem o tym. Co robimy?

– Niech nas dogoni. – Eddie podał Lincolnowi karabin M-4.

– I nie strzelać, dopóki nie zobaczę białek jego oczu?

– Pieprzyć to. Zdejmujemy ich, kiedy tylko będą w zasięgu.

– Okej, trzymaj się. – Linc cofnął przepustnicę i kiedy ponton zwolnił, zrobił ciasny nawrót. Płaskodenny zodiac odbił się kilka razy od wody jak kaczka puszczona kamieniem, potem wyhamował gwałtownie i kołysał się na falach, które sam wytworzył, ale był wystarczająco stabilny dla Linca i Eddiego.

Przyłożyli broń do ramienia. Ślizgacz prul prosto na nich z prędkością osiemdziesięciu kilometrów na godzinę. Otworzyli ogień z odległości dwustu metrów. Rebelianci natychmiast odpowiedzieli tak samo, ale płynęli zbyt szybko, żeby celnie strzelać. Małe fontanny wody wytryskiwały daleko od dzioba i lewej burty pontonu. Linc i Eddie nie mieli takiego problemu i im bliżej była łódź Afrykanów, tym częściej w nią trafiali.

Linc prowadził ogień trzystrzałowymi seriami, które dziurawiły małą owiewkę i odłupywały kawałki włókna szklanego od dzioba ślizgacza. Eddie koncentrował się na sterniku i wystrzeliwał spokojnie pojedyncze pociski, dopóki mężczyzna nagle nie osunął się w dół. Łódź skręciła, ale zaraz inny rebeliant chwycił koło sterowe, podczas gdy trzej pozostali opróżniali magazynek za magazynkiem. Jedna z serii przeszła tak blisko Eddiego i Linca, że rozgrzała powietrze wokół nich, ale żaden się nie schylił ani nawet nie mrugnął.

Metodycznie ostrzeliwali nadpływający ślizgacz, dopóki nie pozostał na nim tylko jeden żołnierz Abali, który przycupnął za sterem, zasłonięty długim dziobem.

Eddie strzelał, Linc przeniósł się na rufę do pracującego na biegu jałowym silnika. Łódź rebeliantów znajdowała się już w odległości najwyżej pięćdziesięciu metrów i pędziła prosto na zodiaca jak atakujący rekin. Jasne, że sternik zamierza ich staranować. Linc pozwolił mu się zbliżyć.

Kiedy ślizgacz znalazł się pięć metrów od pontonu, Linc otworzył przepustnicę i zodiac śmignął pod zadartym dziobem łodzi. Eddie trzymał już w ręku granat z wyciągniętą zawleczką. Rzucił go do kokpitu motorówki, gdy ich mijała, uniósł do góry pięć palców i zginał po jednym wraz z upływem sekund. Kiedy zgiął ostatni palec, łódź wyleciała w powietrze, eksplodowały jej zbiorniki paliwa. Kadłub pokoziołkował po wodzie, kawałki włókna szklanego i ludzkie szczątki załogi rozprysły się w ognistym deszczu płonącego paliwa.

– Trafiony, zatopiony – powiedział z satysfakcją Linc.

Pięć minut później przybili do drewnianego mola u podnóża zapory Inga. Wielka tama górowała nad nimi, ściana z żelazobetonu i stali zamykała ogromny zbiornik retencyjny powyżej rzeki Kongo. Ponieważ niemal całą energię dostarczaną przez hydroelektrownię zużywały w ciągu dnia kopalnie w Shabie, dawnej prowincji Katanga, tylko strużka wody ściekała przelewem spływowym. Odciągnęli ponton daleko od rzeki i przywiązali do drzewa, bo nie wiedzieli, jak wysoki będzie poziom wody. Wzięli broń i rozpoczęli długą wspinaczkę po schodach w ścianie tamy.

Pokonali połowę drogi, gdy nocną ciszę rozdarła kanonada z dołu. Odłamki, kawałki betonu i pociski zagwizdały wokół nich, kiedy przystanęli odsłonięci na stopniach. Padli i natychmiast odpowiedzieli ogniem. Pod nimi przybiły do mola dwie łodzie. Część rebeliantów strzelała z nabrzeża, inni już wbiegali po schodach.

– Tamten facet od Abali chyba jednak miał radio. – Eddie rzucił pusty M-4 i wyciągnął glocka. Szybko naciskał spust, kiedy Linc zasypywał molo gradem pocisków kaliber 5,56 milimetra ze swojego karabinu.

Eddie zastrzelił trzech rebeliantów szturmujących schody, ich zakrwawione ciała stoczyły się po stopniach. Zanim zmienił magazynek w swoim M-4, na nabrzeżu terkotał już tylko jeden AK-47. Linc uciszył go serią, która strąciła Afrykanina do wody. Niemal natychmiast porwał go prąd i mężczyzna zniknął w dole rzeki.

Wyżej nad nimi wył alarm.

– Chodźmy – powiedział Linc i popędzili na górę, przeskakując po dwa i trzy stopnie naraz.

Dotarli na szczyt zapory, za którą rozciągał się ogromny zbiornik retencyjny, na jej krańcu stał niski pudełkowaty budynek. Z okien padało światło.

– Dyspozytornia? – szepnął Linc.

– Na to wygląda. – Eddie ustawił swój mikrofon krtaniowy. – Prezesie, tu Eddie. Linc i ja jesteśmy na tamie i podchodzimy do dyspozytorni. – Nie potrzebował dodawać, że już wykryto ich obecność.

– Przyjąłem. Dajcie znać, kiedy będziecie na pozycji gotowi do otwarcia przepustów.

– Tak jest.

Schylili się nisko, żeby ich sylwetki nie odcinały się na tle rozgwieżdżonego nieba, i pobiegli cicho szczytem zapory. Na lewo od nich był zbiornik retencyjny, spokojne jezioro przecięte na pół białą smugą odbitego blasku księżyca. Na prawo od siebie mieli trzydziestometrową przepaść, u podnóża tamy leżały głazy.

Gdy dotarli do parterowego budynku z betonu, mającego jedno wejście i dwa okna, zobaczyli za nim przepusty i kanał doprowadzający wodę do turbin w długim budynku u stóp zapory. Wpływało tam tylko tyle wody, by zapewnić energię elektryczną miastu Matadi.

Stanęli po obu stronach drzwi dyspozytorni, Eddie spróbował je otworzyć. Zaryglowane. Wskazał Lincowi dziurkę od klucza i uniósł brwi. Franklin Lincoln był ekspertem Korporacji od włamań, chodziły słuchy, że dostał się nawet do sejfu z bronią w kajucie Juana, bo założył się z Lindą Ross, że mu się uda. Ale teraz tylko wzruszył ramionami i poklepał się po kieszeniach. Nie wziął wytrychów.

Eddie przewrócił oczami i sięgnął do jednej z sakw przy swoim pasie. Wyjął małą porcję semtexu, uformował ją wokół klamki i wetknął w plastyczny materiał wybuchowy zapalnik elektroniczny. Cofnęli się parę kroków.

Zanim Eddie zdążył zdetonować ładunek, zza budynku wyłonił się strażnik w ciemnym mundurze; miał latarkę i pistolet. Linc odruchowo wycelował w niego, ale w ostatniej chwili skierował lufę karabinu w bok i wystrzelił mu broń z ręki. Mężczyzna upadł z krzykiem, przyciskając ramię do piersi. Linc podbiegł do niego, obejrzał szybko ranę, odetchnął z ulgą, że jest powierzchowna, i skuł mu nadgarstki i kostki plastikowymi kajdankami.

– Przepraszam, kolego – mruknął i dołączył do Eddiego.

Eddie odpalił ładunek. Eksplozja rozerwała klamkę i Linc pchnął drzwi. Eddie osłaniał go swoim M-4.

Dyspozytornia była jasno oświetlona, wzdłuż ścian ciągnęły się pulpity ze wskaźnikami i dźwigniami oraz blaty, na których stały stare komputery. Trzej operatorzy, będący na nocnym dyżurze, bladzi ze strachu, natychmiast podnieśli ręce do góry, kiedy Linc i Eddie wtargnęli do środka, krzycząc, żeby położyli się na podłodze. Wykonali gesty lufami i mężczyźni padli na beton.

– Róbcie, co każemy, a nikomu nic się nie stanie – powiedział Eddie, wiedząc, jak banalnie to brzmi w uszach przerażonych techników.

Linc sprawdził szybko budynek. Znalazł pustą salę konferencyjną i toaletę o wymiarach szafy wnękowej, gdzie zobaczył tylko karalucha wielkości swojego środkowego palca.

– Czy któryś z was zna angielski? – zapytał Eddie, kiedy założył Afrykanom plastikowe kajdanki i przykuł ich do stołu.

– Ja – odezwał się mężczyzna w niebieskim kombinezonie z identyfikatorem na nazwisko Kofi Baako.

– Okej, Kofi. Nie chcemy zrobić wam krzywdy, ale musicie nam powiedzieć, jak otworzyć przepusty awaryjne.

– Opróżnijcie zbiornik retencyjny!

Eddie wskazał centralkę telefoniczną; cztery z pięciu kontrolek błyskały.

– Już się skontaktowaliście ze swoimi szefami i na pewno przyślą dodatkowych ludzi. Przepusty będą otwarte najwyżej godzinę. Pokaż mi, jak się je obsługuje.

Kofi Baako wahał się, więc Eddie wyszarpnął pistolet z kabury, ale nie wycelował w żadnego z mężczyzn. Ton jego głosu zabrzmiał groźnie.

– Masz pięć sekund.

– Tamten pulpit. – Baako wskazał głową w stronę tylnej ściany. – Pięć górnych przełączników zwalnia zabezpieczenia. Pięć środkowych zamyka obwody silników przepustów, a pięć dolnych je uruchamia.

– Przepusty można zamknąć ręcznie?

– Tak, wewnątrz zapory jest kabina z wielkimi korbami. Potrzeba dwóch ludzi, żeby je obrócić.

Linc stał w drzwiach wejściowych i wypatrywał następnych strażników. Eddie przestawił kolejno przełączniki, obserwując, jak po przesunięciu każdej dźwigni kontrolka na pulpicie sterowniczym zmienia kolor z czerwonego na zielony. Zanim zajął się ostatnim rzędem, oparł mikrofon krtaniowy o szyję.

– To ja, prezesie. Przygotujcie się. Otwieram przepusty.

– W samą porę. Ludzie Abali przenieśli moździerze z łodzi patrolowych na brzeg. Jeszcze kilka strzałów i trafią nas.

– Uważajcie, nadciąga wielka powódź. – Eddie przestawił resztę przełączników.

Kiedy ostatnia dźwignia zmieniła pozycję, rozległ się szum. Narastał powoli, zmienił się w dudnienie, aż drżał budynek. Przepusty szły do góry i ściana wody spadała w dół tamy. Uderzyła w dno, eksplodowała w spienioną kipiel i wpłynęła do rzeki falą o wysokości dwóch i pół metra, która zalewała brzegi, wyrywała drzewa i zmywała zarośla, gdy nabierała szybkości.

– To powinno załatwić sprawę. – Eddie opróżnił cały magazynek w pulpit sterowniczy. Pociski podziurawiły cienki metal i roztrzaskały starą elektronikę, wszystko zasnuł dym, buchnął snop iskier.

– A to powinno dać nam trochę czasu na odwrót – dodał Linc.

Zostawili techników i zbiegli po schodach. Huk i impet wody walącej przez zaporę był niemal namacalny, rozbryzgi zmoczyły im ubrania.

Zanim dotarli na dół i dociągnęli ponton do brzegu rzeki, woda uspokoiła się na tyle, że mogli zepchnąć na nią zodiaca i ruszyć z prądem na spotkanie w Bomie.

Na pokładzie „Oregona" narastał niepokój. Kiedy Abala uświadomił sobie, że patrolowe swifty są za mało stabilne dla moździerzy, kazał je wyładować na ląd i teraz jego ludzie prowadzili z nich ogień, stale korygując zasięg. Ostatni pocisk eksplodował pięć metrów od sterburty statku.

Co gorsza, z górnego biegu rzeki przypływało coraz więcej łodzi z rebeliantami. Mimo że armatki wodne spisywały się bez zarzutu, były tylko cztery, a dwie musiały stale przeszkadzać helikopterom, które próbowały zejść tak nisko, żeby żołnierze Abali zeskoczyli na frachtowiec. Juan wezwał Halego Kasima, który asystował jeszcze przy naprawie radaru, i kazał mu koordynować łączność, aby Linda Ross mogła poprowadzić komandosów Eddiego. Uzbrojeni tylko w strzelby i pistolety podbiegli do burty statku – według meldunku Marka Murphy'ego niebezpiecznie blisko podpływała jakaś łódź. Ostrzelali z góry rebeliantów, kryjąc się przed ogniem z brzegu i czółen.

– W porządku – zawołał Hali ze stanowiska telekomunikacyjnego. – Moi technicy reanimowali radar.

– Będziesz mógł w porę zobaczyć falę? – zapytał Juan.

– Przykro mi, prezesie, ale przy tylu zakolach rzeki zobaczę ją dopiero w ostatniej chwili.

– Lepsze to niż nic.

Kolejny pocisk moździerzowy wybuchł obok statku, tym razem centymetry od lewej burty. Rebelianci brali ich w kleszcze. Następne pociski mogły spaść na „Oregona", a jego pokłady nie były tak dobrze opancerzone jak burty.

– Ekipy naprawcze, przygotować się – polecił Juan przez radiowęzeł. – Wygląda na to, że oberwiemy.

– Rany boskie! – krzyknął Hali.

– Co jest?

– Trzymajcie się!

Juan włączył alarm kolizyjny, gdy zobaczył falę na wyświetlaczu radaru w rogu dużego monitora i na obrazie z kamer rufowych. Ściana wody rozciągała się od brzegu do brzegu. Miała ponad trzy metry wysokości i pędziła na nich z szybkością co najmniej dwudziestu węzłów. Jeden z patrolowych swiftów próbował zawrócić i uciec przed nią, ale zdążył wykonać tylko połowę manewru. Fala uderzyła w burtę i przewróciła go, załoga wpadła do rzeki, ludzie zostali zmiażdżeni przez toczący się kadłub swojej łodzi.

Czółna po prostu zniknęły bez śladu, a rebelianci ostrzeliwujący „Oregona" z brzegu uciekli na wyżej położony teren, gdy zobaczyli, że woda zmywa wszystko na swojej drodze.

Juan zdjął ręce ze sterów tuż przed uderzeniem fali w statek, pogimnastykował palce niczym pianista przed koncertem, potem położył lekko dłonie na klawiszach i dżojstiku do kierowania frachtowcem.

Zwiększył do dwudziestu procent ciąg w drożnym kanale napędowym, kiedy tylko woda uniosła rufę „Oregona" z mułu. Jakby porwany przez tsunami, statek błyskawicznie rozpędził się od zera do dwudziestu węzłów w momencie, gdy w jego kilwaterze eksplodowały dwa pociski moździerzowe, które rozerwałyby luki ładowni rufowej i zniszczyły helikopter Robinson R-44 stojący na wysuwanej platformie lądowniczej.

Juan obserwował odczyty z silnika, temperaturę pomp, prędkość w wodzie, prędkość rzeczywistą, pozycję i kurs, przenosząc stale wzrok z jednego wyświetlacza na drugi. Statek płynął w tempie zaledwie trzech węzłów, ale rzeka niosła go z szybkością prawie dwudziestu pięciu pod ogromnym naporem fali powstałej przy tamie.

– Max, daj mi znać, kiedy tylko odetka się drugi kanał! – zawołał Juan. – Mam za małą prędkość do sterowania.

Uchylił bardziej przepustnicę, walcząc z prądem, który pchał „Oregona" na wyspę pośrodku farwateru, potem przebiegł palcami po klawiaturze, wywołał panel operacyjny pędników na dziobie i rufie, aby utrzymać kierunek na wprost, i mniej więcej wyrównał kurs, gdy mijał ciemną dżunglę.

Pokonali ciasne zakole rzeki. Nurt znosił ich mocno na przeciwległy brzeg, w który wbił się dziobem mały statek towarowy zdążający pod prąd. Jego rufa blokowała częściowo drogę. Juan dał pełne obroty pędników i skręcił w prawo najmocniej jak mógł. Kadłub otarł się z przeraźliwym zgrzytem o przeszkodę i zostawił ją za sobą.

– Będzie ślad – zażartował Eric, choć był pod wrażeniem umiejętności Juana. Wiedział, że jemu nie udałby się taki manewr.

Rzeka kipiała wokół nich, płynęli z prądem i ledwo kontrolowali kurs, dopóki Juan nie mógł wycisnąć większej mocy z silników. Musiał stale zmagać się z nurtem, by „Oregon" nie osiadł na mieliźnie lub nie wpadł na brzeg, i po każdym uniku wydawało się, że teraz do katastrofy brakowało mniej niż poprzednim razem. W pewnym momencie uderzyli w dno na płyciźnie i statek przyhamował gwałtownie, żłobiąc bruzdę w mule. Juan obawiał się nawet, iż znów utkną w miejscu, bo komputer wyłączył napęd, ale prąd był tak silny, że wydostali się z pułapki i „Oregon" nabrał prędkości niczym sprinter po starcie z bloków.

Mimo niebezpieczeństwa, lub może dzięki niemu, Cabrillo stwierdził, że podoba mu się takie wyzwanie. To był sprawdzian jego umiejętności i możliwości statku w konfrontacji z szalejącą powodzią – epicka walka człowieka z przyrodą. Cabrillo nigdy nie cofał się przed niczym, bo wiedział, na co go stać, i jeszcze nie znalazł się w sytuacji, która byłaby dla niego bez wyjścia. U innych ta cecha charakteru uchodziłaby za tupet. Juan Cabrillo po prostu wierzył we własne siły.

– To szorowanie oczyściło drugi kanał – powiedział Max. – Ale obchodź się z nim delikatnie, dopóki nie wyślę ekipy, żeby sprawdziła, jakie są uszkodzenia.

Juan uruchomił ciąg w drugim kanale i natychmiast poczuł, jak jego statek reaguje. Przestał być ospały i coraz rzadziej trzeba było używać pędników. Sprawdził prędkość – rzeczywista dwadzieścia osiem węzłów, w wodzie osiem. Miał aż nadto wystarczającą szybkość do sterowania frachtowcem, i teraz, kiedy już pokonali kilka kilometrów, wzburzona wcześniej rzeka zaczęła się uspokajać. Żołnierze pułkownika Abali

78

albo leżeli martwi na dnie, albo zostali daleko z tyłu, a dwa skradzione przez nich śmigłowce odleciały wkrótce po uderzeniu fali.

– Eric, myślę, że możesz poprowadzić statek stąd do Bomy.

– Tak jest, prezesie. Przejmuję ster.

Juan usiadł w swoim fotelu. Max Hanley położył mu dłoń na ramieniu.

– Dałeś pokaz cholernie dobrej jazdy.

– Dzięki. Wątpię, żebym w najbliższym czasie miał ochotę to powtórzyć.

– Chciałbym móc powiedzieć, że wyszliśmy na prostą, ale tak nie jest. Naładowanie akumulatorów spadło do trzydziestu procent. Mimo że płyniemy z prądem, zostaniemy bez zasilania dobrych piętnaście kilometrów od morza.

– Czy ty w ogóle we mnie nie wierzysz? – Juan poczuł się urażony. – Nie było cię tutaj, kiedy Eric mówił, że przypływ będzie za... – Spojrzał na zegarek. – Półtorej godziny? Ocean wedrze się w głąb lądu na odległość dwudziestu pięciu czy trzydziestu kilometrów i zasoli rzekę Kongo. To może być jak jazda samochodem wyścigowym na zwykłej benzynie, ale takie zasolenie wody wystarczy do uruchomienia silników magnetohydrodynamicznych.

Max zaklął.

– Że też o tym nie pomyślałem.

– Dlatego zarabiam więcej niż ty. Jestem mądrzejszy, bardziej sprytny i dużo przystojniejszy.

– I twoja skromność zadaje ci szyku jak dobrze uszyty garnitur. – Max spoważniał po tych słowach. – Kiedy tylko dotrzemy do Bomy, wyślę moich mechaników do kanałów napędowych, ale z tego, co widziałem w komputerze, chyba są w porządku. Może niezupełnie, ale przeczucie mówi mi, że nie potrzebują wymiany powłoki wewnętrznej.

Choć Max był wiceprezesem Korporacji i zajmował się mnóstwem codziennych spraw związanych z prowadzeniem odnoszącej sukcesy firmy, najbardziej lubił swoją rolę głównego mechanika „Oregona", a supernowoczesne silniki stały się jego dumą i radością.

– Dzięki Bogu. – Juan odetchnął głęboko. – Wymiana powłoki wewnętrznej kanałów napędowych kosztowałaby miliony dolarów. Ale nie chcę tkwić w Bomie dłużej niż to konieczne. Po zabraniu Linca i Eddiego chcę znaleźć się jak najszybciej na wodach międzynarodowych na wypadek, gdyby minister Isaka nie zdołał nas uwolnić od odpowiedzialności za otwarcie zapory.

– Masz rację. Możemy sprawdzić kanały napędowe na pełnym morzu prawie tak łatwo jak w porcie.

– Dostałeś jeszcze jakieś meldunki o zniszczeniach?

– Poza roztrzaskanym aparatem rentgenowskim w izbie chorych i mnóstwem potłuczonej porcelany i szkła, nad czym ubolewa Maurice, wyszliśmy z tego cało.

Maurice, który pasowałby bardziej do epoki wiktoriańskiej, był głównym stewardem „Oregona", jedynym członkiem załogi starszym od Maxa i jedynym nie-Amerykaninem na pokładzie. Służył w brytyjskiej marynarce wojennej, nadzorując mesy na wielu okrętach flagowych, dopóki nie musiał odejść do cywila z powodu wieku. W Korporacji pracował od roku i szybko stał się ulubieńcem zespołu. Wyprawiał wszystkim wspaniałe przyjęcia urodzinowe, bo znał gusty załogantów i wiedział, czego oczekują od wysoko wykwalifikowanego personelu kuchennego „Oregona".

– Powiedz mu, żeby tym razem nie przesadził z zamówieniem. Kiedy straciliśmy całą zastawę stołową, pędząc na ratunek Eddiemu przed paroma miesiącami, Maurice zastąpił wszystko porcelaną Royal Doulton po sześćset dolarów za nakrycie.

Max uniósł brwi.

– Żal ci kilku centów?

– Straciliśmy miseczki do obmywania palców i pucharki do sorbetu warte czterdzieści pięć tysięcy dolarów.

– Okej, więc kilkudziesięciu. Zapominasz, że widziałem nasze ostatnie zestawienie bilansowe. Stać nas na to.

Max mówił prawdę. Korporacja nigdy nie miała lepszej sytuacji finansowej. Juan zaryzykował założenie własnej firmy zajmującej się bezpieczeństwem i inwigilacją, co okazało się trafnym posunięciem. Ale był też minus. Istnienie takich organizacji w pozimnowojennej rzeczywistości stało się koniecznością w XXI wieku. Juan wiedział, iż teraz, gdy rywalizacja między dwoma supermocarstwami nie groziła konfliktem zbrojnym, będą wybuchać konflikty regionalne i na całym świecie rozprzestrzeni się terroryzm. Możliwość czerpania z tego zysków oraz podejmowania decyzji, której z walczących stron należy pomóc, była jednocześnie błogosławieństwem i przekleństwem dręczącym Juana podczas bezsennych nocy.

– To wina mojej babci – odparł Juan. – Potrafiła się obkupić za dolara i jeszcze dostać resztę. Nie cierpiałem jej odwiedzać, bo w sklepie zawsze brała czerstwy chleb, żeby zaoszczędzić parę centów. Wkładała go do tostera, ale mogłeś poznać, co to jest, a zapiekane kanapki z kiełbasą wieprzową, wołowiną i cielęciną są obrzydliwe.

– Okej, żeby uhonorować twoją babcię, powiem Maurice'owi, że tym razem musi się zadowolić porcelaną z Limoges – obiecał Max i wrócił na swoje stanowisko.

Do Juana podszedł Hali Kasim z clipboardem. Marsowa mina – opuszczone kąciki ust i obwisłe wąsy – sprawiała, że wyglądał jak opryszek.

– Prezesie, Węszyciel wyłapał to kilka minut temu. – Węszycielem nazywali antenę odbiorczą przeczesującą eter w promieniu wielu kilometrów wokół statku. Ściągała wszystkie sygnały, od zwykłych transmisji radiowych do zaszyfrowanych połączeń przez telefony komórkowe. Superkomputer „Oregona" analizował to co pół sekundy w poszukiwaniu istotnych informacji. – Komputer właśnie złamał kod. Nazwałbym to szyfrem cywilnym pierwszej klasy albo wojskowym na średnim poziomie.

– Co było źródłem sygnału? – zapytał Juan, biorąc od niego żarzący się clipboard.

– Telefon satelitarny, przez który ktoś rozmawiał na wysokości dwunastu tysięcy metrów.

– To znaczy, że leciał albo samolotem wojskowym, albo firmowym. Odrzutowce rejsowe rzadko przekraczają pułap jedenastu i pół tysiąca metrów.

– Też tak pomyślałem. Przykro mi, ale złapaliśmy tylko początek rozmowy. Węszyciel padł w tym samym momencie, co radar, i zanim znów zadziałał, samolot był już poza jego zasięgiem.

Juan przeczytał głośno pojedynczą linijkę:

– „...nie tak szybko. Będziemy mieli Merricka w Diabelskiej Oazie o czwartej rano". – Przeczytał to jeszcze raz cicho i spojrzał z nieprzeniknioną miną na Halego. – Niewiele mi to mówi.

– Nie wiem, co to jest Diabelska Oaza, ale kiedy wyładowywałeś broń na przystani, Sky News podała wiadomość, że Geoffrey Merrick został uprowadzony razem ze swoją współpracowniczką z centrali jego firmy w Genewie. Z analizy na podstawie tej informacji wynika, że szybki odrzutowiec firmowy z Merrickiem i jego porywaczami na pokładzie byłby dokładnie nad nami w momencie, kiedy przechwyciliśmy ten telefon.

– Dobrze się domyślam, że chodzi o tego Geoffreya Merricka, milionera, który prowadzi firmę Merrick/Singer?

– Tak, jego wynalazki wykorzystywane w procesie oczyszczania węgla otworzyły nowe możliwości przed przemysłem, a Merrick stał się jednym z najbardziej znienawidzonych przez ekologów ludzi na świecie, bo obrońcy środowiska nadal uważają, że węgiel jest zbyt brudny.

– Ktoś zażądał już okupu?

– W wiadomościach nic o tym nie mówili.

Juan podjął szybko decyzję.

– Niech Murphy i Linda popracują nad tym. – Linda Ross służyła wcześniej w wywiadzie marynarki wojennej, toteż nadawała się doskonale do tego zadania, a Murphy był najlepszy w znajdowaniu ukrytych wskazówek w lawinie informacji. – Powiedz im, że chcę dokładnie wiedzieć, co się dzieje. Kto porwał Merricka. Kto kieruje śledztwem. Co to jest Diabelska Oaza i gdzie. Plus wszystko o firmie Merrick/Singer.

– Dlaczego się nim interesujemy?

– Z dobrego serca – odparł Cabrillo z szelmowskim uśmiechem.

– I to, że jest miliarderem, nie ma nic do rzeczy?

– Jestem zszokowany. O co ty mnie posądzasz? – Juan udał przekonująco oburzenie. – Jego pieniądze nie wychodzą mi z głowy, to znaczy nawet o nich nie pomyślałem.

Rozdział 6

Juan Cabrillo siedział za biurkiem, trzymając nogi na intarsjowanym blacie, i czytał raporty pooperacyjne Eddiego i Linca na ekranie swojego peceta. To, co z pewnością było ciągiem jeżących włosy na głowie wydarzeń, opisali tak nudnie – każdy podkreślał wyłącznie zasługi kolegi i bagatelizował niebezpieczeństwa – że ich teksty przypominały instrukcję obsługi sprzętu stereo.

Zrobił parę notek piórem świetlnym i zachował oba dokumenty w pamięci komputera.

Potem sprawdził prognozy pogody. Na północ od nich szalał na Atlantyku silny sztorm, dziewiąty tego roku i choć nie zagrażał „Oregonowi", interesował Juana, gdyż trzy z poprzednich sztormów przeszły w huragany, a sezon trwał dopiero miesiąc. Meteorolodzy przewidywali, że w tym roku Stany Zjednoczone nawiedzi tyle samo lub nawet więcej sztormów niż w 2005, kiedy żywioł zniszczył Nowy Orlean i spowodował znaczne straty na teksaskim wybrzeżu Zatoki Meksykańskiej. Eksperci twierdzili, że to część normalnego cyklu silnych huraganów, natomiast ekolodzy uważali, że hipersztormy są skutkiem globalnego ocieplenia, za które winę ponosi człowiek. Juan wierzył meteorologom, ale zjawisko było niepokojące.

Zapowiadano, że pogoda wzdłuż południowo-zachodniego wybrzeża Afryki będzie dobra przez co najmniej pięć najbliższych dni.

W przeciwieństwie do poprzedniej nocy, kiedy Cabrillo miał niechlujny wygląd chciwego pierwszego oficera parowego trampa, rano był już odświeżony i ubrany w dżinsy angielskiego kroju, koszulę firmową Turnbull i Asser rozpiętą pod szyją i żeglarskie buty noszone na bose stopy. Ponieważ ludzie widzieliby jego kostki, założył protezę prawej nogi pokrytą gumą w cielistym kolorze zamiast wyglądającej mniej naturalnie sztucznej kończyny. Strzygł się na jeża i mimo latynoskiego nazwiska i pochodzenia miał blond włosy spłowiałe niemal do białości – w Kalifornii, gdzie się wychowywał, spędzał większość czasu na słońcu i w wodzie.

Pancerne osłony bulajów były opuszczone, jego kajutę zalewało naturalne światło. Tekowa boazeria, podłoga i kasetonowy sufit lśniły, świeżo wypolerowane na wysoki połysk. Widział zza biurka swoją sypialnię, gdzie dominowało masywne ręcznie rzeźbione łoże z baldachimem, a za nią łazienkę z kabiną prysznicową wyłożoną meksykańską glazurą, jacuzzi i umywalką. W pomieszczeniach unosił się męski zapach płynu po goleniu Juana i jego ulubionych kubańskich cygar La Troya Universales.

Wystrój wnętrz był prosty, ale elegancki i uwidaczniał eklektyczny gust Juana.

Jedną ścianę zdobił obraz przedstawiający „Oregona" na wzburzonym morzu, drugą zajmowały gablotki z osobliwościami, które gromadził w czasie swoich podróży: znajdowały się tam gliniany posążek egipski *ushabti*, kamienna misa z czasów imperium Azteków, koło modlitewne z Tybetu, rzeźbiona ozdoba z muszli, nóż Gurkhów, lalka z foczej sierści zrobiona na Grenlandii, nieobrobiony szmaragd z Kolumbii i mnóstwo innych rzeczy. Większość mebli była ciemna, wbudowane oświetlenie dyskretne, a podłogę pokrywały perskie dywany w żywych kolorach.

Rzucał się w oczy brak jakichkolwiek fotografii. Podczas gdy większość ludzi na morzu ma zdjęcia swoich żon i dzieci, kapitan „Oregona" najwyraźniej nie miał takiej potrzeby.

Kobieta, z którą kiedyś się ożenił, zginęła jedenaście lat temu w wypadku, prowadząc samochód po pijanemu. Juan wciąż cierpiał w głębi duszy, ale nie przyznawał się do tego.

Wypił łyk kawy Kona, spojrzał na serwis i się uśmiechnął.

Juanowi między innymi dlatego udawało się werbować niektórych spośród najlepszych amerykańskich żołnierzy i agentów wywiadu, że dobrze im płacił i niczego nie żałował załodze. Kupował drogą porcelanę do mesy, zatrudniał kucharzy z praktyką w renomowanych restauracjach i pozwalał każdemu nowemu członkowi zespołu urządzić sobie kajutę według własnego gustu. Mark Murphy wydał większość swojego budżetu na system dźwiękowy, którego brzmienie potrafiłoby strząsnąć skorupiaki z kadłuba. Linda Ross zaangażowała nowojorską dekoratorkę wnętrz do zmiany wystroju swojego lokum. Kajuta Linca była prosta, surowa jak koszary marynarki wojennej, bo wolał wpakować pieniądze w harleya-davidsona, którego trzymał w ładowni.

Załoga „Oregona" miała do dyspozycji duże centrum fitnessu z saunami, a jeden ze zbiorników balastowych po napełnieniu do połowy nie ustępował basenowi pływackiemu o wymiarach olimpijskich. Mężczyźni i kobiety należący do Korporacji prowadzili wygodne, ale niebezpieczne życie, o czym świadczyło ostatnie zadanie. Wszyscy członkowie załogi byli akcjonariuszami i choć lwia część zysków przypadała oficerom, Juan najbardziej lubił ten moment po zakończeniu operacji, kiedy wypisywał czeki premiowe dla personelu technicznego i pomocniczego. Tym razem przyznał im łącznie około pięciuset tysięcy dolarów.

Właśnie zabierał się do pisania raportu dla Langstona Overholta, swojego starego przyjaciela w CIA, który dawał Korporacji mnóstwo zleceń, gdy ktoś zapukał do drzwi.

– Proszę.

Linda Ross i Mark Murphy weszli do kajuty. Linda była drobna i żwawa, kudłaty, ciemnowłosy Mark poruszał się niezgrabnie i wyglądem przypominał gangstera. Nosił kozią bródkę, którą można zgolić jednym pociągnięciem brzytwy, i ubierał się wyłącznie na czarno. Należał do grupki członków załogi bez wojskowej przeszłości. Był młodym geniuszem, zrobił doktorat w wieku dwudziestu lat i pracował w dziale badań i rozwoju pewnej firmy będącej kontrahentem resortu obrony, gdzie poznał Erica Stone'a, który kończył wtedy skróconą służbę w marynarce wojennej i podpisał już umowę o pracę z Juanem. Eric przekonał Cabrilla, że młody ekspert od uzbrojenia bardzo się przyda Korporacji, i teraz, po trzech latach, Juan nie mógł temu zaprzeczyć, mimo że Mark gustował w muzyce punkowej i chętnie zmieniłby pokład „Oregona" w tor do jazdy na deskorolce.

Cabrillo zerknął na zabytkowy chronometr na wprost swojego biurka.

– Albo już wypadliście z gry, albo zaliczyliście wszystkie możliwe bazy, skoro przychodzicie do mnie tak prędko.

– Powiedzmy, że jesteśmy przy trzeciej. – Murph poprawił plik papierów pod pachą. – A przy okazji, nie lubię sportowych przenośni, bo połowy z nich nie rozumiem.

Juan roześmiał się.

– Więc to bardziej wsad niż daleki rzut na los szczęścia.

– Jeśli tak uważasz.

Usiedli naprzeciwko Juana, który odsunął z biurka dokumenty.

– Okej, co macie?

– Od czego chcesz zacząć? – zapytała Linda. – Od porwania czy od firmy?

– Od firmy, żebym wiedział, kim się zajmujemy. – Juan założył ręce za głowę i utkwił wzrok w suficie, gdy Linda zaczęła mówić. Nie patrzył na nią, co może było nieuprzejme, ale tak właśnie się koncentrował.

– Geoffrey Merrick jest pięćdziesięciojednoletnim rozwodnikiem z dwójką dorosłych dzieci, które trwonią jego pieniądze na oczach paparazzich, żeby być w brukowcach. Jego eks to artystka mieszkająca w Nowym Meksyku. Nie afiszuje się. Odebrał dyplom doktora chemii w Instytucie Technologicznym Massachusetts, kiedy był dokładnie jeden dzień młodszy niż Mark w chwili otrzymania swojego. Nawiązał współpracę z innym absolwentem tej uczelni, Danielem Singerem, i razem założyli spółkę Merrick/Singer zajmującą się badaniami materiałowymi. Firma zgłosiła i uzyskała osiemdziesiąt patentów w ciągu ostatnich dwudziestu pięciu lat i rozrosła się z dwuosobowego przedsięwzięcia w wynajętym pomieszczeniu pod Bostonem do kompleksu w Szwajcarii w pobliżu Genewy, zatrudniającego stu sześćdziesięciu pracowników.

Jak być może wiesz – kontynuowała – ich największy wynalazek to system filtracyjny na bazie organicznej, który w dziewięćdziesięciu procentach oczyszcza z siarki dym emitowany przez elektrownie opalane węglem. Rok po jego wdrożeniu Merrick/Singer weszła na giełdę i obaj wspólnicy zostali miliarderami. Nie obyło się bez kontrowersji, które odbijają się echem do dziś. Ekolodzy twierdzą, że nawet wyposażone w filtry elektrownie węglowe są zbyt brudne i należy je zamknąć. Trwają procesy sądowe i co rok ich przybywa.

– Czy Merricka mogli porwać ekoterroryści? – przerwał Juan.

– Policja szwajcarska tego nie wyklucza. Ale to nie wydaje się prawdopodobne. Po co mieliby to robić? Wracając do sprawy, dziesięć lat po wielkim sukcesie firmy doszło do konfliktu między wspólnikami. Do tego czasu byli sobie bliscy jak bracia. Zawsze pojawiali się razem na konferencjach prasowych. Rodziny spędzały wspólnie wakacje. A potem, w ciągu paru miesięcy, Singer jakby przeszedł zmianę osobowości. Brał stronę ekologów, kiedy składali pozwy przeciwko jego własnej firmie, i w końcu zmusił wspólnika do wykupienia jego udziałów. Wyceniono je na dwa i cztery dziesiąte miliarda, Merrick mocno się nagimnastykował, żeby zdobyć taką gotówkę. Musiał osobiście odkupić wszystkie akcje Merrick/Singer i o mało nie zbankrutował.

– Kain i Abel – wtrącił Mark Murphy.

– Ta historia była na pierwszych stronach wszystkich dzienników ekonomicznych.

– Co się potem działo z Singerem?

– Kiedy żona odeszła od niego, zamieszkał na wybrzeżu Maine niedaleko miejsca, gdzie się wychowywał. Jeszcze jakieś pięć lat temu wspierał finansowo każdą inicjatywę ekologów, również zielonych ekstremistów, a potem nagle oskarżył wiele grup obrońców środowiska o oszustwa. Twierdził, że wyłudzano od niego pieniądze, że ten cały ruch jest tylko sposobem na bogacenie się ludzi stojących na czele różnych organizacji ekologicznych, którzy tak naprawdę nic nie robią dla ratowania naszej planety. Sprawy sądowe jeszcze się toczą, choć sam Singer zniknął z widoku.

– Stał się pustelnikiem?

– Nie, po prostu nie pokazuje się publicznie. Kiedy badałam tę sprawę, miałam wrażenie, że Merrick był fasadą, a Singer mózgiem, mimo że stawali razem na podium. Merrick miał wielu znajomych wśród kongresmenów, także utrzymywał kontakty z urzędnikami wysokiego szczebla w Bernie, gdy przenieśli firmę do Szwajcarii. Nosił garnitury po tysiąc dolarów, a Singer dżinsy i źle zawiązany krawat. Merrick lubił być w blasku reflektorów, a Singer w cieniu. Myślę, że po odejściu z firmy wrócił po prostu do swojej osobowości introwertyka.

– Nie wygląda mi na mózg organizacji przestępczej – powiedział Juan.

– Mnie też nie. Jest po prostu naukowcem z grubym portfelem.

– Okej, więc mamy porwanie dla okupu, czy chodzi o coś innego?

– Po odejściu Singera firma funkcjonuje bez zakłóceń.

– Co oni właściwie robią?

– Prowadzą badania naukowe, które finansuje Merrick. Nadal uzyskują kilka patentów rocznie, ale nie są to żadne epokowe wynalazki, na przykład jakiś lepszy od dotychczasowych klej molekularny o niewiadomym przeznaczeniu albo pianka wytrzymała na temperaturę o kilka stopni wyższą niż to, co jest już na rynku.

– Nic, co mógłby próbować wykraść ktoś zajmujący się szpiegostwem przemysłowym?

– Nie natrafiliśmy na nic takiego, ale mogą pracować nad czymś w tajemnicy.

– Okej, będziemy o tym pamiętać. Opowiedzcie mi o samym porwaniu.

Mark wyprostował się na krześle.

– Merricka i jego współpracowniczkę, Susan Donleavy, ostatni widział ochroniarz w głównym budynku kompleksu wczoraj o siódmej wieczorem, kiedy szli do wyjścia i rozmawiali. Merrick wybierał się na randkę, był umówiony na kolację i miał zarezerwowany stolik na ósmą. Donleavy mieszka sama i najwyraźniej nie miała żadnych planów. Odjechali swoimi samochodami, Merrick mercedesem, a Donleavy volkswagenem. Ich auta znaleziono niecały kilometr od firmy. Policja ustaliła na podstawie śladów opon, że zostały zepchnięte z drogi najprawdopodobniej przez furgonetkę jadącą z dużą prędkością, na co wskazywałby rozstaw osi. Poduszki powietrzne eksplodowały tylko w mercedesie, w volkswagenie nie odpaliły. Najpierw chyba został uderzony mercedes i Susan Donleavy zwalniała, kiedy furgonetka walnęła w nią. W samochodzie Merricka wybito boczną szybę po stronie kierowcy, żeby odblokować drzwi. Volkswagen nie miał automatycznych zamków, więc Donleavy wyciągnięto po prostu z auta.

– Skąd policja wiedziała, że to było porwanie, a nie akcja ratunkowa jakiegoś samarytanina, który zabrał ofiary wypadku drogowego do jednego z miejscowych szpitali? – spytał Cabrillo.

– Nie ma ich w żadnym miejscowym szpitalu, więc policja doszła do wniosku, że muszą być zamknięci w piwnicy tego samarytanina.

– Słusznie.

– Na razie nikt nie zażądał okupu, a poszukiwania furgonetki nic nie dały. W końcu znajdą ją na lotnisku, bo wiemy, że Merricka, i Susan Donleavy zapewne też, wywieziono za granicę samolotem.

– Sprawdziliście wczorajsze nocne loty czarterowe z Genewy?

– Eric właśnie to robi. Było ich ponad pięćdziesiąt, bo akurat skończyły się obrady szczytu ekonomicznego i wszystkie ważne figury wracały do domu.

Juan przewrócił oczami.

– Jasne.

– To może nie tyle nasz pech, ile ich staranne planowanie.

– Słuszna uwaga.

– Policja jeszcze nie wie, co o tym sądzić. Przyjęli taktykę „poczekamy, zobaczymy". Liczą na to, że porywacze się odezwą.

– A może chodziło o Susan Donleavy, nie o Geoffreya Merricka? – podsunął Juan.

Mark pokręcił głową.

– Wątpię. Sprawdziłem ją w bazie danych firmy. Pracuje u nich od dwóch lat, specjalizuje się w chemii organicznej i robi teraz doktorat. Mieszka sama. Nie ma męża ani dzieci. Większość danych osobowych mówi coś o czyimś hobby czy zainteresowaniach. O niej są tylko informacje zawodowe, ani słowa o życiu prywatnym.

– Nie jest osobą wartą wydatków porywacza na wynajęcie odrzutowca.

– Nie pasuje, z którejkolwiek strony by na to spojrzeć – odezwała się Linda. – Celem musiał być Merrick i założę się, że Donleavy zniknęła, bo była świadkiem.

– A co z tą Diabelską Oazą?

– Nic nie znaleźliśmy w Internecie. To na pewno kryptonim, więc Oaza może być gdziekolwiek. Biorąc pod uwagę pozycję samolotu w momencie, kiedy przechwyciliśmy ich wiadomość telefoniczną, że będą tam o czwartej rano, to miejsce może leżeć w kręgu obejmującym wschodni kraniec Ameryki Południowej. Mogli też znów skręcić na północ i wrócić do Europy.

– Raczej mało prawdopodobne. Załóżmy, że zostali na tym samym prostym kursie ze Szwajcarii na południe, którym przelatywali nad nami. Gdzie przypuszczalnie mogli wylądować?

– Gdzieś w Namibii, Botswanie, Zimbabwe albo RPA.

– Przy naszym szczęściu na pewno się okaże, że w Zimbabwe – mruknął Mark.

Lata korupcji i kiepskiego planowania gospodarczego uczyniły z bogatego niegdyś kraju jedno z najbiedniejszych państw na kontynencie. Niezadowolenie z represyjnych rządów groziło wybuchem. Przybywało meldunków o atakach na wioski, których mieszkańcy występowali otwarcie przeciwko reżimowi, panował głód, szerzyły się choroby. Wszystko wskazywało na to, że w ciągu najbliższych miesięcy lub nawet tygodni dojdzie do wojny domowej.

– To znów może nie tyle nasz pech, ile ich dobre planowanie – powiedziała Linda. – Sam środek strefy działań wojennych byłby ostatnim miejscem, gdzie szukałabym uprowadzonego przemysłowca. Mogli łatwo przekupić władze, żeby odwróciły wzrok, kiedy go tam przywiozą.

– Okej, skoncentrujcie się na poszukiwaniach Diabelskiej Oazy w Zimbabwe, ale nie wykluczajcie innych ewentualności. Będziemy dalej płynąć na południe i miejmy nadzieję, że coś znajdziecie, zanim dotrzemy do zwrotnika Koziorożca. Porozmawiam z Langstonem i dowiem się, czy i jakie CIA ma informacje. Niewykluczone, że zasugeruję mu wysłanie jakichś sygnałów do szwajcarskich władz i zarządu Merrick/Singer, że są pewne możliwości pomocy.

– Zwykle nie załatwiamy spraw w ten sposób, prezesie.

– Wiem, Lindo, ale możemy być akurat we właściwym miejscu o właściwej porze i to wypali.

– Albo porywacze przedstawią swoje żądania dziś, Merrick/Singer zapłaci okup i stary poczciwy Geoffrey zdąży do domu na kolację.

– Zapominasz o jednej ważnej rzeczy – odparł Juan poważnym tonem. – Wywiezienie go za granicę było ryzykiem, którego by nie podejmowali, gdyby chodziło o okup w gotówce. Gdyby w grę wchodziły tylko pieniądze, uwięziliby go gdzieś w Szwajcarii, przedstawili swoje żądania i mieli to z głowy. Jeśli planują wszystko tak dokładnie, jak podejrzewasz, to musi chodzić o coś, czego nie dostrzegamy.

Linda Ross skinęła głową, wyczuwając powagę sytuacji.

– Na przykład?

– Znajdźcie Diabelską Oazę, to może się czegoś dowiemy.

Rozdział 7

Sloane tak się pociła w słuchawkach, że włosy lepiły jej się do skóry, ale gdyby odsłoniła uszy, żeby się ochłodzić, musiałaby znosić hałas silnika i rotora helikoptera. I tak źle, i tak niedobrze. Wytrzymywała te niewygody już dwie bezowocne godziny.

Koszulę na plecach też miała lepką. Ilekroć zmieniała pozycję, przyklejała się do winylowego siedzenia. Z przodu odciągała koszulę od ciała, bo materiał opinał jej biust, co wywoływało pożądliwy uśmiech Luki, który siedział obok. Wolałaby zajmować miejsce obok pilota, ale powiedział, że jest mu potrzebny ciężar Tony'ego w kokpicie, żeby utrzymywać w równowadze mały helikopter. Nie miała wyboru, musiała siedzieć z tyłu.

Wracali do Swakopmund po raz ostatni. Sloane była za to wdzięczna, ale jednocześnie sfrustrowana. Siedem razy wylatywali nad ocean i przeszukiwali miejsca zaznaczone na jej mapie, a potem wracali zatankować, nie znalazłszy nic poza naturalnymi formacjami skalnymi. Wykrywacz metali, opuszczany do wody na długiej uwięzi, nie sygnalizował obecności czegoś na tyle dużego, by mogło być kotwicą, a co dopiero całym statkiem.

Sloane wszystko bolało po wielu godzinach spędzonych w gorącym, ciasnym śmigłowcu i obawiała się, że zawsze będzie ją prześladować odór ciała Luki. Była tak pewna swojego planu, żeby wykorzystać wiedzę miejscowych rybaków o wodach wzdłuż wybrzeża, że nie dopuszczała myśli o porażce. Ale teraz, kiedy wracali małym helikopterem na wydmy pod Swakopmund, czuła gorycz przegranej. Miała sucho w gardle, blask oceanu w dole przenikał przez okulary przeciwsłoneczne i nasilał ból głowy.

Tony odwrócił się do niej na swoim siedzeniu i pokazał, żeby włączyła słuchawki z powrotem do obwodu interkomu pokładowego. Wyłączyła je wcześniej, by móc użalać się nad sobą w spokoju.

– Pilot mówi, że ten helikopter nie ma takiego zasięgu, żeby dolecieć do ostatniego miejsca na mapie. Tego, które wskazał Papa Heinrick.

– O co chodzi z Papą Heinrickiem? – zainteresował się Luka, a Sloane poczuła jego cuchnący oddech.

Chciała zachować w tajemnicy nocną wyprawę do zatoki Sandwich przede wszystkim dlatego, że nie miała ochoty przyznawać Luce racji.

Zła, że Tony się odezwał, wzruszyła ramionami.

– Nieważne. Jest kompletnie stuknięty. Straciliśmy ponad dwa tysiące dolarów na paliwo, żeby zobaczyć miejsca wskazane nam przez wiarygodne źródła. Nie będziemy marnować więcej pieniędzy na szukanie ogromnych węży Papy Heinricka.

– Na szukanie czego? – zapytał pilot. Był Afrykanerem i mówił z silnym południowoafrykańskim akcentem.

– Ogromnych węży – powtórzyła Sloane i poczuła się jak idiotka. – Twierdził, że zaatakowały go ogromne metalowe węże.

– Raczej miał delirkę – stwierdził pilot. – Wszyscy tu wiedzą, że Papa Heinrick to moczymorda. Widziałem, jak spił do nieprzytomności dwóch australijskich

turystów wędrujących z plecakami. Spadli pod stół,
a obaj byli jak słonie. Chyba rugbiści, o ile pamiętam.
Jeśli widział węże, to możecie postawić swojego ostatniego randa na to, że był wtedy nawalony.

– Ogromne węże. – Luka zachichotał. – Nie mówiłem wam, że Papa Heinrick to wariat? Szkoda czasu
na rozmowę z tym głupkiem. Wierzcie Luce. Znajdę
miejsce, którego szukacie. Zobaczycie.

– Mnie to nie interesuje – odezwał się Tony. – Pojutrze muszę być w domu i chcę jeszcze posiedzieć
przy basenie.

– Okej. – Luka zerknął szybko tam, gdzie kończyły się szorty Sloane. – Więc popłynę tylko z panią,
łodzią o większym zasięgu niż ten helikopter.

– Dziękuję, ale nie skorzystam – odparła tak ostro,
że zwróciła na siebie uwagę Tony'ego. Zgromiła go
wzrokiem i po chwili zrozumiał, o co naprawdę chodzi
ich przewodnikowi.

– Coś zaimprowizujemy. – Zmienił zdanie. – Zobaczę, jak się będę czuł rano, dobra? Zresztą może
rejs łodzią nie byłby taki zły.

– To strata czasu – mruknął pilot.

Sloane była pewna, że Afrykaner ma rację.

Helikopter zawisnął nad zakurzonym lądowiskiem
dwadzieścia minut później. Podmuch od rotora pod-
rywał pył, który przysłaniał ziemię, i wydymał sflacza-
ły rękaw lotniskowy w sztywny różowy stożek. Pilot
posadził delikatnie maszynę i od razu wyłączył silnik.
Skutek był natychmiastowy. Przeraźliwy hałas ucichł
i łopaty wirnika zaczęły zwalniać. Afrykaner otworzył
swoje drzwi, zanim rotor się zatrzymał, i zamienił przesiąknięte potem gorące powietrze w kabinie na zapylo-
ne gorące powietrze na zewnątrz. Mimo to poczuł ulgę.

Sloane otworzyła drzwi, wysiadła z helikoptera
i schyliła się odruchowo, gdy rotor obracał się jeszcze nad jej głową. Chwyciła swój worek marynarski
i okrążyła dziób maszyny, żeby pomóc Tony'emu odczepić wykrywacz metalu i szpulę z kablem od lewej
płozy. Razem załadowali ważący czterdzieści pięć kilogramów sprzęt na tył wypożyczonego pikapa. Luka

nawet nie zaproponował, że im pomoże, tylko łapczywie wypalał pierwszego papierosa od dwóch godzin.

Tony rozliczył się z pilotem – kosztowało go to wszystkie czeki podróżne oprócz dwóch, które przysiągł sobie przepuścić w hotelowym kasynie. Afrykaner uścisnął obojgu dłonie, podziękował im, że skorzystali z jego usług, i dał im ostatnią radę:

– Na pewno uważacie Lukę za ciemnego typa i naciągacza, ale nie myli się co do Papy Heinricka. Staruch ma nie po kolei w głowie. Dobrze się bawiliście, szukając zatopionego statku. Spędźcie przyjemnie ostatni dzień wakacji. Wybierzcie się na wycieczkę po wydmach albo posiedźcie przy basenie, tak jak mówił Tony.

Luka był poza zasięgiem głosu, więc Sloane powiedziała:

– Piet, przelecieliśmy pół świata. Co znaczy jeden stracony dzień więcej?

Pilot zachichotał.

– Właśnie to mi się podoba w jankesach. Nigdy się nie poddajecie.

Znów uścisnęli sobie dłonie i Luka wspiął się na skrzynię terenowego pikapa. Wyrzucili go przed barem w robotniczej dzielnicy Walvis Bay, gdzie mieszkał, i zapłacili mu dzienną stawkę. Mimo zapewnień, że naprawdę nie będzie im już potrzebny, obiecał przyjść do hotelu nazajutrz o dziewiątej rano.

– Boże, on jest nie do wytrzymania. – Sloane pokręciła głową.

– Nie rozumiem, dlaczego się go czepiasz. Owszem, mógłby wziąć prysznic i mieć miętowy oddech, ale jest bardzo pomocny.

– Spróbuj być kobietą w jego obecności, to zrozumiesz.

Swakopmund nie przypomina żadnego innego miejsca w Afryce. Ponieważ Namibia była kiedyś niemiecką kolonią, w mieście dominuje bawarski styl architektoniczny z mnóstwem ozdób na domach i solidnych luterańskich kościołach. Obsadzone palmami ulice są szerokie i dobrze utrzymane, choć wiatr nawiewa wszędzie piasek z pustyni. Dzięki bliskości głębokowodnego portu w Walvis Bay miasto stało się celem wycieczek poszukiwaczy przygód.

Sloane odrzuciła propozycję Tony'ego, żeby zjeść kolację w hotelu i spędzić noc w kasynie.

– Chyba wybiorę się do restauracji przy latarni morskiej i popatrzę na zachód słońca.

– Jak chcesz – odparł Tony i poszedł do swojego pokoju.

Po prysznicu Sloane włożyła kwiecistą letnią sukienkę na ramiączkach, sandałki na płaskich obcasach i narzuciła sweter na ramiona. Zostawiła miedziane włosy rozpuszczone i przypudrowała zaróżowione od słońca policzki, żeby wyrównać kolor skóry. Choć Tony przez całą podróż zachowywał się jak prawdziwy dżentelmen, podejrzewała, że przestanie nim być po paru godzinach udawania w kasynie Jamesa Bonda. Wolała nie być wtedy w pobliżu.

Poszła Bahnhof Street, oglądając na wystawach sklepowych miejscowe rzeźby i malowane strusie jaja, które sprzedawano turystom. Wiatr od Atlantyku odświeżał powietrze i oczyszczał miasto z kurzu. Kiedy znalazła się na końcu ulicy, na prawo miała Palm Beach, a na wprost Mole, osłaniającą plażę naturalną mierzeję z latarnią morską na krańcu. Dotarła do celu kilka minut później. Z restauracji nad rozbijającymi się o brzeg falami przyboju rozciągał się wspaniały widok, który zwabił wielu turystów, ją też.

Zamówiła przy barze niemieckie piwo i zaniosła je do wolnego stolika od strony morza.

Sloane Macintyre nie była przyzwyczajona do porażek, nie mogła więc się pogodzić z tym, że jej wyprawa to niewypał. Rzeczywiście, od początku strzelała w ciemno, ale nadal uważała, że mają duże szanse znaleźć HMS „Rove".

Ale co potem, zapytywała siebie po raz setny, jakie są szanse, że pogłoska jest prawdziwa? Jak tysiąc do jednego? Milion? I co zyska, jeśli znajdzie to, czego szuka? Poklepią ją po plecach i dadzą premię. Zastanawiała się, czy dla takiej nagrody warto znosić narzekania Tony'ego, pożądliwe spojrzenia Luki i obłęd Papy Heinricka. Ze złością dopiła resztkę piwa trzema szybkimi łykami, zamówiła następne i rybę na kolację.

Jadła, gdy słońce chowało się w morzu, i rozmyślała o swoim życiu. Jej siostra miała męża, trójkę dzieci i pracę zawodową, a ona bywała w swoim londyńskim mieszkaniu tak rzadko, że wyrzuciła wszystkie rośliny i zastąpiła je sztucznymi – żywych nie miał kto podlewać i usychały. Jej ostatni związek rozpadł się, bo stale gdzieś wyjeżdżała. Próbowała odpowiedzieć sobie na pytanie, co właściwie sprawiło, że absolwentka wydziału biznesu Uniwersytetu Columbia włóczy się po krajach Trzeciego Świata i wypytuje rybaków, gdzie tracą sieci.

Kiedy skończyła kolację, postanowiła, że po powrocie do domu pomyśli poważnie o swoim życiu i o tym, czego od niego chce. Za trzy lata będzie miała czterdziestkę. Teraz nie wydawało jej się, że to dużo, ale pamiętała, jak patrzyła na ludzi w takim wieku, kiedy miała dwadzieścia lat. Była jeszcze daleko od zawodowego celu i czuła, że nie awansuje, nie zajdzie dużo wyżej, jeśli nie odniesie jakiegoś spektakularnego sukcesu.

Wiele się spodziewała po Namibii, ale teraz wyglądało na to, że musi się pogodzić z porażką, i była zła na siebie, że się myliła, stawiając na wyprawę.

Zrobiło się chłodno, wiało silnie od strony wody. Włożyła sweter, zapłaciła rachunek i zostawiła duży napiwek, choć w przewodniku przeczytała, że kelnerzy nie oczekują tego.

Wyruszyła z powrotem do hotelu inną drogą niż przedtem, żeby więcej zobaczyć w starym mieście. Na chodnikach było pusto, z wyjątkiem miejsc wokół paru restauracji, ulicą nie przejeżdżały żadne pojazdy. Namibia jest bogata jak na afrykańskie warunki, ale to biedny kraj, w którym ludzie żyją w rytm doby. O ósmej prawie wszyscy śpią, teraz w niewielu domach paliło się światło.

Sloane usłyszała kroki za sobą. Wiatr ucichł, szumiał tylko łagodnie, stuk butów na betonie niósł się daleko. Obejrzała się i zobaczyła, że jakiś cień zniknął za rogiem. Gdyby ten ktoś poszedł dalej, uznałaby, że jest paranoiczką. Ale ten ktoś ukrywał się przed nią. Uświadomiła sobie, że nie zna dobrze tej części miasta, i poczuła się nieswojo.

Wiedziała, że jej hotel jest w odległości czterech, może pięciu przecznic. Dominował na Bahnhof Street, więc gdyby dotarła do tej ulicy, byłaby bezpieczna. Zaczęła biec i zgubiła sandałek zaledwie po paru metrach, więc szybko zrzuciła drugi. Jej prześladowca ruszył w pościg.

Pędziła co sił w nogach, bose stopy plaskały po chodniku. Tuż przed skrętem za róg zerknęła za siebie. Było ich dwóch! Pomyślała, że to może rybacy, których przepytywali, ale dostrzegła, że obaj są biali i jeden trzyma coś... Chyba pistolet.

Skręciła za róg i przyspieszyła. Mogli ją dogonić, ale miała nadzieję, że jeśli dobiegnie do hotelu, wycofają się. Machała mocno rękami i żałowała, że nie włożyła sportowego stanika, wygodniejszego niż koronkowy. Przecięła ulicę. Mężczyźni na moment zniknęli z widoku, więc dała nura w jakiś zaułek.

Dobiegała prawie do wylotu uliczki, gdy kopnęła metalową puszkę niewidoczną w ciemności. Ze złości, że jej nie zauważyła, niemal nie poczuła bólu dużego palca u nogi. Puszka zadźwięczała jak dzwon i kiedy Sloane wybiegała z zaułka, była pewna, że jej prześladowcy usłyszeli hałas. Skręciła w lewo i zobaczyła nadjeżdżający samochód. Wypadła na jezdnię i zaczęła gorączkowo wymachiwać rękami nad głową. Auto zwolniło. Z przodu siedzieli mężczyzna i kobieta, z tyłu dzieci.

Kobieta powiedziała coś do męża. Odwrócił wzrok z miną winowajcy i przyspieszył. Sloane zaklęła. Straciła cenne sekundy w nadziei, że ci ludzie jej pomogą. Znów wystartowała sprintem, choć zaczynało ją palić w płucach.

Rozległ się strzał z pistoletu i posypał się na nią betonowy pył. Pocisk trafił w mur budynku, obok niej, niecałe trzydzieści centymetrów od jej głowy. Przezwyciężyła odruch, żeby się schylić, bo to by ją spowolniło, i mknęła dalej jak gazela, zygzakiem, by utrudnić prześladowcom celowanie.

Zauważyła tablicę z nazwą ulicy: Wasserfall Street, i zorientowała się, że tylko jedna przecznica dzieli ją od hotelu. Przyspieszyła do tempa, które zaskoczyło ją samą, i wypadła na Bahnhof Street. Hotel był prawie na wprost, szeroką aleją jechał sznur samochodów. Wokół starego przebudowanego dworca kolejowego paliło się mnóstwo świateł. Przebiegła slalomem między autami, ignorując klaksony, i dopadła do frontowych drzwi hotelu. Obejrzała się za siebie. Ścigający ją mężczyźni zostali po drugiej stronie jezdni i patrzyli na nią groźnie. Strzelec schował pistolet pod marynarkę. Przyłożył dłonie do ust i krzyknął:

– To było ostrzeżenie! Wyjedź z Namibii, bo inaczej następnym razem nie spudłuję.

Sloane w pierwszym odruchu chciała mu pokazać uniesiony palec, ale osunęła się na ziemię, do oczu napłynęły jej łzy, trzęsła się konwulsyjnie. Po chwili podszedł do niej portier.

– Co się pani stało?

– Nic mi nie jest. – Podniosła się i otrzepała tył sukienki. Wytarła knykciami oczy i spojrzała na drugą stronę ulicy. Mężczyźni zniknęli. Mimo że drżały jej usta i nogi miała jak z waty, wyprostowała ramiona, uniosła prawą rękę i dała znak środkowym palcem.

Rozdział 8

Grube kamienne mury nie mogły stłumić jej krzyków. Słońce tak nagrzewało ściany, że parzyły przy dotyku, ale pełne udręki zawodzenie Susan Donleavy przenikało przez nie, jakby była w sąsiedniej celi. Geoff Merrick początkowo zmuszał się do nasłuchiwania, jakby to, że jest świadkiem jej cierpienia, mogło jakoś pomóc kobiecie. Ze stoickim spokojem wytrzymywał przeraźliwe wrzaski przez godzinę, wzdrygając się za każdym razem, gdy głos Susan brzmiał tak rozdzierająco, że miał wrażenie, iż czaszka rozpadnie mu się jak kawałek kryształu. Teraz, kiedy siedział na klepisku w swojej celi, przyciskał dłonie do uszu i nucił, żeby zagłuszyć krzyki.

Zabrali ją o świcie, gdy w więzieniu było jeszcze czym oddychać i nie raziło światło wpadające przez pojedyncze, pozbawione szyby okno wysoko we wschodniej ścianie. Blok więzienny o wymiarach co najmniej piętnaście na piętnaście metrów i wysokości przynajmniej dziesięciu był podzielony na cele z trzema kamiennymi ścianami i kratą od frontu. Na drugą i trzecią kondygnację cel prowadziły spiralne żelazne schody. Mimo widocznej starości budowli kraty były mocne jak w nowoczesnym więzieniu dla najgroźniejszych przestępców.

Merrick jeszcze nie widział twarzy żadnego z porywaczy. Mieli kominiarki, kiedy zepchnęli jego samochód z drogi niedaleko laboratorium, i podczas lotu do tego piekła. Jeden był potężny i chodził w T-shircie, drugi, szczupły, miał niebieskie oczy. Trzeci nie przypominał wyglądem żadnego z tych dwóch.

W ciągu trzech dni, które minęły od uprowadzenia, porywacze nie odezwali się ani słowem. Rozebrali swoje ofiary w furgonetce, którą uderzyli w ich samochody, i dali do włożenia jednoczęściowe kombinezony. Zabrali im całą biżuterię, także buty, i pokazali, że mają chodzić w gumowych japonkach. Karmili więźniów dwa razy dziennie, a toaletę w celi Merricka zastępowała dziura w podłodze. Ilekroć zawiał wiatr, dmuchało stamtąd gorące powietrze z piaskiem. Porywacze pokazywali się tylko wtedy, gdy przynosili im jedzenie.

Tego ranka przyszli po Susan. Jej cela znajdowała się w innej części bloku, Merrick nie widział tej sceny, ale po odgłosach domyślił się, że podnieśli kobietę za włosy. Zobaczył Susan, kiedy wlekli ją do jedynego wyjścia, grubych metalowych drzwi z judaszem.

Była blada, w oczach miała rozpacz. Zawołał ją po imieniu i rzucił się na kratę, żeby dotknąć Susan, okazać jej współczucie, ale najmniejszy strażnik uderzył w kratę pałką policyjną. Merrick upadł na plecy, a Susan wyciągnięto na zewnątrz. Od tamtej pory mogły minąć cztery godziny, sądząc po nasilającym się upale. Najpierw panowała cisza, potem zaczęły się krzyki. Torturowano Susan już drugą godzinę.

Zaraz po uprowadzeniu Merrick uważał, że chodzi o pieniądze, że ci ludzie uwolnią ich po otrzymaniu żądanej sumy. Wiedział, że szwajcarskie władze nie tolerują przetrzymywania zakładników, ale wiedział też, że są firmy wyspecjalizowane w negocjacjach z porywaczami. Z powodu ostatniej serii uprowadzeń we Włoszech kazał zarządowi swojej firmy znaleźć takich negocjatorów na wypadek, gdyby kiedyś został porwany, i doprowadzić do jego uwolnienia bez względu na koszty.

Ale po trwającym co najmniej sześć godzin locie z zawiązanymi oczami nie miał pojęcia, co się dzieje. Późno w nocy rozmawiali szeptem z Susan o ewentualnych zamiarach porywaczy. Ona upierała się, że chodzi o okup, a ją uprowadzono dlatego, że widziała napad. Merrick nie był tego pewien. Nie zażądano, żeby skontaktował się z kimś w firmie w sprawie zebrania pieniędzy, ani nie powiedziano mu, iż jego współpracownicy wiedzą, że on i Susan żyją. Nic nie zgadzało się z tym, co wiedział o porwaniach. Wprawdzie podstawowe szkolenie dla menedżerów w zakresie bezpieczeństwa osobistego przeszedł lata temu, ale pamiętał wystarczająco dużo, by się orientować, że ci prześladowcy nie pasują do schematu.

A teraz to. Torturują biedną Susan Donleavy, lojalną, oddaną mu pracowniczkę, którą interesują tylko jej probówki i zlewki. Merrick przypomniał sobie ich rozmowę sprzed kilku tygodni o jej pomyśle likwidowania plam ropy przy użyciu spreparowanego odpowiednio planktonu. Nie powiedział jej wtedy, że choć cel jest wzniosły, koncepcja wydaje się trochę dziwaczna. Mówił natomiast o tym, że zemsta bardzo motywuje –

taką przemowę wygłaszał już sto razy w stu różnych wersjach, zależnie od okoliczności. Większą szansę pozbycia się urazu z dzieciństwa miałaby u psychiatry niż w swoim laboratorium.

Myśli o projekcie Susan skłoniły go do zastanowienia się nad innymi badaniami, które prowadziła obecnie jego firma. Miał dużo czasu na taką analizę, odkąd wylądował w tej celi. Nie zajmowali się absolutnie niczym, co mogłoby stać się powodem ich porwania, gdyby chodziło o szpiegostwo przemysłowe. Nie przygotowywali się do opatentowania żadnego rewolucyjnego wynalazku. Nie było też mowy o żadnym dochodowym przedsięwzięciu od chwili, kiedy on i Dan Singer wprowadzili na rynek swoje filtry siarki. Firma właściwie zaspokajała teraz jego próżność, dzięki niej nadal funkcjonował w świecie naukowców chemików i dostawał zaproszenia na sympozja.

Krzyki ucichły. Ustały nagle, co nasuwało przerażające przypuszczenia.

Geoff zerwał się na nogi i wcisnął głowę między pręty kraty, żeby widzieć część drzwi bloku więziennego. Po kilku minutach rygle szczęknęły i ciężka metalowa płyta otworzyła się.

Dwaj strażnicy wciągnęli Susan do środka, trzeci trzymał pęk dużych kluczy. Chwycili ją pod ręce z obu stron i wlekli zwisającą bezwładnie z ich ramion. Kiedy się zbliżyli, zobaczył zakrzepłą krew na jej włosach. Miała podarty kombinezon pod szyją i purpurowe ślady na skórze. Podniosła głowę, gdy mijali jego celę. Merrick wciągnął gwałtownie powietrze na widok jej zmasakrowanej twarzy. Jedno oko spuchło tak, że było zamknięte, drugie, podsinione, ledwo mogła uchylić. Krew i ślina ciekły jej spomiędzy pokaleczonych, nabrzmiałych warg.

Życie ledwo się w niej tliło.

– Mój Boże, Susan. Tak mi przykro. – Nawet nie próbował powstrzymać łez. Wyglądała tak żałośnie, że rozpłakałby się, nawet gdyby jej nie znał. Krajało mu się serce, że taki los spotkał tę kobietę, i czuł się odpowiedzialny za jej cierpienie.

Wypluła czerwoną flegmę na kamienną podłogę i wychrypiała:

– Nie zadali mi nawet jednego pytania.

– Dranie! – ryknął do strażników. – Zapłacę wam, ile chcecie. Nie musieliście jej tego robić. Jest niewinna!

Nie zareagowali na jego wybuch, jakby byli głusi. Powlekli ją dalej i zniknęli z widoku. Usłyszał, jak otwierają celę i wrzucają Susan do środka.

Zatrzasnęli drzwi i zaryglowali zamki.

Postanowił, że kiedy przyjdą po niego, będzie walczył. Jeśli mają go pobić, to sami też oberwą. Czekał na nich z zaciśniętymi pięściami, napinając mięśnie barków.

Zjawił się najniższy z nich, niebieskooki. Trzymał coś w ręku, i zanim on zdążył to rozpoznać i zareagować, strażnik tego użył. Paralizator przeszył ciało Merricka prądem elektrycznym o napięciu pięćdziesięciu tysięcy woltów, który poraził boleśnie centralny układ nerwowy. Geoff zesztywniał na moment, potem upadł. Zanim odzyskał przytomność, wywlekli go z celi i dociągnęli prawie do głównych drzwi. Po tym, czego właśnie doświadczył, przestał myśleć o walce.

Rozdział 9

Sloane Macintyre miała na głowie czapkę bejsbolową, żeby włosów nie rozwiewał pęd powietrza wokół łodzi rybackiej płynącej z prędkością dwudziestu węzłów. Oczom zapewniały ochronę ciemne okulary Oakley, odsłonięte części ciała posmarowała wcześniej kremem z filtrem 30. Była w szortach khaki, luźnej koszuli safari z kieszeniami i płóciennych butach żeglarskich. W słońcu lśnił łańcuszek na jej kostce.

Na wodzie zawsze czuła się tak jak wtedy, gdy była nastolatką i pracowała na łodzi czarterowej swojego ojca u wybrzeży Florydy. Zdarzyło się kilka nieprzyjemnych incydentów, kiedy go zastępowała. Kiedyś pijani wędkarze próbowali złapać ją, zamiast lucjana czy niszczuki – ale mimo wszystko tamten okres swojego życia wspominała najlepiej.

Słony zapach morskiego powietrza uspokajał ją, odosobnienie na pędzącej łodzi pomagało jej w koncentracji.

Kapitan łodzi czarterowej, jowialny Namibijczyk, wyczuł w niej pokrewną duszę, i kiedy zerknęła na niego, uśmiechnął się znacząco. Odwzajemniła uśmiech. W ryku dwóch dieslowskich cumminsów na rufie prawie nie mogli rozmawiać, więc kapitan wstał ze swojego siedzenia i zaprosił Sloane gestem do przejęcia steru. Uśmiechnęła się szeroko. Namibijczyk postukał w kompas, żeby wskazać jej kierunek, i cofnął się. Zajęła jego miejsce i oparła lekko ręce na wytartym kole sterowym.

Kapitan stał obok niej przez kilka minut i sprawdzał, czy kilwater jego czternastometrowej łodzi ciągnie się w linii prostej. Zadowolony, że dobrze ocenił umiejętności pasażerki, zszedł po krótkiej drabince, skinął głową Tony'emu Reardonowi zgarbionemu na krześle wędkarskim i zniknął w toalecie.

Sloane zrezygnowałaby z dalszych poszukiwań HMS „Rove", gdyby tamci mężczyźni nie ścigali jej poprzedniej nocy. To zdarzenie przekonało ją, że jest na właściwym tropie, bo inaczej po co mieliby ją straszyć? Nie rozmawiała o tym z Tonym, ale z samego rana zadzwoniła do swojego szefa i opowiedziała, co ją spotkało. Mimo że zaniepokoił się, pozwolił przedłużyć ich pobyt o jeden dzień, żeby mogli zbadać rejon morza, gdzie Papa Heinrick widział ogromne metalowe węże.

Wiedziała, że postępuje lekkomyślnie. Każda osoba przy zdrowych zmysłach potraktowałaby poważnie ostrzeżenie i odleciała z tego kraju pierwszym samolotem, ale to nie leżało w jej naturze. Zawsze kończyła to, co zaczęła. Nawet najnudniejszą książkę czytała do ostatniego słowa. Nawet najtrudniejszą krzyżówkę rozwiązywała w całości. Nawet najbardziej niewdzięczną pracę wykonywała do końca. Zapewne przez ten upór trwała w związkach bez przyszłości o wiele za długo, ale ta nieustępliwość dała jej teraz siłę, by stawić czoło temu, kto chciał jej przeszkodzić w odnalezieniu statku.

Sloane była ostrożna, kiedy czarterowała łódź. Zanim ją wynajęła, sprawdziła, czy kapitan nie jest jednym z tych, z którymi ona i Tony sporządzali mapę.

Gdy wychodzili z hotelu, wmieszali się w dużą grupę turystów jadących do portu, żeby też wypłynąć w morze czarterem rybackim, a w autobusie obserwowała, czy ktoś ich nie śledzi. Gdyby zobaczyła coś podejrzanego, odwołałaby wyprawę, ale nikt nie zwracał uwagi na ich pojazd.

Dopiero kiedy byli kilka mil morskich od brzegu, powiedziała kapitanowi, dokąd naprawdę chcą popłynąć. Powiedział, że w rejonie, gdzie ona zamierza powędkować, nie ma żadnej podwodnej fauny, ale ponieważ płaciła, nie dyskutował z nią.

Od wyjścia z portu minęło sześć spokojnych godzin i z każdą przebytą milą morską Sloane coraz bardziej się odprężała. Mężczyźni, którzy ją tropili, najwyraźniej uznali, że wzięła sobie do serca ich ostrzeżenie.

Wiatr z południa sprawiał, że fale rosły, ale szeroka łódź pokonywała je gładko. Przechylała się na sterburtę i wracała do poziomu. Kapitan wyszedł spod pokładu, stanął za Sloane i pozwolił jej sterować. Wziął lornetkę i zbadał wzrokiem horyzont. Podał ją Sloane, wskazując na południowy zachód.

Dopasowała rozstaw soczewek do swojej twarzy i uniosła lornetkę do oczu. Na horyzoncie zobaczyła duży statek, jednokominowy frachtowiec, który wydawał się zdążać do Walvis Bay. Z daleka nie sposób było dostrzec żadnego szczegółu, poza ciemną barwą kadłuba oraz małym lasem bomów i żurawi na pokładzie dziobowym i rufowym.

– Nigdy nie widziałem tu takiej jednostki – mówił kapitan czarteru. – Do Walvis zawijają tylko kabotażowce i statki wycieczkowe. Kutry rybackie trzymają się bliżej wybrzeża, a tankowce okrążają Prowincję

Przylądkową w odległości czterystu lub pięciuset mil morskich.

Oceany świata są podzielone na szlaki żeglugowe oznaczone niemal tak wyraźnie jak autostrady międzystanowe. Terminy zawsze są napięte, a koszt utrzymania supertankowca na morzu to setki tysięcy dolarów dziennie, więc statki zawsze kierują się najprostszą drogą do portu przeznaczenia, a ich trasy rzadko różnią się o milę morską czy dwie. Dlatego gdy w niektórych częściach oceanu stale panuje duży ruch, w innych przez rok nie pojawia się żaden statek. Łódź czarterowa była właśnie w takiej martwej strefie – wystarczająco daleko od wybrzeża, by nie spotykać frachtowców zaopatrujących Walvis Bay, ale głęboko po wewnętrznej stronie szlaków omijających Przylądek Dobrej Nadziei.

– Dziwne. – Sloane obserwowała frachtowiec. – Nie ma dymu z komina. Myśli pan, że to opuszczony statek? Może złapał go sztorm i załoga musiała się ewakuować?

Tony wspiął się na górę. Sloane zastanawiała się nad obecnością tajemniczego statku i losem jego załogi i nie usłyszała swojego towarzysza, więc gdy dotknął jej ramienia, aż podskoczyła.

– Przepraszam – powiedział. – Obejrzyj się. Coś płynie w naszą stronę.

Odwróciła się tak gwałtownie z rękami na kole sterowym, że czarter skręcił w lewo. Na morzu trudno jest ocenić odległość, ale zorientowała się, że łódź z tyłu jest parę mil morskich od nich i płynie szybciej niż oni. Rzuciła kapitanowi lornetkę i przesunęła chromowane dźwignie przepustnic do ograniczników.

– Co się dzieje?! – krzyknął Tony i pochylił się do przodu, gdy czarter przyspieszył.

Kapitan wyczuł, że Sloane się boi. Milczał. Nie odrywając lornetki od oczu, wpatrywał się w łódź.

– Rozpoznaje ją pan? – zapytała.

– Tak. Zawija do Walvis mniej więcej co miesiąc. To jacht. Ma jakieś piętnaście metrów długości. Ale nie znam jego nazwy ani właściciela.

– Widzi pan kogoś?

– Na mostku są jacyś mężczyźni. Biali.

– Żądam wyjaśnienia, co się dzieje! – ryknął czerwony ze złości Tony.

Sloane znów go zignorowała. Wiedziała, kto ich ściga. Obróciła lekko koło sterowe i wzięła kurs na frachtowiec w oddali. Modliła się, żeby jej prześladowcy wycofali się, jeśli będą jacyś świadkowie. Była pewna, że na pełnym morzu zabiją ją, jej towarzyszy i zatopią łódź rybacką. Docisnęła mocniej przepustnice, ale diesle pracowały już na maksymalnych obrotach. Poruszała wargami w niemym błaganiu, żeby frachtowiec nie okazał się opuszczony, jak podejrzewała. Jeśli nikogo tam nie ma, wszyscy zginą, kiedy tylko jacht ich dogoni.

Tony, kipiąc ze złości, chwycił ją za ramię.

– Sloane, o co chodzi, do cholery? Kim są tamci ludzie?

– To chyba ci sami faceci, którzy ścigali mnie wczoraj wieczorem, kiedy wracałam do hotelu.

– Ścigali cię? Co ty wygadujesz?

– Mówię jak było. Kiedy wracałam z restauracji, gonili mnie dwaj mężczyźni. Jeden miał pistolet. Kazali mi wyjechać z Namibii.

Wściekłość Tony'ego przerodziła się w furię, a kapitan popatrzył na Sloane z nieprzeniknioną miną.

– I nie uważałaś za stosowne powiedzieć mi o tym?! Postradałaś rozum? Gonią cię ludzie ze spluwami, a ty wyciągasz nas tu, na środek pustego oceanu? Na Boga, kobieto, co ty sobie wyobrażasz?

– Nie spodziewałam się, że będą nas śledzić. W porządku, schrzaniłam sprawę! Jeśli uda nam się zbliżyć do frachtowca, nic nam nie zrobią.

– A gdyby go tu nie było? – Przy każdym słowie Tony'emu z ust pryskała ślina.

– Ale jest. Będzie dobrze.

Tony odwrócił się do właściciela łodzi.

– Ma pan broń?

Kapitan skinął wolno głową.

– Używam jej przeciwko rekinom.

– Więc radzę ją przynieść, przyjacielu, bo może nam być cholernie potrzebna.

Łódź przyjmowała wcześniej fale na burtę, ale teraz, po zmianie kursu przez Sloane, cięła je czołowo, dziób wznosił się i opadał wśród rozbryzgów piany. Sloane stała na ugiętych nogach, żeby amortyzować uderzenia kadłuba w wodę. Kapitan wrócił spod pokładu i bez słowa wręczył jej strzelbę kaliber 12 oraz garść nabojów, wyczuwał, że ta kobieta ma wewnętrzną siłę, której brakuje Tony'emu Reardonowi. Zajął z powrotem miejsce za sterem i korygował delikatnie kierunek przy każdej przetaczającej się pod nimi fali, żeby nie stracili szybkości. Luksusowy jacht zbliżył się co najmniej o milę morską, podczas gdy frachtowiec wciąż wydawał się tak samo odległy.

Sloane przyjrzała się dużemu statkowi towarowemu przez lornetkę i straciła nadzieję na pomoc. Był strasznie zaniedbany. Na kadłubie widniało mnóstwo różnych odcieni ciemnej farby, poszycie wyglądało tak, jakby łatano je stalowymi płytami tuzin razy. Na pokładach i mostku ani żywej duszy, i choć wydawało się, że wokół dzioba pieni się woda, jakby frachtowiec płynął, nie mogło tak być, bo z komina nie unosił się dym.

– Jest tu radio? – zapytała kapitana.

– Na dole. Ale ma za mały zasięg, żeby skontaktować się z Walvis, jeśli o to pani chodzi.

Wskazała frachtowiec przed dziobem łodzi.

– Chcę ich zawiadomić, co się dzieje, żeby opuścili schodnię.

Kapitan zerknął przez ramię na szybko zbliżający się jacht.

– Będzie kiepsko.

Sloane zsunęła się na dół po stromej drabince, używając tylko rąk, i wbiegła do kabiny. Stary aparat nadawczo-odbiorczy był przyśrubowany do niskiego sufitu. Włączyła go i ustawiła pokrętło na kanale szesnastym, międzynarodowym paśmie alarmowym.

– SOS, SOS, SOS, tu kuter rybacki „Pinguin", wzywam frachtowiec w drodze do Walvis Bay. Jesteśmy ścigani przez piratów, proszę odpowiedzieć.

Kabinę wypełniły trzaski zakłóceń.

Wyregulowała radio i wcisnęła kciukiem przycisk mikrofonu.

– Tu „Pinguin", wzywam niezidentyfikowany frachtowiec w drodze do Walvis. Potrzebujemy pomocy. Proszę odpowiedzieć.

Znów zakłócenia, ale wydało jej się, że słyszy słaby głos w białym szumie. Mimo gwałtownego kołysania łodzi poruszała palcami delikatnie jak chirurg, gdy obracała minimalnie pokrętło.

Głośnik nagle ryknął:

– Powinnaś była wczoraj mnie posłuchać i wyjechać z Namibii.

Mimo zniekształcenia Sloane rozpoznała głos i jego brzmienie zmroziło jej krew w żyłach.

Włączyła mikrofon.

– Zostawcie nas w spokoju – poprosiła błagalnie. – Wrócimy na brzeg. Odlecę pierwszym samolotem. Obiecuję.

– Za późno.

Spojrzała za rufę. Jacht zmniejszył dzielący ich dystans do kilkuset metrów. Zobaczyła na mostku dwóch ludzi z karabinami. Frachtowiec był w odległości około jednej mili morskiej.

Pomyślała, że nie zdążą dopłynąć do niego.

– I co o tym myślisz, prezesie? – zapytał Hali Kasim ze swojego stanowiska łączności.

Cabrillo pochylał się do przodu w fotelu, trzymał łokieć na poręczy i podpierał dłonią nieogolony podbródek. Ekran przed nim pokazywał widok z kamery zamontowanej na maszcie. Była stabilizowana żyroskopowo i obraz ani drgnął. Dwie łodzie na monitorze zbliżały się szybko do „Oregona". Kuter rybacki płynął z prędkością dwudziestu węzłów, jacht motorowy doganiał go z szybkością trzydziestu pięciu.

Obserwowali obie jednostki na radarze niemal od godziny i nie przywiązywali większej wagi do ich obecności, bo wody u wybrzeża Namibii są znanymi łowiskami. Dopiero kiedy pierwsza łódź, która zidentyfikowała się jako „Pinguin", co w języku niemieckim oznacza pingwina, wzięła kurs na „Oregona", Cabrillo został wezwany ze swojej kajuty, gdzie właśnie zamierzał wziąć prysznic po godzinie ćwiczeń w siłowni.

– Nie mam bladego pojęcia, o co może chodzić. Niby dlaczego piraci w jachcie za milion dolarów mieliby ścigać stary kuter rybacki sto pięćdziesiąt mil morskich od brzegu? Coś tu nie gra. Uzbrojenie, zrób najazd na ten jacht. Pokaż mi, kto jest na pokładzie, jeśli ci się uda.

Mark Murphy nie miał wachty, więc członek załogi na stanowisku ogniowym poruszył dżojstikiem i sterownikiem kulowym, żeby uzyskać widok, który chciał zobaczyć Cabrillo. Przy tak dużym zbliżeniu nawet wspomagane komputerowo żyroskopy z trudem utrzymywały obraz w bezruchu. Ale był wystarczająco wyraźny. Słońce odbijało się w dużej pochyłej szybie kabiny smukłego jachtu, ale mimo blasku Juan widział czterech mężczyzn na jego mostku powyżej. Dwaj trzymali karabiny szturmowe. Jeden uniósł nagle broń do ramienia i strzelił krótką serią.

Operator uzbrojenia domyślił się, jaki będzie następny rozkaz, i pokazał uciekającego „Pinguina". Nie wyglądało na to, żeby łódź została trafiona, ale zobaczyli kobietę o włosach koloru miedzi, ze strzelbą, przykucniętą na rufie.

– Uzbrojenie – rzucił Cabrillo. – Uruchom gatlinga, ale nie opuszczaj płyty kadłuba. Weź namiar ogniowy na ten jacht i wysuń kaemy z prawej burty, na wszelki wypadek.

– Czterej faceci z bronią automatyczną przeciwko kobiecie ze strzelbą – mówił w zamyśleniu Hali. – Walka nie potrwa długo, jeśli czegoś nie zrobimy.

– Pracuję nad tym. – Cabrillo skinął głową specjaliście od telekomunikacji. – Połącz mnie z nią.

Kasim wcisnął przycisk na jednej z trzech klawiatur.

– Mów.

Juan ustawił swój mikrofon ze słuchawką.

– „Pinguin", „Pinguin", „Pinguin", tu statek motorowy „Oregon". – Kobieta na ekranie obejrzała się, kiedy usłyszała go przez radio.

Rzuciła się do kabiny i po chwili zdyszany głos wypełnił centrum operacyjne.

– „Oregon", dzięki Bogu. Już myślałam, że jesteście opuszczonym statkiem.

– Nie jest to dalekie od prawdy – odezwała się ze śmiertelną powagą Linda Ross. Choć nie miała wachty, Juan poprosił ją, żeby dołączyła do niego w centrum operacyjnym na wypadek, gdyby musiał skorzystać z jej wiedzy wywiadowczej.

– Proszę wyjaśnić, jaka jest sytuacja. – Juan udawał, że nie widzą, co się dzieje. – Wspomniała pani o piratach.

– Tak, właśnie otworzyli do nas ogień z automatów. Nazywam się Sloane Macintyre. Byliśmy na wyprawie wędkarskiej i nagle się pojawili.

Linda przygryzła dolną wargę.

– Nie wygląda mi na to. Facet na jachcie powiedział, że już ją ostrzegał:

– Ona kłamie – zgodził się Juan. – Właśnie ją ostrzelano, a ona kłamie. Ciekawe, nie uważacie?

– Coś ukrywa.

– „Oregon"! – zawołała Sloane. – Jesteście tam? Juan włączył mikrofon.

– Jesteśmy. – Obrzucił ekran szybkim spojrzeniem, żeby się zorientować, gdzie będzie każda z łodzi za minutę i za dwie. Sytuacja taktyczna nie wyglądała najlepiej. Co gorsza, nie miał żadnego rozeznania. Mogło być na przykład tak, że Sloane Macintyre jest największym dilerem narkotyków w południowej Afryce i chce ją wykończyć konkurencja. Niewykluczone też, że ona i inni na „Pinguinie" zasłużyli na swój los. Ale z drugiej strony, jeśli ta kobieta jest niewinna? Więc dlaczego kłamie?

Jeśli chciał zachować w tajemnicy możliwości „Oregona", miał bardzo ograniczone pole działania. Podrapał się w brodę, przemyślał błyskawicznie tuzin scenariuszy i podjął decyzję.

– Sternik, skręć ostro na prawą burtę, musimy zmniejszyć odległość między nami a „Pinguinem". Zwiększ prędkość do dwudziestu węzłów. Mechanik,

111

uruchom kocioł. – Kiedy „Oregon" był sam na morzu, nie emitował żadnych zanieczyszczeń, ale gdy napotykał inne statki, włączano specjalny generator dymu, aby stworzyć iluzję, że frachtowiec ma konwencjonalny napęd dieslowski.

– Odpaliłem go parę minut temu – zameldował drugi mechanik z tylnej części centrum operacyjnego. – Powinienem był to zrobić, kiedy tylko pojawili się w zasięgu wzroku, ale zapomniałem.

– Nie ma sprawy. Wątpię, żeby ktoś zauważył różnicę – odparł Juan. – Sloane, tu kapitan „Oregona".

– Mów, „Oregon".

Juan podziwiał jej opanowanie i pomyślał przelotnie o Tory Ballinger, pewnej Angielce, którą uratował kilka miesięcy wcześniej na Morzu Japońskim. Obie miały taką samą siłę charakteru.

– Skręcamy, żeby was przechwycić. Niech kapitan „Pinguina" weźmie kurs równoległy do naszej lewej burty, ale niech się nie zdradzi z tym, co zamierza zrobić. Chcę, żeby jacht minął nas z prawej burty. Rozumie pani?

– Mamy popłynąć wzdłuż waszej lewej burty, ale dopiero w ostatniej chwili.

– Zgadza się. Tylko nie podchodźcie za blisko. Jacht nie skręci ostro przy takiej szybkości, z jaką was ściga, więc trzymajcie się jak najdalej od naszej fali dziobowej. Opuszczę schodnię, ale nie zbliżajcie się do niej, dopóki wam nie powiem. Jasne?

– Mamy czekać na sygnał – potwierdziła Sloane.

– Wszystko będzie dobrze, Sloane – powiedział Juan z pewnością siebie słyszalną wyraźnie w jego głosie mimo trzasków w radiu. – Ja i moja załoga nie pierwszy raz spotykamy piratów.

Zobaczył na ekranie, jak strzelcy znów próbują podziurawić „Pinguina" pociskami z karabinów szturmowych, ale odległość była jeszcze zbyt duża, żeby trafić w cel z niestabilnego jachtu. Mało prawdopodobne, by któraś z serii dosięgła łodzi czarterowej, ale atak utwierdził Juana w przekonaniu, że postępuje słusznie, pomagając Sloane i jej towarzyszom.

– Hali, wyślij kogoś na pokład do opuszczenia schodni i drabinki. Uzbrojenie, przygotuj się do otwarcia ognia z kaemu dziobowego.

– Cel namierzony.

„Pinguin" zbliżał się dzielnie. Był już niecałe trzysta metrów od frachtowca, jacht następne sto za nim. Juan nie chciał użyć karabinu maszynowego, ale widział, że nie będzie miał wyboru, bo łódź czarterowa znajdzie się w zasięgu jachtu, zanim „Oregon" rozdzieli jednostki. Zamierzał właśnie wydać rozkaz operatorowi uzbrojenia, żeby strzelił krótką serią, co spowolni jacht, gdy zauważył, że Sloane pełznie na rufę „Pinguina". Uniosła głowę i ramiona ponad pawęż i nacisnęła spust strzelby, a po chwili drugi raz, kiedy tylko odzyskała widok w celowniku.

Nie miała szans trafić w jacht, ale nieoczekiwany ostrzał zmusił luksusową jednostkę do zmniejszenia prędkości i ostrożniejszego pościgu. Cabrillo zyskał sekundy potrzebne do wprowadzenia w życie swojego planu.

– Co się dzieje? – Max Hanley wyrósł u jego boku. Pachniał tytoniem fajkowym. – Staram się korzystać z mojego wolnego dnia, a ty bawisz się tutaj w „kto pierwszy stchórzy" ze starym kutrem rybackim i pływającym burdelem?

Cobrillo już dawno przestał się zastanawiać, jakim cudem szósty zmysł wyciąga Hanleya z kajuty, ilekroć zanosi się na kłopoty.

– Faceci na jachcie chcą wykończyć ludzi na łodzi rybackiej i nie wygląda na to, żeby przejmowali się świadkami.

– A ty chcesz zepsuć im zabawę, rozumiem.

Juan uśmiechnął się krzywo.

– Czy kiedykolwiek widziałeś, żebym nie wetknął nosa w cudze sprawy?

– Nie przypominam sobie. – Max spojrzał na ekran i zaklął.

Jacht przyspieszył i zasypał „Pinguina" gradem pocisków. Serie odłupały drewno od grubej rufy łodzi i roztrzaskały szybę w drzwiach do kabiny pod pokładem. Sloane schroniła się za pawężą, ale kapitan i mężczyzna na mostku byli całkowicie odsłonięci.

Namibijski szyper poświęcił prędkość dla bezpieczeństwa i płynął slalomem w stronę zbliżającego się frachtowca, żeby utrudnić celowanie strzelcom. Sloane wypaliła z obu luf naraz. Chybiła tak, że nawet nie zobaczyła małych gejzerów wody tam, gdzie pociski trafiły w morze.

Po kolejnej serii posłanej z jachtu Sloane ukryła się. Ze swojego miejsca na szorstkich deskach podłogi pokładu rufowego nie widziała frachtowca, ale łódź zachowywała się inaczej, bo pokonywała fale przecinane masywnym kadłubem statku. Sloane bolało ramię, nadwerężone podczas strzelania i wiedziała, że teraz wszystko zależy od szypra „Pinguina" i kapitana tajemniczego „Oregona". Leżała za pawężą i oddychała ciężko – bała się, ale była też podniecona tym, co się działo i jak zawsze w trudnej sytuacji była gotowa stawić czoło wyzwaniu.

Na pokładzie „Oregona" Juan i Max obserwowali dwie zbliżające się małe jednostki. Szyper „Pinguina" płynął takim kursem, żeby mieć frachtowiec z prawej burty, jacht trzymał się trochę dalej na prawo i szybko zmniejszał dystans do kutra rybackiego.

– Czekaj – mruknął Max. Gdyby on kierował akcją, poleciłby Sloane stać przy radiu i sam wydałby rozkaz do skrętu. Ale zdał sobie sprawę, że Juan nie zrobił błędu, pozostawiając decyzję szyprowi. Zorientował się, że Namibijczyk zna się na rzeczy i będzie wiedział, kiedy wykonać manewr.

„Pinguin" był trzydzieści metrów od „Oregona", tak blisko, że kamera na maszcie już nie mogła go śledzić. Operator uzbrojenia przełączył się na kamerę dziobowego karabinu maszynowego.

Małą łódź podziurawiły następne serie pocisków i gdyby jacht był dalej, Juan zrezygnowałby ze swojego planu i zatopił go ogniem z kaemu lub z działka Gatling, które wciąż miało namiar na cel mimo zasłaniającej je stalowej płyty.

– Teraz – szepnął.

Nie włączył mikrofonu, ale kapitan „Pinguina" zareagował tak, jakby go usłyszał. Obrócił mocno koło sterowe w lewo zaledwie piętnaście metrów od ostrego dzioba „Oregona" i łódź niczym surfer wspięła się na falę wyrastającą wzdłuż kadłuba frachtowca. Sternik jachtu zrobił to samo, co Namibijczyk, ale skorygował kurs, kiedy zorientował się, że płynie za szybko, żeby pójść w ślady „Pinguina". Postanowił minąć statek z prawej burty i wykorzystać swoją prędkość, by zrównać się z łodzią tuż za rufą frachtowca.

– Sternik – powiedział spokojnie Juan – na mój znak maksymalna moc pędników dziobowych na sterburtę i ster pełna w prawo. Szybkość czterdzieści węzłów.

Ustawił kamerę tak, żeby widzieć „Pinguina". Musiał mieć pewność, że go nie zmiażdży podczas skrętu. Ocenił prędkości i kąty, wiedząc, że naraża ludzkie życie, żeby zachować w tajemnicy możliwości „Oregona". Jacht był prawie na miejscu, „Pinguin" prawie bezpieczny, ale czas minął.

– Teraz.

Wystarczyło nacisnąć parę klawiszy i poruszyć lekko dżojstikiem, by jedenastotysięcznik wykonał manewr niewykonalny żadnym innym statkiem tej wielkości. Pędniki poprzeczne ożyły i przesunęły dziób „Oregona" w bok, pokonując jego bezwładność w ruchu prostoliniowym i zwiększony ciąg silników magnetohydrodynamicznych.

W pewnym momencie jacht i frachtowiec płynęły równoległym kursem, choć w przeciwnych kierunkach, potem statek obrócił się o czterdzieści pięć stopni i jacht, zamiast mknąć wzdłuż jego burty, pruł prosto na jego dziób przy prędkości sześćdziesiąt węzłów. Niczym wieloryb chroniący swoje potomstwo Juan odgrodził „Oregonem" łódź czarterową od jachtu. Zerknął na ekran pokazujący „Pinguina". Frachtowiec skręcił tuż za nim, przeciął jego kilwater i wywołał fale huśtające łodzią.

Sternik jachtu pędził jak kierowca samochodu, który chce przejechać przez tory kolejowe przed pociągiem. Skręcił w lewo, żeby ominąć dziób powolnego, jak mu się wydawało, statku. Gdyby widział kipiel za rufą „Oregona", wyłączyłby swoje silniki i modlił się, żeby przeżyć zderzenie z kadłubem frachtowca.

Wektory były tu kwestią prostej matematyki. „Oregon" kontynuował skręt przed dziobem jachtu, gdy jego sternik rozpaczliwie próbował zatoczyć ciaśniejszy łuk niż frachtowiec.

W ostatniej chwili jeden ze strzelców na jachcie rzucił się naprzód, żeby cofnąć przepustnice, ale trochę się spóźnił.

Lśniący jacht uderzył czołowo w odrapaną burtę „Oregona" trzydzieści metrów od jego dzioba. Włókno szklane i aluminium nie wytrzymały kolizji z twardym poszyciem kadłuba starego statku i luksusowa jednostka pływająca złożyła się w harmonijkę jak puszka po piwie zmiażdżona młotem kowalskim. Dwa turbodiesle zostały wyrwane z mocowań i roztrzaskały wręgi. Nadbudowa rozleciała się w rozprysku szkła i plastiku, jakby eksplodowała. Czterej mężczyźni, którzy chwilę wcześniej byli pewni, że wykonają swoje zadanie, zginęli na miejscu, zgnieceni przez ogromną siłę zderzenia.

Jeden ze zbiorników paliwa wybuchł w rosnącej kuli brudnopomarańczowego ognia i płomienie dosięgły relingu wciąż skręcającego „Oregona". Wyszedł z kolizji bez szwanku jak rekin, którego zaatakowała złota rybka. Na powierzchni oceanu rozprzestrzeniała się plama płonącego oleju napędowego, kłęby tłustego dymu przysłaniały szczątki jachtu, dopóki nie zatonął.

– Cała stop – rozkazał Cabrillo i poczuł natychmiastowe przyhamowanie, kiedy wyłączono pompy odrzutu wody.

– Poszło jak pacnięcie muchy. – Max poklepał Juana po ramieniu.

– Miejmy nadzieję, że nie uratowaliśmy szerszenia – odparł Cabrillo i włączył swój mikrofon. – „Oregon" wzywa „Pinguina", słyszysz mnie?

– „Oregon", tu „Pinguin". – Po głosie Sloane poznali, że uśmiecha się z ulgą. – Nie wiem, jak to zrobiliście, ale trzy osoby tutaj są wam dozgonnie wdzięczne.

116

– Zapraszam panią i pani towarzyszy na pokład, żebyśmy mogli porozmawiać przy późnym lunchu o tym, co się wydarzyło.

– Proszę chwilę zaczekać, „Oregon".

Juan chciał wiedzieć, co się stało, i nie zamierzał dać jej czasu na wymyślenie jakiejś historyjki.

– Jeśli nie skorzystacie z mojego zaproszenia, będę musiał złożyć meldunek władzom w Walvis Bay.

Nie miał takiego zamiaru, ale Sloane nie wiedziała o tym.

– W takim razie chętnie skorzystamy z propozycji.

– Doskonale. Opuściliśmy schodnię z lewej burty. Członek załogi zaprowadzi was na mostek. – Juan spojrzał na Maxa. – Chodźmy zobaczyć, w jaką kabałę wpakowałem nas tym razem, Ollie.

Rozdział 10

Geoffrey Merrick wolałby pozostać w błogim stanie nieświadomości i jęknął głośno, gdy ustąpiły skutki porażenia prądem. Czuł mrowienie w końcach palców rąk i nóg, a miejsce na piersi, gdzie przyciśnięto mu elektrody paralizatora, piekło go jak polane kwasem.

– Dochodzi do siebie – powiedział bezcielesny głos, jakby z oddali, ale Merrick wiedział, że to złudzenie wywołane przytępieniem umysłu, i ta osoba jest blisko.

Spróbował się poruszyć, chcąc zmienić niewygodną pozycję. Nie udało się. Miał kajdanki na nadgarstkach i, mimo że nie wrzynały mu się w ciało, zdołał przesunąć ramiona zaledwie o kilka centymetrów. Nie odzyskał jeszcze w pełni czucia w nogach i nie wiedział, czy kostki też ma skrępowane.

Otworzył ostrożnie oczy i natychmiast zamknął. Poraził go tak oślepiający blask, jakby stał na powierzchni Słońca.

Odczekał chwilę, znów uniósł powieki i zmrużył oczy w ostrym świetle. Po kilku sekundach widział otoczenie wyraźniej. Pomieszczenie o wymiarach mniej więcej pięć na pięć metrów miało takie same ściany z obrobionego kamienia jak jego cela, więc domyślił się, że nie zabrano go z więzienia. Duże panoramiczne okno w jednej ścianie było zakratowane, szyba wyglądała na niedawno wstawioną. Na zewnątrz rozciągał się najbardziej wymarły krajobraz, jaki kiedykolwiek widział – bezkresne morze drobnego białego piasku w żarze bezlitosnego słońca.

Skupił uwagę na ludziach w pomieszczeniu.

Przy drewnianym stole siedziało osiem osób, mężczyźni i kobiety. Merrick nie znał nikogo z obecnych. Wszyscy byli biali i większość z nich chyba jeszcze nie skończyła trzydziestu pięciu lat. Merrick mieszkał w Szwajcarii wystarczająco długo, by rozpoznać europejski krój ich ubrań. Na stole stał laptop zwrócony ekranem w stronę najstarszego członka grupy, kobiety grubo po czterdziestce, sądząc po pasemkach siwych włosów. Kamera połączona z komputerem była wycelowana w Merricka przy końcu stołu.

– Geoffreyu Michaelu Merricku – dobiegł z głośników komputera zmieniony elektronicznie głos. – Zostałeś zaocznie uznany przez ten sąd za winnego zbrodni przeciwko naszej planecie. – Kilka osób skinęło z powagą głowami. – Produkt opatentowany przez twoją firmę, tak zwane filtry siarki, utrzymują rządy i społeczeństwa w przeświadczeniu, że można nadal używać paliw kopalnych, a zwłaszcza tak zwanego czystego węgla. Taka rzecz nie istnieje. Ten sąd przyznaje, że elektrownie wyposażone w twoje urządzenia emitują nieco mniej siarki, ale do atmosfery nadal przedostają się miliardy ton innych szkodliwych chemikaliów i gazów.

Twoje taktyczne zwycięstwo w postaci produkcji tych urządzeń jest w rzeczywistości strategiczną porażką dla tych z nas, którzy naprawdę chcą ocalić świat dla przyszłych pokoleń. Ruch ekologiczny nie może sobie pozwolić na uleganie naciskom takich osobników jak ty czy członkowie zarządów spółek energetycznych, którzy twierdzą, że są zielonymi, podczas gdy wciąż zatruwają środowisko. Globalne ocieplenie jest największym zagrożeniem dla naszej planety w całej jej historii i ilekroć ktoś taki jak ty opracuje jakąś trochę czyściejszą technologię, ludzie myślą, że sytuacja się poprawia, a w rzeczywistości pogarsza się z każdym rokiem.

To samo jest z samochodami hybrydowymi. Owszem, spalają mniej benzyny, ale zanieczyszczanie środowiska podczas ich konstruowania i produkcji powoduje straty znacznie przekraczające zyski z eksploatacji takich pojazdów. To zwykły wybieg, by dać garstce świadomych zagrożenia ludzi poczucie, że mają swój udział w ratowaniu świata, podczas gdy w rzeczywistości robią odwrotnie. Wyobrażają sobie błędnie, że technika może w jakiś sposób ocalić naszą planetę, kiedy to właśnie technika najbardziej ją niszczy.

Merrick słyszał słowa, lecz nie rozumiał ich znaczenia. Otworzył usta, żeby coś powiedzieć, ale porażenie strun głosowych jeszcze nie ustąpiło i wydał z siebie tylko ochrypły dźwięk. Odchrząknął i znów spróbował.

– Kim… kim jesteście?

– Ludźmi, którzy przejrzeli twoją grę.

– Grę? – Merrick zamilkł. Starał się pozbierać myśli. Wiedział, że kilka następnych minut zadecyduje o tym, czy wyjdzie stąd o własnych siłach, czy zostanie wywleczony jak biedna Susan. – Moja technologia się sprawdziła. Dzięki mnie emisja siarki jest teraz mniejsza niż kiedykolwiek od początku rewolucji przemysłowej.

– I dzięki tobie – mimo elektronicznego zniekształcenia w głosie z komputera zabrzmiał sarkazm – emisja dwutlenku i tlenku węgla, cząstek stałych, rtęci i innych metali ciężkich nigdy nie była wyższa niż obecnie. Podobnie jak poziom morza. Spółki energetyczne używają twoich filtrów, by dowieść swojej troski o środowisko, podczas gdy siarka to tylko ułamek zanieczyszczeń wytwarzanych przez ich zakłady. Trzeba pokazać światu, że zagrożenia dla naszej planety pochodzą z wielu źródeł.

– I dlatego zostałem porwany, a niewinną kobietę skatowaliście?

Zadał to pytanie bez przemyślenia swojej sytuacji. Rozważał tę sprawę setki razy. Jego wynalazek obniżył emisję siarki, ale w rezultacie budowano więcej elektrowni i więcej zanieczyszczeń trafiało do atmosfery. Klasyczne błędne koło. Na szczęście miał argumenty na swoją obronę i wiedział, jak je wykorzystać.

– Ta kobieta pracuje dla ciebie. Nie jest niewinna.

– Jak możecie tak mówić? Nie zapytaliście jej nawet, jak się nazywa i czym się zajmuje.

– Te szczegóły są nieistotne. Sam fakt, że chce dla ciebie pracować, jest wystarczającym dowodem przesądzającym o jej winie.

Merrick wziął głęboki oddech. Żeby przeżyć, musiał ich jakoś przekonać, że nie jest wrogiem ekologów.

– Posłuchajcie, nie możecie obarczać mnie odpowiedzialnością za to, że świat potrzebuje coraz więcej energii. Chcecie oczyścić środowisko, apelujecie o zmniejszenie przyrostu naturalnego. Wkrótce Chiny, które mają miliard dwieście milionów obywateli, a także Indie z miliardem mieszkańców będą najgorszymi na świecie trucicielami środowiska, groźniejszymi niż Stany Zjednoczone. To jest prawdziwe zagrożenie dla naszej planety i bez względu na to jak czyste będą Europa i Ameryka – Boże, moglibyśmy wrócić do wozów konnych i lemieszy – nigdy nie będziemy w stanie przeciwdziałać skażeniom pochodzącym z Azji. To problem globalny, całkowicie się z tym zgadzam, i potrzebne jest rozwiązanie w skali globalnej.

Mężczyźni i kobiety przy drugim końcu stołu nie zareagowali na jego przemowę, cisza w komputerze przedłużała się złowróżbnie. Merrick starał się trzymać, nie poddać strachowi, który go ogarniał. W końcu załamał się i łzy napłynęły mu do oczu.

– Nie róbcie mi tego – błagał. – Chcecie pieniędzy? Mogę całkowicie finansować waszą organizację. Tylko nas wypuśćcie, proszę.

– Za późno na to – odparł laptop. Modulator elektroniczny wyłączono i osoba mówiąca przez komputer powiedziała swoim głosem: – Zostałeś osądzony, Geoff, i uznany za winnego.

Merrick znał ten głos aż za dobrze, choć nie słyszał go od lat, i zdał sobie sprawę, że umrze.

Rozdział 11

Cabrillo nie miał już czasu na prysznic po ćwiczeniach w siłowni i ledwo zdążył się przebrać i dojść na mostek „Oregona", zanim Frank Lincoln przyprowadził Sloane i jej towarzyszy. Juan rozejrzał się szybko, kiedy usłyszał ich na schodach. Sterówka wyglądała tak jak zawsze, zaniedbana i zapuszczona. Nikt nie pozostawił w niej żadnych nowoczesnych gadżetów technicznych, które mogłyby wzbudzić podejrzenia na takim statku. Eddie Seng znów grał rolę sternika. Włożył znoszony jednoczęściowy kombinezon, czapkę bejsbolową i stał w niedbałej pozie za staromodnym kołem sterowym. Był chyba najbardziej skrupulatnym planistą na liście płac Korporacji, przywiązywał wagę do najdrobniejszych szczegółów. Gdyby miał inny temperament i nie lubił tak niebezpieczeństw, byłby doskonałym księgowym. Juan zauważył, że Eddie ustawił dźwignie atrapy telegrafu maszynowni w pozycji „cała stop" i nawet zmienił nieużywane mapy morskie na takie, które pokazywały południowo-zachodnie wybrzeże Afryki.

– Dobre posunięcie – pochwalił, postukując palcem w wyblakły i poplamiony papier.

– Wiedziałem, że ci się spodoba – odparł Eddie.

Juan nie zastanawiał się, jak może wyglądać Sloane Macintyre. Zainteresowało go to dopiero w momencie, kiedy przestąpiła próg. Z potarganymi przez wiatr włosami koloru miedzi sprawiała wrażenie dzikiej i niesposkromionej. Miała trochę za szerokie usta i za długi nos, ale otwartość na jej twarzy niwelowała te drobne niedoskonałości. Okulary przeciwsłoneczne wisiały na jej szyi, więc zauważył, że nie ma zielonych oczu jak rude bohaterki powieściowych romansów, lecz szeroko rozstawione duże szare oczy, które zdawały się ogarniać otoczenie jednym szybkim spojrzeniem. Lekka nadwaga przydawała krągłości jej ciału, ale umięśnione ramiona skojarzyły się Juanowi z pływaczką.

Byli z nią dwaj mężczyźni – Namibijczyk, zapewne właściciel „Pinguina", oraz biały z wystającym jabłkiem Adama i kwaśną miną. Nie pasował do towarzystwa takiej atrakcyjnej kobiety. Juan poznał po ich mowie ciała, że to Sloane jest szefową, a jej partner, wściekły, nie może się z tym pogodzić.

Cabrillo wystąpił naprzód i wyciągnął rękę.

– Juan Cabrillo, kapitan „Oregona". Witam na pokładzie.

– Sloane Macintyre. – Miała pewny, mocny uścisk dłoni i spokojne spojrzenie. Nie dostrzegł na jej twarzy ani śladu strachu, który z pewnością czuła, kiedy byli pod ostrzałem. – To jest Tony Reardon, a to Justus Ulenga, kapitan „Pinguina".

– Jak pan się ma? – zapytał na powitanie Reardon. Juana zaskoczył jego brytyjski akcent.

– Widzę, że chyba nikt z was nie potrzebuje pomocy lekarskiej – powiedział Cabrillo.

– Nie, nic nam się nie stało – zapewniła Sloane. – Ale dziękuję za troskę.

– To dobrze, ulżyło mi – odparł poważnie Juan. – Zaprosiłbym was do mojej kajuty, żeby porozmawiać, ale straszny tam bałagan. Zejdźmy do mesy. Kucharz przygotuje nam coś do jedzenia.

Polecił Lincowi znaleźć stewarda.

Kajuta kapitańska, gdzie Cabrillo przyjmował inspektorów i urzędników portowych, którzy wchodzili na pokład, była w opłakanym stanie i została tak urządzona, by goście chcieli jak najszybciej opuścić statek. Ściany i dywan spryskiwano środkiem chemicznym cuchnącym jak tanie papierosy i odór dusił nawet nałogowych palaczy. Smutne spojrzenia błaznów patrzących z obrazów sprawiały, że większość osób czuła się nieswojo – i tak powinno być. Pomieszczenie po prostu nie nadawało się do rozmowy. Choć kambuz i przyległa mesa nie mogły mieć dużo wyższego standardu, było tam czyściej.

Cabrillo poprowadził ich na dół wewnętrznymi schodami z porwanym linoleum na stopniach i ostrzegł, że chwieje się poręcz, którą celowo obluzowano. Wpuścił ich do mesy, sięgnął do jednego z dwóch włączników i po chwili rozbłysnął rząd jarzeniówek. Drugim włącznikiem zapalało się tylko kilka lamp, dwie stale migały i denerwująco buczały. Większość celników wolała przeglądać manifesty statku na mostku „Oregona" niż w jadalni. W przestronnym pomieszczeniu stały cztery różne stoły i tylko dwa z szesnastu krzeseł były jako tako podobne do siebie. Ściany miały przygnębiający mdły kolor mięty, który Juan nazywał „radziecką zielenią".

Dwa pokłady niżej znajdowała się prawdziwa mesa „Oregona", elegancka jadalnia o wystroju pięciogwiazdkowej restauracji.

Juan wskazał im miejsca. Posadził ich na wprost miniaturowej kamery ukrytej w obrazie na ścianie. Linda Ross i Max Hanley monitorowali rozmowę w centrum operacyjnym. Gdyby chcieli, żeby Juan zadał gościom jakieś pytania, przysłaliby mu je przez Maurice'a, stewarda.

Cabrillo splótł dłonie na blacie stołu, zerknął na uratowaną trójkę i utkwił wzrok w Sloane. Wytrzymała jego spojrzenie i wydało mu się, że dostrzega cień uśmiechu w kącikach jej ust. Spodziewał się strachu i gniewu po tym, co przeżyli, ale kobieta wyglądała raczej na ubawioną przygodą, w przeciwieństwie do wyraźnie wstrząśniętego Reardona i zamyślonego kapitana „Pinguina", który prawdopodobnie miał nadzieję, że Juan nie zawiadomi władz.

– A więc, co to byli za ludzie i dlaczego was zaatakowali? – Sloane pochyliła się do przodu i już otwierała usta, gdy Juan dodał: – Tylko niech pani nie zapomina, że słyszałem, jak mówili przez radio coś o wczorajszym ostrzeżeniu pod pani adresem.

Oparła się plecami o krzesło i najwyraźniej zastanawiała nad odpowiedzią.

– Powiedz mu, na litość boską – wyrzucił z siebie Tony jeszcze bardziej rozdrażniony jej milczeniem. – Teraz to już nie ma znaczenia.

Posłała mu mordercze spojrzenie, ale zorientowała się, że jeśli będzie przeciągać tę chwilę ciszy, Tony powie wszystko. Westchnęła.

– Szukamy statku, który zatonął na tych wodach pod koniec XIX wieku.

– Niech zgadnę; myślicie, że na pokładzie jest skarb? – zapytał Juan. Sloane wyczuła sarkazm w jego głosie.

– Na pewno mogę na to postawić nasze życie – odparła zdecydowanie. – A ktoś inny najwyraźniej uważa, że warto zabić, żeby go zdobyć.

– No właśnie. – Juan przeniósł wzrok ze Sloane na Reardona. Nie wyglądali na łowców skarbów, ale tą gorączką mógł się zarazić każdy. – Jak się poznaliście?

– Przez Internet, na Gadu-Gadu, ludzie rozmawiali o zaginionych skarbach – powiedziała Sloane. – Planowaliśmy tę wyprawę i oszczędzaliśmy na nią od zeszłego roku.

– A co się wydarzyło wczoraj wieczorem?

– Wybrałam się sama do miasta na kolację i kiedy wracałam do hotelu, zauważyłam, że śledzą mnie dwaj mężczyźni. Uciekałam, a oni mnie gonili. W pewnym momencie jeden z nich strzelił do mnie z pistoletu. Dobiegłam do hotelu, gdzie było tłoczno, i przestali mnie ścigać. Któryś krzyknął, że ten strzał był ostrzeżeniem i mam wyjechać z Namibii.

– Rozpoznała ich pani na tamtym jachcie?

– Tak, to byli tamci dwaj z automatami.

– Kto wiedział, że jest pani w Namibii?

– Ma pan na myśli znajomych w kraju?

– Nie, chodzi mi o to, kto wiedział, co pani tutaj robi? Rozmawiała pani z kimś o tym?

– Przepytywaliśmy mnóstwo miejscowych rybaków – wtrącił się Tony.

Sloane go zignorowała.

– Pomysł był taki, żeby przeszukać miejsca, gdzie
rybacy tracą sieci. Dno morskie jest tu właściwie prze-
dłużeniem pustyni, więc uważałam, że to, w co może
się zaplątać sieć, musi być dziełem człowieka, czyli
wrakiem statku.

– Niekoniecznie.

– Teraz to wiemy – przyznała z przygnębieniem. –
Przelecieliśmy nad różnymi miejscami, używając wy-
krywacza metali, ale nic nie znaleźliśmy.

– Wcale się nie dziwię. Prądy morskie miały kilka
milionów lat na to, żeby odsłonić wypiętrzenia podłoża
skalnego, o które może łatwo zahaczyć sieć.

Sloane przytaknęła.

– Więc rozmawialiście z rybakami. Z kimś jeszcze?

Spuściła wzrok.

– Z Luką. Niby jest przewodnikiem, ale nigdy mu
zbytnio nie ufałam. I z południowoafrykańskim pilotem helikoptera. Nazywa się Pieter DeWitt. Nikt nie
wiedział, dlaczego wypytujemy o sieci, i nie mówiliśmy,
jakiego statku szukamy.

– Nie zapominaj o Papie Heinricku i jego ogromnych metalowych wężach – dodał zgryźliwie Tony.
Chciał wprawić Sloane w zakłopotanie.

Juan w szczerym zdumieniu uniósł brew.

– Nic takiego – powiedziała szybko Sloane. – To
tylko bajki starego zwariowanego rybaka.

Rozległo się delikatne pukanie do drzwi. Zjawił się
Maurice z plastikową tacą. Juan musiał stłumić uśmiech
na widok pełnej odrazy miny głównego stewarda.

Maurice był pedantem. Golił się dwa razy dziennie,
co rano polerował buty i zmieniał koszulę, jeśli zauważył na niej zmarszczkę. W przepastnych czeluściach
„Oregona" czuł się jak w domu, ale ilekroć znalazł się
w jakiejś części statku dostępnej dla obcych, przybierał
wyraz twarzy muzułmanina wchodzącego do chlewu.

Na użytek komedii, którą grali przed gośćmi, zdjął
marynarkę od garnituru i krawat, a mankiety frakowej

125

koszuli podwinął. Choć Juan miał pełne dossier każdego członka Korporacji, nie znał wieku Maurice'a. Spekulowano, że może mieć od sześćdziesięciu pięciu do osiemdziesięciu lat. Ale trzymał tacę na ręku nieruchomo niczym jeden z żurawi „Oregona" i kiedy stawiał na stole talerze i szklanki, nie wylał ani kropli.

– Zielona herbata. – Mówił z angielskim akcentem, czym zwrócił na siebie uwagę Tony'ego. – Dim sum, pierożki won ton i kluski lo mein z kurczakiem. – Wyjął z kieszeni fartucha złożony kawałek papieru i wręczył go Juanowi. – Pan Hanley prosił, żebym to panu przekazał.

Juan rozłożył kartkę, gdy Maurice stawiał na stole talerze, rozkładał serwetki i sztućce. Nic nie pasowało do siebie, ale przynajmniej obrusy były czyste.

Max napisał: „Ona kłamie".

Juan spojrzał w stronę ukrytej kamery.

– To oczywiste.

– Co? – zapytała Sloane po pierwszym łyku herbaty.

– Hm? Mój pierwszy oficer przypomina mi, że im dłużej tu jesteśmy, tym później dotrzemy na miejsce.

– A dokąd płyniecie, jeśli wolno spytać?

– Dziękuję, Maurice, to wszystko. – Steward skłonił się i Cabrillo odpowiedział Sloane: – Do Kapsztadu. Jesteśmy w drodze z Brazylii do Japonii z ładunkiem tarcicy, ale musimy zabrać z Kapsztadu parę kontenerów do Bombaju.

– Ten statek to tramp, prawda? – upewniła się. W jej głosie zabrzmiał podziw. – Myślałam, że takich już nie ma.

– Niewiele ich zostało. Kontenerowce przejęły prawie cały transport, ale kilku z nas zbiera jeszcze okruchy. – Juan wskazał szerokim gestem obskurną mesę. – Niestety, tych okruchów jest coraz mniej, więc nie mamy pieniędzy na inwestowanie w „Oregona". Staruszek powoli się rozlatuje.

– Mimo wszystko to musi być romantyczne życie.

Szczerość, z jaką to powiedziała, zaskoczyła Juana. Zawsze uważał, że minione czasy, kiedy człowiek mógł się włóczyć na trampie od portu do portu i żyć niemal z dnia na dzień bez pośpiechu, zamiast być trybikiem w machinie, jaką stał się transport morski, były romantyczne. Uśmiechnął się i uniósł w jej stronę swoją herbatę.

– Owszem, czasami jest.

Jej ciepły uśmiech pozwolił mu przypuszczać, że mają jakąś wspólną cechę.

Wrócił do rozmowy.

– Kapitanie Ulenga, wie pan coś o tych metalowych wężach?

– Nie, panie kapitanie. – Namibijczyk dotknął skroni. – Papa Heinrick ma nie po kolei w głowie. A kiedy sięgnie po butelkę, lepiej machnąć na niego ręką.

Juan znów skupił uwagę na Sloane.

– Jak się nazywał statek, którego szukaliście?

Najwyraźniej wolała tego nie zdradzać, więc dał spokój.

– Nieważne. Nie zamierzam szukać zatopionego skarbu. – Roześmiał się. – Ani ogromnych metalowych węży. Płynęliście dziś tam, gdzie ten Heinrick je widział?

Sloane zdała sobie sprawę, jak śmiesznie musi wyglądać w jego oczach, bo zaczerwieniła się lekko.

– To był nasz ostatni trop. Pomyślałam, że skoro zaszliśmy tak daleko, możemy go sprawdzić. Teraz brzmi to trochę głupio.

– Trochę? – zadrwił Juan.

Linc zastukał w framugę drzwi mesy.

– Jest czysty, kapitanie.

– Dziękuję, panie Lincoln. – Juan poprosił Linca, żeby na wszelki wypadek przeszukał „Pinguina", ale okazało się, że nie ma na nim kontrabandy w postaci narkotyków czy broni. – Kapitanie Ulenga, może mi pan powiedzieć coś o jachcie, który was zaatakował?

– Widziałem go parę razy w Walvis. Zawijał tam chyba co miesiąc od roku czy dwóch lat. Pewnie był z Afryki Południowej, bo tylko tam ludzi stać na takie łodzie.

– Nigdy nie rozmawiał pan z jego załogą albo z kimś, kto znał tam ludzi?

– Nie, panie kapitanie. Przypływali, tankowali i odpływali.

Juan usiadł wygodnie i założył ręce za oparcie krzesła. Starał się połączyć fakty i znaleźć logiczne wyjaśnienie, ale nic nie pasowało do siebie. Był pewien, że kobieta opuściła w swojej opowieści jakieś ważne szczegóły i nie uda mu się rozwiązać tej zagadki. Musiał zdecydować, czy warto drążyć tę sprawę. Priorytetem pozostawało uratowanie Geoffreya Merricka i mieli z tym dość problemów bez kłopotów Sloane Macintyre. Ale coś nie dawało mu spokoju.

Nagle odezwał się Tony Reardon:

– Powiedzieliśmy panu wszystko, co możemy, kapitanie Cabrillo. Naprawdę chciałbym już zejść z pańskiego statku. Czeka nas długa droga powrotna do portu.

– Uhm – mruknął w zadumie Juan i ocknął się z zamyślenia. – Tak, oczywiście, panie Reardon. Nie rozumiem, dlaczego was zaatakowano. Możliwe, że jest tu jakiś zatopiony statek pełen skarbów i weszliście komuś w paradę. Jeśli działają bez pozwolenia władz, to nic dziwnego, że używają przemocy. – Popatrzył poważnie na Tony'ego i Sloane. – W takim wypadku radziłbym jak najszybciej wyjechać z Namibii. Grozi wam niebezpieczeństwo.

Reardon skinął głową, ale Sloane miała taką minę, jakby zamierzała zignorować radę. Juan dał temu spokój. To nie jego zmartwienie.

– Panie Lincoln, proszę odprowadzić naszych gości do ich łodzi. Jeśli będzie im potrzebne paliwo, proszę się tym zająć.

– Tak jest, kapitanie.

Wszyscy wstali jak na komendę. Juan pochylił się nad stołem, żeby uścisnąć dłoń Justusowi Ulendze i Tony'emu Reardonowi. Kiedy podał rękę Sloane, pociągnęła go lekko do siebie.

– Mogłabym zamienić z panem słowo na osobności?

– Oczywiście. – Cabrillo spojrzał na Linca. – Niech pan zabierze panów do „Pinguina". Sam odprowadzę panią Macintyre.

Usiedli, kiedy tamci wyszli. Sloane przyjrzała się Juanowi jak jubiler diamentowi, który właśnie ma oszlifować i szuka skazy dyskwalifikującej kamień. Podjęła jakąś decyzję, pochyliła się do przodu i oparła łokcie na stole.

– Uważam, że jest pan oszustem.

Juana zamurowało.

– Słucham? – wyjąkał w końcu.

– Pan, pańska załoga i ten statek to mistyfikacja.

Starał się zachować obojętną minę i nie zblednąć. Przez lata, odkąd założył Korporację i włóczył się po świecie na kolejnych statkach nazywanych „Oregon", nikomu nigdy nie przyszło do głowy, żeby podawać w wątpliwość ich wiarygodność. Wpuszczali na pokład urzędników portowych, różnych inspektorów, nawet pilota w Kanale Panamskim i nikt nie miał najmniejszych podejrzeń co do statku i jego załogi.

Ona nic nie wie, pomyślał. Strzela w ciemno. Przyznał jednak w duchu, że nie użyli wszystkich sztuczek, tak jak w porcie lub przed inspekcją, ale nie było mowy, żeby osoba, która weszła na statek pół godziny temu, mogła się zorientować, że to kamuflaż. Uspokoił się nieco.

– Zechce pani to wytłumaczyć? – zagadnął swobodnie.

– Chodzi mi o drobiazgi. Na przykład pański sternik miał na ręku dokładnie takiego samego rolexa, jaki nosił mój ojciec. To zegarek za dwa tysiące dolarów. Chyba trochę za drogi dla biednych facetów, za jakich się podajecie.

– To nie oryginał.

– Podróbka nie wytrzymałaby pięciu minut w słonym powietrzu. Wiem, bo miałam jedną, kiedy byłam nastolatką i pracowałam na łodzi rybackiej ojca po jego odejściu na emeryturę z marynarki handlowej.

Okej, kobieta zna się trochę na statkach, stwierdził Juan.

– Może to oryginał, ale kupiony od pasera. Musiałaby go pani zapytać.

– To jest możliwe – przyznała. – Ale co z pańskim stewardem? Od pięciu lat pracuję w Londynie i rozpoznaję angielskie ubrania. Półbuty Church, spodnie od garnituru na zamówienie i ręcznie szyta koszula Maurice'a musiały kosztować w funtach równowartość około czterech tysięcy dolarów. Wątpię, żeby ubierał się u pasera.

Juan zachichotał, kiedy wyobraził sobie Maurice'a w czymś używanym.

– Prawdę mówiąc, to krezus, ale, jak mówią Anglicy, zbzikowany. Czarna owca w pewnej bardzo zamożnej rodzinie. Włóczy się po świecie, odkąd skończył osiemnaście lat i odziedziczył swoją część majątku. Przyszedł do mnie w zeszłym roku w Mombasie i zapytał, czy nie zatrudniłbym go za darmo jako stewarda. Miałem nie skorzystać?

– Jasne – odparła przeciągle Sloane.

– Mówię szczerze, proszę mi wierzyć.

– Zostawmy to na razie. Ale co z panem Lincolnem? Niewielu Amerykanów pływa na statkach, bo Azjaci chętnie wykonują ich robotę za ułamek wynagrodzenia. Gdyby armator tego statku był taki biedny, jak pan twierdzi, załoga składałaby się z Pakistańczyków albo Indonezyjczyków. – Juan chciał odpowiedzieć, ale nie dała mu dojść do słowa. – Niech zgadnę; pan też pracuje za psie pieniądze?

– Nie mam materaca wypchanego gotówką, pani Macintyre.

– Kto wie. – Przeczesała palcami włosy. – Chciałam usłyszeć od pana wyjaśnienie tych drobnych szczegółów. A jak pan odpowie na to? Kiedy pierwszy raz zobaczyłam pański statek, z komina nie unosił się dym.

Aha, pomyślał Juan, kiedy przypomniał sobie, że drugi mechanik włączył generator dymu dopiero wówczas, gdy „Pinguin" był w zasięgu wzroku. On wtedy to zbagatelizował, ale przeoczenie stworzyło teraz problem.

– Najpierw myślałam, że statek jest opuszczony, potem zobaczyłam, że płyniecie. Kilka minut później z komina zaczął buchać gęsty dym. Ciekawe, że było go dokładnie tyle samo, kiedy pędziliście do nas z szybkością dwudziestu węzłów, ile wtedy, gdy zauważyłam na mostku, że telegraf maszynowni jest ustawiony na całą stop. A skoro jesteśmy przy waszej szarży, to nie ma mowy, żeby jakiś statek tej wielkości mógł skręcić tak szybko, chyba że macie pędniki kierunkowe, które zaczęto stosować dużo później, niż zbudowano ten frachtowiec. Zechce pan to wytłumaczyć?

– Jestem ciekaw, dlaczego to panią tak interesuje? – odpowiedział pytaniem na pytanie.

– Bo ktoś chciał mnie dziś zabić, chcę wiedzieć dlaczego i uważam, że może mi pan pomóc.

– Przykro mi, Sloane, ale jestem tylko kapitanem starej zardzewiałej łajby, która niedługo trafi na złomowisko. Nie potrafię pani pomóc.

– Więc nie zaprzecza pan temu, co widziałam.

– Nie wiem, co pani widziała, ale w „Oregonie" i jego załodze nie ma nic niezwykłego.

Wstała i podeszła prosto do miniaturowej kamery ukrytej w ramie starego portretu pewnej indyjskiej aktorki, która była sławna piętnaście lat temu. Odciągnęła obraz od ściany, kamera wysunęła się z niego i zawisła na swoim przewodzie.

– Coś takiego.

Juan zbladł.

– Zauważyłam ją, kiedy pan powiedział „to oczywiste" po przeczytaniu kartki, którą przyniósł Maurice. Domyślam się, że ktoś nas teraz obserwuje. – Nie zaczekała na odpowiedź Juana. – Zawrzyjmy umowę, kapitanie Cabrillo; przestańmy się okłamywać. Mogę zacząć pierwsza mówić prawdę. – Znów usiadła na wprost niego. – Tony i ja nie poznaliśmy się przez gawędziarnię internetową. Pracujemy razem w dziale bezpieczeństwa firmy DeBeers i naprawdę szukamy zatopionego statku, na którym mogą być diamenty warte około miliarda dolarów. Wie pan cokolwiek o tych kamieniach?

– Tylko tyle, że są rzadkie, drogie, i jeśli daje się jakiś kobiecie, to lepiej traktować sprawę poważnie.

Uśmiechnęła się.

– Dwa z trzech.

– Dwa z trzech, tak? Wiem, że są drogie, i wiem, że są rzadkie, więc pewnie mężczyźni stale dają pani diamenty jakby nigdy nic. Jest pani z pewnością dość atrakcyjna.

Roześmiała się.

– Nie. One są drogie i powinno się traktować sprawę poważnie, ale nie są rzadkie. Nie tak rozpowszechnione jak kamienie półszlachetne, ale spotyka się je częściej, niż się ludziom wydaje. Wartość utrzymuje się sztucznie na wysokim poziomie, bo jedna firma kontroluje prawie dziewięćdziesiąt pięć procent rynku. Jest właścicielem wszystkich kopalni, więc może dyktować cenę. Ilekroć zostaje odkryte jakieś nowe złoże diamentów, ta firma je kupuje i nie dopuszcza konkurencji. Trudno sobie wyobrazić bardziej hermetyczny kartel, przy nim OPEC to amatorzy. Stosuje takie praktyki monopolistyczne, że kilku jego dyrektorów natychmiast by aresztowano za łamanie ustawy antytrustowej, gdyby kiedykolwiek postawili nogę w Stanach Zjednoczonych. Wprowadzają do obrotu niewielką liczbę kamieni w bardzo wolnym tempie, żeby cena była stała. Kiedy zapasy maleją, zwiększają produkcję, a gdy jest nadwyżka diamentów, gromadzą je w swoich londyńskich skarbcach. Mając to wszystko na uwadze, jak pan sądzi, co by się stało, gdyby ktoś nagle rzucił na rynek diamenty warte miliard dolarów?

– Ceny by spadły.

– A my stracilibyśmy pozycję monopolisty i cały system załamałby się. Wszystkie kobiety zdałyby sobie sprawę, że te drogie kamienie na ich palcach jednak nie są wieczne. Miałoby to też negatywny wpływ na światową gospodarkę, zdestabilizowałoby ceny złota i walut.

Juan wiedział coś o tym, bo zaledwie parę miesięcy wcześniej on i jego zespół udaremnili próbę zalania światowego rynku złota tym kruszcem.

– Rozumiem, o co chodzi – powiedział.

– Jeśli istnieje statek wyładowany skarbami, to nasze biuro może zapobiec takiemu zdarzeniu na dwa sposoby. Pierwszy, to poczekać i zobaczyć, czy ktoś znajdzie te diamenty, a jeśli tak się stanie, po prostu natychmiast wszystkie kupić. Oczywiście to by dużo kosztowało, więc wolelibyśmy zrobić inaczej.

– Sprawdzić, czy pogłoska o zaginionym skarbie jest prawdziwa, i samemu go wydobyć.

– Bingo. – Sloane dotknęła czubka swojego nosa. – Pierwsza złożyłam w całość opowieści o tym skarbie, więc dostałam zadanie znalezienia go. Tony jest niby moim asystentem, ale do niczego się nie nadaje. To dla mnie bardzo ważna sprawa, od niej zależy moja kariera. Gdyby udało mi się znaleźć te kamienie, prawdopodobnie zostałabym wiceprezesem firmy.

– Skąd się wzięły te diamenty? – zapytał Juan, wbrew sobie ciekaw, co powie Sloane.

– To fascynująca historia. Wydobyli je w kopalni w Kimberley członkowie plemienia Herero. Ich król wiedział, że nadciąga wojna z Niemcami, którzy skolonizowali jego ojczyznę, i uważał, że gdyby miał diamenty, mógłby za nie uzyskać ochronę Anglików. Jego ludzie przez dziesięć lat pracowali w Kimberley i wracali do siebie z kamieniami, gdy kończył im się kontrakt. Podobno robotnicy rozcinali sobie ramię lub nogę parę miesięcy przed rozpoczęciem pracy. Kiedy przybywali do Kimberley, oglądano ich i notowano, gdzie mają stare blizny. Potem, już w obozie górniczym, członek plemienia, który po jakimś czasie ukradł odpowiedni diament z wyrobiska, otwierał ranę i wsuwał go do środka. Gdy po roku opuszczał kopalnię, strażnicy porównywali wygląd jego ciała z tym, co zanotowali w dniu pierwszych oględzin. Świeże blizny otworzyliby chirurgicznie, żeby sprawdzić, czy nie ma w ranie ukrytych diamentów, bo to stało się popularną metodą przemytniczą, lepszą niż połykanie, łatwe do wykrycia za pomocą środków przeczyszczających. Ale każda stara blizna figurowała w ich notatkach, więc jej nie sprawdzano.

– Cholernie sprytne.

– Zgodnie z tym, co zdołałam ustalić, plemię miało worki samych największych i najczystszych kamieni, kiedy zostało obrabowane.

– Obrabowane?

– Przez pięciu Anglików, w tym jednego zaledwie nastolatka, którego ojciec był misjonarzem na terytorium Herero. Udało mi się tego dowiedzieć z dziennika jego ojca, bo po kradzieży wyruszył tropem syna. Sporządził całą listę tortur, jakim podda chłopaka, kiedy go złapie. Nie chcę zanudzać szczegółami, ale ten nastolatek, Peter Smythe, dołączył do poszukiwacza przygód ze starej szkoły nazwiskiem H.A. Ryder i trzech innych mężczyzn. Wysłali telegram do Kapsztadu, żeby przypłynął po nich parowiec, HMS „Rove". Umówili się z kapitanem. Zamierzali pokonać konno pustynie Kalahari oraz Namib i wejść na statek u wybrzeża ówczesnej Niemieckiej Afryki Południowo-Zachodniej.

– Jak się domyślam, „Rove" przepadł bez śladu?

– Wyruszył z Kapsztadu natychmiast po otrzymaniu wiadomości od Rydera i został potem uznany za zaginiony na morzu.

– Załóżmy, że wszystko to prawda, a nie kolejny mit jak kopalnie króla Salomona. Dlaczego pani sądzi, że wrak jest w tym rejonie?

– Narysowałam prostą linię na zachód od miejsca kradzieży diamentów do wybrzeża. Mieli pokonać bodaj najtrudniejszy do przebycia obszar pustynny na świecie, więc z pewnością wybrali najkrótszą drogę. Punkt spotkania z „Rove'em" wypada zatem jakieś sto dziesięć kilometrów na północ od Walvis Bay.

Juan dostrzegł następną lukę w jej rozumowaniu.

– „Rove" mógł zatonąć po tygodniu rejsu z powrotem do Kapsztadu. Tamci ludzie mogli też nie dotrzeć do oceanu i kamienie są gdzieś na środku pustyni.

– To samo usłyszałam od mojego szefa. Odpowiedziałam, że skoro ja to rozgryzłam, mógł to zrobić również ktoś inny, i diamenty warte miliard dolarów mogą leżeć kilka mil morskich od brzegu, gdzie każdy z akwalungiem i latarką potrafi je znaleźć.

– I co on na to?

– Dał mi tydzień i Tony'ego Reardona do pomocy. Kazał mi też zniszczyć wszystkie dowody, jakie zebrałam.

– Tydzień nie wystarczy na zbadanie rejonu, który ma pewnie kilkaset kilometrów kwadratowych. Żeby to zrobić dokładnie, musiałaby pani mieć statek holujący sonar boczny i wykrywacz metali. Ale nawet to nie gwarantuje sukcesu.

Sloane wzruszyła ramionami.

– Mój pomysł nie wzbudził entuzjazmu. Parę dni, trochę pieniędzy i pomoc Tony'ego to i tak było więcej, niż spodziewałam się dostać, żeby zdobyć informacje z miejscowych źródeł.

– Dlaczego pani zwróciła się z tą sprawą do szefostwa? Nie pomyślała pani, żeby po prostu poszukać statku na własną rękę i zatrzymać diamenty dla siebie, gdyby je znalazła?

Zrobiła urażoną minę.

– Nawet nie przyszło mi to do głowy, kapitanie. Tamte diamenty wydobyto w kopalni firmy DeBeers i są jej własnością. Nie zatrzymałabym ich dla siebie, tak jak nie weszłabym do skarbca i nie wypchała sobie kieszeni luźnymi kamieniami.

– Przepraszam. – Jej lojalność wywarła wrażenie na Juanie. – To było zupełnie nie na miejscu.

– Dziękuję. Przeprosiny przyjęte. Czy teraz, kiedy poznał pan prawdę, pomoże mi pan? Nie mogę nic obiecać, ale firma na pewno wynagrodzi panu stracony czas, jeśli znajdziemy „Rove'a". Sprawdzenie miejsca o współrzędnych, które podał mi Papa Heinrick, zajmie tylko parę godzin.

Juan milczał, patrząc w sufit, i zastanawiał się nad następnym krokiem. Nagle wstał i ruszył do drzwi.

– Przepraszam na chwilę – zwrócił się do Sloane, po czym powiedział do ukrytych mikrofonów: – Max, wpadnij do mojej kajuty.

Miał na myśli tę, gdzie przyjmowali celników. Była w połowie drogi między mesą a windą kursującą na górę z centrum operacyjnego.

Kiedy Juan skręcił za róg, Hanley już czekał przed brudną kajutą. Opierał się o przegrodę i stukał cybuchem fajki w zęby, co znaczyło, że nad czymś duma. Wyprostował się na widok prezesa. Juan zmarszczył nos, bo mimo zamkniętych drzwi kajuty cuchnęło stamtąd starym dymem papierosowym.

– I co o tym myślisz? – zapytał wprost Juan.

– Ta cała sprawa to jakaś bzdura. Powinniśmy przestać tu marudzić i popłynąć do Kapsztadu po sprzęt, który będzie nam potrzebny, jeśli zamierzamy uratować Merricka, zanim umrze ze starości.

– Zgodziłbym się z tobą w stu procentach, gdybyśmy nie widzieli na własne oczy ataku na „Pinguina". – Zamilkł, żeby zebrać myśli.

– Uważasz, że natknęliśmy się na coś? – spytał Max, chcąc dowiedzieć się więcej.

– Faceci na jachtach za milion dolarów nie strzelają do nikogo bez ważnego powodu. Uważam, że w tym wypadku czegoś strzegą. Sloane mówi, że nikt nie wiedział, jakiego statku szukają, więc możliwe, że tamci chronią coś innego niż rzekomy wrak ze skarbami.

– Chyba nie wierzysz w istnienie ogromnych metalowych węży Papy Heinricka?

– Max, tu coś jest. Czuję to. – Juan odwrócił się do przyjaciela i spojrzał mu w oczy, żeby być dobrze zrozumiany. – Pamiętasz, co ci powiedziałem przed tym, zanim wzięliśmy na pokład tamtych dwóch facetów z NUMA, którzy płynęli do Hongkongu?

– Tropili stary SS „United States". Straciłeś nogę podczas tamtej akcji – odparł Max, podtrzymując introspektywną formułę rozmowy.

Juan podświadomie przeniósł ciężar ciała na kończynę z włókna węglowego i tytanu.

– Właśnie. Tamta akcja kosztowała mnie stratę nogi.

– Minęło już parę lat, ale chyba powiedziałeś dokładnie tak: „Max, nie cierpię cytować nadużywanych banałów, ale mam złe przeczucia". – Wetknął fajkę do ust.

Juan wytrzymał bez mrugnięcia okiem jego badawcze spojrzenie.

– Stary, mam teraz takie same złe przeczucia.

Hanley patrzył na niego jeszcze przez moment, potem skinął głową. Ich wspólne lata nauczyły go, że należy ufać prezesowi bez względu na to, jak irracjonalne ma żądania i jak niewielkie są szanse na sukces.

– Co planujesz?

– Nie chcę jeszcze bardziej opóźniać „Oregona". Kiedy tylko zejdę z pokładu, płyń do Kapsztadu po sprzęt. Ale po drodze wyślij George'a w tamten rejon, gdzie podobno są te metalowe węże. Niech się rozejrzy. – George Adams był pilotem helikoptera Robinson R-44 Clipper ukrytego w jednej z ładowni statku. – Wezmę od Sloane współrzędne.

– Wybierasz się do Walvis Bay?

– Chcę osobiście porozmawiać z Papą Heinrickiem, przewodnikiem Sloane i pilotem. Wezmę jedną z szalup na górze, żeby Sloane nie zobaczyła hangaru łodziowego ani nic innego. – Choć dwie szalupy wyglądały tak samo nędznie jak reszta „Oregona", były równie nowoczesne jak on. Gdyby miały wystarczający zasięg, Juan bez obaw popłynąłby jedną z nich przez Atlantyk w sezonie huraganów. – Nie powinno mi to zająć więcej czasu niż dzień lub dwa – mówił. – Dołączę do was, kiedy wrócicie do Namibii. Co mi przypomniało, że byłem godzinę w siłowni i nie znam ostatnich wiadomości. Jak stoją sprawy?

Max skrzyżował ręce na piersi.

– Mały Gunderson wypożyczył już dla nas odpowiedni samolot, więc to jest załatwione. Jak wiesz, w porcie w Kapsztadzie czekają na nas pojazdy terenowe, a Murph poprosił pewną bibliotekarkę w Berlinie, żeby wyciągnęła wszystko, co mają o Diabelskiej Oazie, czyli Oase des Teufels, jak nam już wiadomo.

Przełom w poszukiwaniach miejsca, gdzie przetrzymywany jest Geoffrey Merrick, nastąpił wtedy, gdy Linda Ross przyjęła, że Diabelska Oaza może być w Namibii i sprawdziła to, używając niemieckiej nazwy. Ale po zebraniu wstępnych danych utknęli w martwym punkcie.

Na początku XX wieku rząd cesarskich Niemiec postanowił stworzyć odpowiednik okrytej złą sławą francuskiej kolonii karnej w Gujanie, nazywanej Diabelską Wyspą, odległego obozu dla najgroźniejszych przestępców, skąd ucieczka była niemożliwa. Niemcy zbudowali więzienie na środku pustyni w najbardziej odludnej części swojej kolonii. Wokół murów z miejscowego kamienia ciągnęły się setki kilometrów piaszczystych wydm, więc nawet gdyby skazaniec wydostał się na zewnątrz, nie miałby dokąd iść. Zginąłby na pustyni, zanim dotarłby do wybrzeża. Przeciwnie niż w wypadku Diabelskiej Wyspy czy nawet niesławnego Alcatraz w San Francisco, nikt nigdy nie słyszał, żeby komuś kiedykolwiek udało się uciec z tego więzienia, które zamknięto w roku 1916, gdyż zbytnio obciążało budżet prowadzącego wojnę cesarstwa.

Linię kolejową obsługującą kiedyś Diabelską Oazę zlikwidowano, gdy więzienie zostało opuszczone, więc teraz można tam było dotrzeć tylko drogą powietrzną lub pojazdem terenowym. Oba warianty stanowiły wyzwanie i nastręczały trudności, gdyż nawet mały oddział ludzi pilnujących Merricka wykryłby helikopter lub ciężarówkę na długo przed tym, zanim Cabrillo zdołałby rozmieścić swoje siły na pozycjach do ataku.

Studiowali bazy danych, oglądali dostępne zdjęcia satelitarne i układali śmiały plan odbicia miliardera.

– Jest coś od porywaczy albo z firmy Merricka?

– Porywacze nie odzywają się, a jego firma prowadzi rozmowy z kilkoma różnymi agencjami wyspecjalizowanymi w uwalnianiu zakładników. – Choć zwykle takie zadanie wykonywało wojsko lub policja, istniały prywatne firmy, które się tym zajmowały. Korporacja zazwyczaj nie przyjmowała tego typu zleceń, ale Hanley przedstawił ją jako zespół do uwalniania zakładników. Wprawdzie zamierzali odbić Merricka za wszelką cenę, ale nie zaszkodziłoby, gdyby dostali jakieś małe co nieco za swoje wysiłki.

– A co mówi Overholt w Langley?

– Podoba mu się pomysł, żebyśmy tutaj zostali, dopóki nie będzie to kolidować z przyszłymi operacjami. Zdradził też, że Merrick w przeszłości bardzo wspomagał prezydenta i zdarzyło się nawet, że obaj panowie jeździli razem na nartach. Jeśli załatwimy wszystko jak trzeba, nasze notowania w Waszyngtonie wzrosną.

Cabrillo uśmiechnął się krzywo.

– Robimy takie rzeczy, że to jest bez znaczenia. Kiedy chodzi o naprawdę tajne operacje, Wuj Sam nie ma wielkiego wyboru. O co się założysz, że jeśli nam się powiedzie, nastąpi wymiana not dyplomatycznych między naszą administracją a namibijskim rządem i w końcu wszyscy będą twierdzić, że Merricka uwolnili wspólnie amerykańscy komandosi oraz miejscowi żołnierze?

Max udał oburzenie.

– Nie mogę uwierzyć, że podejrzewasz o taką zagrywkę najcwańszego agenta CIA.

– A jeśli zawiedziemy – dodał Juan – on się do niczego nie przyzna. Zaprowadź Sloane do „Pinguina", żeby wyjaśniła Reardonowi, że ona zostaje na pokładzie, i każ komuś spuścić na wodę łódź ratunkową z lewej burty. Muszę wziąć prysznic i się spakować.

– Nie chciałem nic mówić – odezwał się Max, idąc w głąb korytarza – ale nawet kiedy stoisz pod wiatr, lepiej zatkać nos.

Gdy tylko przekroczył próg swojej prawdziwej kajuty, Juan ściągnął wypłowiałą koszulę mundurową, którą włożył na spotkanie z gośćmi, i zrzucił mokasyny, zanim doszedł do łazienki. Odkręcił złote kurki w kabinie prysznicowej, puścił przyjemnie chłodną wodę i zdjął resztę ubrania; oparł się o szybę, żeby wyciągnąć nogę z protezy.

Lały się na niego silne strumienie wody i choć chciałby mieć czas na przemyślenie swojej decyzji, że pomoże Sloane Macintyre, wierzył w to, co mu podpowiadał instynkt. Wątpił w istnienie statku ze skarbem w tych wodach i monstrualnych stalowych węży w morzu. Ale było jasne, iż komuś zależy na tym, żeby Sloane przerwała swoje poszukiwania. Chciał się dowiedzieć, kim są ci ludzie i czego strzegą.

Wytarł się, zamocował sztuczną nogę i wrzucił trochę przyborów toaletowych do skórzanego neseserka. Wyjął z szafy w sypialni ubranie na zmianę, włożył je do skórzanej torby podróżnej i dodał jeszcze mocne buty. Potem poszedł do gabinetu. Usiadł za biurkiem i obrócił krzesło przodem do starego sejfu, który stał kiedyś w budynku stacji kolejowej w Nowym Meksyku. Szybko i z wprawą pomanipulował pokrętłem. Gdy ustawił kombinację, obrócił uchwyt i otworzył ciężkie drzwi. Oprócz paczek banknotów studolarowych i dwudziestofuntowych oraz stosów pieniędzy w innych walutach duży sejf zawierał jego prywatny arsenał. Zgromadzonej w nim broni wystarczyłoby do rozpoczęcia małej wojny. Były tam trzy pistolety maszynowe, kilka karabinów szturmowych, strzelba bojowa, karabin snajperski Remington 700, szuflady z granatami dymnymi, odłamkowymi i błyskowo-hukowymi oraz tuzin pistoletów. Juan zastanowił się, w jakiej może się znaleźć sytuacji, i wziął pistolet maszynowy Micro Uzi i glocka 19. Wolałby pistolet FN Five-SeveN, który szybko stał się jego ulubioną bronią krótką, ale zależało mu na wymienności amunicji. Glock i uzi miały kaliber 9 milimetrów.

Cztery magazynki leżały puste, żeby nie zużywały się sprężyny, więc musiał poświęcić chwilę na ich naładowanie. Schował je razem z bronią i zapasowym pudełkiem amunicji pod ubrania w torbie i w końcu założył cienkie drelichowe spodnie i koszulę rozpiętą pod szyją.

Zobaczył swoje odbicie w szybie obrazu na ścianie. Miał mocno zaciśnięte szczęki i dostrzegł w oczach błysk gniewu. Nie był nic winien ani Sloane Macintyre, ani Geoffreyowi Merrickowi, ale nie zostawiłby ich własnemu losowi, tak jak nie minąłby obojętnie staruszki na ruchliwym skrzyżowaniu.

Chwycił z łóżka torbę podróżną i ruszył na górę. Czuł już przypływ adrenaliny.

Rozdział 12

Jak było do przewidzenia, pchły piaskowe wyczuły, że w opuszczonym niegdyś więzieniu w głębi pustyni znów ktoś jest. Zwabione zapachem ciepłych ciał powróciły, by stać się dodatkową udręką cierpiących tam ludzi. Zdolne do składania sześćdziesięciu jaj dziennie, szybko się rozmnożyły. Strażnicy byli przygotowani, mieli chemiczne środki owadobójcze; więźniowie nie.

Merrick leżał oparty plecami o twardą kamienną ścianę celi i drapał się gwałtownie. Ukąszenia zdawały się pokrywać każdy centymetr kwadratowy skóry. Mimo bólu uważał, że nie jest to wcale takie złe, bo koncentrował się na tym, zamiast myśleć o swoim tragicznym położeniu.

Zaklął, kiedy pchła ukąsiła go za uchem. Złapał ją, zgniótł paznokciami i chrząknął z satysfakcją, gdy usłyszał trzask jej pancerza. Małe zwycięstwo w wojnie, którą przegrywał.

Przy braku księżyca ciemność w bloku więziennym była niemal namacalna, zdawała się wnikać mu do gardła, ilekroć otwierał usta, i wypełniać uszy, by nie słyszał szmeru wiatru. Tracił powoli zmysły. Wszechobecny piasek zatykał mu nos tak, że nie czuł już zapachu jedzenia, które mu przynoszono, a nie mając węchu, mógł sobie tylko wyobrażać smak posiłków. Pozostały mu jedynie słuch i dotyk. Ale nie na wiele się przydawały, bo nie miał czego słuchać i był obolały po wielu dniach spędzonych na kamiennej podłodze, a teraz jeszcze kąsany przez pchły.

– Susan?! – zawołał. Wymawiał jej imię co kilka minut, odkąd wrócił do celi. Nie odpowiadała i podejrzewał, że może już nie żyje, ale nie przestawał jej wołać, żeby stłumić w sobie przemożną chęć, by wrzeszczeć.

W pewnym momencie odniósł wrażenie, że usłyszał cichy jęk Susan i odgłos tarcia ubrania o kamień, jakby się poruszyła.

– Susan! – powtórzył ostrzej. – Susan, słyszysz mnie?

Znów cichy jęk.

– Susan, to ja, Geoff Merrick. – Pomyślał, że to chyba oczywiste. – Jesteś w stanie mówić?

– Doktor Merrick?

Jej słaby głos brzmiał ochryple, ale wydał mu się najwspanialszym dźwiękiem, jaki kiedykolwiek słyszał.

– Dzięki Bogu, Susan. Myślałem, że nie żyjesz.

– Co... – Urwała, zakaszlała i jęknęła głośno. – Co się stało? Nie czuję twarzy ani reszty ciała i chyba mam połamane żebra.

– Nie pamiętasz? Bili cię, torturowali. Powiedziałaś, że nie zadali ci żadnego pytania.

– Nad panem też się znęcali?

Merrickowi ścisnęło się serce. Mimo bólu i oszołomienia Susan Donleavy martwiła się o niego. Większość ludzi w takiej sytuacji nie zainteresowałaby się stanem kogoś innego, tylko skoncentrowała na swoich obrażeniach. Nie mógł się pogodzić z tym, że Susan została wciągnięta w ten koszmar.

– Nie – zaprzeczył łagodnie.

– Cieszę się.

– Dowiedziałem się, kto nas uprowadził i dlaczego.

– Kto? – zapytała z nadzieją, jakby ta informacja mogła poprawić ich sytuację.

– Mój były wspólnik.

– Doktor Singer?

– Tak, Dan Singer.

– Dlaczego to zrobił?

– Bo jest chory, Susan. Zgorzkniały człowiek, który chce pokazać światu swoją wypaczoną wizję przyszłości.

– Nie rozumiem.

Merrick też nie rozumiał, ale nie chciał już zastanawiać się nad motywami jego działania, czuł bezsilną wściekłość i wstręt. Nie dość, że Singer okazał się podły, to był też wyrafinowanym mordercą. Zabił już tysiące ludzi, i nikt o tym nie wiedział. Teraz zamierzał uśmiercić kolejne dziesiątki tysięcy. I po co? Żeby dać Stanom Zjednoczonym nauczkę, zwrócić ich uwagę na konieczność ochrony środowiska i globalne ocieplenie. Po części, ale Geoff znał swojego dawnego najlepszego przyjaciela aż za dobrze.

Dla Dana była to sprawa osobista, jego sposób na udowodnienie Merrickowi, że to jemu, Singerowi, zawdzięczają sukces. Na początku żyli ze sobą jak bracia, ale Merrick potrafił każdego oczarować, rzucić zgrabne zdanie podczas wywiadu, więc media uznały jego za twarz firmy, a Singer pozostał w cieniu. Geoff nigdy nie sądził, że to nie odpowiada wspólnikowi. Na uczelni był introwertykiem, więc dlaczego potem miałoby być inaczej? Teraz wiedział, że jednak było, że Dan chorobliwie go nienawidził.

To uczucie całkowicie zmieniło osobowość Singera. Odszedł z firmy, którą pomógł stworzyć, i związał się z ruchem zielonych. Wykorzystywał swój majątek do tego, by za wszelką cenę zniszczyć Merrick/Singer. A kiedy mu się nie udało, odwrócił się plecami do swoich nowych przyjaciół ekologów i zaszył w rodzinnym Maine, by lizać rany.

Gdyby tylko to było prawdą, pomyślał Merrick. Ale Singer w tym czasie podsycał swoją nienawiść. I teraz powrócił z niewiarygodnie zuchwałym i przerażającym planem. Zrealizował go już w takim stopniu, że zatrzymanie puszczonej w ruch machiny stało się niemożliwe. Nie zaprzestał ekologicznej krucjaty, lecz wybrał inny kierunek.

– Musimy się stąd wydostać, Susan.

– Co się dzieje?

– Trzeba mu przeszkodzić. On jest niespełna rozumu, a jego towarzysze to fanatyczni obrońcy środowiska, których zupełnie nie obchodzi ludzkość. Jakby tego było mało, zaangażował bandę najemników, jak twierdzi. – Merrick ukrył twarz w dłoniach.

Czuł się winny. Powinien był dostrzec w porę gniew Dana i nalegać, by wyszedł z cienia, by dzielili się popularnością. Powinien był zorientować się, że Dan ma słabe ego i że dominacja wspólnika rujnuje jego psychikę. Gdyby to zauważył, może zapobiegłby tragedii. Łzy napłynęły mu do oczu, zaszlochał i przestał myśleć o własnym losie. Powtarzał w kółko: „Przepraszam, przepraszam", nie bardzo wiedząc, czy zwraca się do Dana, czy do jego przyszłych ofiar.

– Doktorze Merrick? Doktorze, dlaczego doktor Singer robi to wszystko?

Słyszał cierpienie w głosie Susan, ale nie był w stanie odpowiedzieć. Łkał tak spazmatycznie, jakby rozpacz rozdzierała mu serce. Konwulsje wstrząsały nim przez dwadzieścia minut, dopóki się nie wypłakał.

– Przepraszam, Susan – wydyszał, kiedy wreszcie uspokoił się na tyle, że mógł mówić. – Po prostu... – Zabrakło mu słów. – Dan Singer wini mnie, ponieważ to ja reprezentowałem publicznie naszą spółkę. Robi to wszystko z zazdrości. Możesz w to uwierzyć? Tysiące ludzi straciło już życie, bo on ma mi za złe, że zyskałem większą popularność od niego.

Susan Donleavy milczała.

– Susan? – zawołał, a potem znowu krzyknął: – Susan! Susan!

Dźwięk jej imienia odbił się echem i zamarł. W bloku więziennym zapadła cisza. Merrick był pewien, że Daniel Singer właśnie uśmiercił następną ofiarę.

Rozdział 13

Prześpij się pod pokładem, jeśli chcesz – zaproponował Juan, kiedy Sloane ziewnęła.

– Nie, dzięki, nie muszę. – I znów ziewnęła. – Ale napiję się jeszcze kawy.

Cabrillo wyjął srebrzysty termos z uchwytu obok jego kolana i podał jej, obrzucając automatycznie wzrokiem podstawowe wskaźniki na tablicy przyrządów łodzi ratunkowej. Silnik pracował doskonale i mieli jeszcze ponad trzy czwarte zbiornika paliwa, a już tylko godzinę rejsu do Walvis Bay.

Kiedy godzinę po ich wyruszeniu z „Oregona" Max zadzwonił z wiadomością, że George Adams, wysłany helikopterem w rejon, gdzie stary zwariowany rybak widział metalowe węże, zobaczył tylko gładkie jak szyba puste morze, Juan zastanawiał się przez chwilę, czy po prostu nie odstawić Sloane do jej hotelu i nie złapać samolotu do Kapsztadu, by wrócić na statek. Byłoby to logiczne posunięcie. Ale teraz, kilka godzin później, gdy lepiej poznał Sloane Macintyre, uważał, iż podjął słuszną decyzję, żeby jej pomóc.

Była podobna do niego, nie zostawiała żadnej sprawy niedokończonej i nie cofała się przed wyzwaniami. Na tych wodach działo się coś tajemniczego i oboje chcieli rozwikłać zagadkę, nawet jeśli nie miała nic wspólnego z tym, czym się zajmowało każde z nich. Juan podziwiał ciekawość i nieustępliwość Sloane; te dwie cechy cenił również w sobie.

Sloane nalała trochę czarnej kawy do kubka termosu, kołysząc się w rytm fal przepływających pod kadłubem, żeby nie uronić ani kropli. Nadal była w szortach i skorzystała z propozycji Juana, żeby włożyć jedną z dwóch pomarańczowych nylonowych kurtek, które wyjął ze schowka. Cabrillo zawiązał swoją wokół pasa.

Prowiant na pokładzie wystarczyłby czterdziestu osobom na tydzień, a miniaturowy odsalacz zapewniał zdatną do picia, choć nadal trochę słoną wodę. Ławki w kabinie pokrywała koźlęca skóra, naciągnięta tak, by wyglądała jak popękany winyl. Opuszczany panel pod sufitem skrywał trzydziestocalowy telewizor plazmowy z pokaźną kolekcją DVD i systemem dźwięku przestrzennego. Max wpadł na perwersyjny pomysł, by wyświetlanie filmów zaczynało się od „Titanica", gdyby załoga kiedykolwiek musiała skorzystać z łodzi ratunkowej.

Każdy zakamarek zaprojektowano starannie z myślą o maksymalnej wygodzie ewentualnych użytkowników. Szalupa bardziej przypominała luksusowy jacht niż łódź ratunkową. Była też bezpieczna. Przy szczelnie zamkniętych włazach mogła się przewrócić do góry dnem i z powrotem wrócić do właściwej pozycji. Wszystkie siedzenia wyposażono w trzypunktowe pasy bezpieczeństwa, żeby fale nie miotały pasażerami po wnętrzu. A ponieważ należała do Korporacji, miała kilka tajemnic, których Juan nie zamierzał zdradzać swojemu gościowi.

Szalupą można było sterować z dwóch miejsc: z wewnętrznego stanowiska blisko dzioba osłoniętego kabiną z włókna szklanego i kompozytu lub z nieco podwyższonej platformy na rufie, gdzie stali Juan i Sloane, by podziwiać najpierw malowniczy zachód słońca, a teraz rozgwieżdżone nocne niebo. Mała owiewka chroniła ich przed pędem słonego powietrza, ale zimny Prąd Benguelski płynący na północ od Antarktydy obniżał temperaturę do kilkunastu stopni Celsjusza.

Sloane trzymała kubek w dłoniach i przyglądała się badawczo twarzy Juana w przyćmionym blasku tablicy przyrządów. Był klasycznie przystojny, miał mocne, wyraziste rysy i niebieskie oczy. Ale najbardziej intrygowało ją to, co kryło jego wnętrze. Sprawnie dowodził swoją załogą, po prostu urodzony przywódca. Każda kobieta uznałaby to za duży atut, ale Sloane odnosiła też wrażenie, że Cabrillo jest samotnikiem. Nie takim, który wszedłby do urzędu pocztowego i otworzył ogień z karabinu, i nie typem maniaka komputerowego żyjącego w cyberprzestrzeni, lecz kimś, kto dobrze się czuje we własnym towarzystwie, wie dokładnie, kim jest, co potrafi i co lubi.

Oceniała, że Cabrillo szybko podejmuje decyzje i nigdy tego nie żałuje. Tak pewny siebie może być tylko ten, kto dużo częściej ma rację, niż się myli. Zastanawiała się, czy przeszedł przeszkolenie wojskowe, i doszła do wniosku, że tak. Przypuszczała, że służył w marynarce wojennej w stopniu oficera, ale nie mógł się pogodzić z niekompetencją przełożonych, więc zrezygnował. Zamienił uregulowane życie w siłach zbrojnych na egzystencję morskiego włóczęgi i robi wszystko po staremu, bo urodził się kilka wieków za późno. Mogła go sobie łatwo wyobrazić na mostku klipra przemierzającego Pacyfik z ładunkiem przypraw korzennych i jedwabiu.

– Dlaczego się uśmiechasz? – zapytał Juan.

– Bo właśnie myślałam o tym, że żyjesz w niewłaściwej epoce.

– Jak to?

– Nie tylko ratujesz damy w opałach, lecz również zajmujesz się ich sprawami.

Cabrillo wypiął pierś i przyjął pozę bohatera.

– A teraz, łaskawa pani, szykuję się do boju z metalowymi wężami morskimi.

Sloane się roześmiała.

– Mogę cię o coś zapytać?

– Strzelaj.

– Co byś robił, gdybyś nie był kapitanem „Oregona"?

Pytanie nie dotyczyło żadnych tajemnic, więc Juan odpowiedział szczerze.

– Chyba zostałbym paramedykiem.

– Naprawdę? Nie lekarzem?

– Większość znanych mi lekarzy traktuje pacjentów jak przedmioty, z którymi trzeba coś zrobić, jeśli chce się dostać zapłatę przed powrotem na pole golfowe. Są wspierani przez sztaby pielęgniarek i techników, mają do dyspozycji aparaturę medyczną wartą miliony dolarów. Ratownicy medyczni to co innego. Pracują w parach, korzystając tylko ze swoich umiejętności i minimum sprzętu. Muszą postawić wstępną diagnozę i często dokonują pierwszych zabiegów ratujących życie. To oni mówią ci, że wszystko będzie dobrze, i cholernie się starają, żeby tak było. A kiedy już dostarczą kogoś do szpitala, po prostu znikają. Żadnej chwały, żadnego kompleksu Boga, żadnych „Jezu, doktorze, uratował mi pan życie". Kończą jedną robotę i mają następną.

– Podoba mi się to – odezwała się po chwili Sloane. – I masz rację. Kiedyś mój ojciec zranił się ciężko w nogę na morzu. Wezwaliśmy przez radio karetkę i musiałam doprowadzić łódź z powrotem do brzegu. Do dziś pamiętam, że szwy założył ojcu w szpitalu doktor Jankowski, ale nie mam pojęcia, jak nazywał się facet, który pierwszy opatrzył mu ranę w porcie. Gdyby nie on, ojciec by się wykrwawił.

– Nieopiewani bohaterowie – powiedział cicho Juan. – Takich lubię.

W kwaterze głównej CIA w Langley była ściana z gwiazdkami symbolizującymi agentów, którzy zginęli w terenie. Osiemdziesięciu trzech poległych, w tym trzydziestu pięciu bezimiennych, wciąż strzegących tajemnic Firmy długo po swojej śmierci. Nieopiewani bohaterowie.

– A ty? Co byś robiła, gdybyś nie była specjalistką od bezpieczeństwa w firmie diamentowej?

Posłała mu zuchwały uśmiech.

– Zostałabym kapitanem „Oregona".

– O, Max byłby zachwycony.

– Max?

– Mój główny mechanik i pierwszy oficer. – Juan mówił o nim z czułością. – Nigdy nie spotkałem bardziej lojalnego człowieka i nie miałem lepszego przyjaciela.

– Chyba bym go polubiła.

Dopiła kawę i oddała kubek Juanowi. Nałożył go na termos i spojrzał na zegarek. Była prawie północ.

– Pomyślałem, że zamiast zawijać do Swakopmund o wpół do pierwszej w nocy i wzbudzać podejrzenia, moglibyśmy popłynąć na południe do Papy Heinricka. Złapiemy go z samego rana, zanim wyruszy na połów. Trafiłabyś do niego jeszcze raz?

– Bez problemu. Zatoka Sandwich jest około dwudziestu pięciu mil morskich na południe od Swakopmund.

Popatrzył na GPS, określił w przybliżeniu nowe współrzędne i wprowadził je do automatycznego nawigatora. Serwomotory przestawiły ster o kilka stopni w lewo.

Po czterdziestu minutach wyłoniła się z ciemności Afryka. W świetle księżyca połyskiwały piaszczyste urwiska i od czasu do czasu biel fal zalewających plażę. Długi półwysep osłaniający zatokę Sandwich był ćwierć mili morskiej na południe od nich.

– Dobra nawigacja – pochwaliła Sloane.

Juan postukał knykciem w odbiornik GPS.

– To zasługa tej Gladys. GPS zrobił z nas wszystkich leniwych marynarzy. Wątpię, żebym potrafił ustalić swoją pozycję za pomocą sekstansu i zegarka, gdyby od tego zależało moje życie.

– Jakoś w to nie wierzę.

Cofnął przepustnicę, żeby zmniejszyć kilwater, gdy wpłynęli do kruchego ekosystemu. Po dwudziestu minutach dotarli do najbardziej wysuniętego na południe krańca zatoki. Sloane oświetlała latarką gęstą ścianę trzcin, kiedy posuwali się wzdłuż brzegu w poszukiwaniu przesmyku wśród traw, który prowadził do małej prywatnej laguny Papy Heinricka.

– Tam. – Wskazała w stronę wyraźnie przerzedzonego sitowia.

Juan zwolnił niemal do zera i skierował szalupę w trzciny. Obserwował uważnie głębokościomierz i czuwał nad tym, by kawałki roślinności w wodzie nie wkręciły się w pędnik. Łódź przebijała się przez trawę, która ocierała się o kadłub i kabinę, łopaty śruby wydawały syczący dźwięk.

Pokonali siedemdziesiąt metrów, gdy Juan poczuł zapach dymu. Uniósł głowę i pociągnął nosem jak węszący pies, ale woń się ulotniła. Po chwili znowu rozeszła się w powietrzu i zaleciało swądem. Płonęło drewno. Chwycił Sloane za nadgarstek, żeby móc zasłonić dłonią soczewkę latarki.

Na wprost zobaczył pomarańczowy blask, ale nie ogniska, o którym wspomniała mu Sloane. Paliło się coś innego.

– Cholera. – Pchnął przepustnicę i modlił się, żeby głębokość wody pozostała taka sama. Łódź wyrwała naprzód i przyspieszenie rzuciło Sloane w jego ramiona. Pomógł jej szybko stanąć prosto i spróbował przeniknąć wzrokiem trawiastą zasłonę.

Wypadli nagle na otwartą przestrzeń wokół wysepki Papy Heinricka. Juan zerknął na głębokościomierz. Pod kilem było niecałe trzydzieści centymetrów wody. Dał całą wstecz, co wytworzyło za rufą kipiel, i zwolnił blokadę kotwicy. Nie nabrali jeszcze dużej prędkości, więc udało mu się zatrzymać szalupę, zanim utknęła na mieliźnie.

Ustawił bieg jałowy silnika i rozejrzał się dookoła. Chata pośrodku wyspy stała w ogniu, płomienie i żar strzelały ze strzechy na wysokość pięciu metrów. Przewrócona łódź rybacka Papy Heinricka też płonęła, ale była tak mokra, że ogień nie mógł jej strawić. Spod drewnianego kadłuba i z jego spojeń wydobywały się gęste kłęby białego dymu.

Przez huk szalejącego w chacie pożaru Juan usłyszał dobywający się z wnętrza wrzask.

– O mój Boże! – krzyknęła Sloane.

Zareagował natychmiast. Wskoczył na dach kabiny szalupy i przebiegł całą jego długość. Kabina kończyła się półtora metra od ostrego dzioba łodzi. Idealnie wymierzył kroki, opadł w dół ze sztuczną nogą ustawioną tak, że wylądował lewą stopą na aluminiowym relingu wokół dzioba, odbił się od niego i zanurkował zgrabnie. Przeciął powierzchnię wody, zamachał mocno nogami, wynurzył się i popłynął.

Kiedy poczuł pod stopami grunt, wypadł z wody jak atakujące zwierzę i pognał w górę plaży. Wtedy usłyszał basowy ryk silnika motorówki.

Biały ślizgacz okrążył przeciwległy kraniec małej wyspy i jeden z dwóch mężczyzn w odkrytym kokpicie otworzył ogień z broni automatycznej. Wytrysnęły fontanny piasku, kiedy Juan dawał nura, żeby się ukryć, i sięgał odruchowo za plecy. Padł na ziemię, przetoczył się dwa razy i podniósł do klęczącej pozycji strzeleckiej, trzymając pewnie w obu rękach glocka, którego wetknął z tyłu za pasek spodni, gdy wyjmował kurtki ze schowka. Początkowa odległość trzydziestu metrów stale rosła i strzelałby w ciemność, podczas gdy przeciwnik widział go w blasku pożaru.

Nie zdążył jeszcze nacisnąć spustu, kiedy broń na motorówce znów zaterkotała, i musiał stoczyć się z powrotem do laguny. Wciągając głęboko powietrze, nałykał się piasku, gdy pocisk trafił w ziemię centymetry od jego głowy.

Zanurkował pod wodę, zwalczył odruch, żeby zakaszleć, i przepłynął jakieś dziesięć metrów, dotykając rękami dna, by mieć pewność, że nie jest odsłonięty. Wyczuł w wodzie, że motorówka zakręca i szuka go. Ustalił mniej więcej jej pozycję i popłynął trochę dalej, krztusząc się cicho z braku powietrza. Gdy się zorientował, gdzie są przeciwnicy, stanął pewnie na dnie i podniósł się szybko, wstrzymując jeszcze przez chwilę oddech.

Biała łódź była dziesięć metrów od niego i dwaj mężczyźni patrzyli w niewłaściwą stronę. Z wodą spływającą po twarzy i płucami na granicy wytrzymałości Juan uniósł glocka i strzelił. Odrzut pistoletu spowodował, że nie zdołał blokować dłużej oddechu i zaczął gwałtownie kaszleć. Nie wiedział, czy w coś trafił. Ale musiało mało brakować, bo warkoczący cicho silnik nagle zawył i motorówka wystartowała w stronę przesmyku prowadzącego do otwartej zatoki, zostawiając za sobą pióropusz wody.

Juan zgiął się wpół, oparł ręce na kolanach i kaszlał, dopóki nie zwymiotował. Otarł usta i spojrzał przez lagunę na szalupę.

– Sloane – wychrypiał. – Nic ci się nie stało?

Zza osłony kokpitu wyłoniła się jej głowa. Chybotliwy blask pożaru nie mógł ukryć tego, że Sloane ma w oczach strach i jest blada.

– Nie. – Potem jej głos zabrzmiał pewniej. – A tobie?

– Nie – odpowiedział i skupił uwagę na płonącej chacie. Nie słyszał już krzyków Papy Heinricka, ale zmusił się, by podejść bliżej. Dach mógł się zawalić lada chwila i Juan musiał ramieniem osłonić twarz przed żarem. Dym gryzł go w oczy i wywołał następny atak kaszlu. Juan czuł się tak, jakby miał w płucach pełno zmielonego szkła.

Wziął kawałek drewna i zerwał nim płonący koc, który zastępował Papie Heinrickowi drzwi. Nic nie widział przez dym i już próbował wejść ostrożnie do palącej się chaty, kiedy podmuch wiatru rozwiał sadzę. Wtedy Juan zobaczył wyraźnie posłanie i już wiedział, że ten widok będzie go prześladować do końca życia.

Pozostałości ramion Heinricka były wciąż przykute kajdankami do ramy łóżka. Mimo że ogień prawie zwęglił zwłoki, Juan poznał, że starego człowieka torturowano, zanim podpalono chatę. Niemal bezzębne usta zastygły otwarte w ostatnim krzyku, pod łóżkiem skwierczała kałuża krwi.

Dach runął w eksplozji płomieni i iskier, które dosięgły Cabrilla, zanim zdążył się odwrócić. Rozżarzone szczątki nie mogły przepalić mokrego ubrania, ale zelektryzował go nagły przypływ adrenaliny.

Popędził z powrotem do wody, zanurkował i popłynął do szalupy, która czekała z silnikiem na chodzie. Ponieważ miała małe zanurzenie, skierował się do dzioba i wspiął na pokład po łańcuchu kotwicznym. Sloane pomogła mu przecisnąć się pod relingiem. Nie powiedziała ani słowa, widząc pistolet, który miał za paskiem spodni.

– Chodź. – Wziął ją za rękę, przebiegli razem całą długość łodzi i wskoczyli do kokpitu. Włączył mechanizm podnoszenia kotwicy. Gdy tylko uniosła się z dna, pchnął przepustnicę do oporu i obrócił pospiesznie koło sterowe.

– Co ty robisz?! – krzyknęła Sloane przez ryk silnika. – To motorówka do holowania narciarzy wodnych. Ma pięć minut przewagi nad nami i jest szybsza od nas o dwadzieścia węzłów albo więcej!

– Zobaczymy – rzucił przez zęby, nie patrząc na nią. Ledwo hamował wściekłość. Wyprostował kurs, gdy dziób szalupy wycelował w przesmyk wychodzący z laguny.

– Juan, nie dogonimy ich. Poza tym mają automaty, a ty tylko pistolet.

Trzciny smagały ich jak rózgi, kiedy pruli wąskim kanałem. Juan obserwował jednym okiem głębokościomierz i gdy tylko wydostali się z gąszczu traw, chrząknął z dziką satysfakcją.

– Trzymaj się! – zawołał i przestawił włącznik ukryty pod tablicą przyrządów.

Część dziobowa łodzi ratunkowej zaczęła się wynurzać z wody, kiedy uruchomione siłowniki hydrauliczne wysunęły płaty nośne spod kadłuba. Sloane zareagowała sekundę za późno. Zatoczyła się i wypadłaby za burtę, gdyby Juan nie złapał jej za przód kurtki i nie przytrzymał mocno. Szalupa wciąż się unosiła, gdy hydropłaty wytwarzały coraz większą siłę nośną, i w końcu w wodzie pozostały tylko one i teleskopowy wał napędowy śruby. Cała operacja trwała zaledwie sekundy, ale prędkość łodzi wzrosła ponaddwukrotnie, do czterdziestu węzłów.

Sloane wpatrywała się w niego szeroko otwartymi ze zdumienia oczami. Nie wiedziała, co powiedzieć ani jak zareagować – szalupa stała się nagle wodolotem.

– Kim ty jesteś, do diabła? – wypaliła w końcu.

Zerknął na nią. Normalnie rzuciłby jakieś dowcipne zdanie, ale nie mógł pohamować gniewu na zabójców Papy Heinricka.

– Kimś, kogo lepiej nie wkurzać. – Jego wzrok miał twardość agatu. – A oni właśnie to zrobili. – Wskazał na wprost. – Widzisz, jak żarzy się morze? – Skinęła głową. – Ruch ich łodzi wywołuje fluorescencję organizmów bioluminescencyjnych. W dzień nigdy byśmy ich nie znaleźli, ale w nocy matka natura trochę nam pomaga. Możesz przejąć na chwilę ster? Płyń tym kursem.

– Nigdy nie prowadziłam takiej łodzi.

– Jak większość ludzi. Nie różni się od czarteru twojego ojca, jest tylko szybsza. Trzymaj koło sterowe prosto, a jeśli będziesz musiała skręcić, zrób to delikatnie. Zaraz wrócę.

Obserwował przez chwilę Sloane, żeby zobaczyć, czy sobie poradzi. Potem dał nura do kabiny i doszedł przejściem między siedzeniami tam, gdzie położył wcześniej skórzaną torbę podróżną. Przerzucił ubrania, wyjął miniuzi i wziął zapasowe magazynki. Naładował glocka, wetknął go za pasek spodni i wsunął magazynki do tylnej kieszeni. Podszedł do jednej z ławek i wcisnął ukryty pod nią przycisk. Zaczep został zwolniony i siedzenie odchyliło się do przodu. Większość miejsca pod ławkami zajmował prowiant i inne zapasy, ale w tym miejscu było inaczej. Opróżnił schowek z rolek papieru toaletowego i przesunął ukrytą dźwignię. Maskujące dno odskoczyło i Juan uniósł pokrywę.

W zęzie hałas silnika i hydropłatów był ogłuszający. Juan odnalazł po omacku rurę przymocowaną metalowymi uchwytami. Odczepił ją i wyciągnął. Cylinder z twardego plastiku miał wodoszczelne zamknięcie, długość prawie stu dwudziestu centymetrów i obwód dwudziestu pięciu. Odkręcił pokrywkę i wysunął na sąsiednie siedzenie karabin szturmowy FN-FAL. Belgijska broń pochodziła z czasów II wojny światowej, ale wciąż należała do najlepszych na świecie.

Szybko naładował dwa magazynki amunicją kaliber 7,62 milimetra przechowywaną w rurze, wprowadził nabój do komory i sprawdził, czy karabin jest zabezpieczony. Przypomniał sobie, że Max zakwestionował potrzebę trzymania takiej broni w łodzi ratunkowej. Odpowiedział mu wtedy: „Naucz człowieka wędkować, to będzie syty przez dzień; daj mu karabin szturmowy i pokaż rekiny, to będzie żywić swoją załogę przez całe życie".

Wrócił na pokład rufowy. Sloane utrzymywała szalupę na samym środku żarzącego się słabo kilwateru motorówki, ale zorientował się, że odległość do uciekającej łodzi maleje. Fluorescencja mikroorganizmów nie zdążała zanikać, toteż bioluminescencja była jaśniejsza niż zaledwie chwilę wcześniej.

Położył karabin na tablicy przyrządów, rzucił termos na dół do kabiny i wsunął miniuzi na jego miejsce.

– Zawsze jesteś przygotowany do III wojny światowej czy przyłapałam cię w momencie szczególnej paranoi?

Sloane zażartowała, żeby się rozluźnił, i był jej za to wdzięczny. Wiedział aż za dobrze, że podejmowanie walki bez zapanowania nad emocjami jest fatalnym błędem. Uśmiechnął się szeroko, gdy zmienił ją za sterem.

– Nie przygaduj mi. Wychodzi na to, że moja paranoja była w sam raz.

Chwilę później dostrzegli niską motorówkę mknącą przez zatokę. Uciekający mężczyźni zauważyli ich w tym samym momencie. Biała łódź skręciła lekko i zaczęła się zbliżać do bagnistego brzegu.

Cabrillo obrócił koło sterowe, żeby zostać im na ogonie, i skontrował ciałem mocny przechył wodolotu, by nie stracić równowagi. Wystarczyło parę minut, by odległość dzieląca łodzie zmalała do trzydziestu metrów. Podczas gdy sternik motorówki koncentrował się na prowadzeniu, jego towarzysz położył się na tylnej ławce, żeby utrzymać nieruchomo karabin automatyczny.

– Padnij! – krzyknął Juan.

Pociski zrykoszetowały z brzękiem od dzioba i zagwizdały obok kokpitu. Wodolot był za wysoki, żeby strzelec mógł ich trafić, więc wziął na celownik jeden ze wsporników hydropłatów. Kilka razy trafił, ale pociski odbiły się od wysokowytrzymałej stali.

Juan wyciągnął miniuzi z uchwytu na termos, skręcił wodolotem, żeby mieć wolne pole ostrzału wokół dzioba, i nacisnął spust. W powietrzu wyrósł lśniący łuk pustych łusek i zniknął za rufą. Nie mógł ryzykować zabicia obu mężczyzn, więc wycelował trochę w bok od uciekającej łodzi. Wzdłuż jej lewej burty wytrysnęły fontanny wody, gdy dwadzieścia pocisków wylądowało w morzu.

Miał nadzieję, że to zakończy pościg, bo ci dwaj musieli zdawać sobie sprawę, że ich niedoszła ofiara jest większa, szybsza i uzbrojona tak jak oni. Ale motorówka nie zmniejszyła szybkości i nadal zbliżała się do bagnistego brzegu.

Cabrillo nie miał wyboru i płynął za nią, kiedy pędziła obok trzcin i patykowatych drzew. Musiał omijać kępy trawy i wysepki wzdłuż linii brzegowej. Motorówka była wolniejsza od wodolotu, ale nadrabiała to zwrotnością, i gdy okrążali przeszkody, odskoczyła na pięćdziesiąt, a potem na sześćdziesiąt metrów.

Mógł skręcić na otwartą przestrzeń i znów dogonić przeciwników, ale obawiał się, że jeśli straci ich z oczu, uciekną w wysoką trawę morską, gdzie mniejsze zanurzenie łodzi da im zdecydowaną przewagę. A szukając ich, mógłby wpaść w zasadzkę. Wiedział, że najlepiej jest siedzieć im na ogonie.

Mijali w pędzie kępy drzew, płosząc ptaki, które wzbijały się z wrzaskiem w powietrze, dwa kilwatery przecinające mokradła powodowały takie falowanie traw, jakby zatoka oddychała.

Cały czas pamiętał, że hydropłaty są narażone na uszkodzenia przez podwodne przeszkody, i musiał skręcać łagodniej niż motorówka, która stale się oddalała. Dostrzegł coś na wprost. Miał tylko moment, by rozpoznać, że to częściowo zanurzona kłoda. Uderzenie w nią oderwałoby płaty nośne od kadłuba, operując więc z wprawą kołem sterowym i przepustnicą, ominął przeszkodę. Szybki skręt uratował go przed kolizją, ale skierował wodolot między dwie niskie błotniste wysepki.

Głębokościomierz pokazał zero. Między hydropłatami a dnem było może piętnaście centymetrów wody. Naparł na przepustnicę w nadziei, że maksymalna moc podniesie łódź o kilka centymetrów. Gdyby przy tej szybkości wpadła na mieliznę, oboje zostaliby wyrzuceni na zewnątrz jak szmaciane lalki, a lądowanie w wodzie przypominałoby upadek na chodnik z wysokości piętnastu metrów.

Przesmyk między dwiema wysepkami zwężał się. Juan zerknął za siebie. Kilwater, który normalnie był biały, miał teraz ciemnobrązowy kolor czekolady od mułu podrywanego z dna morskiego przez hydropłaty i śrubę. Wodolot zachwiał się na moment, gdy płat nośny zawadził o dno. Juan nie mógł zwolnić, bo łódź opadłaby niżej i zaryła się w muł, więc grubo przekraczał bezpieczne obroty silnika.

Przesmyk wydawał się coraz węższy.

– Trzymaj się! – krzyknął przez ryk silnika w przekonaniu, że zaryzykował i przegrał.

Przemknęli przez najwęższe miejsce przesmyku, wytracając nieco prędkość, gdy hydropłaty dziobowe po raz drugi otarły się o dno, potem wydostali się na szerszy odcinek i głębokość zaczęła rosnąć.

Juan zrobił długi wydech.

– Mało brakowało, jak mi się zdaje? – odezwała się Sloane.

– Mniej.

Ale manewr zmniejszył o połowę odległość dzielącą ich od motorówki, bo musiała zygzakować między kępami namorzynów. Strzelec usadowił się na rufie białej łodzi. Juan cofnął przepustnicę i przeciął mokradła, by znów znaleźć się w kilwaterze motorówki, wykorzystując wielkość wodolotu jako osłonę przed kanonadą z małej zwinnej łodzi. Pociski zasypały morze i roztrzaskały dwie boczne szyby kabiny szalupy.

Na prostym odcinku mokradeł Cabrillo znów dał pełne obroty silnika. W ciągu zaledwie sekund duży wodolot dogonił motorówkę. W turbulencji jej kilwatera zaczął wciągać powietrze pod hydropłaty i tracić siłę nośną; dziób wznosił się i opadał, jak przewidział Juan. Sternik motorówki starał się uciec slalomem spod nacierającego na nią wodolotu, ale Cabrillo wykonywał takie same skręty jak on. Dziób walnął z góry w rufę małej łodzi, lecz uderzenie było za słabe, by ją spowolnić, i Juan musiał zostać trochę z tyłu, żeby wodolot odzyskał siłę nośną.

Patrzył na obrotomierz na tablicy przyrządów i w tym momencie Sloane wrzasnęła.

Podniósł wzrok. Gdy dziób wodolotu opadł na rufę motorówki, strzelec wskoczył na niego. Stał tam teraz, jedną rękę miał zaciśniętą na relingu, w drugiej trzymał AK-47 i celował dokładnie między oczy Juana. Cabrillo nie zdążyłby sięgnąć po broń, więc zrobił to, co mógł zrobić w tej chwili.

Wyrzucił rękę przed siebie i szarpnął przepustnicę do tyłu, ułamek sekundy wcześniej niż kałasznikow wypalił. On i Sloane wpadli na tablicę przyrządów, gdy wodolot momentalnie wyhamował z prędkości sześćdziesięciu pięciu kilometrów na godzinę niemal do zera, i seria z AK-47 pozostawiła nierówną linię w poprzek dachu kabiny. Szalupa opadła w dół, strzelec nie puścił relingu i aluminiowe słupki zmiażdżyły mu klatkę piersiową, kiedy ogromna ściana wody wdarła się przez dziób z siłą, która rzuciła Juana i Sloane aż na rufę. Rozpęd wodolotu wystarczył, by mężczyzna zsunął się pod kadłub, i gdy Cabrillo znów pchnął przeputnicę, spieniony kilwater zabarwił się na różowo.

– Jesteś cała?

Sloane masowała klatkę piersiową, obolałą po uderzeniu w tablicę przyrządów.

– Chyba tak. – Odgarnęła mokre włosy z czoła. Dotknęła lekko jego ramienia. – Ale ty krwawisz.

Upewnił się, że doganiają motorówkę, zanim spojrzał na ranę. Odprysk włókna szklanego odłupany pociskami od łodzi utkwił niezbyt głęboko w jego ramieniu.

– Au! – krzyknął, kiedy poczuł ból.

– Myślałam, że twardzi faceci nie zwracają uwagi na takie drobiazgi.

– Akurat. To boli. – Delikatnie wyciągnął z ciała kawałek fiberglasu. Niegroźne przecięcie nie powodowało dużego krwawienia. Wyjął małą apteczkę ze schowka pod tablicą przyrządów i podał Sloane. Znalazła rolkę sterylnej gazy i obandażowała mu mocno ramię.

– To powinno wystarczyć. Kiedy ostatni raz byłeś szczepiony przeciwko tężcowi?

– Dwudziesty lutego dwa lata temu.

– Pamiętasz dokładną datę?

– Mam na plecach prawie czterdziestocentymetrową bliznę. Nie zapomina się dnia takiej przygody.

Chwilę później dogonili motorówkę. Juan zauważył, że mokradła na prawo od nich ustępują miejsca plaży usianej głazami, która nie da żadnej osłony przeciwnikowi. Nadszedł czas, by zakończyć zabawę.

– Możesz jeszcze raz przejąć ster?

– Jasne.

– Na mój sygnał cofniesz przepustnicę. Bądź przygotowana do skrętu. Wskażę ci kierunek.

Nie zaczekał, tak jak poprzednio, żeby zobaczyć, czy Sloane sobie poradzi. Wziął karabin szturmowy FN oraz zapasowy magazynek i przedostał się na dziób.

Motorówka była nie więcej niż pięć metrów przed nim. Oparł się o reling i przyłożył broń do ramienia. Strzelał krótkimi seriami. Kiedy pierwsze pociski trafiły w obudowę silnika motorówki, sternik skręcił, kierując się w stronę brzegu. Cabrillo podniósł rękę i wskazał w lewo. Sloane wykonała manewr. Zrobiła to zbyt gwałtownie, ale można powiedzieć, że opanowała sztukę prowadzenia wodolotu.

Kiedy tylko Juan znów zobaczył w celowniku silnik motorówki, wystrzelił kolejną serię trzech pocisków. I następną. Sternik próbował utrudnić mu celowanie, ale Cabrillo przewidywał każdy jego unik i wpakował w łódź jeszcze pół tuzina pocisków.

Smuga białego dymu, która nagle wydobyła się spod obudowy silnika, szybko stała się czarną chmurą. Motorówka mogła stracić napęd lada chwila i Juan przygotował się do zasygnalizowania Sloane, aby zwolniła, żeby nie uderzyli w małą łódź.

W światłach na dziobie wodolotu i na tablicy przyrządów motorówki dostrzegł twarz przeciwnika, kiedy mężczyzna się obejrzał. Ich spojrzenia spotkały się tylko na moment, ale Juan poczuł na odległość nienawiść tamtego niczym żar ognia. Sternik nie miał przestraszonej miny, lecz patrzył na niego wyzywająco.

Mężczyzna obrócił mocno koło sterowe. Juan podniósł rękę, żeby Sloane zaprzestała pościgu, bo motorówka kierowała się prosto na skalisty brzeg. Od początku chciał schwytać jednego z przeciwników, ale czuł, że szansa na to maleje. Znów ostrzelał rufę małej łodzi, nie wiedząc, w co trafia, bo dym zasłaniał mu widok. Domyślał się, co planuje sternik, i zamierzał mu przeszkodzić.

Motorówka odzyskała prędkość, którą straciła w skręcie, gdy była pięć metrów od brzegu. Silnik zakrztusił się na moment, ale za późno. Łódź uderzyła w piaszczyste dno z szybkością ponad trzydziestu węzłów i poszybowała w nocnym powietrzu jak oszczep. Zatoczyła wysoki łuk, spadła na ziemię i rozleciała się, jakby w środku jej skorupy z włókna szklanego wybuchła bomba. Kadłub roztrzaskał się na setki kawałków, silnik został wyrwany z mocowań, gdy koziołkowała po plaży. Zbiornik paliwa pękł i benzyna stała się obłokiem aerozolu. Ciało sternika przeleciało pięć metrów, zanim mieszanka paliwowo-powietrzna eksplodowała w kulę ognia, która ogarnęła szczątki motorówki.

Sloane miała tyle przytomności umysłu, że zmniejszyła w porę prędkość i wodolot poruszał się w tempie pełzania, zanim Juan wrócił do kokpitu. Sprawdził, czy karabin jest zabezpieczony, i położył go na tablicy przyrządów. Podniósł wysuwane hydropłaty, podpłynął do wraka najbliżej jak mógł, ustawił bieg jałowy silnika i opuścił małą kotwicę.

– Popełnił samobójstwo, prawda?

Cabrillo nie mógł oderwać oczu od płonącej motorówki.

– Tak.

– Ale dlaczego?

Zerknął na Sloane, gdy analizował jej pytanie i wszystkie implikacje swojej odpowiedzi.

– Wiedział, że nie jesteśmy z władz, więc wolał zginąć niż ryzykować schwytanie i przesłuchanie. To znaczy, że mamy do czynienia z jakimiś fanatykami.

– Takimi jak muzułmańscy fundamentaliści?

– Wątpię, żeby brał udział w arabskim dżihadzie. To coś innego.

– Ale co?

Juan nie potrafił na to odpowiedzieć. Ubranie miał jeszcze mokre, więc po prostu zszedł z rufy wodolotu do wody, która sięgnęła mu do szyi. Był prawie na brzegu, gdy usłyszał, że Sloane poszła w jego ślady. Zaczekał na nią na linii przyboju i razem zbliżyli się do ciała. Łodzi nie oglądali, bo zostało z niej tylko stopione włókno szklane i osmalony metal.

Zwłoki wyglądały makabrycznie. Nienaturalne wygięcie szyi, rąk i nóg mężczyzny przypominało wizję obłąkanego artysty. Cabrillo sprawdził sternikowi tętno, chcąc się upewnić, że nie żyje, zanim wetknął glocka za pasek spodni. Mężczyzna nie miał nic w tylnych kieszeniach, więc Juan przetoczył trupa, wstrząśnięty tym, że ciało poddaje się tak, jakby usunięto z niego kości. Twarz mężczyzny była zmasakrowana.

Sloane wciągnęła gwałtownie powietrze.

– Przepraszam – powiedział Juan. – Może lepiej żebyś nie patrzyła.

– Nie w tym rzecz. Ja go znam. To południowoafrykański pilot helikoptera, którego wynajęliśmy z Tonym. Pieter DeWitt. Cholera, jak mogłam być taka głupia? On wiedział, że interesuje nas miejsce, gdzie Papa Heinrick widział węże, bo sama mu powiedziałam. Wysłał wczoraj za nami tamten jacht, a potem zjawił się tu, żeby na zawsze uciszyć starego rybaka.

Sloane była przygnębiona. Wyglądała mizernie.

– Gdybym nie szukała „Rove'a", Papa Heinrick nadal by żył. – Spojrzała na Juana załzawionymi oczami. – Założę się, że Lukę, naszego przewodnika, też zabili. O Boże, a co z Tonym?

Cabrillo wyczuwał, że Sloane nie chce, żeby ją przytulił ani pocieszał. Stali w mroku nocy, motorówka płonęła, Sloane szlochała.

– Nie byli niczemu winni. A teraz nie żyją. To wszystko moja wina.

Ileż to razy Juan czuł się tak samo, biorąc na siebie odpowiedzialność za czyny innych po prostu dlatego, że w coś się zaangażował? Ona nie była winna śmierci Papy Heinricka bardziej niż żona, która wysłała męża po zakupy, a ten zginął po drodze w wypadku. Ale poczucie winy rozdzierało jej duszę tak jak kwas przeżera stal.

Łzy płynęły przez pięć minut, może dłużej. Juan stał ze spuszczoną głową obok Sloane i spojrzał na nią dopiero wtedy, gdy ostatni raz pociągnęła nosem.

– Dziękuję ci – mruknęła.

– Za co?

– Większość mężczyzn nie cierpi, kiedy kobieta płacze, i robią wszystko, żeby przestała.

Uśmiechnął się do niej ciepło.

– Nie cierpię tego jak każdy facet, ale wiedziałem, że jeśli nie wypłaczesz się teraz, to rozkleisz się później i będzie o wiele gorzej.

– Dlatego ci podziękowałam. Ty to rozumiesz.

– Byłem kilka razy w takiej sytuacji. Chcesz o tym porozmawiać?

– Nie.

– Ale zrozumiałaś, że nie jesteś winna?

– Tak. Oni by żyli, gdybym tu nie przyjechała, ale to nie ja ich zabiłam.

– Zgadza się. Byłaś tylko jednym ogniwem w łańcuchu zdarzeń, które doprowadziły do ich śmierci. Pewnie masz rację, że wasz przewodnik nie żyje, ale o Tony'ego się nie martw. Nikt na lądzie nie wie, że atak na was się nie udał. Tamci myślą, że oboje zginęliście. Ale dla bezpieczeństwa popłyniemy do Walvis. „Pinguin" na pewno nie jest na tyle szybki, żeby mógł już dotrzeć do macierzystego portu. Jeśli się pospieszymy, zdążymy ich ostrzec.

Sloane wytarła twarz rękawem kurtki.

– Naprawdę tak myślisz?

– Chodźmy.

Pół minuty po wdrapaniu się na pokład wodolotu mknęli przez zatokę. Juan stał za sterem, Sloane przebierała się w suche rzeczy, które były na łodzi. Zastąpiła go, żeby też mógł zmienić ubranie i wyjąć coś do jedzenia.

– Przepraszam, ale mam tylko wojskowe racje żywnościowe. – Uniósł do góry dwie paczki w brązowej folii. – Do wyboru jest spaghetti z klopsami albo kurczak i suchary.

– Wezmę spaghetti i oddam ci klopsy. Jestem wegetarianką.

– Poważnie?

– Dlaczego jesteś taki zaskoczony?

– Nie wiem. Zawsze wyobrażałem sobie, że wegetarianie chodzą w zdrowych sandałach Birkenstock i mieszkają na farmach ekologicznych.

– To weganie. Uważam ich za ekstremistów.

Juan pomyślał o fanatyzmie. Co ludzi doprowadza do tego? Na pewno religia odgrywa niebagatelną rolę, ale jaka pasja może sprawiać, że ktoś podporządkowuje jej całe swoje życie? Pomyślał o ruchach na rzecz ochrony środowiska i obrony praw zwierząt. Aktywiści włamują się do laboratoriów i uwalniają zwierzęta wykorzystywane do badań lub podpalają osiedla w ośrodkach narciarskich jako przesłanie. Czy niektórzy są gotowi również zabijać?

Zastanawiał się, czy polaryzacja poglądów tak się nasiliła w ciągu ostatnich kilku lat, że normy społeczne nakazujące umiar w postępowaniu i szacunek dla innych nie mają już zastosowania? Wschód, Zachód. Muzułmanie, chrześcijanie. Socjaliści, kapitaliści. Bogaci, biedni. Wyglądało na to, że każda kwestia może sprowokować jedną lub drugą stronę do użycia przemocy.

Oczywiście, właśnie z powodu tych podziałów pływał „Oregonem". Odkąd świat przestał się kulić ze strachu przed unicestwieniem w wyniku ewentualnej wojny jądrowej między Związkiem Radzieckim i Stanami Zjednoczonymi, wciąż wybuchały konflikty regionalne i nie potrafiono im zapobiegać konwencjonalnymi środkami.

Cabrillo to przewidział i stworzył Korporację, by walczyć z nowymi zagrożeniami. Ta świadomość była przygnębiająca, ale wiedział, że będą mieć więcej pracy, niż zdołają wykonać.

Skoro porywacze Geoffreya Merricka nie zażądali okupu, wydawało się coraz bardziej prawdopodobne, że działają z pobudek politycznych. Biorąc pod uwagę charakter jego pracy, uprowadziło go najprawdopodobniej skrajne skrzydło ruchu ekologicznego zaangażowane w politykę.

Zastanawiał się, czy porwanie Merricka można jakoś połączyć z tym, na co natknęła się Sloane Macintyre. Nic nie przemawiało za takim związkiem, że obie sprawy łączyły się z Namibią. Świat mało wiedział o środowisku naturalnym na Wybrzeżu Szkieletów. Ludzie słyszeli o zagrożonych brazylijskich lasach deszczowych i skażonych drogach wodnych, ale nie o odludnym pasie pustyni w kraju, którego wielu nawet nie potrafiło znaleźć na mapie.

Juan przyjął, że sprawa może mieć także inny aspekt – ekonomiczny. Produkcja diamentów jest jedną z głównych gałęzi gospodarki Namibii. Wiadomo, jak ściśle kontrolowano rynek – mówiła o tym Sloane – mogli się natknąć na nielegalną operację górniczą. Ludzie byli gotowi zaryzykować życie dla ogromnego majątku. I zabijali nawet dla niewielkiego zysku.

Ale czy to wyjaśniało przyczynę samobójstwa Pietera DeWitta?

Owszem, jeśli uważał, że konsekwencje jego schwytania będą gorsze od szybkiej śmierci.

– Co by zrobiono z takim człowiekiem jak DeWitt, gdyby go przyłapano na nielegalnym wydobywaniu diamentów? – zapytał Sloane.

– Zależy, w jakim kraju. W Sierra Leone zastrzelono by go na miejscu. W Namibii zapłaciłby dwadzieścia tysięcy dolarów grzywny i trafił na pięć lat do więzienia. – Zaskoczyła go taką szybką i profesjonalną odpowiedzią. – Nie zapominaj, że jestem specjalistką od bezpieczeństwa. Muszę znać prawo różnych krajów dotyczące branży diamentowej. Tak jak ty musisz znać przepisy celne obowiązujące w portach, do których zawijasz.

– Mimo to jestem pod wrażeniem. Ale pięć lat to jeszcze nie tragedia, w każdym razie nie taka, żeby ktoś wolał popełnić samobójstwo niż odsiedzieć ten wyrok.

– Nie znasz afrykańskich więzień.

– Wyobrażam sobie, że nie mają wielu gwiazdek w przewodniku Michelina.

– Nie chodzi tylko o warunki. Wskaźniki zachorowań na gruźlicę i zakażeń wirusem HIV należą tam do najwyższych na świecie. Niektóre organizacje obrony praw człowieka uważają, że jakakolwiek odsiadka w afrykańskim więzieniu jest równoznaczna z wyrokiem śmierci. Dlaczego pytasz o to wszystko?

– Staram się zrozumieć, dlaczego DeWitt wolał się zabić niż dać się złapać.

– Myślisz, że raczej nie był fanatykiem?

– Sam nie wiem. Ale dzieje się jeszcze coś, o czym nie mogę ci powiedzieć, i przez chwilę myślałem, że może te dwie sprawy łączą się ze sobą. Upewniam się po prostu, że nie. To nie są dwa elementy tej samej układanki, tylko dwie zupełnie inne układanki. Tyle że mamy tu zbieg okoliczności...

– A ty nie cierpisz zbiegów okoliczności, jak się domyślam.

– Właśnie.

– Jeśli mi powiesz, co jeszcze się dzieje, może będę mogła pomóc.

– Przykro mi, Sloane, ale to nie jest dobry pomysł.

– Długie języki zatapiają krążowniki, i tak dalej.

Nie mogła przewidzieć, że wkrótce jej żartobliwe słowa okażą się prorocze.

Rozdział 14

De havilland twin otter podchodził do lądowania na nierównym pasie startowym tak wolno, że wydawał się wisieć w powietrzu. Choć zaprojektowano go w latach sześćdziesiątych XX wieku, dwusilnikowy turbośmigłowy górnopłat pozostawał ulubionym samolotem wszystkich pilotów latających nad niezamieszkanymi terenami. Mógł lądować niemal na każdej powierzchni o długości około trzystu metrów. Rozbieg startowy miał jeszcze krótszy.

Twardy grunt w sąsiedztwie Diabelskiej Oazy oznaczono pomarańczowymi chorągiewkami i pilot posadził maszynę na samym środku w wirze kurzu. Podmuch od śmigieł poderwał do góry jeszcze więcej pyłu, więc kiedy samolot zwolnił, otaczała go przez chwilę ciemna chmura. Silniki zostały wyłączone i śmigła wkrótce przestały się obracać. Odkryty samochód z napędem na cztery koła podjechał do samolotu w momencie, gdy otworzyły się tylne drzwi.

Z maszyny wyłonił się zwinnie chudy dwumetrowy mężczyzna. Daniel Singer pomasował knykciami kręgosłup po locie z odległej o ponad tysiąc sto kilometrów stolicy Zimbabwe, Harare. Przyleciał tam ze Stanów, bo odpowiednia łapówka zapewniła mu potajemne odbycie podróży do Afryki. Nikt nie wiedział, że opuścił swój dom w Maine.

Samochodem terenowym przyjechała kobieta nazwiskiem Nina Visser. Była z Singerem od początku jego krucjaty i zwerbowała innych członków ich organizacji, podobnie myślących mężczyzn i kobiety, którzy uważali, że światem trzeba potrząsnąć, by ocknął się z samozadowolenia w kwestiach ekologicznych.

– Zjawiłeś się w samą porę, żeby pocierpieć razem z nami – powiedziała na powitanie, ale uśmiechała się przy tym z wyrazem czułości w czarnych oczach. Urodziła się w Holandii i jak wielu jej rodaków mówiła po angielsku z lekkim akcentem.

Singer schylił się i pocałował ją w policzek.

– Droga Nino, nie wiesz, że my, geniusze zła, musimy mieć kryjówkę na odludziu? – zażartował.

– Ale czy musiałeś wybrać miejsce oddalone o sto kilometrów od najbliższej toalety ze spłuczką i zamieszkane przez pchły piaskowe?

– Co mogę powiedzieć? Wszystkie wydrążone wulkany były już zajęte. Wynająłem to więzienie od namibijskiego rządu przez fikcyjną spółkę pod pretekstem, że będziemy tu kręcić film. – Odwrócił się, żeby wziąć torbę podróżną od pilota, który pojawił się w drzwiach. – Niech pan zatankuje samolot. Nie będziemy tu długo.

Nina była zaskoczona.

– Nie zostajesz?

– Przykro mi, ale nie. Muszę być w Kabindzie wcześniej, niż planowałem.

– Problemy?

– Drobna usterka sprzętu opóźniła najemników – mówił. – I chcę mieć pewność, że łodzie, których użyjemy do ataku, są gotowe. Poza tym matka natura bardzo nam pomaga. Znów nadciąga tropikalny sztorm w ślad za tamtym, który przeszedł bokiem parę dni temu. Myślę, że nie będziemy musieli czekać dłużej niż tydzień.

Nina zatrzymała się nagle, rozpromieniona.

– Tylko tyle? Nie mogę uwierzyć.

– Pięć lat pracy niedługo się opłaci. Kiedy skończymy, nikt przy zdrowych zmysłach nie zaprzeczy, że globalne ocieplenie jest niebezpieczne.

Wsiedli do samochodu, Singer usadowił się na miejscu pasażera, by przejechać krótki odcinek do starego więzienia.

Dwupiętrowe kamienne monstrum wielkości magazynu miało na dachu blanki dla strażników obserwujących pustynię. W każdej ścianie było tylko jedno okno, co nadawało budowli jeszcze bardziej odpychający i ponury wygląd. Rzucała ciemną plamę cienia na biały piasek.

Na centralny dziedziniec prowadziły wysokie drewniane wrota na żelaznych zawiasach wmurowanych w kamień, wystarczająco szerokie, by zmieściła się w nich ciężarówka. Parter więzienia zajmowały pomieszczenia administracyjne i kwatery strażników, którzy kiedyś tu mieszkali, na dwóch piętrach mieściły się cele otaczające dziedziniec.

Ostre słońce zalewało plac ćwiczeń, gorące powietrze było ciężkie jak roztopiony ołów.

– Jak się miewają nasi goście? – zapytał Singer, kiedy Nina zahamowała przed wejściem do głównej części administracyjnej.

– Ludzie z Zimbabwe przywieźli wczoraj swojego więźnia. – Odwróciła się do niego. – Nadal nie rozumiem, co oni tutaj robią.

– To, niestety, taktyczna konieczność. Zawarta umowa, która umożliwia mi podróże do Afryki bez wiz i innych formalności, pozwala im korzystać przez krótki czas z części budynku. Ich więzień jest przywódcą największej partii opozycyjnej i niedługo stanie przed sądem za zdradę. Rząd obawia się, iż jego zwolennicy odbiliby go i przetransportowali do innego kraju. Potrzebują po prostu jakiegoś miejsca, w którym przetrzymają go do czasu rozpoczęcia procesu, a potem zabiorą do Harare.

– Jego ludzie nie uwolnią go tam?

– Rozprawa potrwa niecałą godzinę i wyrok zostanie wykonany natychmiast.

– Nie podoba mi się to, Danny. Rząd Zimbabwe należy do najbardziej skorumpowanych w Afryce. Uważam, że każdy, kto mu się przeciwstawia, ma rację.

– Zgadzam się z tobą, ale muszę dotrzymać warunków umowy. – Z tonu Singera łatwo było się domyślić, że uważa sprawę za zamkniętą. – A jak się miewa mój były wspólnik?

Nina uśmiechnęła się znacząco.

– Chyba w końcu zaczyna rozumieć konsekwencje swojego sukcesu.

– To dobrze. Nie mogę się doczekać widoku miny tego zadowolonego z siebie drania, kiedy zrobimy swoje, i wreszcie dotrze do niego, że to jego wina.

Weszli do więzienia i Singer przywitał się ze swoimi ludźmi po imieniu. Choć nie miał charyzmy Merricka, wśród zgromadzonych aktywistów uchodził za bohatera. Przywiózł ze sobą trzy butelki czerwonego wina, które wypili w pół godziny. Jedna kobieta wzbudzała szczególne zainteresowanie i kiedy zaproponował toast na jej cześć, inni zareagowali wiwatami.

Zajął dawny gabinet naczelnika więzienia i poprosił, żeby przyprowadzono Merricka. Przez kilka minut dobierał właściwą pozę na jego wejście. Usiadł za biurkiem, ale nie chciał, by tamten górował nad nim wzrostem, więc stanął przy oknie ze spuszczoną głową, jakby sam dźwigał na swoich barkach ciężar całego świata.

Chwilę później dwaj jego ludzie wprowadzili do pokoju Merricka z rękami skrępowanymi za plecami. Dawni wspólnicy spotkali się po raz pierwszy od czasu rozstania, ale Singer widywał Merricka w telewizji wystarczająco często, by zauważyć, jak zmienił się wygląd dawnego przyjaciela po kilku dniach uwięzienia. Najbardziej był zadowolony z tego, że oczy o jasnym niegdyś spojrzeniu przygasły i Geoff patrzy na niego z udręką. Ale ze zdumieniem zauważył, że zaczynają się ożywiać, i znów poczuł hipnotyzującą wewnętrzną siłę Merricka, której mu zawsze w duchu zazdrościł.

– Danny – zaczął Merrick poważnym tonem – nie znajduję innego wytłumaczenia tego, co robisz, niż takie, że chcesz się na mnie odegrać. W porządku, wygrałeś. Dostaniesz wszystko, co chcesz, tylko natychmiast to zakończ. Chcesz odzyskać firmę? Przepiszę ją na ciebie. Chcesz mieć wszystkie moje pieniądze? Podaj numer konta i przeleję natychmiast. Wydam każde oświadczenie, jakie przygotujesz, i wezmę na siebie odpowiedzialność za wszystko, czemu twoim zdaniem jestem winien.

Dobry jest, pomyślał Daniel Singer. Nic dziwnego, że zawsze był lepszy ode mnie. Przez chwilę korciło go, żeby skorzystać z propozycji, ale nie mógł ulec pokusie. Wahał się tylko moment.

– To nie są negocjacje, Geoff. To, że mam w tobie świadka, jest dla mnie tylko premią. Jesteś, że tak powiem, imprezą towarzyszącą, przyjacielu, nie główną atrakcją.

– Nie musi tak być.

– Musi! – ryknął Singer. – Jak myślisz, dlaczego daję teraz światu przedsmak tego, co nadchodzi? – Wziął głęboki oddech i mówił dalej trochę spokojniej, ale z taką samą pasją. – Jeśli będziemy nadal szli dotychczasową drogą, moja demonstracja okaże się niczym w porównaniu z naturalnymi zdarzeniami. Idioci rządzący światem nie chcą tego dostrzec. Zmiany są konieczne. Do cholery, Geoff, jesteś naukowcem, na pewno to rozumiesz. W ciągu następnych stu lat globalne ocieplenie zniszczy wszystko, co osiągnęła ludzkość. Wzrost temperatur powierzchniowych zaledwie o kilka stopni wywrze ogromny wpływ na środowisko naturalne. To się już dzieje. Na Ziemi nie jest jeszcze na tyle gorąco, żeby stopiły się wszystkie lodowce, ale na Grenlandii lód spływa do morza szybciej niż kiedykolwiek przedtem, bo woda z roztopów działa jak smar naniesiony na podłoże. W niektórych miejscach ten proces odbywa się dwukrotnie szybciej niż normalnie. To już trwa.

– Nie zamierzam kwestionować tego, co mówisz...

– Nie możesz – warknął Singer. – Żaden rozumny człowiek nie może, a mimo to nic się z tym nie robi. Ludzie muszą zobaczyć skutki na własne oczy, w swoich domach, nie na jakimś lodowcu na Grenlandii. Trzeba ich pobudzić do działania, bo inaczej nasz los będzie przesądzony.

– Liczba ofiar, Dan...

– Blednie przy tym, co się zbliża. Trzeba kogoś poświęcić, żeby ocalić miliardy innych. Tak jak odcina się gangrenowatą kończynę, żeby uratować pacjenta.

– Ale mówimy o niewinnych ludziach, nie o za-infekowanej tkance!

– Okej, może użyłem złej analogii, ale wiesz, o co mi chodzi. A poza tym liczba ofiar wcale nie będzie taka duża. Prognozowanie pogody stoi teraz na wysokim poziomie. Ludzie zostaną w porę ostrzeżeni.

– Tak? A co było w Nowym Orleanie, kiedy uderzyła Katrina?

– No właśnie. Władze lokalne, stanowe i federalne miały mnóstwo czasu na ewakuację mieszkańców, a jednak ponad tysiąc osób niepotrzebnie zginęło. I o to mi chodzi. Od dwudziestu lat mamy naukową wiedzę na temat tego, co się dzieje ze środowiskiem naturalnym, a podejmuje się tylko symboliczne działania. Nie dociera do ciebie, że muszę iść naprzód? Muszę to zrobić, żeby ocalić ludzkość.

Geoffrey Merrick już wiedział, że jego dawny wspólnik i najlepszy przyjaciel jest szalony. Zawsze był trochę dziwny, obaj byli, bo inaczej nie czuliby się dobrze w Instytucie Technologicznym Massachusetts. Ale dawne ekscentryczne zachowanie przerodziło się w manię. Merrick zrozumiał, iż nie przekona Singera, żeby zrezygnował ze swojego planu. Fanatykowi nie można przemówić do rozsądku.

Mimo to postanowił spróbować. Zmienił taktykę.

– Skoro tak bardzo troszczysz się o ludzkość, to dlaczego musiałeś zabić biedną Susan Donleavy?

Singer z nieprzeniknioną miną odwrócił wzrok.

– Ludziom, którzy mi pomagają, brakuje pewnych... hm, umiejętności, więc musiałem zatrudnić obcych.

– Najemników?

– Tak. Posunęli się dalej niż... hm, za daleko. Susan żyje, ale obawiam się, że jest w ciężkim stanie.

Merrick nie dał po sobie poznać, co zamierza. Wyrwał się nagle mężczyznom, którzy trzymali go luźno za ramiona, i rzucił przez pokój. Runął na biurko i zdążył walnąć Singera kolanem w szczękę, zanim strażnicy zareagowali. Jeden szarpnął Geoffa za rękaw kombinezonu tak mocno, że go przewrócił. Mając ręce skrępowane za plecami, Merrick nie mógł zamortyzować upadku i rąbnął na twarz. W oczach nie pokazały mu się gwiazdy ani nie ogarniała go z wolna ciemność. Stracił przytomność natychmiast po uderzeniu głową w podłogę.

– Przepraszam, Dan – powiedział strażnik i pomógł mu wygramolić się spod biurka.

Singer starł palcem krew z kącika ust i przyjrzał się jej, jakby nie mógł uwierzyć, że wypłynęła z jego ciała.

– Żyje?

Drugi strażnik sprawdził Merrickowi tętno na nadgarstku i szyi.

– Serce bije równo. Ocknie się, ale pewnie będzie miał wstrząśnienie mózgu.

– To dobrze. – Singer pochylił się nad leżącym Merrickiem. – Geoff, mam nadzieję, że ten tani chwyt był tego wart, bo po raz ostatni zrobiłeś coś z własnej woli. Zamknijcie go z powrotem.

Dwadzieścia minut później twin otter znów wzbił się pod niebo i skierował na północ do angolskiej prowincji Kabinda.

Rozdział 15

Gdy tylko pilot portowy zszedł po drabince sznurowej do swojego tendera, Max Hanley i Linda Ross zjechali ukrytą windą ze sterówki do centrum operacyjnego. Wrażenie było takie, jakby weszli ze złomowiska do centrum kontroli lotów NASA. Na użytek południowo-afrykańskiego pilota odegrali role kapitana i sternika, ale Max oficjalnie nie miał wachty. Pełniła ją Linda.

– Wracasz do siebie? – Usiadła na stanowisku dowodzenia i włożyła słuchawkę z mikrofonem.

– Nie – odparł kwaśno Max. – Doktor Huxley ciągle martwi moje ciśnienie krwi, więc idziemy razem do sali ćwiczeń. Namawia mnie do uprawiania jogi siłowej, cokolwiek to, do diabła, jest.

Linda zachichotała.

– Chciałabym to zobaczyć.

– Jeśli spróbuje wyginać mnie jak precel, będę musiał powiedzieć Juanowi, żeby poszukał nowego lekarza okrętowego.

– To ci dobrze zrobi. Oczyści cię duchowo i tak dalej.

– Duchowo jestem w porządku – mruknął dobrodusznie i poszedł do swojej kajuty.

Wachta mijała spokojnie. Opuścili szlaki żeglugowe i nabierali szybkości. Na północ od nich zanosiło się na niespodziewany sztorm, ale wyglądało na to, że żywioł skieruje się na zachód, zanim dotrą do Swakopmund późno następnego dnia. Linda wykorzystywała wolny czas na przeglądanie informacji o zbliżającym się ataku na Diabelską Oazę, które przygotowali Eddie i Linc.

– Linda! – zawołał Hali Kasim ze swojego stanowiska łączności. – Właśnie ściągnąłem coś z serwisu prasowego. Nie uwierzysz. Przesyłam ci to.

Przebiegła wzrokiem wiadomość na swoim monitorze i natychmiast wezwała Maxa przez radiowęzeł okrętowy. Przyszedł po chwili z maszynowni, gdzie przeprowadzał zupełnie zbędną inspekcję. Joga dała mu się we znaki: chodził z trudnością, bo mięśnie nie były przyzwyczajone do rozciągania.

– Chciałaś mnie widzieć?

Odwróciła płaski ekran tak, żeby Max mógł sam przeczytać wiadomość. Napięcie w centrum operacyjnym wzrastało.

– Czy ktoś mógłby nam powiedzieć, co się stało? – zapytał Eric Stone ze stanowiska sternika.

– Benjamin Isaka brał udział w przygotowaniach do zamachu stanu – odparła Linda. – Został aresztowany kilka godzin temu.

– Isaka? Nazwisko brzmi znajomo.

– To on był naszym kontaktem w kongijskim rządzie, kiedy organizowaliśmy tamtą dostawę broni – powiedział Max.

– O rany, niedobrze – odezwał się Mark Murphy. Choć nie musiał czuwać na stanowisku operatora uzbrojenia „Oregona", zwykle to robił, kiedy starszy personel miał wachtę.

– Hali, wiadomo coś o broni, którą dostarczyliśmy? – zapytała Linda. Nie obchodziła ją polityka wewnętrzna Konga, ale Korporacja była odpowiedzialna za tamtą broń.

– Przepraszam, jeszcze nie sprawdziłem. Serwis prasowy AP podał wiadomość dopiero przed chwilą.

Linda spojrzała na Maxa.

– Co o tym myślisz?

– Zgadzam się z panem Murphym. To może być katastrofa. Jeśli Isaka powiedział rebeliantom o nadajnikach i oni je unieszkodliwili, to po prostu wręczyliśmy pięćset kałasznikowów i pięćdziesiąt granatników jednej z najbardziej niebezpiecznych grup awanturników w Afryce.

– Nie widzę żadnej informacji o skonfiskowaniu broni – odezwał się Hali. – Ta wiadomość dopiero się pojawiła, więc może później coś będzie.

– Nie licz na to. – Max trzymał w ręku fajkę i stukał cybuchem w zęby. – Isaka musiał im powiedzieć. Możemy jakoś sprawdzić, czy nadajniki wysyłają sygnały?

Amerykanin libańskiego pochodzenia zmarszczył brwi.

– Wątpię. Mają mały zasięg. Pomysł był taki, że kongijskie wojsko dotrze śladem broni do bazy rebeliantów, używając ręcznych detektorów odbierających sygnały z nadajników. Wystarczył kilkukilometrowy zasięg.

– To mamy problem – rzuciła Linda ze złością. – Tamta broń może być gdziekolwiek, a my nie mamy sposobu, żeby ją znaleźć.

– Ech, ludzie małej wiary. – Murphy uśmiechnął się szeroko.

Odwróciła się do niego.

– Co masz?

– Kiedy wy wreszcie zaczniecie doceniać spryt prezesa? Zanim sprzedaliśmy broń, poprosił mnie i głównego rusznikarza, żebyśmy zastąpili parę nadajników, które dostaliśmy od CIA, innymi, mojej

173

konstrukcji. Mają zasięg prawie stu sześćdziesięciu kilometrów.

– Nie chodzi o zasięg – wtrącił Hali. – Isaka wiedział, w których częściach broni ukryliśmy nadajniki. Jeśli powiedział rebeliantom, gdzie one są, to na pewno unieszkodliwili nasze równie łatwo, jak tamte z CIA.

Mark nie przestał się uśmiechać.

– Nadajniki CIA były ukryte w kolbach kałasznikowów i przednich chwytach granatników. Nasze umieściłem w chwytach kałasznikowów i zmodyfikowanych przeze mnie mocowaniach pasów granatników.

– Cholernie pomysłowo – powiedziała Linda ze szczerym podziwem. – Jeśli znajdą nadajniki CIA, przestaną szukać dalej. Nasze zostaną na miejscu.

– Dodam jeszcze, że nadają na innej częstotliwości. – Mark skrzyżował ręce na piersi i wyciągnął się wygodnie w fotelu.

– Dlaczego Juan nie powiedział nam o tym? – zastanawiał się głośno Max.

– Uważał, że jego przezorność graniczy z paranoją – odparł Murphy. – Więc wolał nic nie mówić, bo wyglądało na to, że nasze nadajniki okażą się niepotrzebne.

– Z jakiej odległości możemy odbierać sygnały? – spytała Linda.

– Około stu sześćdziesięciu kilometrów.

– To nadal szukanie igły w stogu siana, bo nie wiemy, gdzie są rebelianci.

Z twarzy Marka zniknął wyraz samozadowolenia.

– Właściwie to jest jeszcze jeden problem. Taki zasięg nadajników uzyskałem kosztem żywotności baterii. Zaczną siadać za czterdzieści osiem do siedemdziesięciu dwóch godzin. Potem już naprawdę nie znajdziemy tamtej broni.

Linda spojrzała na Maxa Hanleya.

– Decyzję, czy mamy jej szukać, musi podjąć Juan.

– Zgadzam się z tym. Ale oboje wiemy, iż będzie chciał, żebyśmy ją wytropili i zawiadomili kongijskie wojsko, aby mogło ją odzyskać.

– Więc mamy dwa wyjścia – stwierdziła Linda.

– Zaczekaj moment – przerwał jej Max. – Hali, zadzwoń do prezesa na numer jego telefonu satelitarnego. Okej, dwa wyjścia, tak?

– Pierwsze jest takie, że zawracamy do Kapsztadu i wysyłamy stamtąd do Konga zespół z detektorem sygnałów. Mark, jaką wielkość ma takie urządzenie?

– Odbiornik jest niewiele większy od dużego przenośnego radioodtwarzacza kasetowego – wyjaśnił spec od techniki.

W innych okolicznościach ktoś z pewnością skomentowałby wielkość radiomagnetofonu, którego używał Mark, kiedy zamieniał część pokładu „Oregona" w prowizoryczny tor do jazdy na deskorolce z pochylniami, hopami i rynną zrobioną ze starego kawałka komina statku.

– Powrót do Kapsztadu zajmie nam pięć godzin, bo tyle minęło, odkąd wyszliśmy w morze – zauważył Max. – W porcie spędzimy parę kolejnych, a potem poświęcimy pięć następnych na to, żeby znów znaleźć się tu, gdzie jesteśmy teraz.

– No to płyniemy dalej i wysyłamy zespół z Namibii. Mały ma dla nas samolot pionowego startu i lądowania na lotnisku w Swakopmund i na jutro po południu przyprowadzi tam nasz odrzutowiec, żebyśmy mogli zabrać nim Merricka. Przerzucimy ich helikopterem prosto do portu lotniczego Mały poleci z nimi do Konga i zdąży wrócić przed akcją.

– Telefon satelitarny prezesa nie odpowiada – oznajmił Hali.

– Próbowałeś go wywołać przez radio w szalupie?

– Nie zgłasza się.

– Cholera. – W przeciwieństwie do Juana, który potrafił przemyśleć jednocześnie tuzin scenariuszy i intuicyjnie wybrać właściwy, Max musiał się zastanowić. – Ile czasu zaoszczędziłby twoim zdaniem zespół poszukiwawczy, gdybyśmy teraz zawrócili?

– Dwanaście godzin.

– Mniej – poprawił Mark, nie odwracając się od ekranu komputera. – Właśnie sprawdzam loty z Kapsztadu do Kinszasy. Nie ma ich wiele.

– Więc będziemy musieli wyczarterować samolot.

– Już nad tym pracuję – odezwał się Eric Stone. – W Kapsztadzie jest tylko jedna firma, która ma odrzutowce... Moment... Nie, na swojej stronie internetowej podali informację, że oba ich learjety są uziemione. – Spojrzał na pozostałych. – Jeśli to was pocieszy, przepraszają za niedogodność.

– Więc zaoszczędzimy może osiem godzin – stwierdził Mark.

– A stracimy dwanaście i opóźnimy próbę uwolnienia Merricka o cały dzień. Okej. Płyniemy dalej na północ. – Max odwrócił się do Halego. – Dzwoń do Juana co pięć minut i daj mi znać, jak tylko go złapiesz.

– Tak jest, panie Hanley.

Maxa niepokoiło, że Juan nie odpowiada. Wiedział, że zbliża się atak na Diabelską Oazę, więc niemożliwe, żeby nie wziął ze sobą telefonu satelitarnego. Prezes miał bzika na punkcie łączności.

Mógł się nie zgłaszać z wielu powodów, ale to nie uspokoiło Hanleya.

Rozdział 16

Cabrillo spoglądał zmrużonymi oczami na niebo. Nie podobały mu się ciemne chmury na wschodzie. Kiedy wypływali ze Sloane z Walvis, nie było żadnych ostrzeżeń meteorologicznych, ale w tej części świata burza piaskowa mogła nadciągnąć w kilka minut i przesłonić niebo od horyzontu do horyzontu. Wyglądało na to, że należy się jej spodziewać.

Zerknął na zegarek. Do zachodu słońca zostało jeszcze kilka godzin. Ale przynajmniej samolot Tony'ego Reardona ze stolicy Namibii, Windhuk, do Nairobi i dalej do Londynu wystartował cztery minuty temu.

Poprzedniej nocy dogonili „Pinguina" milę morską od wejścia do portu. Kiedy Justus Ulenga usłyszał, co spotkało Papę Heinricka, zgodził się popłynąć na północ do innego miasta i tam łowić ryby przez tydzień lub dłużej. Cabrillo zabrał Reardona do łodzi ratunkowej.

Brytyjczyk narzekał na sytuację i pomstował na Sloane, Juana, DeBeers, Namibię i na wszystko, co tylko przyszło mu do głowy. Cabrillo wysłuchiwał tego cierpliwie przez dwadzieścia minut, gdy czekali u wybrzeża. W końcu nie wytrzymał i postawił sprawę po męsku:

– Albo się zamkniesz, albo cię uciszę.

– Nie odważyłby się pan! – krzyknął Anglik.

– Panie Reardon, nie spałem przez dwadzieścia cztery godziny. – Juan podszedł tak blisko, że ich twarze dzieliło tylko kilka centymetrów. – Właśnie widziałem zwłoki mężczyzny, którego okrutnie torturowano, zanim go zabito, i strzelano do mnie jakieś pięćdziesiąt razy. W dodatku zaczyna mnie boleć głowa, więc niech pan zejdzie pod pokład, usiądzie na ławce i trzyma swój cholerny język za zębami.

– Nie może pan rozka...

Juan osłabił cios w ostatniej chwili, żeby nie złamać Reardonowi nosa, ale uderzenie było na tyle silne, że Anglik wpadł przez właz do kabiny pasażerskiej szalupy i rozciągnął się jak długi na podłodze.

– Ostrzegałem pana. – Cabrillo skoncentrował się z powrotem na tym, by utrzymywać łódź dziobem do wiatru w oczekiwaniu na świt.

Stali parę mil morskich od brzegu, kiedy flotylla kutrów rybackich wyruszała z Walvis na codzienny połów, i skręcili do portu dopiero wtedy, gdy Juan poczynił przygotowania przez telefon satelitarny. Reardon siedział pod pokładem, masował puchnącą szczękę i leczył zranione ego.

Taksówka już czekała na nabrzeżu, kiedy Cabrillo doprowadził szalupę do stanowiska cumowniczego. Polecił Sloane i Tony'emu zostać pod pokładem, gdy będzie przechodził kontrolę paszportową. Wiza nie była potrzebna, a Brytyjczycy mieli już ostemplowane paszporty, więc po pobieżnej inspekcji łodzi ratunkowej urzędnik przystawił pieczątkę w dokumencie Juana i pozwolił im opuścić port.

Cabrillo zapłacił za tankowanie szalupy i dał pompiarzowi duży napiwek, by mieć pewność, że zbiorniki będą pełne. Wydobył glocka ze skrytki w zęzie i sprawdził, czy nic nie wygląda podejrzanie, zanim przywołał samochód i upchnął dwójkę swoich towarzyszy na tylnym siedzeniu.

Przecięli rzekę Swakop i przemknęli przez Swakopmund w drodze na lotnisko. Ponieważ jeden z mężczyzn w roztrzaskanej poprzedniej nocy motorówce okazał się pilotem czarterowego helikoptera, Juan nie mógł ryzykować wynajęcia prywatnego samolotu, żeby wyekspediować Reardona z kraju. Ale tego dnia był jeden z czterech cotygodniowych lotów Air Namibia z nadmorskiego miasta do stolicy. Juan tak wyliczył czas przyjazdu do portu lotniczego, żeby Reardon spędził tam tylko parę minut przed odlotem, a jego samolot do Nairobi startował następny.

Na płycie lotniska zauważył dwusilnikową maszynę, która stała na uboczu. Wynajął ją „Mały" Gunderson, główny pilot Korporacji, do przeprowadzenia ataku. Jeśli wszystko szło zgodnie z planem, wielki Szwed był już w drodze ich gulfstreamem IV. Juan zastanawiał się, czy nie zaczekać i nie wykorzystać ich samolotu do wywiezienia Reardona z Namibii, ale wątpił, żeby wytrzymał tyle czasu w jego towarzystwie.

Weszli w trójkę do małego terminalu. Cabrillo zwiększył czujność, choć przeciwnicy powinni jeszcze myśleć, że ich ofiary nie żyją. Kiedy Anglik zgłosił się do odprawy, Sloane obiecała, że spakuje jego rzeczy, które pozostawił w hotelu, i zabierze je do Londynu, gdy tylko zakończą z Juanem śledztwo.

Reardon wymamrotał coś niezrozumiałego.

Wiedziała, że Tony nie da się przekonać, i nie dziwiła mu się. Przeszedł przez bramkę bezpieczeństwa, nie obejrzawszy się za siebie, i szybko zniknął z widoku.

– *Bon voyage*, Panie Wesołku – zażartował Juan. Wyszli z terminalu i wrócili do miasta.

Pojechali prosto do dzielnicy, gdzie mieszkał przewodnik Sloane, Tuamanguluka. Choć był biały dzień,

Juan lepiej się poczuł, mając za paskiem spodni pistolet ukryty pod koszulą. W większości piętrowe domy nie przypominały w niczym budynków w niemieckim stylu w lepszych częściach miasta. Resztki dziurawych chodników wyblakły niemal do białości. Mimo wczesnej pory grupki mężczyzn okupowały wejścia do bloków mieszkalnych. Dzieci pętały się po ulicach, patrząc lękliwie na obcych. W powietrzu unosił się zapach ryb i wszechobecny kurz z pustyni Namib.

– Nie znam jego adresu – mówiła Sloane. – Zawsze wysadzaliśmy go przed barem.

– Kogo pani szuka? – zagadnął taksiarz.

– Niejakiego Luki. Jest kimś w rodzaju przewodnika.

Taksówka zatrzymała się przed budynkiem w ruinie. Na parterze mieściły się mała restauracja i sklep z używaną odzieżą, pranie wiszące w oknach było wskaźnikiem, że mieszkania są na piętrze. Po chwili z restauracji wyszedł wychudzony mężczyzna i nachylił się do kierowcy. Dwaj Namibijczycy zamienili ze sobą kilka słów i mężczyzna wskazał w głąb ulicy.

– Mówi, że Luka mieszka dwie przecznice stąd.

Chwilę później podjechali pod inny budynek, zniszczony bardziej niż większość pozostałych. Szalowanie było spłowiałe i popękane, drzwi wisiały na zawiasie. Parchaty pies uniósł tylną łapę przy rogu domu, potem puścił się w pogoń za szczurem, który wylazł ze szpary w fundamencie. Z wnętrza dochodził płacz dziecka brzmiący jak zawodzenie syreny.

Cabrillo wysiadł z taksówki i stał na chodniku. Sloane nie chciała, żeby rozdzielała ich nawet szerokość samochodu; przesunęła się na siedzeniu i wysiadła po tej samej stronie.

– Niech pan tu poczeka. – Cabrillo dał taksiarzowi banknot studolarowy w taki sposób, żeby mężczyzna zobaczył dwa następne w jego dłoni.

– Nie ma problemu.

– Nie znamy numeru jego mieszkania – powiedziała Sloane.

– Bez obaw, znajdziemy go.

Weszli do budynku. Wewnątrz było mroczno i duszno, smród przyprawiał o mdłości – ubóstwo miało taki sam zapach jak wszędzie. Dziecko płakało w jednym z czterech mieszkań na parterze. Juan przystawał przy każdych drzwiach i oglądał liche zamki. Bez słowa wszedł po schodach na piętro.

Na podeście usłyszał to, czego się najbardziej obawiał: nieustanne bzyczenie much. Strasznie śmierdziało. Juan rozpoznałby tę woń, nawet gdyby nie czuł jej nigdy przedtem, tak jakby ludzki mózg potrafił rozróżnić zapach rozkładu osobnika własnego gatunku.

Kierując się słuchem i węchem, doszedł do ostatniego mieszkania. W powietrzu unosił się słodkawy, trupi odór. Drzwi były zamknięte, zamek nie wyglądał na uszkodzony.

– Wpuścił zabójcę, to znaczy, że go znał.

– Pilota?

– Bardzo możliwe.

Juan kopnął drzwi. Kruche drewno wokół klamki rozpadło się. Buchnęło takim smrodem, że Sloane omal nie zwymiotowała. Ale nie chciała się wycofać.

Pokój tonął w bladym świetle przenikającym przez brudną zasłonę w jedynym oknie. Mebli było mało – krzesło, stół, pojedyncze łóżko i skrzynka zamiast nocnego stolika. Stała na niej przepełniona popielniczka zrobiona z kołpaka samochodowego. Ściany pobielone zapewne jakieś trzydzieści lat temu zbrązowiały od dymu papierosowego i widniały na nich niezliczone ciemne plamy po rozgniecionych owadach.

Luka leżał na pościeli w spłowiałych bokserkach i rozsznurowanych butach. Miał zakrwawioną pierś.

Juan przezwyciężył obrzydzenie i obejrzał ranę.

– Mały kaliber, 5,56 albo 6,35 milimetra. Strzał z bliskiej odległości, są ślady spalonego prochu. – Popatrzył na deski podłogowe między łóżkiem a drzwiami. Krople krwi tworzyły łatwo zauważalny szlak. – Zabójca zapukał do drzwi i strzelił od razu, gdy Luka otworzył. Potem popchnął go do tyłu na łóżko, żeby ciało upadło bez hałasu.

– Myślisz, że ktokolwiek w tym budynku by zareagował, gdyby cokolwiek usłyszał?

– Pewnie nie, ale nasz facet był ostrożny. Założę się, że gdybyśmy poprzedniej nocy przeszukali tamtą motorówkę, znaleźlibyśmy w niej pistolet z tłumikiem.

Juan obejrzał dokładnie mieszkanie w poszukiwaniu jakiegoś tropu. Znalazł marihuanę ukrytą w kuchni pod zlewem i magazyny pornograficzne pod łóżkiem, ale nic więcej. W kilku pudełkach były resztki jedzenia, a w koszu na śmieci tylko cuchnące pety i styropianowe kubki po kawie. Na podłodze przy łóżku leżało ubranie; w kieszeniach natrafił na kilka miejscowych monet, pusty portfel i scyzoryk. W innych ubraniach, które wisiały na gwoździach wbitych w ścianę, nie znalazł nic. Spróbował podnieść okno, ale było tak sklejone farbą, że nie dało się otworzyć.

– Przynajmniej wiemy, że nie żyje – powiedział ponuro, kiedy wychodzili z mieszkania. Zamknął za sobą drzwi i przed zejściem na parter wstąpił do wspólnej toalety na końcu korytarza, gdzie zajrzał do zbiornika spłuczki, by mieć pewność, że wszystko sprawdził.

– Co dalej?

– Myślę, że moglibyśmy wpaść do biura tamtego pilota helikoptera – odparł bez zapału. Był przekonany, że Afrykaner starannie zatarł za sobą ślady i nic nie znajdą.

– Najchętniej wróciłabym do hotelu, wzięła najdłuższą kąpiel w życiu i przespała całą dobę.

Juan był na szczycie schodów i zauważył, że światło wpadające przez zniszczone drzwi frontowe przysłonił na moment cień, jakby ktoś wszedł do budynku. Odsunął Sloane krok do tyłu i wyciągnął glocka.

Jak mogłem być taki głupi? Przecież musieli zorientować się, że coś poszło nie tak z atakiem na „Pinguina" i zabójstwem Papy Heinricka. Wiedzą, że jeśli ktoś zacznie węszyć, to w końcu trafi do mieszkania Luki, więc biorą je pod obserwację.

W polu widzenia ukazali się dwaj mężczyźni z małymi pistoletami maszynowymi. Dołączył do nich trzeci, również uzbrojony w czeskiego skorpiona. Juan wiedział, że jednego wyłączyłby z akcji pierwszym strzałem, ale walka z pozostałymi dwoma zamieniłaby się w jatkę.

Wycofał się cicho, trzymając Sloane za nadgarstek. Musiała wyczuć jego napięcie, bo nie odzywała się i stąpała na palcach.

Korytarz był ślepym zaułkiem i mogli się znaleźć w pułapce. Juan skierował się z powrotem do mieszkania Luki i wśliznął do środka.

– Nie myśl o tym – powiedział do Sloane. – Po prostu zrób to, co ja.

Podbiegł do okna i wyskoczył szczupakiem przez szybę. Szkło rozprysło się wokół niego, odłamki poszarpały mu ubranie. Przy ścianie budynku stał barak z blachy falistej, który Juan zauważył, kiedy próbował otworzyć okno. Spadł na dach, usmarował sobie dłonie i omal nie wypuścił z ręki glocka. Gorąca blacha parzyła mu skórę. Kiedy sunął w dół, przetoczył się na plecy. Gdy dotarł do krawędzi, wyrzucił nogi nad głowę i zrobił przewrót w tył. Za lądowanie nie dostałby medalu olimpijskiego, ale utrzymał się na nogach; kawałki szkła spadały na niego jak sople.

Nie zwracał uwagi na starego człowieka, który naprawiał sieć rybacką w cieniu dachu. Po chwili usłyszał, jak Sloane zsuwa się po blasze. Spadła z krawędzi, ale był przygotowany i złapał ją. Impet powalił go na kolana.

W tym momencie w dachu pojawiły się dziury wielkości dziesięciocentówki, hałaśliwe terkotanie pistoletu maszynowego naruszyło spokój letargicznej ulicy. Tuzin pocisków trafiło w dużą sieć, wyrzucając w powietrze kłaki konopi. Rybak siedział daleko od krawędzi dachu, więc Juan nie martwił się o niego. Chwycił Sloane za rękę i popędzili w stronę bardziej ruchliwej ulicy.

Kiedy wybiegli spod ganku, pociski posiekały ziemię wokół nich. Skorpiona zaprojektowano do prowadzenia ostrzału z małej odległości i strzelec, zbyt pobudzony adrenaliną, nie zapanował nad niezbyt celną bronią. Juan i Sloane ukryli się za dziesięciokołową ciężarówką.

– Wszystko w porządku? – wysapał Juan.

– Tak, tylko współczuję ci, bo za dużo jadłam, odkąd tu przyjechałam.

Cabrillo zaryzykował i wyjrzał zza tylnego zderzaka ciężarówki MAN. Jeden z przeciwników schodził ostrożnie po dachu, jego kompani osłaniali go, stłoczeni w oknie mieszkania Luki. Zauważyli Juana i ostrzelali ciężarówkę. Cabrillo i Sloane popędzili w stronę kabiny. Wysoka skrzynia ładunkowa zasłaniała ich przed ludźmi w oknie, więc Juan wspiął się po przednim kole na długą maskę, a stamtąd na kabinę. Miał pistolet w pogotowiu i nacisnął spust, zanim strzelcy na górze zobaczyli go tam, gdzie się nie spodziewali. Odległość wynosiła tylko dwadzieścia pięć metrów i Juan wziął poprawkę na różnicę wysokości. Pocisk trafił mężczyznę na dachu i rozerwał mu prawe ramię. Strzelec wypuścił skorpiona z ręki, stracił równowagę i stoczył się z baraku. Uderzył w ziemię tak mocno, że przez ulicę dobiegł trzask pękających kości.

Juan zniknął z widoku pozostałym przeciwnikom, zanim zdążyli go zlokalizować.

– Co dalej? – zapytała Sloane głosem lekko drżącym z napięcia.

– Jeden na pewno zostanie w oknie, żebyśmy nie uciekli, a drugi zbiegnie po schodach na dół. – Juan się rozejrzał.

Mimo że ta część miasta nigdy nie była ruchliwa, ulica wyglądała teraz jak wymarła od lat. W rynsztokach walały się śmieci i brakowało tylko suchych roślin niesionych przez wiatr.

Juan otworzył drzwi kabiny po stronie pasażera i zobaczył, że w stacyjce nie ma kluczyka. Franklin Lincoln odpaliłby silnik na krótko w niecałą minutę, ale on nie potrafił. Zanim uruchomiłby diesla, przeciwnik zdążyłby ich dopaść. Zerknął w okno mieszkania. Zabójca stał w głębi pokoju, ale dobrze widział ciężarówkę.

Myśl, do cholery, myśl.

Okna budynku obok nich, niegdyś dużego sklepu spożywczego, dawno zasłonięto płytami sklejki. Przecznicę dalej rozciągał się otwarty park, gdzie było więcej ziemi niż trawy. Za nimi stały bloki mieszkalne i domki jednorodzinne, które zdawały się opierać o siebie, żeby nie runąć.

Postukał knykciami w odsłonięty zbiornik paliwa ciężarówki. Głuchy odgłos wskazywał, że jest prawie pusty. Odkręcił korek i zobaczył, jak w gorącym powietrzu falują opary oleju napędowego.

Juan zawsze miał przy sobie kilka rzeczy: mały kompas, scyzoryk, minilatarkę z żarówką ksenonową i zapalniczkę Zippo. Odciął nożem pasek materiału od dołu koszuli i przytknął do niego płomień zippo. Odsunął Sloane w stronę przodu ciężarówki i wrzucił płonący skrawek materiału do zbiornika paliwa.

– Wejdź na zderzak, ukucnij, otwórz usta i zasłoń uszy – polecił jej.

Gdyby zbiornik był pełny, wybuch rozerwałby ciężarówkę. Ale mimo że zapaliła się tylko resztka oleju napędowego pozostała na dnie, nastąpiła silniejsza eksplozja, niż Juan się spodziewał. Choć chroniła go kabina i, co ważniejsze, blok silnika, poczuł potworny żar. Ciężarówka zakołysała się mocno na zawieszeniu, Juanowi zadzwoniło w uszach, miał wrażenie, że dostał cios młotkiem w głowę.

Zeskoczył na ziemię i popatrzył na swoje dzieło. Tak jak przypuszczał, wybuch zerwał sklejkę z okien nieczynnego supermarketu i szyby rozprysły się daleko do środka.

– Chodźmy, Sloane.

Wbiegli do ciemnego wnętrza, zostawiając płonącą ciężarówkę. Na końcu sklepu było zamknięte wejście do magazynu i na rampę. Juan włączył latarkę i obejrzał drzwi. Sądził, że zabójcy wiedzą, dokąd uciekli, więc nie dbał o ostrożność. Przestrzelił kłódkę na łańcuchu, który upadł z hałasem na betonową podłogę, i pchnął drzwi.

Po drugiej stronie ulicy za supermarketem było nabrzeże, gdzie przycumowali łódź ratunkową. Wyglądała całkiem przyzwoicie między zdezelowanymi kutrami rybackimi a zapadającymi się pomostami. Przecięli sprintem jezdnię i popędzili wzdłuż labiryntu krzyżujących się kładek. Ze sklepu wypadł jeden ze strzelców i puścił się w pogoń za nimi.

Rybacy na łodziach i dzieci przy pachołkach cumowniczych patrzyli na dym unoszący się zza opuszczonego supermarketu, gdy Sloane i Juan przebiegali obok nich. Ślizgali się na drewnianych pomostach pokrytych pleśnią i rybim śluzem, ale nie zwalniali.

Skorpion zajazgotał jak piła tarczowa i powietrze przecięła seria. Padli na śliskie deski nabrzeża, z rozpędu zsunęli się z nich i wylądowali w małym skifie z silnikiem doczepnym. Juan natychmiast się otrząsnął, ale pozostał w ukryciu, gdy pociski odłupywały drzazgi od pomostu.

– Uruchom silnik, Sloane. – Wyjrzał zza krawędzi nabrzeża. Strzelec był piętnaście metrów od nich, lecz musiałby pokonać co najmniej pięćdziesiąt, żeby dotrzeć do łodzi po dziwnie rozmieszczonych kładkach. Nacisnął spust, gdy zobaczył czubek głowy Juana, ale miał pusty magazynek.

Sloane dwukrotnie szarpnęła linkę rozruchową i poczuli ulgę, gdy silnik zaskoczył. Juan przeciął fałeń i Sloane otworzyła maksymalnie przepustnicę. Mała łódź wystartowała z przystani i pomknęła w stronę szalupy. Zabójca zdał sobie sprawę, że jest zbyt widoczny, by dalej prowadzić pościg, bo w Namibii też jest policja i po strzelaninie, która była kilka minut temu, gliniarze z Walvis i Swakopmund na pewno już gnają do portu. Cisnął broń do morza, żeby pozbyć się dowodu, i pobiegł z powrotem do miasta.

Dziób skifa dotknął burty łodzi ratunkowej. Juan ustabilizował szalupę i Sloane wspięła się na pokład. Poszedł w jej ślady, potem sięgnął do skifa, dał pełne obroty jego silnika i mała łódź ruszyła w drogę powrotną przez port.

Odcumował szalupę i odpalił silnik w rekordowym czasie. Kilka minut później minęli boję farwaterową i wydostali się na pełne morze. Utrzymywał prosty kurs, by jak najszybciej znaleźć się na wodach międzynarodowych na wypadek, gdyby wyruszył za nimi patrol portowy, choć już nie mogli ich dogonić, kiedy wysunął hydropłaty i łódź uniosła się nad powierzchnię morza.

– Jak się czujesz? – zapytał, gdy szalupa zamieniła się w wodolot.

– Jeszcze mi dzwoni w uszach. To chyba największe szaleństwo, jakie kiedykolwiek widziałam.

– Większe niż ratowanie kobiety ściganej przez Bóg wie ilu zabójców?

– No dobrze, drugie największe szaleństwo. – Uśmiechnęła się. – Powiesz mi w końcu, kim naprawdę jesteś?

– Umówmy się tak. Kiedy zbadamy rejon, gdzie Papa Heinrick napotkał swoje metalowe węże, i ustalimy, co się dzieje, opowiem ci całą historię swojego życia.

– Załatwione.

Wkrótce zostawili za sobą dwunastomilowy pas namibijskich wód terytorialnych, co pokazał GPS, i Juan cofnął przepustnicę, by obniżyć łódź.

– Ta stara łajba zużywa paliwo w przerażającym tempie, kiedy staje się wodolotem – wyjaśnił. – Jeśli mamy dopłynąć na miejsce i wrócić, to nie powinniśmy przekraczać szybkości piętnastu węzłów. Wezmę pierwszą wachtę, możesz zejść pod pokład. Nie mogę zaproponować ci kąpieli, ale mamy mnóstwo wody do odświeżenia się i możesz się przespać. Obudzę cię za sześć godzin.

Musnęła wargami jego policzek.

– Dziękuję ci. Za wszystko.

Dwanaście godzin później dopłynęli do rejonu, gdzie rzekomo czaiły się metalowe węże. Wiatr przybierał na sile, bo przez pustynię przetaczała się burza i zderzała z wilgotnym, zimnym powietrzem nad oceanem. W łodzi ratunkowej Cabrillo nie obawiał się sztormu. Przeszkadzała mu tylko ograniczona widoczność, która utrudniała poszukiwania. W dodatku elektryczność w atmosferze zakłócała pracę elektroniki pokładowej. Juan nie miał sygnału w telefonie satelitarnym, radio tylko trzeszczało w każdym paśmie. A kiedy ostatni raz sprawdzał GPS, urządzenie odbierało zbyt mało sygnałów z orbitujących satelitów, by właściwie określić pozycję łodzi. Głębokościomierz wyświetlał zero, co było niemożliwe, i nawet kompas szwankował, obracając się wolno w zawieszeniu kardanowym, jakby północ magnetyczna wirowała wokół nich.

– Jak myślisz, mocno uderzy? – zapytała Sloane, wskazując głową w stronę, z której mógł nadejść sztorm.

– Trudno powiedzieć. Nie wygląda na to, żeby padało, ale to się może zmienić.

Uniósł lornetkę do oczu i oglądał dokładnie horyzont. Koordynował swoje ruchy z powolnym kołysaniem fal tak, że był maksymalnie wysoko, gdy patrzył w każdym kierunku.

– Wszędzie tylko morze. Przykro mi to mówić, ale bez GPS-u nie mogę stworzyć właściwej siatki poszukiwawczej, więc działamy na oślep.

– I co chcesz zrobić?

– Mamy stały wiatr ze wschodu. Mogę to wykorzystywać do ustalania naszej pozycji, żebyśmy nie schodzili z kursu. Myślę, że możemy prowadzić poszukiwania do zmroku. Miejmy nadzieję, że sztorm się skończy do świtu i GPS znów będzie sprawny.

Juan pływał łodzią ratunkową tam i z powrotem po wyznaczonych z grubsza pasach o szerokości mili morskiej, jakby kosił trawnik. Ocean był coraz bardziej wzburzony, fale osiągały już wysokość ponad dwóch metrów. Ożywczy wiatr przynosił zapach pustyni z odległego lądu.

Z każdym przeszukanym pasem oboje nabierali przekonania, że wszyscy mieli rację, mówiąc o szaleństwie Papy Heinricka, i że metalowe węże widział w delirium tremens.

Kiedy Cabrillo zobaczył w oddali świetlisty biały błysk, pomyślał, że to piana na grzbiecie fali. Ale nie spuszczał tego z oka i gdy pokonali następną falę, lśniący punkt nadal tam był. Juan złapał lornetkę z uchwytu. Ten gwałtowny ruch po wielu godzinach monotonii zwrócił uwagę Sloane.

– Co jest?

– Jeszcze nie wiem. Może nic.

Zaczekał, aż kolejna fala uniesie łódź, i przyłożył lornetkę do oczu. Dopiero po dłuższej chwili zdał sobie w pełni sprawę, co widzi. Nie mógł w to uwierzyć.

– A niech mnie – wymamrotał.

– No mów! – zawołała z podnieceniem Sloane.

Podał jej lornetkę.

– Sama zobacz.

Kiedy dopasowywała rozstaw soczewek do swojej twarzy, Juan obserwował obiekt. Spróbował ocenić jego wielkość, ale okazało się to niemożliwe, bo nie miał go z czym porównać. To coś mogło mieć z powodzeniem długość trzystu metrów. Nie mógł uwierzyć, że George Adams to przeoczył, kiedy robił rozpoznanie rejonu z powietrza.

Z białego obiektu wystrzelił nagle jasny blask i rozświetlił niebo. Odległość wynosiła milę morską, może trochę więcej, ale mknący z prędkością tysiąca sześciuset kilometrów na godzinę izraelski pocisk przeciwpancerny typu Rafael Spike-MR pokonywał ten dystans tak szybko, że Juanowi zostały tylko sekundy na reakcję.

– Nadlatuje! – ryknął.

Rozdział 17

Juan nadal miał glocka z tyłu za paskiem spodni, więc chwycił telefon satelitarny w wodoszczelnym pokrowcu, objął Sloane wpół i rzucił się razem z nią przez reling do ciemnego morza. Płynęli jak szaleni, byle dalej od łodzi ratunkowej i nieuchronnego wybuchu.

Podwójny, elektrooptyczny i termiczny system naprowadzania rakiety kierował ją na strumień spalin z diesla szalupy. Pocisk trafił w kadłub chwilę po wystrzeleniu, zrobił dziurę w burcie i eksplodował tuż przed silnikiem. Przeznaczony do przebijania trzydzie-stocentymetrowego pancerza ładunek wybuchowy ro-zerwał kil i rufę łodzi w rozprysku szczątków, któ-re poszybowały w powietrze na wysokość dziesięciu metrów.

Dymiący i tlący się wrak złożył się niemal na pół, gdy tonął w obłoku pary powstałej przy zetknięciu się wody z rozgrzanym do czerwoności wnętrzem silnika i kolektora wydechowego.

Fala uderzeniowa była o wiele silniejsza niż przy wybuchu zbiornika paliwa ciężarówki w Walvis Bay i gdyby Cabrillo nie wyskoczył ze Sloane za burtę, zmiażdżyłoby ich ogromne ciśnienie.

Zmagali się z chaotycznymi falami, które nad-ciągały od miejsca eksplozji, łykali wodę, krztusili się i pluli.

Przebierając nogami, by utrzymać się na po-wierzchni, Juan wyciągnął rękę, żeby sprawdzić, czy Sloane nie jest ranna.

– Tylko nie pytaj, czy jestem cała – zdołała wy-sapać. – Od wczoraj zapytałeś mnie o to tuzin razy.

– To były ekscytujące dwadzieścia cztery godzi-ny – przyznał Juan i ściągnął półbuty dużymi palca-mi nóg. – Musimy odpłynąć jak najdalej od łodzi. Na pewno wyślą kogoś na zwiady.

– Bierzemy taki kurs jak podejrzewam?

– Czas się przejechać na wężu Papy Heinricka.

Oboje byli w dobrej formie fizycznej, więc dystans mili morskiej mogliby pokonać bez wielkiego wysiłku, ale walka z falami okazała się niełatwa. Zadanie stało się jeszcze trudniejsze, gdy luksusowy biały jacht, iden-tyczny jak tamten, który ścigał „Pinguina", skierował dziób w ich stronę i w zapadającym zmroku rozbłysnął jego szperacz. To ten statek zauważył Juan z pokładu szalupy, ale jego uwagę przykuło wtedy to, do czego był przycumowany.

– Musieli kupić te zabawki w promocji „dwie w cenie jednej" – powiedział.

– Mnie to się udaje tylko z chipsami ziemniacza-nymi w supermarkecie – zażartowała Sloane.

Przez piętnaście minut płynęli tak, by okrążyć z daleka snop mocnego światła reflektora, potem duży jacht oddalił się w ciemność, wskazując im kierunek do celu, choć Juan nie sądził, żeby mógł go przeoczyć.

Chłód wody zaczął ich pozbawiać sił. By ułatwić obojgu zadanie, Juan podał Sloane glocka oraz telefon satelitarny i zdjął spodnie. Zawiązał koniec każdej nogawki i wystawił górę spodni do wiatru, żeby wypełniły się powietrzem. Potem szybko ściągnął je paskiem, dał prowizoryczny pływak Sloane i odebrał od niej pistolet i telefon.

– Zaciśnij jedną rękę na pasku, żeby nie uchodziło powietrze.

– Słyszałam, że tak się robi, ale nigdy tego nie widziałam.

Nie szczękała zębami, ale Juan usłyszał napięcie w jej głosie.

– O wiele łatwiej było to ćwiczyć w basenie – odparł. Nie chciał teraz mówić Sloane, że ta sztuczka nieraz uratowała mu życie.

Utrzymując się na powierzchni dzięki wypełnionym powietrzem spodniom, płynęła dużo żwawiej. Wreszcie dotarli w pobliże celu, gdzie jego ogromna masywna konstrukcja spowalniała ruch fal.

– Czujesz? – zapytała Sloane.

– Co?

– Woda jest cieplejsza.

Obawiał się przez moment, że organizm Sloane już nie jest w stanie walczyć z zimnem. Ale po chwili poczuł to samo, co ona. Woda była cieplejsza, i to nie o stopień czy dwa, lecz o dziesięć lub piętnaście. Zastanawiał się, czy wzrostu temperatury nie powoduje otwór geotermiczny. Czy to może również tłumaczyć obecność masywnej konstrukcji na powierzchni morza? Czy wykorzystuje ona jakoś to zjawisko?

To, co Papa Heinrick nazywał metalowym wężem, było matowozieloną rurą. Juan ocenił, że ma ona średnicę co najmniej dziesięciu metrów, ale z wody wystawały tylko dwa. Rura wyginała się przy każdej przepływającej pod nią fali. Uznał, że wcześniej dobrze ocenił długość konstrukcji na trzysta metrów.

Tuż przy rurze temperatura wody dochodziła do trzydziestu stopni Celsjusza. Juan przyłożył dłoń do metalu i poczuł, że jest ciepły. Z wnętrza konstrukcji przenikały wibracje maszyny, wielkich tłoków przesuwających się tam i z powrotem przy każdym ruchu wody.

Popłynęli wzdłuż rury, trzymając się w takiej odległości, by fala nie rzuciła ich na nią. Po kilkudziesięciu metrach natrafili na jeden z przegubów. Odgłos maszyny przybrał na sile, mechanizm prawdopodobnie przetwarzał działanie fal na jakąś energię. Do boku rury były przyspawane szczeble, żeby obsługa mogła dotrzeć do masywnego zawiasu. Wspięli się na pierwszy stopień. Sloane wypuściła powietrze ze spodni Juana i rozwiązała nogawki, zanim do niej dołączył.

Zrobiła gwałtowny wdech. Światła było dość, by mogła zobaczyć, że Cabrillo ma poniżej prawego kolana protezę.

– Przepraszam, że tak zareagowałam – szepnęła. – Nie miałam pojęcia. Wcale nie utykasz.

– Zdążyłem się przyzwyczaić do tego. – Poklepał tytanowy wspornik, który zastępował mu goleń. – Pożegnalny postrzał od chińskiej marynarki wojennej przed paroma laty.

– Koniecznie musisz mi opowiedzieć historię swojego życia.

Cabrillo przestał się zastanawiać, jak George Adams mógł przeoczyć rurę, kiedy oglądał ten rejon z helikoptera „Oregona". Skoncentrował się na ich obecnej sytuacji. On i Sloane byli bezbronni, dopóki jacht stał przycumowany do przeciwległego końca konstrukcji. Miał tylko jedno wyjście.

Włożył spodnie i znalazł właz na górze rury. Otworzył go i zobaczył poniżej drugi. Później zbadają wnętrze. Umieścił telefon satelitarny w przestrzeni między włazami i zamknął zewnętrzny.

Ujął dłoń Sloane i spojrzał jej w oczy.

– Nie mogę sobie pozwolić na to, żeby wziąć jeńców, bo nie wiem, jak długo będziemy tu tkwić. Rozumiesz?

– Tak.

– Możesz tu zostać, jeśli chcesz, ale decyzja należy do ciebie.

– Pójdę z tobą i zobaczę, jak się będę czuła, kiedy podejdziemy bliżej.

– W porządku. Chodźmy.

Pierwszych sto pięćdziesiąt metrów przeszli po prostu w półprzysiadzie, żeby nie zauważono ich z jachtu, ale gdy znaleźli się bliżej, Juan kazał Sloane położyć się na ruchomej rurze i poczołgali się dalej, przytrzymując się gładkiej powierzchni, gdy duża fala powodowała jej wygięcie.

Juan, który nigdy w życiu nie miał choroby morskiej, dostał mdłości od dziwnego ruchu rury. Sloane też wyglądała nieszczególnie.

Piętnaście metrów od jachtu zaczęli pełznąć. Szczyt rury zasłaniał ich, dopóki nie zbliżyli się do jej końca na odległość około trzech metrów. Zobaczyli wyraźnie jacht przycumowany do pływającej platformy, która była z kolei przywiązana do boku segmentu rury. Wszystko oddzielały od siebie uginające się i skrzypiące gumowe odbojniki. Z okien jachtu bił jasny blask, na mostku odcinała się na tle zielonej poświaty ekranu radaru sylwetka mężczyzny. Do długiego pokładu dziobowego była przymocowana wyrzutnia rakietowa na trójnogu.

Gdyby tę operację prowadziła Korporacja, kazałby rozstrzelać całą załogę za brak dyscypliny w używaniu światła. Jacht był widoczny z odległości mili morskiej i jakiś obserwator w małej łodzi mógłby się łatwo ukryć przed radarem w chaosie sztormu.

Musiał jednak przyznać, że tamci bardzo precyzyjnie namierzyli jego i Sloane, kiedy się zbliżali.

Przywierali do rury prawie godzinę. Mimo mokrych ubrań i zimnego wiatru nie czuli chłodu, bo ogrzewał ich ciepły metal. Juan zorientował się, że na jachcie jest czterech mężczyzn i zmieniają się przy wyświetlaczu radaru na mostku. Przez jakiś czas nosili broń, wciąż podekscytowani zatopieniem szalupy „Oregona", ale wkrótce nuda przytępiła ich czujność i zdjęli z ramion pistolety maszynowe.

Juan wiedział, że przy stosunku sił cztery do jednego ma po swojej stronie tylko element zaskoczenia i musi działać brutalnie.

– Lepiej zrobię to sam – powiedział do Sloane i zsunął się wolno ze szczytu rury.

Jego głos zabrzmiał tak złowrogo, że się wzdrygnęła.

Opadł cicho na pływającą platformę, nie odrywając oczu od mężczyzny na mostku, który patrzył na sztorm przez gogle noktowizyjne. Juan przeciął platformę, przeszedł ostrożnie przez burtę jachtu i stanął na pokładzie rufowym. Odsuwane szklane drzwi prowadziły do kabiny, schody wpuszczone w fiberglasową nadbudowę statku wznosiły się na poziom mostka.

Drzwi były szczelnie zamknięte z powodu wiatru.

Juan wspiął się schylony po stopniach i odwrócił głowę w bok, gdy dotarł do szczytu, toteż tylko niewielka część jego twarzy mogła być widoczna z mostka. Obserwator wciąż patrzył na morze. Juan przebył resztę drogi na górę tak wolno, że wydawał się nieruchomy. Na tablicy przyrządów leżał pistolet, niecałe trzydzieści centymetrów od mężczyzny, który był wyższy od Juana o dobrych dziesięć centymetrów i cięższy od niego o jakieś piętnaście kilogramów. Różnica wzrostu i wagi wykluczała uduszenie go bez hałasu. Walczyłby jak byk.

Cabrillo pokonywał dzielące ich trzy metry, gdy nagle silny podmuch wiatru uderzył w jacht. Mężczyzna sięgał właśnie do gogli, by je zdjąć, kiedy Juan chwycił go jedną ręką za podbródek, szarpnął i walnął przedramieniem w skroń. Suma sił spowodowała pęknięcie kręgosłupa i kręgi rozdzieliły się z cichym trzaskiem. Juan położył ciało delikatnie na pokładzie.

– Trzy do jednego – powiedział bezgłośnie. Nie miał wyrzutów sumienia, bo dwie godziny wcześniej ci ludzie wysadzili w powietrze jego łódź bez ostrzeżenia.

Opuścił się ze skrzydła mostka na wąski pomost, który łączył część rufową jachtu z długim pokładem dziobowym. Po prawej i po lewej stronie było okno. W jednym nie paliło się światło, w drugim jaśniała poświata telewizora. Zajrzał szybko do tego pomieszczenia. Jeden strażnik siedział na skórzanej kanapie i oglądał na DVD film o sztukach walki, drugi stał w aneksie kuchennym i podgrzewał dzbanek herbaty na gazie. Miał pistolet w kaburze pod pachą. Juan nie mógł dostrzec, czy pierwszy mężczyzna jest uzbrojony.

Zorientował się, że z pokładu rufowego nie zdołałby oddać czystego strzału do żadnego z nich, i nie miał pojęcia, gdzie jest czwarty ochroniarz. Przypuszczalnie spał, ale Juan dobrze wiedział, jak łatwo można zginąć, polegając na przypuszczeniach.

Oparł się tyłem o wypolerowany aluminiowy reling, żeby zrobić sobie trochę miejsca na wąskim pomoście, i otworzył ogień. Wpakował dwie kule w faceta przy kuchence, który runął na płonące palniki. Jego koszula natychmiast się zajęła.

Ochroniarz na kanapie zareagował z szybkością kota. Zanim Juan przesunął lufę i znów dwukrotnie nacisnął spust, mężczyzna już się przetaczał po puszystym dywanie. Pociski przebiły kanapę i wyrzuciły w powietrze kawałki wypełniającego się materiału.

Juan skorygował linię strzału, ale strażnik ukrył się za barem przy przeciwległej ścianie. Cabrillo nie miał tyle amunicji, żeby walić na oślep, i był zły na siebie, że zmarnował dwa naboje. Kiedy ochroniarz wyłonił się zza baru, trzymał pistolet maszynowy i opróżniał chaotycznie pół magazynka.

Cabrillo dał nura na podłogę. Posypało się szkło, pociski zagwizdały mu nad głową. Zrykoszetowały od solidnej stalowej rury za nim i poszybowały nieszkodliwie w noc. Przedostał się na rufę i zwalczył w sobie naturalny odruch, by stoczyć się z jachtu na platformę cumowniczą. Chwycił się wspornika składanego zadaszenia, obrócił wokół niego i znalazł z powrotem na schodach. Wspiął się po nich najszybciej jak mógł i wychylił za reling nad roztrzaskanym oknem.

Pojawiła się krótka lufa pistoletu maszynowego. Ochroniarz wodził nią tam i z powrotem w poszukiwaniu swojej ofiary. Kiedy nie zobaczył na pomoście zwłok, wystawił przez okno głowę i ramiona. Spojrzał w stronę dziobu i rufy. Wciąż nie widział Juana, więc wysunął się dalej, żeby sprawdzić, czy go nie ma na platformie.

– Nie ten kierunek, koleś.

Strażnik odwrócił się gwałtownie i już unosił skorpiona, gdy Juan powstrzymał go strzałem w skroń. Pistolet maszynowy wylądował w wodzie między burtą jachtu a platformą.

Huk glocka zdradził pozycję Juana ostatniemu ochroniarzowi. W podłodze mostka przybywało dziur, gdy strażnik na dole siekał serią sufit kabiny.

Juan chciał skoczyć na tablicę przyrządów, ale zatoczył się, kiedy pocisk przepołowił mu sztuczną stopę. Siła trafienia i własny rozpęd rzuciły go na niską owiewkę i stoczył się po pochyłej przedniej szybie kabiny.

Uderzył plecami w pokład dziobowy i stracił oddech. Podniósł się na kolana, ale kiedy spróbował wstać, mechanizm protezy odmówił posłuszeństwa. Supernowoczesna sztuczna noga stała się tym samym, co drewniany kołek.

W pięknie urządzonym salonie jachtu zobaczył sylwetkę czwartego strzelca na tle szalejącego pożaru. Przewód doprowadzający butan do kuchenki przepalił się i tryskał z niego w górę ognisty strumień. Płomienie sięgały sufitu i rozprzestrzeniały się na nim od rogu do rogu. Roztopiony plastik kapał na dywan i wzniecał małe pożary.

Ochroniarz usłyszał hałas, gdy Juan spadał z mostka. Przestał pakować serie w sufit kabiny i skierował ostrzał na przednią szybę. Pojawiły się na niej pajęczyny pęknięć, okruchy szkła posypały się na Cabrillo jak garście diamentów.

Juan odczekał chwilę i zaczął się podnosić, by odpowiedzieć ogniem. Strażnik wybił szybę, runął mu na pierś i przygwoździł go do pokładu. Cabrillo zdołał opasać mu nogę ramieniem, gdy potoczyli się po jachcie. Ochroniarz przygniatał Juana, ale nie mógł tak obrócić pistoletu maszynowego, by oddać strzał. Unieruchomił jednak rękę, w której ten trzymał broń.

Spróbował walnąć go bykiem w nos, ale przeciwnik w ostatniej chwili schylił głowę i zderzyli się czołami z taką siłą, że Juanowi pojawiły się mroczki przed oczami.

Strażnik chciał wbić mu kolano w krocze. Juan przekręcił na bok dolną połowę ciała i przyjął cios na udo. Kiedy ochroniarz znów spróbował, Cabrillo wcisnął nogę między nich i wyrzucił ją do góry z całej siły. Udało mu się dźwignąć z siebie przeciwnika na krótką chwilę, ale mężczyzna był równie silny i znów przygniótł go do pokładu.

Juan zdołał tak podkurczyć protezę, że ostre odłamki stopy z włókna węglowego przecięły napięte mięśnie podbrzusza napastnika. Cabrillo złapał go za ramiona, przyciągnął do siebie i kopnął mocno.

Poczuł, jak sztuczna noga zagłębia się w brzuch ochroniarza, i wiedział, że on, Juan, nigdy tej chwili nie zapomni. Zrzucił z siebie strażnika, gdy jego wrzaski zamieniły się w bulgot, który w końcu umilkł.

Podniósł się chwiejnie. Część rufowa jachtu płonęła, płomienie kładły się niemal poziomo w podmuchach wiatru. Nie było sposobu na ugaszenie pożaru, więc Juan skierował się do burty. Pokuśtykał przez reling i opuścił się na platformę cumowniczą. Ukląkł i opłukał szybko protezę w morzu.

– Sloane! – krzyknął w noc. – Możesz już wyjść.

Zobaczył jej twarz nad szczytem wielkiej rury; blady owal na tle ciemności. Sloane, która tam przykucnęła, wstała wolno i skierowała się w jego stronę. Utykając, wyszedł jej na spotkanie. Dzieliło ich pół metra, gdy zobaczył w jej oczach przerażenie. Otworzyła usta, ale Juan już zrozumiał i ubiegł jej ostrzeżenie. Obrócił się błyskawicznie, uszkodzona proteza nie trzymała się mocno i obsunęła się na śliskiej platformie, ale zdążył jeszcze unieść glocka, gdy na pokładzie dziobowym jachtu pojawił się mężczyzna. W jednej ręce trzymał pistolet, w drugiej neseser i był o sekundę szybszy od Juana.

Jego broń wypaliła, kiedy Cabrillo tracił równowagę i przewracał się jakby w zwolnionym tempie.

Strzelił dwa razy, gdy upadł na plecy. Pierwszy pocisk chybił, ale drugi trafił w cel. Pistolet wyleciał z martwych palców przeciwnika, neseser wylądował na pływającej platformie.

Juan spojrzał na Sloane.

Klęczała, przyciskając zakrwawioną dłoń do boku; twarz miała ściągniętą bólem.

Cabrillo podczołgał się do niej.

– Wytrzymaj, Sloane, wytrzymaj – uspokoił ją. – Pokaż mi to.

Uniósł delikatnie jej ramię; krew była gorąca i śliska. Wciągnęła powietrze przez zęby i łzy popłynęły jej po policzkach. Krzyknęła, gdy dotknął niechcący rozerwanej skóry.

– Przepraszam.

Odciągnął jej bluzkę od ciała, wsunął palce do dziury w materiale, którą zrobił pocisk, i rozdarł tkaninę, żeby widzieć otwór wlotowy. Wytarł ostrożnie krew kawałkiem bluzki. W chybotliwym świetle płomieni zobaczył, że pocisk pozostawił pięciocentymetrową bruzdę pod pachą wzdłuż klatki piersiowej.

Spojrzał Sloane w oczy.

– Nic ci nie będzie. To tylko draśnięcie.

– Boli, Juan. Jezu, jak to boli.

Trzymał ją niezdarnie, uważając na ranę.

– Wiem, wiem.

– Domyślam się, że wiesz – odparła przez zaciśnięte zęby. – Płaczę jak dziecko z takiego powodu, a tobie Chińczycy odstrzelili nogę.

– Max twierdzi, że kiedy minął szok, darłem się jak cały żłobek pełen niemowląt z kolką. Zaczekaj tu chwilę.

– Nie wybieram się popływać ani nigdzie indziej.

Juan wrócił na jacht. Pożar uniemożliwił mu zabranie czegokolwiek z kabiny lub kajut, ale zdołał ściągnąć sportową marynarkę martwemu mężczyźnie. Facet nosił blezer od Armaniego za tysiąc dolarów, więc raczej nie był ochroniarzem, tylko najprawdopodobniej szefem operacji. To przypuszczenie potwierdziło się, kiedy neseser okazał się laptopem. Zabrał go na platformę.

– Jeśli facet chciał uratować sprzęt – mówił, pokazując Sloane komputer ThinkPad – to musi w nim być coś ważnego. Trzeba się oddalić od tego jachtu. Kiedy jego bliźniak eksplodował przy burcie „Oregona", mieliśmy niezły pokaz fajerwerków.

Podtrzymywali się wzajemnie, żeby móc iść, Juan z uszkodzoną protezą i Sloane z raną w boku, ale jakoś udało im się dowlec tam, gdzie Cabrillo ukrył telefon satelitarny. Położył Sloane na ciepłej metalowej rurze i usiadł obok tak, żeby mogła oprzeć głowę na jego udzie. Przykrył ją sportową marynarką i głaskał po włosach, dopóki jej organizm nie przezwyciężył bólu i nie straciła przytomności.

Wtedy otworzył laptop i zaczął przeglądać pliki. Dopiero po godzinie zorientował się, czym jest trzystumetrowa rura, a po następnej wiedział, że w pobliżu znajduje się trzydzieści dziewięć takich samych w czterech długich rzędach. Choć nadal nie miał pojęcia, czemu to wszystko służy, godzinę przed świtem doszedł w końcu do tego, jak przerwać pracę urządzenia po podłączeniu laptopa do portu serwisowego pod włazem, gdzie zostawił telefon.

Kiedy kontrolka na małym monitorze pokazała, że maszyna już nie generuje prądu elektrycznego, choć jej mechanizmy nadal reagują na działanie fal morskich przepływających wzdłuż niej, Juan sprawdził swój telefon satelitarny. Natychmiast usłyszał sygnał.

Generator i jego klony napędzane ruchem fal wytwarzały rozległe pole elektryczne, które powodowało niesprawność elektroniki na łodzi ratunkowej, telefonu i kompasu. Po wyłączeniu generatorów pole zniknęło i telefon znów zaczął działać. Juan przypuszczał, że laptop jest zabezpieczony przed wpływem silnych impulsów elektromagnetycznych.

Wybrał numer. Człowiek, do którego zadzwonił, odebrał telefon po czwartym dzwonku.

– Tu recepcja, panie Hanley. Zamawiał pan budzenie na czwartą trzydzieści.

– Juan? Juan!

– Cześć, Max.

– Gdzie ty się podziewasz, do diabła? Nie mogliśmy cię złapać na łodzi ratunkowej. Nie odbierałeś telefonu. Nawet twój lokalizator podskórny nie nadawał.

– Nie uwierzysz, ale tkwimy na środku oceanu na grzbiecie ogromngo metalowego węża Papy Heinricka. I natknęliśmy się na coś dziwnego.

– Jeszcze nic nie wiesz, przyjacielu. Jeszcze nic nie wiesz.

Rozdział 18

Doktor Julia Huxley, lekarka „Oregona", przyleciała do wodnej stacji generatorowej na pokładzie robinsona R-44, więc zanim mały helikopter wylądował z powrotem na frachtowcu, Sloane Macintyre była już podłączona do kroplówki z roztworem soli fizjologicznej, żeby się nie odwodniła. Dostała środki przeciwbólowe i antybiotyki. Julia zdjęła z niej mokre ubranie i owinęła ją kocem termicznym. Oczyściła i opatrzyła ranę postrzałową najlepiej jak mogła przy użyciu tego, co zabrała ze sobą, ale chciała jak najszybciej zająć się pacjentką we właściwy sposób.

Sanitariusze czekali z noszami na kółkach, kiedy wysuwane lądowisko opuszczono do ładowni, i Sloane została przewieziona do izby chorych, która w niczym nie ustępowała najlepszym wielkomiejskim ośrodkom psychoterapeutycznym dla ofiar wypadków.

Huxley szybko stwierdziła, że Juanowi nic nie jest, i kazała mu wypić litrową butelkę ohydnego napoju regeneracyjnego dla sportowców i połknąć kilka aspiryn. Max przyniósł mu do hangaru „zapasową nogę".

Cabrillo usiadł na ławce. Pędzący wcześniej szaleńczo z Kapsztadu „Oregon" zwolnił, by George Adams mógł wylądować helikopterem, i teraz, gdy Juan wymieniał uszkodzoną protezę, poczuł, że statek znów przyspiesza.

Ze złością szarpnął w dół mankiety spodni i ruszył szybkim krokiem.

– Starszy personel ma być w sali posiedzeń za piętnaście minut – zawołał przez ramię.

Zespół zebrał się, zanim Juan wziął szybki prysznic i ogolił się. Maurice zaparzył kawę i postawił parującą filiżankę dla prezesa u szczytu stołu konferencyjnego z wiśniowego drewna. Pancerne pokrywy bulajów otwarto, toteż pomieszczenie było jasno oświetlone, co kontrastowało z chmurnymi minami mężczyzn i kobiet siedzących wokół stołu.

Juan wypił łyk kawy.

– No dobra, więc co się, do cholery, stało? – zapytał szorstko.

Linda Ross uznała, że ona jako szefowa wywiadu Korporacji powinna na to odpowiedzieć. Przełknęła pospiesznie ciastko.

– Wczoraj rano kinszaska policja zrobiła nalot na pewien podmiejski dom uważany przez nią za centralę dystrybucji narkotyków. Aresztowała kilka osób i znalazła broń, trochę prochów i dokumenty świadczące o powiązaniach dilerów z Samuelem Makambo i jego Kongijską Armią Rewolucyjną.

– To facet, który kupił od nas broń – przypomniał niepotrzebnie Mark Murphy. Nie podniósł wzroku znad laptopa, który Juan zabrał z wodnej stacji generatorowej.

– Okazało się – mówiła Linda – że Makambo wykorzystywał pieniądze ze sprzedaży narkotyków do finansowania swoich działań, a także, co zaskoczyło policję, za łapówki udawało mu się infiltrować najwyższe szczeble władzy. Miał na swojej liście płac wielu wysokich urzędników państwowych, łącznie z Benjaminem Isaką, wiceministrem obrony. Za pięćdziesiąt tysięcy euro rocznie wpłacanych do szwajcarskiego banku Isaka informował Makambo o posunięciach rządu mających na celu zlokalizowanie jego tajnej bazy operacyjnej. Stale dawał cynk przywódcy rebeliantów, toteż armia Makambo zawsze wyprzedzała o krok siły rządowe.

Max siedział przy przeciwległym końcu wypolerowanego stołu z bardziej ponurym wyrazem twarzy niż zwykle.

– Kiedy skontaktowaliśmy się z Makambo, udając handlarzy bronią, już wiedział, że jest wrabiany. Isaka powiedział mu, że w kałasznikowach i wyrzutniach będą ukryte nadajniki naprowadzające. Pierwszą rzeczą, którą zrobił po naszej ucieczce, było rozmontowanie karabinków i granatników i wrzucenie pluskiew do rzeki.

– Isaka przyznał się do tego?

– Nie publicznie – odrzekł Max. – Ale rozmawiałem przez telefon z paroma osobami w ich rządzie. Kiedy im wyjaśniłem, kim jestem, i tak dalej, zdradzili mi, że oddział wysłany do wytropienia broni zameldował, iż nie opuściła przystani, dopóki odbierali sygnały.

– A kiedy się tam zjawili – domyślił się Juan – nie było już ani śladu rebeliantów i broni. – Spojrzał na Marka Murphy'ego. – Czy nasze nadajniki jeszcze działają?

– Baterie powinny wystarczyć na mniej więcej dwadzieścia cztery–trzydzieści sześć godzin. Jeśli w porę dostanę się do Konga, spróbuję złapać namiar z helikoptera lub samolotu.

– Czy Mały doleciał już do Swakopmund naszym citationem? – zapytał Juan, kalkulując w myślach odległość, prędkość i czas.

– Powinien tam być koło pierwszej.

– Okej, zrobimy tak. Kiedy tylko będziemy mieć wybrzeże w zasięgu helikoptera, przerzucimy nim Murphy'ego na ląd i Mały dostarczy go samolotem do Kinszasy. Tam, Mark, będziesz musiał wyczarterować sobie coś do latania, bo Mały musi wrócić na nocny desant spadochronowy.

– Przydałaby mi się pomoc.

– Weź Erica. Max może być kapitanem i sternikiem, kiedy będziemy przeprowadzać operację.

Po raz pierwszy odezwał się Eddie Seng.

– Prezesie, tamta broń mogła do tej pory rozejść się po całym Kongu.

Cabrillo skinął głową.

– Wiem, ale musimy spróbować. Jeśli tych dziesięć sztuk z naszymi nadajnikami jest razem, to reszta pewnie też.

– Myślisz, że Makambo planuje atak? – zapytała Linda.

– Nie dowiemy się tego, dopóki Mark i Eric nie zlokalizują broni.

– Mam! – wykrzyknął Mark i podniósł wzrok znad laptopa.

– Co?

– W tym komputerze były pliki zapisane szyfrem. Właśnie go złamałem.

– Co tam jest?

– Dajcie mi chwilę.

Juan popijał kawę, Linda pożerała następne ciastko. Nagle w drzwiach sali konferencyjnej pojawiła się doktor Huxley. Miała tylko metr sześćdziesiąt wzrostu, ale właściwą lekarzom imponującą osobowość. Ciemne włosy związała jak zawsze w koński ogon, zielony strój chirurgiczny pod fartuchem lekarskim tylko nieznacznie maskował krągłości jej figury.

– Jak tam nasza pacjentka? – zapytał Juan, gdy tylko ją zauważył.

– Nic jej nie będzie. Trochę się odwodniła, ale już po wszystkim. Ma pęknięte dwa żebra i założyłam jej dwadzieścia szwów na ranę. Dostała środki uspokajające, przez jakiś czas będzie musiała brać przeciwbólowe.

– Wspaniała robota.

– Żartujesz? Po kilku latach łatania tej bandy piratów mogłabym ją opatrzyć z zamkniętymi oczami. – Julia poczęstowała się kawą.

– Nie będzie potrzebować opieki do twojego powrotu, czy raczej powinnaś z nią zostać?

Huxley się zastanowiła.

– Dopóki nie ma objawów infekcji, takich jak gorączka czy zwiększona liczba białych krwinek, nie trzeba nad nią czuwać. Ale jeśli porywacze zranią Merricka lub kogoś z was... Sam wiesz. Będę wam potrzebna w naszym samolocie. Ostateczną decyzję podejmę tuż przed akcją, ale przeczucie mówi mi, że będę mogła ją zostawić.

W sprawach medycznych Juan zawsze polegał na zdaniu doktor Huxley.

– Okej, zrobisz to, co uznasz za słuszne.

– A niech mnie – powiedział z podziwem Mark. Eric Stone pochylał się nad ramieniem swojego najlepszego przyjaciela, tekst na ekranie laptopa odbijał się w jego okularach, których od niedawna używał.

Wszystkie głowy zwróciły się w kierunku młodego specjalisty od uzbrojenia.

Czytał dalej, nieświadomy ogólnego zainteresowania, dopóki Juan nie chrząknął. Wtedy podniósł wzrok.

– O, przepraszam. Natknąłeś się tam na generator napędzany falami morskimi, ale to jest operacja na niewiarygodną skalę. Do tej pory wiedziałem, że ta technika jest jeszcze w powijakach i zaledwie kilka takich urządzeń przechodzi próby u wybrzeży Portugalii i Szkocji.

– To działa tak – mówił dalej – że energia fal morskich wygina przeguby rury, co powoduje ruch taranów hydraulicznych. Te z kolei przetłaczają olej przez silnik z akumulatorem wyrównującym przepływ. Silnik obraca generator i masz prąd elektryczny.

Max Hanley, inżynier, był pod największym wrażeniem.

– Cholernie pomysłowe. Jaką to ma wydajność?

– Każde urządzenie mogłoby zasilać dwutysięczne miasteczko. A tych maszyn jest czterdzieści, więc to naprawdę dużo energii elektrycznej.

– Czemu to służy? – zapytał Juan. – Dokąd trafia prąd?

– Właśnie to było zaszyfrowane. Każdy generator jest zakotwiczony do dna morskiego wysuwanymi linami. Dlatego George nie widział tych rur w czasie przelotu nad tamtym rejonem. Kiedy morze jest spokojne lub radar na łodziach ochrony wykryje zbliżający się statek, generatory są opuszczane o dziesięć metrów. Prąd płynie kablem do wielu grzejników rozmieszczonych wzdłuż każdej rury.

– Powiedziałeś „grzejników"? – upewnił się Eddie.

– Tak. Ktoś widocznie uznał, że woda w tamtej okolicy jest za chłodna, i postanowił ją podgrzewać.

Cabrillo wypił następny łyk kawy i poczęstował się ciastkiem, zanim Linda pochłonęła wszystkie.

– Wiadomo, od kiedy trwa ta operacja?

– Od początku 2004 roku.

– Z jakim skutkiem?

– W komputerze nie ma takich danych – odparł Mark. – Nie jestem oceanologiem, ale wyobrażam sobie, że nawet taka ilość ciepła ma duży wpływ na cały ocean. Wiem, że ciepło odprowadzane z reaktora jądrowego może ogrzać rzekę o kilka stopni, choć tylko lokalnie.

Juan oparł się o krzesło i w zamyśleniu uderzał palcami w podbródek. Od czasu do czasu spoglądał na kolegów. Dyskutowali, snuli domysły, ale nie słyszał ich głosów. Widział w wyobraźni wielkie stacje generatorowe na grzbietach fal i rozżarzone grzejniki pod nimi, które ogrzewają wodę płynącą na północ wzdłuż afrykańskiego wybrzeża.

– Gdyby nie bandziory ze spluwami – mówił Mark, gdy Juan ocknął się z zadumy – podejrzewałbym, że to jakiś projekt artystyczny tego faceta... jak mu tam? Wiecie, tego, który owija wyspy materiałem i zbudował tamte bramy w Central Parku. Crisco?

– Christo – poprawił Max, który też gdzieś błądził myślami.

– Mark, jesteś geniuszem – stwierdził Cabrillo.

– Co? Uważasz, że to jakiś pokręcony projekt artystyczny?

– Nie. Chodzi mi o to, co mówiłeś o rzece. – Popatrzył na siedzących przy stole. – To nie ma na celu ogrzania całego oceanu, tylko jego określonej części. Jesteśmy w samym środku Prądu Benguelskiego, jednego z najbardziej zwartych na świecie. On płynie jak rzeka, ma wyraźne granice. I tutaj się rozwidla. Jedna odnoga kieruje się dalej na północ wzdłuż wybrzeża, a druga skręca na zachód i włącza się do podzwrotnikowego obiegu wody na południowym Atlantyku. Ten obieg niesie wodę wzdłuż Ameryki Południowej, gdzie ogrzewa się do temperatury o kilka stopni wyższej niż prąd, który płynie blisko Afryki.

– Na razie wszystko jasne – odezwał się Mark.

– Te dwa prądy łączą się znów w pobliżu równika, mieszają ze sobą i tworzą jak gdyby strefę buforową między prądami na półkuli północnej i południowej.

– Przepraszam, prezesie, ale nie widzę tu żadnej wielkiej sprawy.

– Jeśli te prądy będą miały zbliżoną temperaturę wtedy, kiedy się łączą, to ich działanie buforowe osłabnie, być może na tyle, że zostanie pokonana siła Coriolisa, która jest motorem powstawania przeważających wiatrów i tych płytkich prądów.

Eddie Seng odsunął szklankę z kawą i minę miał taką, jakby dokonał wielkiego odkrycia.

– To mogłoby całkowicie zmienić kierunek prądów morskich.

– Dokładnie tak. Ruch wirowy Ziemi wyznacza kierunek przeważających wiatrów, dlatego cyklony na południu obracają się w tę samą stronę, co wskazówki zegara, a huragany na północy w odwrotną. Z tego samego powodu ciepły Prąd Zatokowy wzdłuż wschodniego wybrzeża Stanów Zjednoczonych płynie na północ, a potem na wschód, i w Europie jest taki klimat, jaki jest. Większość tamtego kontynentu właściwie nie powinna być zamieszkana. Szkocja jest bardziej wysunięta na północ niż kanadyjska część Arktyki, na litość boską.

– Więc dobrze, woda z południa mija równik w pobliżu Afryki i co się wtedy dzieje? – zapytała Linda.

– Wpływa do rejonu, gdzie tworzą się atlantyckie huragany – wyjaśnił Eric Stone, nieoficjalny meteorolog „Oregona”. – Cieplejsza woda to większe parowanie, a większe parowanie to silniejsze sztormy. Temperatura powierzchniowa musi przekraczać dwadzieścia pięć stopni Celsjusza, żeby niż tropiklany przerodził się w huragan. Wchłania wówczas około dwóch miliardów ton wody na dobę.

– Dwa miliardy ton?! – wykrzyknęła Linda.

– A kiedy dociera nad ląd – kontynuował – zrzuca od dziesięciu do dwudziestu miliardów ton na dobę. To, czy sztorm jest kategorii pierwszej, piątej czy którejś z pośrednich, zależy od tego, jak długo wsysa wodę u wybrzeża Afryki.

Mark Murphy, zwykle najbystrzejsza osoba w tej sali, rozpromienił się, gdy w końcu zrozumiał.

– Przy sztucznym ogrzewaniu Prądu Benguelskiego i odpływie części tej wody na północ sztormy mogą tworzyć się dużo szybciej.

– I może być ich więcej – dodał Juan. – Czy ktoś podejrzewa to, co ja?

Mark przytaknął.

– Coś trochę pomaga silnym sztormom, które nawiedzają Stany od paru lat.

– Wszyscy eksperci od huraganów są zgodni, że zaczyna się naturalny cykl wzmożonej aktywności sztormowej – skontrował Eric.

– Co nie znaczy, że działanie generatorów i grzejników nie powoduje nasilania się tego zjawiska – odparował Mark.

– Panowie. – Juan uniósł dłoń. – Przewidywanie skutków tego wszystkiego zostawmy mądrzejszym od nas. Na razie wystarczy, że te urządzenia są wyłączone. Po zebraniu zadzwonię do Overholta i powiem mu, co odkryliśmy. Jest więcej niż prawdopodobne, że przekaże tę sprawę NUMA i to będzie ich problem. Murphy, przygotuj komputer, żebym mógł mu wysłać całą dokumentację.

– Już się robi.

– W tej chwili – ciągnął Juan – musimy się skoncentrować na uwolnieniu Geoffreya Merricka. Potem możemy pomyśleć o wytropieniu tych, którzy zainstalowali generatory.

– Uważasz, że jest związek? – zapytał Max z drugiego końca długiego stołu.

– Najpierw wątpiłem. Ale teraz jestem pewien. Facet w motorówce, którego Sloane i ja ścigaliśmy łodzią ratunkową, wolał się zabić niż ryzykować, że wpadnie w moje ręce. Nie bał się afrykańskiego więzienia. Był fanatykiem, gotowym umrzeć męczeńską śmiercią, żebyśmy nie odkryli grzejników. I wiemy, że porywaczom Merricka nie chodzi o okup. To sprawa polityczna, czyli tak kogoś wkurzył, że został uprowadzony.

– Ekologów – stwierdziła beznamiętnie Linda.

– Na sto procent – zgodził się Juan. – Mamy do czynienia z dwutorowym działaniem, atakiem na Merricka z jakiegoś powodu i próbą zakłócenia przepływu prądów oceanicznych tamtymi generatorami.

Eddie odchrząknął.

– Nie rozumiem, prezesie. Jeśli tamci ludzie dbają o środowisko naturalne, to dlaczego prowadą taki eksperyment w oceanie?

– Dowiemy się dziś w nocy, gdy odbijemy Merricka i złapiemy paru porywaczy.

Takielarze rozłożyli spadochrony drużyny desantowej w jednej z pustych ładowni „Oregona". Lśniący czarny nylon wyglądał jak olej rozlany na płytach pokładu. Kiedy Juan wszedł tam po dwudziestominutowej rozmowie telefonicznej z Langstonem Overholtem z CIA, Mike Trono i Jerry Pulaski już składali starannie spadochrony, żeby się nie splątały, gdy je otworzą siedem tysięcy pięćset metrów nad pustynią Namib. Mike był kiedyś ratownikiem spadochronowym w siłach powietrznych, Ski przyszedł do Korporacji po piętnastu latach służby w zwiadzie marines. Max gawędził z Eddiem i Lincem, którzy sprawdzali sprzęt i broń leżącą na kozłach ustawionych wzdłuż jednej ściany ładowni.

Cabrillo wiedział, że każdy członek Korporacji może pracować z jakimkolwiek innym bez najmniejszego problemu, ale wśród załogi było kilka idealnie dobranych par. Jedną z nich stanowili Linc i Eddie, drugą Mike i Pulaski. Obie dwójki siały totalne zniszczenie pod ogniem i potrafiły działać niemal telepatycznie.

Obok stołów stały cztery wyglądające solidnie motocykle, które „Oregon" zabrał z Kapsztadu. Przystosowane do warunków pustynnych, miały grube balonowe opony i amortyzatory o bardzo dużej sile tłumienia. Ekipa mechaników usunęła z motorów wszystko co mogła, żeby je odciążyć, i pokryła jaskrawy lakier warstwą farby maskującej.

Kiedy Cabrillo szedł przez rozległe pomieszczenie, zadzwonił jego okrętowy telefon komórkowy.

– Tak?

– Prezesie, tu Eric. Chciałem tylko zawiadomić, że Swakopmund będziemy mieć w zasięgu helikoptera za dwadzieścia minut. Już dałem znać George'owi, więc zatankuje maszynę i przygotuje do startu. Mark kompletuje teraz nasz sprzęt. Mały będzie citationem na lotnisku, zanim tam dolecimy, i udało mi się wyczarterować samolot w Kinszasie.

– Dobra robota.

– Jeśli wszystko pójdzie zgodnie z planem, zaczniemy poszukiwania jutro o świcie.

– Więc będziecie mieć ile? Osiemnaście godzin, zanim siądą baterie?

– Mniej więcej. Wiem, że to wydaje się niedużo, ale znajdziemy broń.

Wszyscy na pokładzie dobrze wiedzieli, jak bardzo Juan przejął się tym, że został wykorzystany przez Benjamina Isakę i jego wspólnika, przywódcę rebeliantów, Samuela Makambo. Nie mógł się pogodzić z tym, że wspomógł taką liczbą broni prowadzenie brutalnej wojny domowej. Z każdą sekundą rosło prawdopodobieństwo, że karabinki i granatniki zostaną użyte przeciwko niewinnym cywilom. Wbrew temu, co mówił wcześniej Sloane o odpowiedzialności, wiedział, że jeśli zginą ludzie, on będzie czuł się współwinny i jakaś część jego samego też umrze.

– Dzięki, Eric – powiedział cicho.

– Nie ma za co, szefie.

– Jak wyglądamy? – zapytał Juan, gdy podszedł do trzech mężczyzn. Na stole stała makieta więzienia Diabelska Oaza, którą Kevin Nixon zbudował w Magicznej Pracowni na podstawie zdjęć satelitarnych i zaledwie kilku ziarnistych fotografii, jakie udało im się znaleźć w Internecie.

– Kevin zrobił nam fajną zabawkę – mówił Eddie – ale bez znajomości rozkładu wnętrza i dokładnej lokalizacji miejsca pobytu Merricka będziemy działać w ciemno.

– Więc jak chcesz to rozegrać?

Seng był szefem operacji lądowych i do niego należało zaplanowanie ataku.

– Tak jak mówiliśmy. Wykonamy skok z dużej wysokości z wczesnym otwarciem spadochronów około stu kilometrów na północ od obiektu, żeby nie usłyszeli naszego samolotu lub nie nabrali podejrzeń, jeśli mają radar. Dolecimy ślizgiem do celu, wylądujemy na dachu i będziemy pamiętać o starej prawdzie, że wszystkie plany biorą w łeb przy pierwszym kontakcie z przeciwnikiem.

Juan uśmiechnął się szeroko.

– Gdy Linc będzie opuszczał motocykle na ziemię – ciągnął Eddie – poszukamy Merricka i Susan Donleavy. Kiedy ich znajdziemy, wyniesiemy się stamtąd na motorach i spotkamy z Małym w jakimś miejscu nadającym się do wylądowania samolotem desantowym, które wybierze George.

– Nie zapomnij, że musimy złapać przynajmniej jednego porywacza, żeby z nim pogadać o generatorach.

– Osobiście zwiążę go jak gęś na Boże Narodzenie – obiecał Linc.

– Rozplanowałeś już przerzucenie wszystkich helikopterem na ląd?

– Tak. Z powodu limitu obciążenia maszyny George sporo się nalata. Będzie musiał zrobić cztery kursy, żeby dostarczyć wszystko na lotnisko. Ustaliliśmy, że ostatni przelot zrobi z najmniejszym obciążeniem. Dzięki temu będzie mógł zabrać puste dodatkowe zbiorniki paliwa. Zatankuje na lądzie i będzie miał aż nadto wystarczający zasięg, żeby znaleźć lądowisko dla Małego.

– Ustaw to tak, żebym się zabrał ostatnim kursem – powiedział Juan. – Chciałbym dziś trochę pospać.

– Już to uwzględniłem w rozpisce.

– Super. Jesteś pierwszy na liście kandydatów do tytułu pracownika miesiąca.

– Jak poszło z Langiem? – zapytał Max.

– Pogadamy, kiedy będę składać spadochron.

Juan zaczął starannie sprawdzać wielką czaszę, która umożliwiała skoczkowi obciążonemu dziewięćdziesięcioma kilogramami sprzętu lot z przeważającym wiatrem ku ziemi na dystansie do stu dwudziestu kilometrów. Ulubiony spadochron sił specjalnych miał dodatkowe miękkie nakładki na pasach uprzęży i dwustopniowy system otwierania czaszy, który osłabiał szarpnięcie przy wychodzeniu z krótkiego swobodnego opadania po opuszczeniu samolotu. Ale mimo tych zabezpieczeń moment pociągnięcia linki był próbą nerwów, bo skoczek wiedział, że jego organizm jest narażony na gwałtowny wstrząs.

– Dobre wieści z obu frontów – mówił Cabrillo, gdy przesuwał palcami wzdłuż linek, szukając oznak przetarcia. – Lang powiedział, że skontaktuje się z NUMA i pewnie wyślą statek do zbadania generatorów. I ponieważ to CIA zawarła umowę z Isaką, zapłacą nam za to, co i tak mieliśmy zrobić, i wezmą z powrotem tamtą broń.

– Ile dostaniemy?

– Ledwo starczy na pokrycie kosztów, więc nie planuj przejścia na wcześniejszą emeryturę.

– Lepsze to niż nic.

– To, że Benjamin Isaka okazał się agentem Kongijskiej Armii Rewolucyjnej Samuela Makambo, wywołało burzę w wydziale afrykańskim CIA. – Cabrillo zaczął tak układać linki, żeby po ich zgięciu móc je ścisnąć razem gumowymi opaskami.

– Nie przewidzieli tego?

– Kompletnie zaskoczeni. Muszą się teraz dobrze zastanowić, komu ze swoich ludzi na tym kontynencie mogą ufać. Podobno szefowa wydziału afrykańskiego jest gotowa złożyć rezygnację.

– Zrobi to?

– Wątpię. Jeśli odzyskamy tamtą broń, CIA zamiecie sprawę pod dywan.

– Coś mi się wydaje, że pod tym dywanem nie zostało już dużo miejsca.

– I masz rację. Nikt nie chce wiedzieć, co schrzaniła CIA. To stwarza wrażenie, że Stany Zjednoczone są niekompetentne i, co ważniejsze, nieprzygotowane. Więc kiedy jest jakiś problem...

– Na przykład taki, że Agencja zaufała facetowi, który okazał się człowiekiem rebeliantów próbujących obalić rząd.

– Właśnie. Przechodzą w tryb „chroń swój tyłek" i nikt nie płaci za błąd. Taka jest polityka firmy. Nikt nie tłumaczy się z tego, dlaczego nie przewidziano wypadków z 11 września, irackiej inwazji na Kuwejt czy rozwoju programów nuklearnych Indii i Pakistanu. Dlatego odszedłem, między innymi.

– Przynajmniej my zamierzamy tym razem załawić sprawę jak należy. Eee... Juan.

Zmiana tonu głosu Hanleya sprawiła, że Cabrillo podniósł wzrok.

– Nic ci się nie stanie? – Max wskazał głową spadochron.

Cabrillo nie cierpiał litości. Ponure współczujące spojrzenia przechodniów tamtego dnia, kiedy Julia Huxley wywoziła go na wózku inwalidzkim ze szpitala w San Francisco z jedną nogawką spodni starannie spiętą szpilkami, doprowadzały go do wściekłości. Przysiągł sobie wtedy, że nikt już nigdy tak na niego nie spojrzy. Odkąd stracił nogę, przeszedł trzy operacje i poświęcił dosłownie tysiące godzin na fizjoterapię, żeby móc biegać bez najmniejszej oznaki utykania. Potrafił jeździć na nartach i pływać lepiej niż przedtem, gdy miał obie nogi, i bez trudu utrzymywał równowagę na protezie.

Był upośledzony fizycznie, ale nie był niepełnosprawny.

Jednak nie ze wszystkim radził sobie tak dobrze jak przed amputacją nogi. Nie wychodziły mu akrobatyczne skoki spadochronowe. Utrzymywanie ciała w wygiętej pozycji podczas opadania w powietrzu wymaga drobnych korekt rękami, ale to głównie nogi stabilizują skoczka. Ćwiczył to wiele razy, ale bez względu na to, jak bardzo się starał, nie udawało mu się zapobiec powolnej rotacji ciała, która szybko przechodziła w niebezpieczny korkociąg.

Nie czując naporu wiatru na kostkę i stopę, nie był w stanie przeciwdziałać obracaniu się bez pomocy partnera, który musiał go chwytać i stabilizować. Nie cierpiał się przyznawać do tej jednej z bardzo niewielu porażek i Max wiedział o tym.

– Wszystko będzie dobrze – odparł Cabrillo i dalej składał spadochron.

– Jesteś pewien?

Juan się uśmiechnął.

– Max, zachowujesz się jak stara baba. Po skoku z samolotu muszę tylko wygiąć plecy. Nie będziemy w swobodnym opadaniu tak długo, żebym zaczął się kręcić jak derwisz. Skaczemy z dużej wysokości i otwieramy spadochrony na dużej wysokości. Gdyby miało być inaczej, zostałbym na statku i obserwował desant razem z tobą na monitorach w centrum operacyjnym.

– W porządku. – Max skinął głową. – Chciałem się tylko upewnić.

Pół godziny później Juan oddał spadochron i sprzęt takielarzowi, żeby zaniósł je do hangaru helikopterowego blisko rufy „Oregona". Przed pójściem do swojej kajuty na długo odkładany wypoczynek wstąpił do izby chorych sprawdzić, jak się czuje Sloane. Nie zastał doktor Huxley za biurkiem w sąsiedniej sali operacyjnej, więc zajrzał do trzech sal pooperacyjnych. Znalazł Sloane w ostatniej. Spała w szpitalnym łóżku przy ściemnionym świetle. Była tylko częściowo przykryta kocami i Juan zobaczył opatrunek pod pachą. Wyglądało na to, że krwawienie ustało.

Jej miedziane włosy były rozrzucone na pościeli jak wachlarz, jedno pasemko opadło na czoło. Miała rozchylone usta i kiedy Juan odgarnął kosmyk, złączyła wargi jak do pocałunku i zatrzepotała powiekami, ale się nie obudziła.

Przykrył ją i wyszedł z sali. Dziesięć minut później, mimo uporczywych myśli o zbliżającej się akcji i zaginionej broni, spał tak mocno jak Sloane.

Budzik zadzwonił godzinę przed jego odlotem do Swakopmund na spotkanie z Gundersonem na tamtejszym lotnisku. Juan obudził się z jasnym umysłem, gotowy do działania. Stoczył się z łóżka, chciał wziąć drugi szybki prysznic, ale się rozmyślił.

Zapalił światło i udało mu się dotrzeć, skacząc, do szafy w ścianie. W głębi, niczym buty do konnej jazdy, stały jego sztuczne nogi. Niektóre były barwy cielistej i prawie nie różniły się barwą od naturalnych, inne wyglądały jak kończyny robota z odsłoniętymi tytanowymi wspornikami i widocznymi mechanizmami. Usiadł na ławce i przymocował do kolana drugą wersję nogi bojowej, jak to nazywał. Oryginalną zniszczono mu kilka miesięcy wcześniej na złomowisku statków w Indonezji.

W łydce był ukryty nóż bojowy i pistolet Kel-Tec kaliber 9 milimetrów, jeden z najmniejszych na świecie. Wystarczyło również miejsca na pakiet przeżycia i garotę pokrytą pyłem diamentowym. Kevin Nixon, który zmodyfikował Juanowi protezę, ulokował w stopie materiał wybuchowy C-4, a w kostce zapalnik czasowy. Było też parę innych gadżetów.

Juan sprawdził, czy proteza dobrze się trzyma, i na wszelki wypadek przypiął ją jeszcze paskami. Włożył mundur polowy w pustynnych barwach maskujących i wojskowe buty. Potem wyjął z sejfu drugiego glocka i pistolet maszynowy H&K MP5. Rusznikarz miał mu dostarczyć na lądowisko naładowane magazynki. Zapakował swój arsenał i zapasową uprząż bojową do taniej nylonowej torby.

Do drzwi kajuty zapukał delikatnie Maurice i wszedł do środka. Zgodnie z wcześniejszym zamówieniem Juana przyniósł tacę ze śniadaniem składającym się z owoców i produktów bogatych w węglowodany. Choć Cabrillo uwielbiał mocną kawę, którą parzył jego steward, zadowolił się kilkoma szklankami soku pomarańczowego. Lecieli na pustynię i choć wszystko zostało starannie zaplanowane, pił dużo płynów profilaktycznie, żeby się nie odwodnić, gdyby coś poszło źle.

– Przynosisz zaszczyt Królewskiej Marynarce Wojennej – powiedział Cabrillo, gdy skończył, wytarł usta i rzucił serwetkę na tacę.

– Ależ, panie kapitanie. – Maurice mówił pełnym godności tonem. Był jedynym członkiem Korporacji, który nie nazywał Juana prezesem, lecz kapitanem. – Nadzorowałem podawanie podwieczorku dwudziestu oficerom przy siedmiu w skali Beauforta u wybrzeży Falklandów w czasie tamtego drobnego konfliktu. Jeśli mogę być szczery, jeszcze nie miał pan okazji ocenić moich możliwości.

– Okej – odparł Cabrillo z szatańskim błyskiem w oku. – W takim razie, kiedy będzie huragan, zamówię ser gruyére, suflet z homarem i deser lodowy.

– Proszę bardzo, panie kapitanie – odpowiedział Maurice i wyszedł.

W drodze do hangaru Juan znów skręcił do okrętowego szpitala. Julia Huxley właśnie zamykała dwie czerwone plastikowe apteczki. Miała na sobie strój chirurgiczny, ale jej fartuch lekarski wisiał na oparciu krzesła.

– Widzę, że się pakujesz, więc rozumiem, że lecisz z nami, a nasza pacjentka czuje się dobrze, tak? – zagadnął Juan.

– Obudziła się jakąś godzinę temu. Jej stan jest stabilny i nie ma oznak infekcji, więc bez obawy mogę Sloane zostawić. Poza tym moi sanitariusze są lepiej wyszkoleni niż większość pielęgniarek na oddziałach pomocy doraźnej.

– Okej. Daj mi minutę, przywitam się z nią i potem zabiorę twój bagaż.

Sloane leżała podparta poduszkami. Była blada i miała przygasłe spojrzenie, ale na widok Juana opartego o framugę drzwi uśmiechnęła się promiennie.

– Cześć, słoneczko. Jak się czujesz? – Przeszedł przez salę i usiadł na brzegu łóżka.

– Trochę jak wstawiona po lekach, ale chyba okej.

– Huxley mówi, że nic ci nie będzie.

– Byłam zaskoczona, że twój lekarz to kobieta.

– W mojej załodze jest ich jedenaście, łącznie z moim drugim oficerem, Lindą Ross.

– Czy to helikopter tak warczy?

– Tak, przerzuca część ludzi na ląd.

Popatrzyła na jego mundur polowy.

– Obiecałeś, że powiesz mi, kim naprawdę jesteś.

– Powiem ci, kiedy wrócę – przyrzekł.

– Dokąd się wybierasz?

– Wykonać zadanie, które nas sprowadziło do Namibii. I mam nadzieję dowiedzieć się, kto cię zaatakował i kto zbudował generatory napędzane falami.

– Jesteś z CIA?

– Nie, ale pracowałem w tej firmie. I to ci musi wystarczyć do jutra. Co ty na to, żebym wpadł o ósmej na śniadanie?

– Jesteśmy umówieni.

Juan pochylił się i musnął wargami jej policzek.

– Śpij dobrze i do zobaczenia rano.

Wzięła go za rękę, kiedy wstał.

– Przykro mi, że wciągnęłam cię w moje problemy – powiedziała poważnym tonem. – Jeszcze raz przepraszam.

– Okazało się, że twoje problemy są związane z moimi, więc nie masz za co przepraszać. A poza tym to mnie powinno być przykro.

– Dlaczego?

– Bo nie znalazłaś swojego statku pełnego diamentów.

Westchnęła żałośnie.

– Wyszłam na głupią.

– Głowa do góry, tacy też wygrywają na loterii.

Juan wyszedł i wziął od Julii bagaże; w jednej ręce niósł apteczkę, w drugiej torbę z bronią, kiedy podążali razem do hangaru.

Rozdział 19

Ładownia w przestarzałym samolocie De Havilland C-7 Caribou była wystarczająco przestronna, żeby mężczyźni mogli mieć dużo miejsca na ławkach, gdzie zrzucili ekwipunek. Cztery małe motocykle zabezpieczone solidnymi sznurami przymocowanymi do haków stały blisko tyłu samolotu. Wnętrze maszyny zostało zmodyfikowane tak, że stało się hermetyczne; ludzie nie musieli się więc zmagać z panującymi na tej wysokości niskimi temperaturami ani korzystać z aparatów tlenowych, ale hałas dwóch silników gwiazdowych Pratt&Whitney uniemożliwiał rozmowę.

Cabrillo z ciężkim spadochronem przytroczonym z tyłu do ramion oparł się o ściankę działową, by odciążyć plecy. Przyglądał się uważnie twarzom swoich ludzi. Eddie Seng zauważył jego badawcze spojrzenie i uśmiechnął się zarozumiale. Mike Trono i Jerry Pulaski, siedzący obok siebie, grali w kamień–papier–nożyczki. Nie rywalizowali ze sobą. Był to ich swoisty rytuał. Zawsze grali tak długo, aż obaj pięć razy pod rząd wybrali tę samą opcję. Nieraz widział, jak osiągnęli to w pierwszych pięciu rzutach.

Linc, wysoki i dobrze zbudowany, nie był dodatkowo obciążony motocyklem. Siedział teraz, opatulony w koc, z głową przechyloną na ramieniu i z otwartymi ustami; znak, że uciął sobie drzemkę.

– Hej, szefie! – krzyknął Tiny Gundersen.

Juan spojrzał na przód samolotu. Drzwi do kokpitu były otwarte i zobaczył w fotelu wielkiego, jasnowłosego Szweda, słusznej postury, trzymającego mięsistą dłoń na drążku sterowniczym. Julia siedziała na miejscu drugiego pilota, a torby z przyrządami medycznymi leżały pomiędzy fotelami.

– Co jest, Tiny?

– Sprawdzam, czy nie śpicie. Za piętnaście minut wysiadamy – odparł i jeszcze mocniej przyciemnił światło w kabinie, po czym zapalił czerwone lampki.

– Zrozumiałem. Piętnaście minut, panowie! – krzyknął Cabrillo, pokonując hałas silników.

Linc zaczął się budzić, ziewając przeciągle.

Nie musieli sprawdzać ekwipunku; robili to już kilkanaście razy, nie musieli też zaciskać i tak napiętych już pasków i uprzęży, jednak wszyscy robili to jeszcze raz. Od tego skoku zależało wszystko. Przygotowali motocykle, zluzowali zabezpieczające je sznury i ustawili w odpowiedniej pozycji.

Pięć minut przed skokiem Tiny włączył żółte światło, sygnał do założenia aparatów tlenowych. Zbiorniki były przytwierdzone do klatek piersiowych, tlen płynął z nich mocnymi, gumowymi rurkami. Nasunęli maski na nosy i usta i wyregulowali przepływ powietrza. Na końcu włożyli duże gogle. Gdy każdy zasygnalizował kciukiem, że wszystko jest w porządku, Juan odwrócił się i skinął w stronę Tiny'ego, który tylko na to czekał. On także włożył już maskę.

Gunderson zamknął drzwi do kabiny pilotów i chwilę później zadziałał mechanizm otwierający tylną rampę. Hałas maszyny został natychmiast zagłuszony świstem zimnego powietrza, które z siłą huraganu wdarło się do ładowni. Kartki papieru przeleciały błyskawicznie przed oczami Juana i wyssane na zewnątrz zniknęły w otchani nocnego nieba.

Szczypały go policzki smagane lodowatym podmuchem, czuł przejmujące zimno. Mocniej okręcił szalik pod szyją.

Rampa została już otwarta, ale w czarnej dziurze w tyle samolotu w żaden sposób nie można było odróżnić nieba od pustyni. Chyba tylko po gwiazdach; Juan miał wrażenie, że wystarczy zwyczajnie sięgnąć ręką, by ich dotknąć.

– Meldować się – powiedział, a jego ludzie jeden po drugim zgłaszali się przez ich sieć łączności.

Żółte światło zaczęło migać. Została minuta.

Po raz setny od momentu wejścia na pokład samolotu Juan w myślach pokonywał kolejne kroki: skoczy do przodu i pozwoli się ponieść, po czym natychmiast wygnie plecy w łuk, rozrzuci ręce i nogi, by maksymalnie zwiększyć opór powietrza i zminimalizować szarpnięcie otwierającego się spadochronu. Patrząc na twarze swoich ludzi, nie miał wątpliwości, że robili to samo.

Odgłos silników zmienił się, gdy maszyna zaczęła się wznosić. Pokład się trząsł, żółte światło zniknęło i pojawiło się zielone.

W przeciwieństwie do innych zrzutów oddziałów komandosów nie musieli wyskakiwać z samolotu w zwartej grupie. Skoczkowie skaczący z dużych wysokości i szybko otwierający spadochrony mieli wystarczająco dużo czasu na przegrupowania w powietrzu i uniknięcie rozdzielenia. Jeden po drugim przesuwali się do przodu i znikali za tylnym włazem. Lekkie motocykle odrzucali od siebie chwilę przed pociągnięciem linki otwierającej spadochron. Kiedy Juan podszedł na skraj włazu, zobaczył cztery małe światełka umieszczone na czaszach spadochronów, co oznaczało udany zrzut motocykli. Gdy zbliżą się do Diabelskiej Oazy, światła zmienią się na podczerwień i będą mogli odnaleźć je za pomocą noktowizorów.

Motocykl Juana niemal wyfrunął w pustkę, a potem skoczył on sam – rozrzucił ręce, plecy wygiął w idealny łuk. Strumień powietrza wydostający się zza samolotu odrzucił go nieco, ale zdołał utrzymać pozycję, a gdy poczuł, że się przekręca, szybko skorygował położenie. Zanim spadający motocykl oddalił się na odległość długiego łańcucha, Juan sięgnął ręką do klatki piersiowej i pociągnął linkę zwalniającą spadochron. Hamujący otworzył się, a siła jego oporu wyciągnęła z plecaka ten właściwy, ale Juan od razu zorientował się, że coś jest nie tak. Spadochron nie wydostał się całkowicie z plecaka, nie nastąpiło też spodziewane podczas otwarcia szarpnięcie. Opór powietrza spowodowany na wpół rozpostartym spadochronem przewrócił go do poziomu, wciąż jednak spadał, słysząc nad głową szelest nylonowej powłoki, przypominający łopot żagla targanego silnym wiatrem.

Było zbyt ciemno, by mógł zobaczyć, co się stało, ale oddał już tyle skoków, że domyślał się, w czym rzecz: poplątały się linki.

Przeklinał siebie za to, że chciał rozplątać linki, kręcąc ciałem i szarpiąc za sznurki. Sam pakował spadochron, więc problem powstał wyłącznie z jego winy. Jeśli nie poradzi sobie z rozplątaniem linek, misja może zakończyć się niepowodzeniem.

Wciąż był na dużej wysokości, mógł więc jeszcze starać się rozplątać linki, ale na wysokości sześciu tysięcy kilometrów będzie musiał podjąć decyzję. Jeśli spadnie zbyt nisko, to chociaż uda mu się otworzyć spadochron, nie zdoła dolecieć w okolice więzienia. Nawet z wbudowanym systemem bezpieczeństwa nie uda mu się wylądować w pobliżu Diabelskiej Oazy. Z drugiej strony, jeśli odetnie główny spadochron i będzie musiał skorzystać z mniejszego, zapasowego, nie doleci na tyle blisko wybrzeża, by George zabrał go swoim motorem.

Spojrzał na wysokościomierz przytwierdzony do nadgarstka. Właśnie minął pięć tysięcy siedemset kilometrów.

Przeklął, odciął łańcuch łączący go z motocyklem, potem odczepił się od trzepoczącego spadochronu. Spadając, otworzył zapasową czaszę i po raz pierwszy od chwili pociągnięcia linki pozwolił sobie na rozważenie sytuacji. Jeśli spadochron zapasowy zawiedzie, ma mniej więcej trzy minuty na przemyślenie tego, co się czuje, uderzając w piach pustyni z prędkością stu dziewięćdziesięciu kilometrów na godzinę. Jakiekolwiek byłoby to odczucie, na pewno trwałoby krótko.

Zapasowy spadochron ze świstem rozkwitł niczym czarny kwiat, a ból spowodowany szarpnięciem linek opinających się między nogami i pod ramionami był najcudowniejszym doznaniem.

– Beau Geste do Death Valley Scotty – zawołał przez mikrofon. Hasła wywoławcze były przejawem poczucia humoru Maxa i jego wkładem w misję.

– Albo cholernie nie możesz się doczekać wylądowania – powiedział Eddie – albo masz problem.

– Spadochron nie zadziałał. Musiałem go odciąć.

– Jaką masz teraz wysokość, Beau?

– Pięć tysięcy sześćset trzydzieści osiem metrów.

– Daj mi sekundę.

– Czekam, Scotty.

Zadaniem Eddiego było skierowanie drużyny do celu, dlatego miał ze sobą przenośny komputer i GPS pokazujący pozycje wszystkich skoczków.

– Okej, Beau, maksymalnie wykorzystując hamowanie, spadasz ponad cztery metry na sekundę. To daje ci jakieś dwadzieścia minut lotu – wyjaśnił. Pozostali, nawet z przyczepionymi motocyklami, będą spadać co najmniej dwa razy dłużej. – Wiatry na twojej wysokości wciąż osiągają około pięćdziesięciu węzłów, ale niżej wieje słabiej.

– Przyjąłem.

– Oceniam, że wylądujesz około sześciuset czterdziestu kilometrów w głąb lądu – dodał Eddie.

W związku z dominującymi wiatrami ze wschodu wyskoczyli z samolotu, gdy ten był niemal nad granicą Botswany. Juan miał wylądować tak daleko, że helikopter Robinsona nie mógłby lecieć po niego i wrócić na statek.

– Będę musiał czekać na transport lądowy. Scotty, biorąc pod uwagę, że jeden motocykl leży rozwalony gdzieś na dole, twój cel numer jeden to Merrick i Donleavy. Nie będziesz w stanie zabrać jednego porywacza, więc zapomnij o tym.

Juanowi bardzo zależało na przesłuchaniu któregoś z porywaczy i czuł bezsilną wściekłość, że nie ma takiej możliwości. Zły był także dlatego, że jego ludzie wchodzą do akcji bez niego.

– Zrozumiałem, Beau – odparł Eddie.

Dystans pomiędzy nim a resztą grupy stawał się już tak duży, że uniemożliwiał łączność. Głos Eddiego brzmiał coraz słabiej.

Juan gorączkowo zastanawiał się, co jeszcze powinien powiedzieć, zanim całkowicie stracą łączność, ale tyle razy rozmawiali już o szczegółach akcji, że rzucił tylko:

– Powodzenia. Beau Geste, bez odbioru.

– Wzajemnie. Death Valley Scotty, bez odbioru.

Mimo że nie spodziewał się już wiadomości od swoich ludzi, nie wyłączył radia.

Aby maksymalnie wykorzystać czas spędzony w powietrzu, a co za tym idzie, zwiększyć dystans, Cabrillo musiał lecieć jak na paralotni. Balansował więc ciałem nieustannie, przedłużając w ten sposób lot. Musiał też przyciągnąć sznurki sterujące spadochronem i przewiązać je wokół pasa. Wymagało to sporej siły i koordynacji ruchów, ale przede wszystkim odporności na zimno i ból, który coraz bardziej dawał o sobie znać w ramionach, plecach i mięśniach brzucha.

Zdany na kaprysy wiatru, obserwował rozciągającą się pod nim pustynię. Z tej wysokości nie widział żadnych świateł miast, żadnych ognisk, nic, tylko nieprzejrzaną ciemność rozległą jak morze.

Gdy minął wysokość trzech metrów, zdjął lewą rękę z linki sterowniczej. Spadochron ostro skręcił i przyspieszył spadanie, a Juan zaczął bujać się jak wahadło zawieszone na czaszy spadochronu. Zwolnił prawą linkę, by skontrować nagły skręt, i szybko chwycił lewą. W ciągu tych kilku sekund miał wrażenie, że dostrzegł coś po lewej stronie, ale gdy spojrzał tam jeszcze raz, nic nie zobaczył.

Ponownie zwolnił linki i sięgnął do sakwy na klatce piersiowej, w której miał noktowizor. Zdjął okulary ochronne, także niepotrzebną już maskę tlenową, i szybko włożył noktowizor. Szarpnął linki w dół, by zwolnić lot.

Dzięki okularom noktowizyjnym czerń pustyni zmieniła się w opalizującą zieleń, a obiekt, który przykuł jego uwagę, okazał się przemierzającym pustynię małym konwojem pojazdów. Samochody oddalały się od Cabrilla i tylko pierwszy miał zapalone światła. Nikłe refleksy pojawiały się i znikały za wydmami, pozostałe pojazdy poruszały się w ciemności. Biorąc pod uwagę to, na jakiej wysokości się znajdował, konwój był zbyt daleko, by Juan mógł do niego dotrzeć, ale doskonale wiedział, że kiedyś przecież samochody będą musiały się zatrzymać.

Zmienił kierunek lotu, zataczając w powietrzu łuk niczym drapieżny ptak, i śledził konwój. Po kilku minutach stracił go z oczu, a jedynym tropem, jaki mu pozostał, były odciśnięte na piasku ślady opon.

Pozostawał w powietrzu tak długo, jak mógł – dwadzieścia minut. Ale kiedyś musiał wylądować. Pod nim było niekończące się morze piasku, wydmy, które to unosiły się, to opadały niczym fale. Tuż przed dotknięciem ziemi spowolnił spadochron tak, by lądować łagodnie i móc utrzymać się na nogach.

Wyciskając powietrze z czaszy spadochronu najszybciej, jak tylko potrafił, Juan zgniótł nylonowy materiał, by nie porwał go wiatr, odpiął uprząż i z ulgą zdjął spadochron. Górna część ciała paliła ogniem – wiedział, że ból będzie go męczył przez kilka dni, ale w głowie już rodził się pomysł, który miał narazić bolące mięśnie na jeszcze większy wysiłek.

Wylądował bardzo blisko śladów pozostawionych przez konwój. Sięgnął po manierkę, upił łyk wody i przyjrzał się piaskowi. Takie ślady opon szeroko rozstawione i głębokie mogły pozostawić tylko samochody specjalnie przystosowane do jazdy po piasku i mocno obciążone.

Pojazdy mogły należeć albo do wojsk namibijskich, albo podróżowali nimi turyści jadący na safari – jedni i drudzy chętnie pomogliby obcemu, który zagubił się na piaszczystych bezdrożach. Ale gdyby byli to przemytnicy, prawdopodobnie zabiliby go, zanim zdążyłby się do nich zbliżyć.

Mimo to nie zamierzał czekać, aż Max zlokalizuje go dzięki podskórnemu przekaźnikowi i wyśle ekipę ratunkową. Postanowił sam wydostać się z tarapatów, bo po powrocie na „Oregona" nie zniósłby docinków najlepszego przyjaciela.

Rozłożył rzeczy, którymi dysponował: pistolet, automatyczny glock i sporo amunicji kaliber 9, nóż, zestaw medyczny, manierka i mały zestaw przeżycia, na który składały się zapałki, tabletki do oczyszczania wody, żyłka wędkarska i parę innych drobiazgów. Był też spadochron oraz pokrowiec z plastikową płytą dopasowaną do kształtu jego pleców, która pomogła zmniejszyć trochę niedogodności związane z transportem ekwipunku.

Tak czy siak, niewiele z tych rzeczy mogło mu się teraz przydać, gdy chciał dopędzić konwój. Ale Cabrillo miał jeszcze asa w rękawie. Klepnął protezę nogi, myśląc: wszystko w moich nogach.

Przez pięćdziesiąt minut Eddie, Linc, Mike i Pulaski powoli szybowali po nocnym niebie. Seng, agent operacyjny CIA, nie przechodził treningów spadochroniarskich takich jak jego koledzy, byli żołnierze, jednak – jak prawie do wszystkiego, co robił – Eddie i do tego miał naturalne zdolności. Lata treningów sztuk walki, rozpoczętych jeszcze z dziadkiem w chińskiej dzielnicy Nowego Jorku, wyrobiły w nim umiejętność absolutnej koncentracji na każdym wykonywanym zadaniu. Nie miał też takiego doświadczenia bezpośrednio z pola walki, jak ludzie z Korporacji. Karierę robił, mówiąc krótko, w ukryciu, pracował zawsze bez wsparcia, udając kogoś, kim nie jest, byle tylko zbudować siatkę informatorów i pozyskiwać informacje wywiadowcze. Jednak już po kilku miesiącach pracy w Korporacji Juan zrobił go odpowiedzialnym za operacje lądowe. Wiedział, że na Eddiego zawsze można liczyć.

Korzystając z GPS-u, niezawodnie doprowadził ich do Diabelskiej Oazy, dotarli nad opuszczone więzienie na wystarczająco dużej wysokości, by przez kilka minut dokładnie przyjrzeć się dachowi i otoczeniu zabudowań. W podczerwieni zobaczyli trzech strażników siedzących nieopodal zamkniętej bramy oraz samochód, którego silnik był jeszcze ciepły. Eddie domyślał się, że strażnicy mniej więcej godzinę temu wrócili z patrolu.

Stuknął w komunikator, dając ustalony wcześniej sygnał dla Linca, by skoczył pierwszy.

Franklin Lincoln wylądował w możliwie największej odległości od strażników, najciszej, jak potrafił, z ledwie słyszalnym uderzeniem butów o ziemię i opadającego spadochronu. Kilka sekund zajęło mu zrzucenie ekwipunku i zwinięcie nylonowej czaszy. Gdy był już gotowy, stuknął w komunikator.

Niczym duch w ciemności pojawił się Eddie, którego spadochron rozciągnięty był jak skrzydła jastrzębia. Lądował pod kątem, tak by motocykl znalazł się jak najbliżej Linca. Gdy tylko opony dotknęły podłoża, potężny komandos chwycił kierownicę i ustabilizował maszynę, by się nie przewróciła. Lądowanie było perfekcyjne, a gdy Eddie zwinął już i zabezpieczył swój spadochron, przyszła kolej na Mike'a Trona. Linc, tak jak poprzednio, zadbał o to, by motocykl nie uderzył zbyt mocno w drewniany dach, co mogłoby zaalarmować strażników.

Jerry Pulaski miał lądować ostatni. Gdy jego motocykl osiadł już na dachu, a on przygotowywał się do lądowania, nagły podmuch wiatru odrzucił go do tyłu. Linc mocno trzymał motocykl, ale było to zadanie porównywalne do próby utrzymania plakatu podczas huraganu.

– Pomóżcie mi – szepnął Pulaski nerwowo, próbując opuścić spadochron.

Linc z trudem utrzymywał się na śliskiej powierzchni dachu, a Pulaski wisiał teraz poza budynkiem.

Mike złapał Linca w pasie i zaparł się nogami, a Eddie ustawił się z przodu motocykla i pchał ze wszystkich sił. Zabezpieczali Pulaskiego przed upadkiem, ale siła wiatru była potężna. Po kilku sekundach Eddiego dzielił już tylko krok od krawędzi dachu.

Błyskawicznie podjął decyzję. Wyciągnął nóż przyczepiony do wojskowej kamizelki i uniósł go w górę, by Pulaski wiedział, co zamierza zrobić, po czym przyłożył ostrze do liny mocującej motocykl. Napięta lina strzeliła już przy pierwszym cięciu.

Pulaski, odzyskawszy kontrolę nad spadochronem, skierował się na bok budynku więzienia i twardo wylądował na kupie piachu. Przez chwilę leżał oszołomiony, a obok falował i miotał się spadochron. Odetchnął z ulgą, że nie został zauważony. Nagle dostrzegł stos drewna, który stał mniej więcej dziewięć metrów od niego, a na wierzchu było jakieś urządzenie elektroniczne. Natychmiast się zorientował, że jest to detektor ruchu, który miał ostrzegać porywaczy, że ktoś się zbliża. Nylonowa czasza spadochronu znajdowała się tuż obok sensora i najmniejszy podmuch wiatru mógł rzucić ją w tamtą stronę, a to natychmiast uruchomiłoby alarm.

Złapał za linki i zaczął mocno ciągnąć, ale mimo wysiłku część znajdująca się najbliżej detektora nie poruszyła się ani o centymetr.

Wiatr zmienił kierunek i czasza spadochronu zaczęła wypełniać się powietrzem niczym balon. Pulaski zerwał się, pobiegł w kierunku sensora i dosłownie w ostatniej chwili rzucił się na spadochron, przyciskając go do ziemi. Poślizgnął się jednak na śliskim nylonie i gdyby nie zdążył się obrócić, wylądowałby na detektorze. Leżał teraz na plecach, a jego biodro dzieliło raptem kilka centymetrów od czujnika.

Dostrzegł trzy ciemne sylwetki na dachu. Ostrożnie, aby nie uruchomić alarmu, dał kolegom znać, że wszystko w porządku.

Zwinął dokładnie spadochron, włożył do plastikowego pokrowca i schował w płytkiej dziurze. Zauważył w fundamentach gmachu otwory wentylacyjne i przypomniał sobie, co mówiono podczas omawiania misji – pod więzieniem znajdują się tunele, którymi wiatr wywiewa nieprzyjemne zapachy z latryn. Wspiął się po linie zrzuconej przez Linca.

– No, to było niezłe – powiedział, gdy dotarł na dach.

– Nic się nie stało – odparł Eddie.

Przez dwie godziny obserwowali więzienie z różnych punktów na dachu. Strażnicy byli ciemnoskórzy, co ich zaskoczyło. Spodziewali się, że porywaczami będą Europejczycy lub Amerykanie, chociaż nie wykluczali, że pomagają im afrykańscy najemnicy. Dwaj strażnicy przy bramie obchodzili cały teren co godzina, a trzeci w tym czasie patrolował bramę.

Niezmienność systemu patrolowania była oznaką braku profesjonalizmu, co dobrze wróżyło. Jeden z mężczyzn nawet palił podczas patrolu; ilekroć zapalał zapałkę, ograniczał sobie pole widzenia, a tlący się papieros zdradzał jego położenie.

Eddie zdecydował, że przystąpią do akcji po kolejnym patrolu. Linc opuścił motocykle na ziemię, a on, Mike i Pulaski przeszukają więzienie. Liczyli na to, że odnajdą Geoffreya Merricka i Susan Donleavy, nie alarmując strażników. Byli jednak przygotowani także na wypadek, gdyby zostali zauważeni.

Cabrillo wolałby poczekać do rana z pogonią za konwojem, ale wiedział, że wtedy temperatura przekroczy czterdzieści stopni Celsjusza i słońce będzie wysysać każdą kroplę potu. Opóźnienie po prostu nie wchodziło w grę.

Po nawiązaniu łączności przez telefon satelitarny z Maxem Hanleyem, Juan rozpoczął przygotowania. Zdjął but i skarpetę, ze stopy protezy wyjął materiał wybuchowy typu plastik C-4. Potem wyjął usztywnienie plecaka, położył na piasku i stanął na nim protezą – szukając środka ciężkości.

Po zajęciu odpowiedniej pozycji odczepił protezę i część plastiku przykleił do stopy. Podpalił zapalniczką materiał wybuchowy. Była to sztuczka, której nauczył go Max. W Wietnamie wykorzystywali C-4 z min odłamkowych do gotowania jedzenia.

Umieścił protezę na usztywnieniu plecaka, w miejscu środka ciężkości, i nacisnął z całej siły. Dwa kawałki plastiku szybko stały się woskowate, a potem wilgotne, gdyż zaczęły się topić, a spoina między nimi stała się niewidoczna. Wrzucił na usztywnienie trochę piachu, by zasypać ostatnie płomienie, i poczekał dziesięć minut, aż wszystko się nieco ochłodzi. Chwycił konstrukcję i z całej siły trzasnął przyczepioną nogą w podłoże. Jej prowizoryczny lut trzymał porządnie. W celu dalszego wzmocnienia spawu przestrzelił w usztywnieniu plecaka cztery dziury i przywiązał protezę linkami, które odciął od spadochronu.

Spakował swoje rzeczy – zostawił tylko trochę amunicji, by zmniejszyć obciążenie – i wgramolił się na szczyt najwyższej pobliskiej wydmy. Położył spadochron na podłożu i przywiązał linki do pasków wojskowej kamizelki. Upewnił się, że umocował je wy-

226

starczająco solidnie, by móc kontrolować spadochron. Potem usiadł i przymocował protezę do kikuta nogi, sprawdzając przy okazji balans na płycie.

Wiatr, który cały czas miał za plecami, osiągał w porywach prędkość prawie pięćdziesięciu kilometrów na godzinę i nie spadała ona poniżej trzydziestu. Ze szczytu wydmy widział znikające w ciemności ślady pozostawione przez pojazdy. Było na tyle dużo światła, że nie musiał wkładać noktowizora.

Rzucił się w dół zbocza, niczym snowboardzista walczący o medal olimpijski. Gdy zjeżdżał na płycie przymocowanej do protezy, spadochron ześlizgiwał się za nim, ale po chwili powietrze zaczęło wypełniać czaszę, aż w końcu, po osiągnięciu odpowiedniego punktu, czasza otworzyła się. Siła grawitacji obróciła Juana, a wtedy spadochron znalazł się przed nim. Siła wiatru była większa niż grawitacja i po chwili Cabrillo zaczął się unosić.

Odchylił się do tyłu i opadając, ustalił środek ciężkości. Gdy uderzył w podłoże, ugiął kolana, żeby zamortyzować wstrząs, i po chwili kontynuował powietrzną żeglugę przez pustynię. Gdy wiatr zmieniał kierunek i zaczynał znosić go w bok od śladów konwoju, ciągnął za linki i sterował szkunerem. Nigdy nie oddalił się więcej niż kilometr od śladów.

Narciarstwo spadochronowe, wymyślone jako sport ekstremalny w miejscach takich jak Vermont i Kolorado, zakładało wykorzystywanie snowboardu i spadochronu znacznie mniejszego niż ten, którego używał Cabrillo. Poza tym piach stawiał większy opór niż śnieg, jednak wielka czasza zapasowego spadochronu niosła go przez pustynię z prędkością, o której amatorzy sportów ekstremalnym mogli tylko pomarzyć.

W ciągu pierwszych piętnastu minut kilka razy upadł na ziemię, ale gdy tylko złapał rytm, zaczął poruszać się w równym tempie, to opadając, to wznosząc się na wydmach i zostawiając za sobą płytką bruzdę przypominającą ślad wielkiego węża.

Strażnicy zakończyli kolejny obchód Diabelskiej Oazy dziesięć minut po północy. Wielka brama została zamknięta, mężczyźni ukryci na dachu usłyszeli szczęk zasuwanej sztaby. Dali strażnikom kolejnych dziesięć minut na rozluźnienie się i przystąpili do akcji.

Mike i Pulaski użyli cichej wiertarki, by wkręcić wielkie śruby nad miejscami, w których zamierzali opuścić motocykle. Zainstalowali również dwie dodatkowe po dwóch stronach jednego z okien. Przyczepili do nich sprzęt wspinaczkowy i przygotowali liny, zrzucając je w dół ściany.

Eddie przerzucił przez plecy pistolet maszynowy i ustawił noktowizor, potem zsunął się z parapetu i zjechał po linie ze zwinnością małpy. Gdy był na wysokości okna pozbawionego szyby, odbezpieczył pistolet uzbrojony w tłumik.

Część budynku z celami więziennymi miała wysokość trzech pięter i zajmowała mniej więcej jedną czwartą całego więzienia. Tuż pod Sengiem znajdowały się dwa rzędy klatek otaczających pomieszczenie, a prowadziły do nich korytarz oraz kręte schody. Stopnie i korytarze były bardzo wąskie, żeby uniemożliwić więźniom poruszanie się większą grupą. W każdej celi znajdowały się dwa piętrowe łóżka, a na każdym leżało coś, co przypominało materac. Eddie przypuszczał, że była to skóra poddana długotrwałemu, niszczącemu działaniu pustyni.

Długie, murowane ścianki tworzyły dodatkowe cele. Pomieszczenia w kształcie kostek nie miały większej powierzchni niż dziewięćset centymetrów kwadratowych, a metalowe pręty zabezpieczały je od frontu i z góry. Z punktu obserwacyjnego przy oknie Eddie widział, że górne cele są puste. Nie mógł jednak zajrzeć do cel znajdujących się niżej.

Spojrzał w górę i skinął na kolegów. Mike, a później Pulaski dołączyli do niego, podczas gdy Linc opuszczał motocykle. Bezpośrednio pod oknem nie znajdowała się żadna cela, więc Eddie wrzucił do środka koniec liny i w ten sposób mógł zjechać na korytarz otaczający górny poziom pomieszczeń. Bezszelestnie wylądował na metalowym podłożu, a chwilę później dołączyli do niego dwaj towarzysze.

Gestem pokazał im, by go osłaniali, a sam obszedł pomieszczenie z celami. Przełączył okulary na podczerwień, żeby zobaczyć ewentualne ciepło ciała osoby znajdującej się w celi na dolnym poziomie.

Tam!

W przeciwległym rogu w jednej z cel znajdowały się dwie osoby leżące tak blisko siebie, że prawie się dotykały. Ponownie włożył noktowizor. Wielkie okno dawało dużo światła, widział wyraźnie kobietę i mężczyznę. On leżał na plecach z twarzą odwróconą w bok, a ona leżała plecami do niego, z kolanami podciągniętymi do piersi.

Pokazał Mike'owi i Pulaskiemu miejsce, w którym znajdują się zakładnicy. Pulaski został na platformie jako osłona, a Eddie i Mike zeszli schodami w dół, bezszelestnie.

Drzwi celi były uchylone. Spojrzeli na siebie zdziwieni. Przypuszczali, że Merrick i Donleavy będą zamknięci, ale być może porywacze czuli się wystarczająco pewni, wiedząc, że zamknięte są główne drzwi wejściowe.

Eddie wyjął z kieszeni mały pojemnik i prysnął sproszkowanym grafitem na zawiasy drzwi. Gdy próbował otworzyć je szerzej, lekko skrzypnęły. Zamarł. Kobieta mruknęła cicho i zmieniła pozycję, ale nie obudziła się. Ponownie delikatnie poruszył drzwi, lecz tym razem grafit zaczął już działać i kraty nie wydały żadnego odgłosu.

Weszli do środka z bronią w ręku. Wiedzieli, jak wygląda standardowa procedura podczas odbijania zakładników: najpierw upewnić się co do celu, a dopiero potem zakładać, że będzie on przyjacielsko nastawiony. Gdy dotarli do śpiącej pary, Eddie wskazał Mike'owi kobietę, on stanął po drugiej stronie, obok mężczyzny.

Równocześnie zatkali im dłonią usta i przycisnęli głowy do podłoża. Eddie szybko się zorientował, że mężczyzna, który właśnie budził się spanikowany, nie jest tym z fotografii na stronie internetowej Merrick/Singer.

Eddie uderzył go kolbą pistoletu tuż za uchem, a gdy tamten wciąż miał oczy otwarte, uderzył jeszcze raz. Mike trzymał dłoń na ustach kobiety, dopóki nie rozpoznał w niej Susan Donleavy. Nie zwalniając ucisku, gestem pokazał jej, że ma być cicho. Szamotała się, gdy Eddie zakleił taśmą usta mężczyzny i skuwał mu nogi plastikowymi kajdankami.

– Chcemy was uratować. – Mike powtarzał to szeptem, dopóki Susan się nie uspokoiła. Wtedy zdjął rękę z jej ust.

– Kim jesteście? – zapytała, spoglądając na niego nieufnie.

Ponownie zatkał jej usta dłonią.

– Cicho. Jesteśmy tu, by uratować panią i doktora Merricka. Kto to? – Wskazał na człowieka, którego Eddie właśnie przywiązywał do krat.

– To... to jeden z porywaczy. On... – urwała.

Mike zrozumiał; porywacz przywlókł kobietę do celi, by ją zgwałcić.

– Jest uzbrojony?

– Znalazłem to pod poduszką. – Eddie pokazał pistolet.

Trono starał się uspokoić Susan.

– Już po wszystkim. Już nigdy pani nie dotknie.

– Nie żyje?

– Jest ogłuszony. – Mike podał jej ubrania, które leżały na ziemi. – Proszę się ubrać.

Susan włożyła rzeczy, przysłaniając się kocem.

– Wie pani, gdzie trzymają doktora Merricka?

– Tak, w innej części budynku.

– Gdzie dokładnie?

– Mogę wam pokazać.

Eddie pokręcił głową.

– To zbyt niebezpieczne.

– Proszę. Nie mogę tu zostać. Pozwólcie mi iść – nalegała. – Muszę się pozbierać, dojść do siebie. – Była rozstrzęsiona, mówiła chaotycznie. – Strażnik jest na zewnątrz. Na wyższych piętrach nie ma nikogo. Wszyscy śpią w starym skrzydle administracyjnym.

– Ilu ich tam jest? – zapytał Mike.

230

– Ośmiu czy dziewięciu, nie jestem pewna.

Niewielu, biorąc pod uwagę to, że trzech wystawili na wartę.

– Są uzbrojeni?

– Gdy po raz pierwszy tu przyjechaliśmy, kilku z nich miało karabiny maszynowe – powiedziała Susan. Zaczęła cicho łkać. – Proszę, pozwólcie mi zaprowadzić was do doktora Merricka. Jeśli nie będę czuła, że pomogłam schwytać tych drani, to nigdy nie poradzę sobie z tym, co on mi zrobił. – Ruchem głowy wskazała na nieprzytomnego gwałciciela.

Eddie chciał odmówić, ale zmienił zdanie. Jeśli zostanie tu sama zszokowana, nie wiadomo co może zrobić, pomyślał. Jego siostra też została zgwałcona. Garść tabletek nasennych popiła butelką wódki. Do dziś prześladuje go widok jej bladej twarzy zastygłej ze spokojnym uśmiechem. Uznał, że Susan nie będzie problemem, skoro jedyny strażnik na tym poziomie więzienia był związany i zakneblowany.

– Zgoda – powiedział. Mina Mike'a świadczyła, że nie pochwala tej decyzji, ale zignorował go. – Może pani podejść z nami do drzwi bloku. Tam zaczekam z panią, a potem wszyscy się stąd wyniesiemy.

– Dziękuję – powiedziała, ocierając dłonią łzy.

Po wyjęciu pęku kluczy z kieszeni porywacza, Eddie dał znak Pulaskiemu, który dołączył do nich przy jedynych drzwiach prowadzących do innej części budynku. Zawiasy były na zewnątrz, więc by zminimalizować skrzypienie, Pulaski i Mike położyli się na ziemi i unieśli nieco drzwi, a Eddie w tym czasie otworzył je na wystarczającą szerokość.

Korytarz był długi i prosty, a podłogę pokrywał piasek. Nie paliło się światło, szukali drogi po omacku. Trzymając się kamienistej ściany, dotarli do narożnika. Za rogiem ciągnął się kolejny długi korytarz.

– To w połowie drogi po prawej stronie – szepnęła Susan. – Na zewnątrz zwykle stoi krzesło dla strażnika.

Eddie włączył świecącą na czerwono latarkę, blokując jej światło dłonią. Metalowe krzesło stało dokładnie tam, gdzie mówiła Susan, tuż obok metalowych drzwi do celi. Eddie popryskał wiekowy mechanizm grafitem i oddał pojemnik Pulaskiemu, a sam kolejno próbował klucze, aż w końcu znalazł właściwy.

Mimo spryskania grafitem zamek zazgrzytał, ale na szczęście bardzo cicho. Włożyli noktowizory. Eddie delikatnie pchnął drzwi, a Mike i Pulaski stali za nim z pistoletami przygotowanymi do strzału.

Drzwi otwierały się coraz szerzej, a oni z bronią gotową do strzału omiatali każdy widoczny kawałek pomieszczenia.

Przez wielkie okno wlewało się do środka światło księżyca, w jego blasku metalowe pręty połyskiwały niczym kość słoniowa.

Schyleni wślizgnęli się do pomieszczenia. Przylgnęli do ściany, upewniając się, że pole widzenia jest czyste i w korytarzu między celami nie ma nikogo. Pulaski wspinał się po schodach znajdujących się na drugim końcu pomieszczenia, a Mike wchodził do góry z drugiej strony. Wspięli się na tyle wysoko, by dzięki ustawionym na podczerwień goglom widzieć drugie piętro. Wszystkie cele były puste. Także na trzecim piętrze.

Wrócili na dół i uważnie sprawdzili rzędy cel, zaczynając od końca, żeby nie wracać z powrotem do drzwi. Oszczędzili kilka sekund, a w tej sytuacji liczyła się każda. Eddie i Susan pozostali na zewnątrz.

W jednej z cel znaleźli śpiącego. Mike prysnął grafitem na zawiasy i zamek, a Pulaski znalazł odpowiedni klucz. Kiedy weszli do środka, Pulaski w leżącym mężczyźnie rozpoznał, mimo tygodniowego zarostu, Geoffreya Merricka. Delikatnie przyłożył dłoń do jego ust i potrząsnął nim.

Merrick próbował poderwać się, ale Pulaski go przytrzymał.

– Uwolnimy cię. Już wszystko porządku.

Przerażenie widoczne w oczach Merricka ustąpiło zdziwieniu i uldze. Przestał się szarpać, a Pulaski odsłonił mu usta.

– Kim jesteście? – szepnął.

– Profesjonalną ekipą ratunkową. Jesteś ranny? Możesz iść?

– Cholera, mogę nawet biec. – Geoffrey ożywił się. – Przysłała was moja firma?

– Szczegóły potem. Na razie wyciągniemy stąd ciebie i pannę Donleavy.

– Znaleźliście Susan. Jak ona się czuje?

– Jest w szoku. Została zgwałcona.

– Dranie. Dan Singer mi za to zapłaci.

– Więc to robota dawnego wspólnika? – Pulaski pomógł Merrickowi wstać i wyszli z celi.

Na widok Susan Geoffrey Merrick ruszył do przodu. W świetle księżyca wydawała się bardzo blada. Rozłożył ramiona, by ją uścisnąć, ale nagle zatrzymał się, wyraźnie czymś zaskoczony.

– Twoja twarz – powiedział. – Nie jesteś...

W tym momencie Susan pchnęła Eddiego i wyszarpnęła mu z kabury berettę, odbezpieczyła broń. Miała dzikie, nienawistne spojrzenie.

– Giń, sukinsynu! – krzyknęła, pociągając za spust.

Reakcja Eddiego była błyskawiczna, mimo irracjonalności sytuacji. W sekundę zrozumiał, co się stało. Nie mieli do czynienia z ofiarą. Susan Donleavy była w zmowie z porywaczami, a w tamtej celi zwyrodnialec nie gwałcił bezbronnej kobiety – kochankowie znaleźli sobie ustronne miejsce, by spędzić upojną noc.

W momencie wystrzału Eddie uderzył Susan w nadgarstek i pistolet upadł na posadzkę; kantem dłoni wymierzył Susan cios w szyję, w ostatniej chwili zmniejszając siłę uderzenia – gdyby tego nie zrobił, przeciąłby tętnicę i zabił kobietę. Odwrócił się szybko.

Geoffrey Merrick leżał na podłodze, a Pulaski i Trono pochylali się nad nim. Krew rozpryśnięta na ścianie wyglądała jak test Rorschacha.

– Żyje?

– Tak, ale trafiła go w klatkę piersiową. – Pulaski wyciągnął sterylny bandaż z podręcznej apteczki. Twarz Merricka była kredowobiała. Z trudem łapał powietrze, przezwyciężając ból. Koszulę miał mokrą od krwi. – Może nawet jest bardzo poważnie ranny, ale na razie uratowałeś mu życie.

– Nie, jeszcze nie uratowałem – powiedział Eddie. – Nie możemy go teraz opatrzyć. Nie mamy na to czasu. Ona kłamała, mówiąc, że strażników jest niewielu. Za dziesięć sekund zaroi się tu od nich. Zabierajmy go i chodźmy stąd.

– Co się dzieje? – odezwał się przez radio Linc.

– Donleavy postrzeliła Merricka. Chyba współpracuje z porywaczami.

Ski pochylił się, Mike i Eddie położyli mu Merricka na plecy. Na szczęście Geoffrey nie krzyczał, a jedynie cicho jęczał. Krew rozlewająca się po plecach Jerry'ego przypominała atrament.

– Co robimy? – zapytał Linc.

– Trzymamy się planu i mamy nadzieję, że nie zabraknie nam czasu. Przygotuj się na opuszczanie Merricka na motocykl. Nieźle oberwał.

– Będę na was czekać.

– A co z nią? – Mike ruchem głowy wskazał na leżącą pod ścianą nieprzytomną Susan Donleavy. Wyglądała jak sflaczała szmaciana lalka.

– Zostaw ją – rzucił Eddie ze złością. Powinien był to przewidzieć, ale pamięć o tym, co przed laty stało się z jego starszą siostrą, zaburzyła mu zdolność myślenia. Za taki błąd Juan wyrzuci go z pracy, jeśli w ogóle wyjdą z tego żywi.

Szli szybko. Eddie pierwszy, Mike ubezpieczał tyły. Nagle wzdłuż stropu rozbłysły światła. Po chwili usłyszeli odgłos uruchomionego gdzieś generatora, trzasnęły drzwi i rozległ się plaskot bosych stóp – biegnący najwyraźniej zmierzali w stronę ściany, na której wisiały liny. Komandosi ruszyli pędem, nie starając się już zachować ciszy.

Merrick jęczał, narażony ciągle na wstrząsy, gdy Pulaski biegł.

Byli kilka metrów od drzwi skrzydła z celami, gdy zza rogu wypadła grupa mężczyzn. Wielu miało na sobie tylko bokserki, co wskazywało, że zbudził ich odgłos wystrzału, ale zachowali na tyle przytomności, by zabrać ze sobą pistolety. Ekipie Korporacji zagrodziło drogę co najmniej dziesięciu uzbrojonych afrykańskich strażników; wszyscy wycelowali w nich pistolety. Eddie rzucił na ziemię broń i podniósł ręce. Żaden ze strażników nie opuścił lufy, ale też nie padł ani jeden strzał. Mike i Pulaski również rzucili broń. Nadbiegli kolejni strażnicy. Eddie spojrzał przez ramię – przybyło dwunastu żołnierzy uzbrojonych w AK-47.

– Jesteśmy spaleni – szepnął do mikrofonu, by powiadomić Linca. – Wezwij „Oregona".

Po chwili pojawił się mężczyzna, ale ten był ubrany w zniszczone spodnie i buty. Miał szczupłą twarz, haczykowaty nos i zapadnięte policzki.

– Doniesiono mi, że mały oddział wojskowy zamierza odbić Mosesa Ndebele – powiedział płynną angielszczyzną. – Kilku białych najemników. Wasza egzekucja o świcie będzie satysfakcjonująca.

– Co powiesz na to, że zostaliśmy wynajęci do uratowania doktora Merricka, a o Mosesie Ndebele w ogóle nie słyszeliśmy? – Mike Trono pokusił się o sarkastyczny ton.

– W takim wypadku wasza egzekucja nie będzie satysfakcjonująca.

Rozdział 20

Cabrillo nigdy nie czuł takiego bólu; nie był tak ostry jak ten, którego doświadczył po odstrzeleniu nogi przez chińskie działo, ale rozlewał się po całym ciele i wnikał w każdą komórkę. Juan zmagał się z nim, ale szło mu coraz trudniej. Podczas podróży na spadochronie i desce najbardziej ucierpiały uda oraz plecy. W mięśniach czuł ogień. Dłonie trzymające linki zmieniły się w szpony i nie mógł rozprostować palców. Nie potrafił zresztą rozluźnić żadnej części ciała. Potrzebował odpoczynku.

A na to nie mógł sobie przecież pozwolić.

Dopóki wiał wiatr, Cabrillo musiał trzymać się spadochronu i podróżować przez piaszczyste morze. Skręty nie były już tak płynne, a gdy przewracał się, powrót do normalnej pozycji trwał coraz dłużej. Nie robił przerwy od chwili, gdy Max Hanley poinformował go przez telefon satelitarny, że Eddie, Mike i Pulaski zostali pojmani.

Linc dowiedział się, że wtedy w Diabelskiej Oazie przebywał oddział żołnierzy z Zimbabwe, którzy pilnowali przetrzymywanego tu Mosesa Ndebele, lidera opozycji tego kraju. Linda przeprowadziła krótkie rozeznanie i uzyskała informacje, że Ndebele za kilka dni ma być sądzony za jakieś przestępstwa i prawdopodobnie skazany na karę śmierci. Oficjalny protest Organizacji Narodów Zjednoczonych przeciwko Zimbabwe nie odniósł żadnego skutku, przeciwnie, rząd jeszcze bardziej ograniczył swobody obywatelskie. Wprowadzono stan wojenny, a w stolicy kraju, Harare, obowiązywała godzina policyjna.

Linda dowiedziała się też, że Ndebele cieszył się sporym poparciem ponad podziałami plemiennymi. Stworzył ruch opozycyjny, który miał szansę obalić skorumpowany rząd Zimbabwe i przywrócić demokrację w niespokojnym i wyniszczonym biedą kraju, będącym kiedyś jednym z najbardziej stabilnych państw afrykańskich. W czasach gdy Zimbabwe znane było jako Rodezja i rządzone przez białą mniejszość, Moses Ndebele dowodził walką partyzancką. Teraz proponował pokojową zmianę rządu, porównywano go nawet do Gandhiego.

Hanley przekazał już wiadomość Langstonowi Overholtowi. W odpowiedzi usłyszał, że odnalezienie Ndebele było mistrzowskim posunięciem i jeśli Korporacji uda się go uratować, to pozycja USA w południowej Afryce wzrośnie znacząco. W tej chwili było zbyt wcześnie, by mówić o pieniądzach, ale zapewnił Maxa, że korzyści z zagwarantowania bezpieczeństwa Ndebele będą liczone w milionach.

Max powiedział, że Susan Donleavy wcale nie została porwana. Raczej była współwinna porwania Geoffreya Merricka i przy pierwszej okazji wpakowała mu kulkę w klatkę piersiową. Linc nie wiedział jednak, jak poważne są obrażenia.

Koledzy wpadli i został sam. Zapytał Maxa, co powinien teraz zrobić. Strażnicy w ciągu kilku minut przeszukają całe więzienie i z pewnością go odnajdą. Mógł starać się walczyć lub próbować ucieczki na motocyklu.

– Co mu powiedziałeś? – zapytał Juan.

– A jak myślisz?

– Pewnie niechętnie opuści kolegów, ale to byłby właściwy ruch.

– Wkurzył się.

– Śledzisz go?

– Jest trzydzieści kilometrów od miejsca, w którym Tiny zostawił samolot, i jedzie na motocyklu z prędkością pięćdziesięciu kilometrów na godzinę. A dla twojej informacji, pokonałeś już ponad sześćdziesiąt kilometrów.

Pomysł był głupi, ale Cabrillo musiał zapytać.

– Jak daleko jestem od samolotu?

– Jakieś dwieście pięćdziesiąt kilometrów.

Zanim zdążyłby przebyć choćby połowę odległości, słońce już zdążyłoby wzejść, a wtedy Juanowi groziłoby odwodnienie. Inną opcją było znalezienie miejsca, w którym Tiny mógłby wylądować, ale na razie Cabrillo widział tylko piaszczyste wydmy, na których nie wylądowałby najmniejszy nawet samolot, nie wspominając o transportowcu wynajętym do tej akcji.

– Jeśli Linc nie był śledzony – powiedział Juan – to chciałbym, aby poczekał tam z Tinym i Julią.

– Masz jakiś plan?

– Oceniam nasze siły, zanim coś wymyślę.

Obaj wiedzieli, że na pewno coś wymyśli.

Rozmowa odbyła się dwie godziny temu i były to dwie najdłuższe godziny w życiu Juana.

Poluzował prawą linkę, gdyż wiatr znów nieznacznie zmienił kierunek. Przeleciał nad wydmą i przez pół minuty unosił się w powietrzu, zanim ponownie opadł na ziemię. Zamortyzował uderzenie i sturlał się po zboczu wydmy. Ślady ciężarówek były po jego prawej stronie, ale przy małej zmianie wiatru przeleciał nad nimi i miał je po lewej. Przygotował się do odbicia od podłoża, gdyż wiatr unosił go w stronę wielkiej wydmy, największej, jaką dotychczas mijał. Stracił jednak wysokość, ponieważ wiatr docisnął płytę do podłoża, nie udało mu się utrzymać równowagi i runął na ziemię.

Był wyczerpany jak nigdy dotąd. Zmęczenie przytępiało mu zmysły, a umysł marzył jedynie o chwili snu.

Spadochron przykrył go. Juan odchylił się tak mocno, że pośladkami prawie dotykał piasku. Gdy już myślał, że wiatr ustanie zupełnie i dalszą drogę będzie musiał pokonywać bez pomocy, nagły podmuch uniósł go ponad szczyt wydmy.

W tej samej chwili ujrzał cztery ciężarówki ustawione obok siebie w taki sposób, że ich światła padały na piąty samochód, który miał otwartą maskę. Obok pojazdu stali mężczyźni, dwaj zaglądali pod pokrywę silnika. Kilku miało strzelby. Juan musiał jednak zorientować się, kim są i co tu robią, zanim nawiąże jakikolwiek kontakt.

Podmuch, który uniósł go nad wydmę, teraz jakby chciał rzucić w sam środek obozowiska. Pospiesznie więc starał się tak pokierować spadochronem, by jak najszybciej opaść na ziemię. Liczył, że zdoła rzucić się do tyłu i stoczyć po wydmie, zanim go zauważą. Wylądował jednak w miękkim piasku i został pociągnięty do przodu. Turlał się w dół, zaplątany w nylonową czaszę spadochronu i linki.

Zatrzymał się u podnóża wydmy owinięty materiałem i sznurkami niczym mumia, w nozdrzach i ustach miał pełno piasku. Pluł i kaszlał, by oczyścić drogi oddechowe, miotał się jak ryba w sieci. Patrzył bezradnie na biegnących w jego stronę czterech mężczyzn z karabinami.

– Cześć, chłopcy – zawołał, gdy byli już dość blisko. – Możecie mi jakoś pomóc?

Pozbawieni broni, komunikatorów i reszty sprzętu Eddie, Mike i Pulaski zostali wrzuceni do sąsiednich cel w budynku, w którym żołnierze z Zimbabwe przetrzymywali Mosesa Ndebele. Geoffreya Merricka zabrała grupa cywilów. Zdaniem Eddiego wyglądali na fanatycznych obrońców środowiska naturalnego, nie widział, ile było kobiet, ilu mężczyzn, wszyscy mieli długie włosy. Zapach olejku paczuli tylko trochę maskował odór marihuany, którym przesiąknięte były ich ubrania.

Eddie masował szczękę; Susan Donleavy wymierzyła mu cios, kiedy tylko przyjaciele ją docucili. Strażnik przechodzący obok celi widział to i tylko się uśmiechnął.

Eddie ocenił, że w więzieniu było około setki uzbrojonych mężczyzn, a teraz, gdy adrenalina odpłynęła, mógł spokojnie zastanowić się nad tym, dlaczego aż tylu. Moses Ndebele przez wielu był uważany za męża opatrznościowego swojego kraju – panujący reżim musiałby go w jakiś sposób wyeliminować z gry. Gdyby trzymali Ndebele w więzieniu w Zimbabwe, byłoby to wyzwanie dla jego zwolenników. O tym miejscu nikt nie wiedział. Mogli trzymać go w nieskończoność.

Zastanawiało go to, że Merrick i Ndebele przebywali w Diabelskiej Oazie w tym samym czasie. Domyślał się, że nie wskutek zbiegu okoliczności, ale na razie nie potrafił tego rozgryźć. Daniel Singer musiał w jakiś sposób dogadać się z rządem Zimbabwe w kwestii wykorzystania starego więzienia.

Minęło już kilka godzin od chwili, gdy ich uwięziono. Linc nie został wrzucony do celi, niewykluczone że uciekł na motocyklu. Eddie rozumiał go. Dowódca garnizonu ogłosił, że o świcie zostaną rozstrzelani. Nie było sensu, by poświęcał się, skoro miał możliwość ucieczki.

Biorąc pod uwagę to, że szef utknął na pustyni, Lincoln jechał do Gundersena i doktor Huxley, a „Oregon" był oddalony o trzysta dwadzieścia kilometrów, szansa na ratunek była niewielka. Potrzebowaliby oddziału helikopterów do ataku z powietrza, a jedyną maszyną znajdującą się obecnie w ruchu był harley Linca.

Eddie wstąpił do CIA tuż po studiach i większość z kolejnych piętnastu lat spędził na lotach do Chin i z powrotem, dbając przy tym o siatkę informatorów, którzy pomagali USA utrzymywać niełatwe stosunki z ich krajem. Wiosną 2001 roku został przerzucony łodzią podwodną do Tajwanu, gdzie Chińczycy przetrzymywali załogę szpiegowskiego samolotu EP-3, i przekazał informacje, dzięki którym kryzys dyplomatyczny nie przerodził się w otwartą wojnę. Bezkarnie wodził za nos tajną chińską policję, ponieważ jest wyjątkowo dobry w tym, co robi. Dlatego ironią było pojmanie go przez strażników trzeciorzędnego dyktatora afrykańskiego.

Wbrew wszystkiemu Eddie wciąż wierzył, że Juan Cabrillo znajdzie jakiś sposób, by ich uratować. Mimo że obaj działali w CIA w tym samym czasie, poznali się dopiero po odejściu z państwowej służby. Nie oznacza to, że Eddie wcześniej nie słyszał o nim. Juan wykonywał sam jedne z najtrudniejszych zadań w historii agencji. W związku z tym, że biegle mówił po hiszpańsku, arabsku i rosyjsku, jego misje związane były z najmniej przyjaznymi krajami świata. W Langley był już żywą legendą. Jego reputacja oraz jego blond włosy sprawiły, że dorobił się przydomka Mr Phelps, pochodzącego z filmu *Mission Impossible*. Czy śledził przemytników narkotykowych na trasie z Kolumbii do Panamy, czy rozpracowywał grupę syryjskich terrorystów, planujących uderzenie w izraelski Kneset porwanym samolotem, Cabrillo radził sobie ze wszystkim.

Jeśli więc ktoś mógłby uratować ich w ciągu kilku godzin pozostałych do świtu, i to bez odpowiednich zasobów, to tylko Juan Cabrillo.

Ciemność rozjaśniło niespodziewanie światło latarki, które oślepiło Juana. Usłyszał odgłos odbezpieczanych pistoletów. Zamarł. Kolejne sekundy miały zdecydować o tym, czy będzie żyć. Jeden z mężczyzn zbliżył się, mierząc do niego z wielkiego rewolweru. Webley, nie najnowszy model, jeśli dobrze rozpoznał. Afrykanin był starszy od Juana, mógł mieć pięćdziesiątkę. Jego skronie pokrywała siwizna, a czoło znaczyły głębokie zmarszczki.

– Kim jesteś? – Patrzył podejrzliwie.

– Nazywam się Juan Rodriguez Cabrillo – odparł. Wiek mężczyzny, a także to, że grupa jest uzbrojona i zmierza w stronę Diabelskiej Oazy, sprawiło, że postanowił zaryzykować. – Chcę wam pomóc uratować Mosesa Ndebele.

Dłoń mężczyzny zacisnęła się na pistolecie, a w oczach pojawił się błysk.

Juan opadł na ziemię, modlił się, żeby jego ocena Afrykanów była trafna.

– Trzech moich ludzi jest teraz w więzieniu. Próbowali odbić amerykańskiego biznesmena, ale wpadli w ręce żołnierzy pilnujących Ndebele. Jeden z mojej ekipy uciekł i jest teraz przy samolocie, około siedemdziesięciu kilometrów od więzienia. Chcę odbić moich ludzi, a przy okazji mogę wam pomóc uwolnić waszego przywódcę.

Pistolet ani drgnął.

– Jak nas znalazłeś?

– Mój główny spadochron nie otworzył się, a gdy spadałem na zapasowym, zobaczyłem wasze światła. Skonstruowałem deskę z napędem spadochronowym i ruszyłem za wami.

– To, co mówisz, jest zbyt dziwne, żeby uwierzyć. – Opuścił pistolet i powiedział coś w lokalnym narzeczu. Inny Afrykanin zbliżył się, wyciągając nóż zza paska.

– Żebyś wiedział, mam w kaburze glocka, a na plecach automatyczny MP-5.

Mężczyzna spojrzał na dowódcę. Kiedy tamten skinął, przeciął nylon, i Juan wreszcie mógł normalnie oddychać. Wstał powoli, nie patrząc nawet na broń.

– Dziękuję – powiedział, wyciągając ręce. – Proszę, mówcie mi Juan.

– Mafana. – Przywódca grupy w tradycyjnym powitaniu przycisnął kciuk Cabrilla. – Co wiesz o Mosesie Ndebele?

– Wiem, że wkrótce ma być osądzony i stracony, a jeśli tak się stanie, nie będziecie mieć szansy na obalenie rządu.

– Jest ojcem całego narodu, pierwszy zjednoczył dwa największe plemiona w Zimbabwe, Matabele i Mashona – mówił Mafana. – Stopień generała zdobył przed trzydziestym rokiem życia, podczas naszej wojny o niepodległość. Po wojnie zyskał popularność i tylu zwolenników, że elity rządzące widziały w nim zagrożenie. Trzymają Ndebele w areszcie od dwóch lat, torturują i zostanie zamordowany, jeśli go nie odbijemy.

– Ilu macie ludzi?

– Trzydziestu. Wszyscy służyli razem z Mosesem.

Juan popatrzył na twarze mężczyzn. Żaden z nich nie miał mniej niż czterdzieści lat, wszyscy w młodym wieku zakosztowali smaku wojny.

– Możecie sami naprawić samochód? – zapytał, robiąc krok w przód. Zapomniał jednak, że wciąż jest przyczepiony do plastikowej płyty, upadł jak długi. Mężczyźni buchnęli śmiechem.

Cabrillo pozbierał się i usiadł, po czym odczepił sztuczną nogę. Na ten widok mężczyźni zamilkli. Juan rozładował atmosferę.

– Uznajcie to za największy scyzoryk na świecie – powiedział. Znów rozbrzmiał donośny śmiech.

Mafana pomógł Juanowi wstać i podtrzymywał go, gdy ten skakał w stronę tymczasowego obozu.

– Samochód zaraz naprawimy. Brud zatkał pompę paliwową. Będziemy gotowi za kilka minut, ale i tak straciliśmy już sporo czasu.

Juan pożyczył młotek i dłuto, żeby odczepić protezę od plastikowej płyty.

– W jaki sposób chcecie odbić Ndebele?

– Zamierzamy zrobić zasadzkę na zewnątrz więzienia, poczekamy, aż będą go transportować w inne miejsce. Mogą do tego użyć ciężarówek, ale podejrzewamy, że wykorzystają samolot. W kraju mówi się, że proces jest już za dwa dni.

Będzie za późno, by uratować moich, pomyślał Juan. Pomysł z zasadzką jest kiepski. Ndebele dostanie kulkę w głowę w momencie, gdy tylko rozpocznie się zamieszanie. Musiał więc znaleźć sposób, by Mafana i jego ludzie zdecydowali się zaatakować Diabelską Oazę, i to jeszcze przed świtem, zanim Eddie, Mike i Pulaski zostaną zabici.

– A co powiecie na to, że mam plan, by uwolnić Mosesa jeszcze dziś w nocy i odtransportować go do Afryki Południowej?

Mafana nie spuszczał z niego wzroku.

– Chciałbym usłyszeć coś więcej o tym planie.

– Ja też – mruknął pod nosem Juan, zdając sobie sprawę, że za chwilę musi coś wymyślić. – Pozwól, że zadam ci pytanie: macie jakieś wyrzutnie rakietowe?

– Stare ruskie RPG-7 jeszcze z czasów wojny.

Jęknął. Rewolucja w Zimbabwe skończyła się dwadzieścia pięć lat temu.

– Nie martw się – szybko dodał Mafana. – Testowaliśmy je.

– A lina? Ile macie liny?

Mafana zapytał jednego ze swoich ludzi i przetłumaczył odpowiedź.

– Wygląda na to, że sporo. Sześćset metrów nylonowej liny.

– I ostatnie pytanie. – Cabrillo patrzył na powiewający na wietrze spadochron. Nagle go olśniło. – Czy któryś z was potrafi szyć?

Rozdział 21

Daniel Singer ledwo usłyszał sygnał telefonu satelitarnego przez nieustanne brzęczenie owadów. Sięgnął na oślep, rozgarniając dłonią plątaninę wilgotnej pościeli i moskitiery. Spał z telefonem w zasięgu ręki, gdyż nie ufał swoim najemnikom. Za pieniądze nie można kupić wierności.

– Słucham – mruknął półsennie.

– Dan, mówi Nina. Mamy problem. Ktoś chciał odbić Merricka.

Oprzytomniał natychmiast.

– Co? Mów, co się stało.

– Było ich czterech. Trzech złapano, a czwarty uciekł na motocyklu. Susan postrzeliła Merricka w klatkę piersiową. Stąd właśnie wiemy, że tam byli. Strażnicy pilnujący Mosesa Ndebele znaleźli na dachu spadochrony.

– Czekaj... Susan postrzeliła Geoffa?

– Tak, w klatkę. Udawała, że jest ofiarą porwania, a przy pierwszej okazji złapała pistolet i strzeliła do niego. Zatrzymaliśmy krwawienie i podaliśmy mu trochę heroiny z działki Jana. Nie martw się, skonfiskowałam resztę.

Nałóg narkotykowy jego ludzi był ostatnią rzeczą, którą się martwił.

– Kim byli ci, którzy przyszli po Merricka?

– Twierdzą, że byli wynajęci przez firmę, żeby uratować jego i Susan. Nie chcą powiedzieć nic więcej. Danny, kapitan straży, chce ich rozstrzelać o świcie. – W jej głosie słychać było przerażenie. – Wszystko wymknęło się spod kontroli. Nie wiem, co mam teraz robić.

– Przede wszystkim uspokój się. – Wziął głęboki oddech. Sam też musiał się uspokoić, by przemyśleć, jakie kroki podjąć. Do chaty, w której spał, dolatywał odór z pobliskich bagien. W pobliżu spał jeden z afrykańskich najemników, a w oddali widać było płomienie szybów naftowych. Miał wrażenie, że cały świat płonie. Widok takiej degradacji środowiska naturalnego przepełniał go obrzydzeniem.

– Co chcesz, żebym teraz zrobiła? – odezwała się Nina.

Singer wpatrywał się w połyskującą tarczę zegarka – wpół do piątej. Zanim położył się spać, analizował najświeższe raporty meteorologiczne. Wskazywały, że nad środkowym Atlantykiem rozwija się sztorm, który będzie jednym z dziesięciu największych w tym roku. Wyglądało też na to, że burza może przerodzić się w huragan.

Wykorzystanie Diabelskiej Oazy do uwięzienia byłego wspólnika i igranie z nim było zaledwie wstępem. Do uderzenia burzy pozostało niewiele czasu, więc Singer postanowił realizować niezwłocznie kolejne punkty swojego planu. Dzięki pomocy matki natury i podgrzewaczy, które w 2004 roku rozmieścił na wybrzeżu Namibii, mógł martwić się tylko tym, jak sprowadzić Merricka tutaj, do Kabindy.

– Wyślę samolot, by odebrał was jutro rano – powiedział.

– Uhm.

– O co chodzi?

– Dan, o świcie chcą rozstrzelać tych trzech ludzi. Rozmawialiśmy o tym i nikt z nas nie chce być wtedy w pobliżu. Nastroje są fatalne. Dowódca twierdzi uparcie, że w drodze jest jakiś oddział, który chce odbić Ndebele, i żadna z kobiet nie czuje się bezpiecznie wśród tych mężczyzn, jeśli wiesz, o co mi chodzi.

Singer zastanawiał się chwilę.

– Dobrze, jest pewne miejsce w odległości siedemdziesięciu kilometrów od was. Pilot, który po raz pierwszy wiózł mnie do Diabelskiej Oazy, powiedział mi o nim. Nie pamiętam nazwy, ale zobaczysz je na mapie. To wymarłe miasteczko, a w nim jest pas startowy. Zadzwonię do pilota w Kinszasie i powiem mu, by wyruszył o świcie. Weź ciężarówkę i poczekaj tam na niego. Powinien dolecieć przed południem.

– Dzięki, Danny. Tak będzie najlepiej.

Singer rozłączył się, ale nie wrócił już do łóżka. Lata cierpliwego planowania zaczynały przynosić korzyści. Poświęcił swój majątek, zmuszając Merricka do wykupienia go. Mógł zapłacić za to, czego potrzebował, unikając wielu kłopotów.

Patrzył na połyskujące pole naftowe i myślał, że dzięki trudności całej operacji smak sukcesu był słodszy. Nic nie mogło zastąpić ciężkiej pracy. I może właśnie dlatego wyzbył się majątku. Zdobył go zbyt łatwo. On i Merrick mieli po dwadzieścia kilka lat, gdy opatentowali filtry węglowe. Pewnie, że wiele godzin zajęło im dopracowanie systemu, ale i tak za mało, by potrafili docenić wagę sukcesu.

Nad tą operacją pracował dużo więcej, dlatego mógł się nią delektować. Poświęcenia, niewygody i ubóstwo sprawiły, że zwycięstwo było cenniejsze niż pieniądze, które zarobił do tej pory. I dla dobra ludzkości miało to nawet większe znaczenie.

Nie po raz pierwszy zastanawiał się, ile istnień ludzkich ocali, gdy w końcu świat zda sobie sprawę z niebezpieczeństwa globalnego ocieplenia. To liczba rzędu dziesiątek milionów, ale czasami myślał, że ratuje całą ludzkość, a kiedyś historycy ocenią, że ten rok i ta burza były czymś, co oświeciło ludzi i powstrzymało bezmyślne niszczenie planety.

Zastanawiał się też, jak można będzie określić kogoś takiego jak on. Jedyne słowo, jakie przychodziło mu na myśl: mesjasz. W tym wypadku nie miało żadnej konotacji religijnej, gdyż religie uznawał za mity, ale właśnie to słowo było według niego najlepsze.

– Mesjasz – powiedział półgłosem. – Nigdy nie będą wiedzieć, że ich uratowałem, ale jestem ich mesjaszem.

Konwój, oprócz jednego pojazdu, zatrzymał się w odległości ośmiu kilometrów od więzienia, żeby dokonać ostatnich przygotowań do ataku. Okrążyli więzienie tak, by wiatr wiał im w plecy. Cabrillo siedział w ciężarówce, która jechała pierwsza, ustalając z Mafaną szczegóły planu, i konsultował ustalenia z Maxem Harleyem oraz Franklinem Lincolnem. Gdy wszystko zostało dopięte na ostatni guzik, baterie telefonu były na wykończeniu.

Mafana, podczas wojny w stopniu sierżanta, wyglądał na zadowolonego, że Juan jest z nimi. On nie był tak dobrym strategiem jak Cabrillo. Plan, który wymyślił Juan, dużo bardziej skomplikowany niż pierwotny pomysł Mafany, zwiększał znacznie szanse powodzenia.

Wysiadając z ciężarówki, Cabrillo wyprostował się, próbował rozmasować obolałe mięśnie. Oczy miał czerwone od piachu, a niezależnie od tego, ile wody pił, na zębach wciąż czuł kamienny pył. Obiecał sobie, że po zakończeniu tego zamieszania zafunduje sobie najdłuższy prysznic w życiu. Myśl o ciepłej wodzie sprowadziła jedynie kolejną falę zmęczenia. Gdyby nie pigułki z kofeiną, które na szczęście dodał do apteczki, już dawno padłby na ziemię i zwinął się w kłębek.

Szybko wykonał kilka głębokich wdechów i pomachał ramionami, żeby chociaż trochę poprawić sobie krążenie. Kilku ludzi Mafany rozłożyło na piasku spadochron. Cabrillo w tym czasie przejrzał swój ekwipunek i wyrzucił wszystko, co niepotrzebne, także glocka wraz z kaburą, nóż, manierkę, apteczkę oraz część amunicji do pistoletu maszynowego. Dzięki temu mógł zabrać ze sobą dwie dodatkowe rakiety do wyrzutni RPG-7, którą niósł Mafana.

Upewnił się, że ma scyzoryk. Pierwszy nożyk dostał od dziadka na dziesiąte urodziny. Zgubił go dawno temu, potem inne też gdzieś przepadały, ale za każdym razem, gdy w tylnej kieszeni czuł scyzoryk, przypominał sobie, jak w dniu urodzin przeciął sobie palec i z płaczem oświadczył dziadkowi, że on, Juan, nie jest na tyle odpowiedzialny, by mógł mieć nóż. Dziadek uśmiechnął się i powiedział, że swoim zachowaniem udowodnił właśnie, że jest odpowiedzialny.

Ponownie skontaktował się z Maxem.

– Za pięć minut zaczynamy atak.

– Z Lincem i Tinym wszystko ustalone – odparł Max. – George czeka z Robinsonem, my także zajęliśmy pozycję. Dzwonił Mark. Wraz z Erikiem są gotowi, by o świcie rozpocząć poszukiwania broni. Dzięki Tiny'emu udało się pozyskać jednego z najlepszych pilotów w Afryce.

– Świetnie.

– Trzymasz się jakoś? Chyba nie wyglądasz najlepiej.

– Wszystko w porządku. Po prostu się starzeję.

– Poczekaj, aż będziesz musiał zwlekać z łóżka swój pomarszczony tyłek po sześćdziesiątce.

Juan zaśmiał się.

– I z tym miłym obrazkiem przed oczami muszę się z tobą pożegnać.

– Powodzenia.

– Dzięki. Zobaczymy się za kilka godzin.

– Wstawię dla ciebie piwo do lodówki.

– Wstaw skrzynkę, bo będzie nas czterech – zakończył Juan i się rozłączył.

Mafana podszedł do niego niepostrzeżenie, kiedy przywiązywał plastikową płytę do protezy. Węzły trzymały mocno, ale na pewno nie tak bardzo, jak wtedy, gdy zgrzał protezę z płytą. Teraz jednak nie potrzebował aż tak solidnego spojenia.

– Jesteś gotowy? Świt za niecałą godzinę, a jeszcze potrzebujemy chwili, by zająć pozycje.

Juan wstał.

– Gotowy, jak zawsze.

Z pomocą Mafany doczłapał do spadochronu. Zgodnie z instrukcjami ludzie Mafany rozciągnęli spadochron na piasku i przysypali jego brzegi, by wiatr nie mógł się dostać pod materiał. Jeden z Afrykanów zszył rozdarcia. Zanim odpowiednio ustawił się w uprzęży, Juan włożył na ramiona plecak wypełniony rakietami tak, by mieć go na klatce piersiowej. Tuba wyrzutni i pistolet MP-5 zwisały niżej. Teraz musiał tylko trzymać nerwy na wodzy i mocno się przywiązać.

– Czekamy na twój sygnał. – Mafana uścisnął dłoń Cabrilla. – Walczysz, żeby ocalić mój naród.

Jego ludzie pobiegli do samochodów znajdujących się w odległości czterystu metrów. Wkrótce rozległ się warkot pracujących silników. Juan dwa razy sprawdził węzły i odchylił się w oczekiwaniu na szarpnięcie.

Kierowca holującej ciężarówki przyspieszał powoli. Sześćset metrów nylonowej liny coraz szybciej naprężało się, Cabrillo odchylił się jeszcze bardziej, lina zacisnęła się na klatce piersiowej i ciężarówka pociągnęła go. Plastikowa płyta, której używał do podróży przez pustynię, ślizgała się na piasku, a wóz przyspieszał. Spadochron wyrwał się już spod piasku i przy prędkości dwudziestu kilometrów na godzinę czasza zaczęła wypełniać się powietrzem, oderwała się od ziemi i szarpnęła linki.

Lina była bardzo długa i Juan zdawał sobie sprawę, że jeśli się przewróci, kierowca nawet tego nie zauważy. Będzie ciągnąć go po ziemi, aż on sam nie znajdzie sposobu na wyswobodzenie się. Aby utrzymać równowagę, musiał odchylać się coraz bardziej, bo ciężarówka nabierała prędkości.

Uskoczył w lewo, żeby nie zawadzić o kamień, prawie uderzył w następny i niewiele brakowało, by upadł na plecy, gdy płyta niespodziewanie wyskoczyła spod niego. Podniósł obie nogi, żeby wprowadzić narty pod siebie, korzystając z tego, że spadochron jeszcze się całkowicie nie rozwinął, co dawało mu ułamek sekundy. Balansował ciałem, ale na szczęście udało się zachować równowagę.

Ciężarówka osiągnęła trzydzieści kilometrów na godzinę... czterdzieści, a nogi Juana przeszywał ból rozdzierający mięśnie. Nagle już nic nie czuł. Oderwał się od ziemi.

Pęd powietrza był wystarczająco silny, żeby unieść go wraz z ekwipunkiem. Ciężarówka wciąż przyspieszała, a Juan unosił się coraz wyżej. Wkrótce wysokościomierz na nadgarstku wskazywał wysokość pięciuset metrów. Wspaniały lot.

– Spadochroniarstwo, spadonarciarstwo, spadożeglarstwo. – Śmiał się. – Wszystko w ciągu jednego dnia.

Wyjął scyzoryk i przeciął linki wiążące protezę z plastikową płytą. Chętnie zatrzymałby kawałek plastiku na pamiątkę, ale nie miał wyboru, jeśli chciał bezpiecznie wylądować.

Pozostało jeszcze wystarczająco dużo luźnej liny i jego lot był w miarę płynny, choć na pewno nie tak łagodny, jak gdyby ciągnęła Juana łódź motorowa – w niektórych kurortach ten rodzaj sportu stał się bardzo popularny. Ciężarówka czasami wjeżdżała w jakąś dolinkę, ściągając go za sobą w dół jak latawiec, ale nie było źle.

Sam miał podjąć decyzję, w którym momencie powinien odczepić się od liny. Łuna za plecami zwiastowała poranek tęczowymi refleksami na atramentowym niebie. Z odprawy na „Oregonie" wiedział, że wschód słońca będzie za piętnaście minut. W rozświetlającym pustynię blasku mógł już dostrzec majaczące w odległości półtora kilometra budynki więzienia w Diabelskiej Oazie. Nie tracąc czasu, odczepił się od liny łączącej go z ciężarówką. Spadochron poderwał się w górę o dobrych trzydzieści metrów.

Jeden z ludzi Mafany miał obserwować, czy lina spada na ziemię, a konwój w tym momencie zatrzymać się, zanim mogliby go wypatrzyć wartownicy. Musieli zająć ustalone pozycje w kilka minut.

Juan sterował linkami spadochronu tak, by zyskać jak najwięcej czasu, dopóki wiatr nie zaniesie go nad stare więzienie. Tej nocy szczęście mu sprzyjało. Wiał korzystny wiatr i wciąż utrzymywał wysokość, co pozwoli mu bez trudu wylądować na dachu więzienia.

Unosił się jak liść na wietrze, a orzeźwiała go poranna bryza. Sterował linkami, nieznacznie zmieniając kierunek lotu, żeby nie stracić z oczu budynku więzienia. Gdy nadleciał nad dach Diabelskiej Oazy, niebo było jeszcze w kolorze ciemnego granatu. Nie słyszał żadnego alarmu. Zręcznie wypuścił powietrze z czaszy spadochronu i wylądował na dachu tak lekko, jakby zwyczajnie zszedł z niskiego stopnia.

Szybko zwinął spadochron, by nie został zniesiony wiatrem na dziedziniec więzienia. Zdjął kamizelkę oraz plecak wypchany rakietami i na razie wykorzystał je jako ciężarki, którymi przycisnął spadochron. Chwycił MP-5 i wychylając się, przeprowadził szybkie rozpoznanie terenu. Zauważył miejsce, gdzie jego ludzie przymocowali liny, po których opuszczali się do wnętrza więzienia. Liny były odcięte, ale zostały zaczepy wkręcone w drewniany dach. Dostrzegł ślady na piasku i wiedział, że tędy prowadzono motocykle. Ślady dwóch pojazdów zataczały pętle w okolicy głównej bramy, trzeci ślad motoru Linca znikał gdzieś w oddali. Były też inne, sądząc po rozstawie kół, należały do ciężarówki, te kierowały się na wschód.

Cabrillo przywiązał spadochron do zaczepu, szybko określił swoje cele i znalazł dogodne miejsce do ataku. Miał siedem rakiet do wyrzutni RPG-7 i cztery cele, ale przewidywał, że wśród tak starych pocisków mogą być niewypały. Mimo to wysoko oceniał swoje szanse.

Przez radio wywołał „Oregona". Hali Kasim był szefem łączności na okręcie, jednak to Linda Ross koordynowała zadanie. Odpowiedziała na wezwanie, zanim wybrzmiał pierwszy sygnał.

– Dom uciech i bólu pani Lindy – powiedziała na powitanie.

– Dopisz mnie do kolegów – szepnął. – Jestem w środku.

– Nie spodziewaliśmy się nic innego. Oczywiście widziałam w Cabo siedemdziesięcioletnie babcie na spadochronach ciągniętych przez łodzie, dlatego nie zrobiłeś na mnie wrażenia. – Jej lekki ton się zmienił. – Tiny wystartował przed kwadransem. Będzie poza zasięgiem przez piętnaście minut po wschodzie słońca. Po tym czasie powinieneś złapać Linca za pomocą komunikatora.

Nie było potrzeby, by Cabrillo po raz kolejny potwierdzał swoje położenie, więc nic nie odpowiedział.

– Chcę ci życzyć powodzenia – dodała Linda. – I wyciągnij stamtąd swoich chłopców. „Oregon", bez odbioru.

Juan odłączył komunikator i schował go do specjalnego pojemnika przymocowanego na wysokości biodra.

Trzej strażnicy snujący się przy głównej bramie skupili niespodziewanie uwagę na otwierających się drzwiach, które znajdowały się akurat pod miejscem, gdzie przyczaił się Juan. Za zwieńczeniem charakterystycznym dla średniowiecznego zamku był w miarę bezpieczny i miał dobry punkt obserwacyjny; teraz przypatrywał się mężczyźnie przemierzającemu dziedziniec. Mężczyzna trzymał w ręku latarkę, przez chwilę rozmawiał z jednym ze strażników, potem odszedł.

Słońce, które już wzeszło ponad horyzont, oblało plecy Juana ciepłym blaskiem. Mimo bardzo długich cieni dostrzegł trzy drewniane słupki wbite w ziemię przy ścianie, na lewo od głównej bramy. Zanim słońce zdążyło oświetlić wewnętrzny dziedziniec, wyjął mały nóż i z łatwością dorzucił nim do słupków przygotowanych do egzekucji, trafiając w pobliżu środkowego. Tę umiejętność także nabył dzięki dziadkowi.

Gdy przygotowywał wyrzutnię rakiet, na wewnętrzny dziedziniec schodzili się żołnierze. Najpierw pojedynczo lub dwójkami, potem wylewali się dziesiątkami. Obserwując ich gesty i zachowanie, stwierdził, że nie mogą doczekać się egzekucji. Ocenił, iż jest ich setka. Co najmniej połowa z nich miała broń. Gwar rozmów i głośne śmiechy rozbrzmiewały po okolicy, dopóki z trzaskiem nie otworzyły się inne drzwi.

Juan musiał wyciągnąć szyję, by zobaczyć Eddiego, Mike'a i Pulaskiego wyprowadzanych pod eskortą z więzienia. Poczuł dumę. Jego ludzie szli wyprostowani, z podniesionymi głowami. Zachowywali godność w obliczu śmierci.

Włączył celownik laserowy pistoletu maszynowego.

Eddie Seng podczas tajnej misji w Chinach widział niejedną egzekucję, ale tamte odbywały się bez publiki, tę zaś dowódca zaplanował jako widowisko dla swoich ludzi, a wzorował się bez wątpienia na jakimś filmie sensacyjnym.

Gdyby nie to, że właśnie on miał być celem, Eddie śmiałby się z absurdalności takiego przedstawienia.

Był dzielny, miał odwagę graniczącą z ryzykiem, posuniętą do zuchwalstwa, ale nie chciał umierać. Nie w taki sposób – nie mogąc nic zrobić. Myślami wrócił do swojej rodziny. Rodzice nie żyli od paru lat, ale w Nowym Jorku mieszkało mnóstwo wujków i ciotek, kuzynów więcej, niż umiałby zliczyć. Nikt z nich nie wiedział, czym zajmuje się Eddie, nikt też nie pytał o cel jego częstych podróży do rodzinnego kraju. Po prostu gościli go serdecznie, gdy zostawał w Nowym Jorku, upewniali się, czy odwiedził wszystkich krewnych.

Tęsknił za nimi bardziej, niż myślał. Ale oni nawet nie wiedzieliby, że nie żyje, dopóki Juan nie pojawiłby się z czekiem na siedmio- lub ośmiocyfrową sumę, która stanowiłaby udział Eddiego w Korporacji. I niezależnie od tego, w jaki sposób szef wytłumaczyłby pochodzenie takiej fortuny, i tak by mu nie uwierzyli. Byli prostymi, ciężko pracującymi ludźmi i uznaliby, że krewniak robił ciemne interesy. Czek zostałby wyrzucony do śmieci i nikt nigdy nie wspomniałby imienia Eddiego.

Zacisnął szczęki i zmrużył oczy, wypełnione łzami z powodu wstydu, jaki przyniósłby rodzinie.

Nie zwrócił uwagi na małe błyski światła pojawiające się przy szyi Jeremy'ego, dopóki podświadomie nie poczuł pewności, że te błyski nie są przypadkowe. To był alfabet Morse'a.

– ...au Geste jest za waszymi plecami – odszyfrował. Starał się nie rozglądać zbyt nerwowo, gdy zbliżali się do miejsca egzekucji. Szef był tu i za pomocą lasera, prawdopodobnie celownika swojego pistoletu, przekazywał im wiadomość. Ten niesamowity facet chciał ich stąd wyciągnąć. – Rakieta zanim przywiążą. Nóż środkowy słup.

Zrozumiał, że Cabrillo zamierza skorzystać z wyrzutni rakiet, by ich osłaniać, oraz że jakiś nóż leży przy środkowym słupku, do którego najpewniej zostanie przywiązany on, gdyż szedł pomiędzy Mikiem a Jeremym. Plan był genialny: kiedy kilku strażników będzie ich przywiązywać, pozostałym nie przyjdzie do głowy, by strzelać w tę stronę.

– Jest szef – powiedział Seng do kolegów, nie zważając na wrzask otaczających ich żołnierzy. Nie musiał mówić nic więcej. Szybko zareagują na działania Cabrilla i bez problemu dostosują się do aktualnej sytuacji.

– Najwyższy czas – odezwał się Mike, a strażnik uderzył go dłonią w głowę.

Kilku żołnierzy opluło więźniów, niektórzy próbowali ich kopnąć. Eddie nie zwracał na to uwagi. Myślał tylko o zdobyciu noża, analizował warianty sytuacyjne jego użycia.

Tłum żołnierzy rozstąpił się. Za słupami stali trzej strażnicy ze sznurami. Mężczyzna z eskorty dojrzał nóż, podskoczył, podniósł go i schował do kieszeni.

Gdy odwrócił się w stronę skazańców, napotkał mordercze spojrzenie, które mówiło: To największy błąd w twoim zasranym życiu. Eddie zmodyfikował plan ataku.

Cabrillo obserwował wszystko z ukrycia, choć żaden z żołnierzy nie patrzył w miejsce inne niż plac egzekucji. Trzymał dłonie na wyrzutni RPG-7 i w ułamku sekundy mógł unieść broń, oprzeć na ramieniu i wystrzelić.

Komendant straży, przechodząc przez szpaler żołnierzy, salutował i machał do nich, a podwładni odpowiadali radosnymi okrzykami. Zapewnił im niespodziewaną rozrywkę i liczył, że w ten sposób umocni swój autorytet. Potem zatrzymał się i uniósł rękę, by uciszyć tłum.

Juan miał nadzieję, że osobiście zdejmie tego człowieka, ale nie mógł przewidzieć przebiegu walki.

Komendant zaczął przemawiać, a jego głęboki, donośny głos rozchodził się po placu apelowym. Żołnierze słuchali, śmiejąc się, gdy powiedział coś zabawnego.

Cabrillo wyobrażał sobie, co podwładni mogą usłyszeć: ...złapaliśmy trzech szpiegów CIA... Bla bla bla... Niech żyje rewolucja... Jestem najlepszym dowódcą, jakiego kiedykolwiek mieliście... Tra la la la.

Już to przerabiał.

Komendant skończył dziesięciominutową przemowę, odwrócił się i skinął na strażników, żeby przywiązali więźniów.

Juan wychylił się zza kamiennego bloku i uniósł wyrzutnię. Kiedy w celowniku zobaczył drzwi prowadzące do wnętrza więzienia, nacisnął spust. Rakieta wystrzeliła, a on szykował już kolejny pocisk.

Wyrzucająca białą smugę dymu ponaddwukilogramowa rakieta eksplodowała tuż nad drzwiami prowadzącymi do dawnych baraków więziennych. Wybuch wyrwał framugę, ściana częściowo się zapadła. Luźne kamienie całkowicie zablokowały wejście do budynku.

Gdy tylko Eddie usłyszał świst rakiety, odwrócił się i kopnął w głowę mężczyznę, gdy ten próbował go związać. Uderzenie było na tyle silne, że strażnika odrzuciło na kilka metrów. Później ruszył w stronę żołnierza, który podniósł nóż. Przesunął nogę za nogi strażnika i podciął go.

Upadli na ziemię w momencie, gdy rakieta uderzyła w ścianę więzienia. Mając ręce związane na plecach,

Eddie wykorzystał moment upadku i przycisnął brodę do gardła strażnika tak mocno, że zmiażdżył mu krtań. Żołnierz dławił się i dusił, sięgał dłonią do gardła, próbując przywrócić dopływ powietrza.

Eddie sturlał się z niego i chciał sięgnąć do jego kieszeni. Drgawki żołnierza sprawiły, że nie potrafił wsunąć tam ręki, ale przez materiał wyczuł nóż. Szarpnął z całej siły i wyrwał go wraz z kawałkiem materiału.

Nad placem więziennym pojawiła się druga rakieta. Eddie jednak nie zwracał uwagi na to, gdzie uderzy. Przypuszczał, że szef będzie chciał pozamykać wszystkie wejścia do budynków. Otworzył nóż. Pulaski domyślił się, w czym rzecz, i już siedział na ziemi tuż przy Sengu odwrócony plecami w jego stronę. Eddie przetoczył się i przeciął więzy krępujące Polaka.

Po chwili Pulaski przejął nóż i przeciął mu więzy. Nie chcąc tracić czasu, Eddie oddalił się, wiedząc, że były komandos uwolni Mike'a. Mając już swobodne ręce, Eddie mocnym uderzeniem wyeliminował jednego ze strażników i dzięki temu miał karabin AK-47. Nie popełnił jednak takiego błędu jak w wypadku ciosu wymierzonego Susan Donleavy, tym razem nie cofnął ręki. Żołnierz był już martwy, zanim ciało zdążyło upaść na ziemię.

Odwrócił się i zobaczył strażnika mierzącego w Jeremy'ego, gdy ten przecinał więzy Mike'a. Zdjął mężczyznę dwoma strzałami, które rzuciły go na bezładne kłębowisko ciał jego towarzyszy. Odgłos strzałów zagłuszyła salwa karabinowa zza wałów obronnych. Co najmniej dwadzieścia strzelb huczało na wysokich umocnieniach, pokrywając dolną ścianę warstwą kamiennego pyłu i kurzu. Eddie pobiegł w stronę towarzyszy, osłaniając ich, dopóki nie znaleźli kryjówki pod ciężarówką.

Żołnierze strzelali wzdłuż wschodniej i zachodniej ściany. Cabrillo, będąc cały czas na dachu, załadował kolejną rakietę. Ulokował się naprzeciwko ostatnich drzwi prowadzących do więzienia. Na razie żaden ze strażników nie rozszyfrował jego strategii odcięcia im drogi powrotnej do budynków, ale jeden z oficerów zorientował się, o co chodzi, i rozkazał swoim ludziom, by pozostali wewnątrz. Juan wiedział, że pierwsze, co zrobią, to zabiją Mosesa Ndebele. Tymczasem jego plan zakładał, że wszyscy będą chcieli zobaczyć egzekucję, a on odetnie im drogę powrotu.

Złożył wyrzutnię między dwoma kamiennymi blokami i wystrzelił, a odrzut odepchnął go do tyłu. W powietrze uniósł się kamienny pył i fruwały odłamki pocisków. Silnik rakiety nie odpalił się równomiernie i pocisk poleciał prosto w górę, chybiając celu. Cabrillo przeczołgał się pod ostrzałem kilkanaście metrów, czekając, aż ogień osłabnie. Wysunął MP-5 i posłał serię na drugie piętro, uważając, by nie ranić przypadkiem swoich ludzi na dole.

W odpowiedzi strażnicy wzmocnili ostrzał. Juan zignorował pociski przelatujące mu nad głową i ponownie naładował RPG-7. Przeczołgał się kilka metrów, docierając do miejsca, z którego mógł strzelić pod możliwie najostrzejszym kątem. Musiał trafić w ostatnie całe drzwi, ale był piętnaście metrów od miejsca, w którym strażnicy strzelali ze swoich AK.

Taki dystans dawał Juanowi mniej więcej sekundę, zanim go wypatrzą. W ostatniej chwili wpadł na lepszy pomysł. Odsunął się od ściany sąsiadującej z więziennym placem na odległość, z której klęcząc, nie widział już mężczyzn znajdujących się na dole. Co ważniejsze – oni nie widzieli jego. Podsunął się kilka centymetrów do przodu i widział nieco większą część więzienia. Przesunął się jeszcze dalej. Tutaj! Z tego miejsca widział doskonale łuk w stylu romańskim wieńczący wejście do budynku, ale za to nie widział żadnego strażnika.

Uniósł wyrzutnię na ramię, wycelował uważnie i nacisnął spust.

Nie widział jednak, że jeden z sierżantów przejrzał tę strategię i kierował się do drzwi, a za nim podążali inni. Gdy rakieta uderzyła w ścianę nad drzwiami, jeden z żołnierzy był właśnie w progu. Eksplozja rozrzuciła kawałki ściany po całym placu więziennym i pogruchotała kości mężczyźnie, który przewrócił się na podłogę, i przysypała go lawina kamieni.

Juan zbliżył się do krawędzi dachu, żeby ocenić skutki wystrzału. Wejście zostało mocno zniszczone, jednak wciąż widział tam prześwity, umożliwiające dostanie się do środka. Zauważył żołnierza, który próbował przedrzeć się do wnętrza budynku. Cabrillo ustawił laserowy celownik pistoletu i wystrzelił w chwili, gdy światło lasera zatrzymało się między łopatkami żołnierza. Zapomniał, że broń jest ustawiona na opcję automatyczną. Nie miało jednak znaczenia, że drugi, trzeci i czwarty strzał były niecelne. Pierwszy trafił strażnika dokładnie tam, gdzie celował.

Juan po raz piąty załadował wyrzutnię i zajął pozycję, z której mógł mierzyć celniej do drzwi. Miejsce, gdzie stał przedtem, zostało ostrzelane przez wściekłych żołnierzy. Podsunął się bliżej krawędzi, by widzieć zwieńczenie drzwi, i odpalił rakietę, po czym schował się, mając pewność, że strzał był dobry. Usłyszał odgłos kamiennej lawiny i ponownie załadował wyrzutnię, a gdy wychylił się, zobaczył wejście do budynku zmienione w górę kamieni spowitych chmurą pyłu.

Teraz już nikt nie mógł wejść do środka. Nadszedł czas, by wezwać kawalerię.

Na placu oficer dowodzący wrzeszczał, by przywołać do porządku swoich ludzi. Zasadzka sprawiła, że zachowywali się jak szaleńcy i nikt, z wyjątkiem jednego sierżanta, nie zdawał sobie sprawy, że celem atakujących było uwięzienie ich na placu apelowym. Nie uświadamiali sobie, że znajdują się w samym środku pola bitwy. Oficer wiedział, co lada chwila nastąpi – na dachu pojawią się strzelcy i wyrżną ich niczym owieczki w rzeźni.

Wyznaczył trzech najmniejszych spośród swoich ludzi, szczupłych i zwinnych, którzy mieli szansę prześliznąć się przez zniszczone wejście i zabić Mosesa Ndebele, zanim napastnicy zdołają go odbić. Innym żołnierzom nakazał otwarcie głównej bramy, ale z zachowaniem ostrożności, na wypadek gdyby na zewnątrz czaili się kolejni napastnicy. W hałasie wystrzałów niemożliwością było zorientowanie się, czy sygnalizował ich jakiś czujnik ruchu.

Z satysfakcją zauważył, że jeden z oficerów stara się postawić długą rurę, po której można by dostać się na dach. Gdy tylko rura oparła się o zwieńczenie, bosy żołnierz z przewieszonym przez plecy pistoletem zaczął się po niej wspinać zwinnie jak pająk.

Eddie Seng zauważył wspinającego się po rurze żołnierza odrobinę za późno. Miał tylko ułamek sekundy na wycelowanie, zanim mężczyzna dotrze do szczytu i zniknie z pola widzenia. Żeby mieć lepszy widok, wskoczył na przyczepę ciężarówki. Uniósł strzelbę i wycelował. Już miał strzelić, gdy mężczyzna zniknął. Eddie zdjął palec z cyngla. Nie miało sensu oddawanie strzału i zdradzanie pozycji. Juan będzie musiał sam sobie poradzić. Usunął się w cień rzucany przez ciężarówkę. Mike położył mu rękę na ramieniu, dając do zrozumienia, że niewiele więcej mógł zrobić.

Trochę pomogło.

Cabrillo pochylał się nad wyrzutnią, ładując przedostatnią rakietę. Wszystko, co mu zostało do zrobienia, to rozwalenie głównej bramy, by Mafana i jego ludzie mogli dostać się do więzienia i umożliwić mu odszukanie Ndebele i Merricka. Włożył pocisk. Coś było jednak nie tak.

Słońce wciąż wisiało nisko nad horyzontem, a patrząc na wydłużone cienie, nie potrafiłby powiedzieć, co je rzuca. Jednak cienia, który pojawił się nagle obok niego, jeszcze przed sekundą nie było. Odwrócił się i zobaczył strażnika stojącego plecami do dziedzińca. W tej samej chwili mężczyzna wystrzelił z AK.

Juan odskoczył w lewo i uderzył ramieniem w drewniany dach. Zanim strażnik oswoił się z myślą, że jego cel uniknął zasadzki, Cabrillo odpalił wyrzutnię, mierząc raczej instynktownie.

Rakieta wyleciała z lufy w asyście kłębów dymu i gazu. Ciało strażnika nie stawiło takiego oporu, by została odpalona głowica, ale energia kinetyczna pocisku pędzącego z prędkością trzystu pięciu metrów na sekundę dokonała wystarczających zniszczeń. Z żebrami wystającymi z pleców strażnik pofrunął z dachu niczym szmaciana lalka i wylądował pomiędzy swoimi kompanami w odległości dziewięciu metrów od ściany budynku. Teraz już siła uderzenia uruchomiła głowicę rakiety. Eksplozja rozerwała ciała, zostawiając po sobie jedynie dymiący krater otoczony ciałami zabitych i rannych.

Juan miał jeszcze tylko jedną rakietę i wiedział, że jeśli nie zniszczy bramy, cały plan weźmie w łeb. Załadował ją w pośpiechu, wybrał najdogodniejsze miejsce i wycelował w drewniane sztaby, które zabezpieczały główne wejście do więzienia. Odpalił rakietę nieświadomy tego, że grupa żołnierzy właśnie zabierała się do otwarcia bramy.

Rakieta wystrzeliła i trafiła w sam środek, jednak głowica nie eksplodowała. Strażnicy, którzy padli na ziemię, podnosili się, a gdy zdali sobie sprawę, że ocaleli, nerwowy śmiech przerodził się w szaleńczą radość.

Widząc, co się stało, Juan chwycił pistolet. Gdy punkt celownika laserowego wskazywał okolice rakiety, otworzył ogień. Posypały się drzazgi. Zanim opróżnił magazynek, jedna z kul trafiła w uśpioną rakietę. Eksplozja skosiła żołnierzy, którzy przed momentem cieszyli się, że żyją, i całkowicie zdemolowała główną bramę.

Tuż za zasięgiem detektorów ruchu czekały cztery ciężarówki, a w nich zaprawieni w bojach weterani jednej z najkrwawszych afrykańskich wojen domowych, gotowi oddać życie za człowieka, który, o czym byli przekonani, mógł uratować kraj.

Rozdział 22

Lawrence z Arabii wzywa Beau Geste. Odezwij się, Beau.

Całkowicie wyczerpany po wydarzeniach ostatnich czterdziestu ośmiu godzin – a w szczególności ostatnich dwunastu – Cabrillo zapomniał o swoim komunikatorze i wydawało mu się, że słyszy głosy. Po chwili przypomniał sobie, że Lawrence z Arabii to hasło wywoławcze Linca.

– Cholera, Larry. Cieszę się, że cię słyszę.

– Właśnie widziałem eksplozję przy głównej bramie i wygląda na to, że nasi nowi sojusznicy wchodzą do więzienia.

– Potwierdzam. Jaka jest twoja pozycja?

– Jesteśmy w odległości pięciu kilometrów na wysokości tysiąca pięciuset metrów. Sokole Oko Gunderson dostrzegł eksplozję. Jesteś już gotowy na nasze lądowanie?

– Jeszcze nie. Muszę pozbierać pasażerów i upewnić się, że ludzie Mafany na tyle długo zajmą się żołnierzami, że będziecie mogli wylądować.

– Nie ma sprawy, będziemy kołować – odpowiedział Linc, a potem dodał z humorem: – Co godzinę nowe niebezpieczeństwo.

Juan wymienił w pistolecie magazynek i przeładował broń. Podbiegł do miejsca, w którym przyczepiony był jego spadochron dyndający przy ścianie.

Bitwa na dole trwała, wrogowie walczyli ze sobą w takim zwarciu, że strzelby często służyły jako kije i maczugi.

Trzymając się spadochronu, zsunął się z dachu, a jego stopy dyndały teraz trzy piętra ponad ziemią. Opuszczał się powoli i ostrożnie. Gdy dotarł do skraju spadochronu, wciąż był dobry metr nad oknem. Zaparł się nogami o ścianę, a kolana podkurczył do klatki piersiowej i odepchnął się z całej siły.

Myślał, że kolana mu pękły, gdy uderzył nimi o twardą, kamienną ścianę. Eksperyment jednak przekonał go, że da radę, jeśli tylko lepiej wyczuje właściwy moment.

Znów podkurczył nogi i odepchnął się od ściany, trzymając się stalowym uściskiem spadochronu. Gdy osiągnął punkt kulminacyjny, skoncentrował się wyłącznie na czarnej dziurze, wejściu do wnętrza więzienia. Zaczął opadać w dół, nabierając prędkości, a co najważniejsze, leciał pod odpowiednim kątem. Gdy nogi wycelowane były w okno, puścił materiał.

Wleciał przez okno o centymetry od parapetu i upadł na podłogę. Przeturlał się kilka metrów i zatrzymał na barierce. Odgłos uderzenia o balustradę wypełnił echem całe pomieszczenie.

Jęknął, podnosząc się z podłogi. Za kilka godzin plecy będą pokryte sinymi pręgami.

Po tak głośnym wejściu nie musiał zachowywać szczególnej ostrożności, po prostu pobiegł schodami w dół. Z raportu, który Eddie przedstawił Lincowi, wiedział już, że ta część więzienia jest pusta. Na dole zatrzymał się przy otwartych drzwiach, sprawdzając korytarz. Na szczęście generator wciąż wytwarzał prąd i pomieszczenia były oświetlone. Biegnąc w prawą stronę, niszczył niezabezpieczone żarówki. Nie miał zamiaru zostawiać więzienia w takim stanie, w jakim je zastał, i nie miał zamiaru ułatwiać roboty strażnikom, którzy mogli dostać się do środka przez zdemolowane drzwi.

Wyjrzał za róg i zobaczył krzesło stojące na korytarzu, wszystko się zgadzało z tym, co mówił Eddie, stało tam, gdy prowadzili Merricka. Mimo że pierwotnym celem misji było uwolnienie naukowca, Cabrillo musiał przede wszystkim odnaleźć najpierw Mosesa Ndebele. Przebiegł przez drzwi i pomyślał, że porywacze naukowca są gdzieś w środku i nie wiedząc, jak zareagować na zaistniałą sytuację.

Więzienie nigdy nie oddawało ciepła, które absorbowało w trakcie upalnych dni. Teraz, gdy słońce już wzeszło, w korytarzach było piekielnie gorąco. Cabrillo po prostu ociekał potem. Doszedł do połowy korytarza, gdy usłyszał kroki. Z przeciwnej strony biegło w jego stronę dwóch szczupłych strażników. Byli znacznie bliżej wejścia do drugiego skrzydła niż Juan, a ich obecność świadczyła tylko, że właśnie tam przetrzymują swojego cennego więźnia.

Juan rzucił się na ziemię, orząc łokciami po kamienistej podłodze, i posłał serię z karabinu. Zmusił strażników, by cofnęli się za róg.

Przeczołgał się do bardziej zacienionej części korytarza i przeturlał pod drugą ścianę, by ich zmylić. Strzelał za każdym razem, gdy któryś z nich wychylał się, by sprawdzić korytarz. Podłogę wokół niego zaściełały łuski po nabojach.

Przesuwał się dalej, gdy jeden z żołnierzy puścił serię. Kawałki kamieni i pociski zdawały się wypełniać cały korytarz. Odpowiedział ogniem, ale strażnik kontynuował ostrzał.

Zza rogu wychylił się drugi strażnik i przyłączył się do ostrzału. Mimo że żaden z nich nie widział Juana, szansa na szczęśliwe trafienie wzrosła dwukrotnie. Pierwszy opuścił swoje miejsce i pobiegł w stronę wejścia do drugiego skrzydła. Drzwi były otwarte lub strażnik przestrzelił zamek, gdyż wpadł do środka, zanim Juan zdążył wycelować.

Cabrillo miał już tylko sekundy, zanim strażnicy zamordują Mosesa Ndebele. Poderwał się i ruszył biegiem, strzelając z biodra. Pistolet wypluwał ogień. Światło laserowego celownika przebijało się przez dym i kurz. W końcu zatrzymało na ciele strażnika. Kolejne trzy serie zwaliły go z nóg.

Zamiast zwolnić i spokojnie przejść przez drzwi, Juan wpadł w nie bokiem na pełnej szybkości, ramieniem amortyzując uderzenie.

Zobaczył rząd cel, odgrodzonych od siebie dodatkowymi kratami. Wszystkie wyglądały na puste. Domyślał się, że Ndebele będzie na drugim lub trzecim piętrze, a strażnik miał wystarczającą przewagę, żeby znaleźć go przed nim. Zatrzymał się na chwilę, by wyrównać oddech i uspokoić walące serce, gdy usłyszał głosy dochodzące zza cel. Jeden na pewno należał do strażnika, drugi był melodyjny, łagodny. Nie brzmiał jak zawodzący płacz skazańca, a raczej jak wyrozumiały głos księdza udzielającego rozgrzeszenia.

Pobiegł za róg. Strażnik stał przy celi, a mężczyzna w stroju więziennym przy kratach w odległości mniejszej niż metr od żołnierza, który mierzył w jego głowę. Moses Ndebele stał spokojnie z rękami opuszczonymi wzdłuż ciała, jakby rozmawiał z przyjacielem, a nie z katem.

Cabrillo podniósł pistolet, plamka lasera spoczęła na lśniącym czole żołnierza, który odwrócił się na odgłos kroków. Nie zdążył pociągnąć za spust. Juan był szybszy. Zapłon trafił jednak na pustą komorę. Strażnik celował gdzieś pomiędzy Juana a Ndebele. Stracił ułamek sekundy na rozważanie, którego zabić najpierw. Uznał pewnie, że zdąży zabić największego wroga swojego kraju, zanim Cabrillo przeładuje pistolet, bo odwrócił się w stronę Ndebele.

W tym momencie Juan wypuścił z rąk pistolet i podrzucił protezę na wysokość klatki piersiowej tak, by móc położyć ręce na łydce, a kolano wesprzeć na ramieniu, jakby trzymał strzelbę. Wymacał przycisk umieszczony w nodze bojowej. Blokada pozwalała na uruchomienie kolejnego guzika znajdującego się po drugiej stronie sztucznej kończyny.

Było to kolejne cacko z magicznego sklepiku Kevina Nixona – wbudowana w protezę osiemnastocalowa lufa kaliber 44. Podwójne zabezpieczenie gwarantowało, że strzelba nigdy nie wypali przypadkowo. Gdy Juan nacisnął drugi guzik, rozległ się huk wystrzału, który wyrwał mu w bucie kilkucentymetrową dziurę.

Siła odrzutu przewróciła go. Pozbierał się szybko i sięgnął do kieszeni, po następny pistolet. Nie było jednak potrzeby. Strażnik nie zdążył oddać śmiertelnego strzału. Juan trafił go w ramię, a pocisk przeszedł przez całe ciało, rozrywając wnętrzności. Dziura powstała z drugiej strony była wielkości talerza.

Ndebele obserwował w milczeniu Juana, gdy ten ładował kolejny magazynek do pistoletu maszynowego. Gdy Cabrillo podniósł wzrok, zobaczył na ubraniu więźnia plamy krwi, a na policzku krwawą szramę. Zauważył też blizny po oparzeniach na gołych ramionach, opuchliznę pod oczami i wokół ust, a także to, że Ndebele całym ciężarem ciała opierał się na jednej nodze. Popatrzył na jego bose stopy. Jedna wyglądała normalnie, drugą miał tak opuchniętą, że przypominała piłkę. Domyślał się, że każda kość od kostki do dużego palca była złamana.

– Panie Ndebele, jestem tutaj z oddziałem pańskich zwolenników, którymi dowodzi Mafana. Wyciągniemy pana stąd.

Afrykański przywódca pokręcił głową.

– Przeklęty głupiec. Mówiłem mu, gdy pierwszy raz zostałem uwięziony, by nie próbował czegoś takiego, ale powinienem się domyślić, że nie posłucha. Mój stary przyjaciel Mafana zawsze omija niektóre rozkazy.

Juan odsunął Ndebele od drzwi celi, by przestrzelić zamek.

– Mam przyjaciela Maxa i on to samo mówi o mnie. – Popatrzył w oczy Ndebele. – I w większości wypadków ma rację, zwłaszcza w kwestii tych rozkazów, które można lekceważyć.

Posławszy dwie serie, otworzył drzwi. Ndebele, chwiejąc się, już wychodził z celi, ale Juan powstrzymał go.

– Wyjdziemy innym wyjściem.

Rozpoznając Diabelską Oazę, Linda Ross natknęła się na informacje o więźniu, który starał się poszerzyć znajdujące się w dolnych celach otwory o średnicy dwudziestu centymetrów, którymi odprowadzane były ścieki. Zarządca więzienia sprawdzał je codziennie, a gdy zauważył, że więzień wydrapuje czymś gruby kamień, natychmiast meldował o tym strażnikom. Ci wpychali więźnia w otwór, łamiąc mu przy tym kości, tak długo, aż w celi pozostała tylko głowa.

Nikt więcej nie próbował tej drogi ucieczki.

Juan podał Ndebele MP-5 i usiadł obok dziury. Zdjął but i wyjął resztkę schowanego w podeszwie materiału wybuchowego. Ugniótł plastik w długi rulon, potem zwinął go w krąg wewnątrz dziury. Z kostki sztucznej nogi wyjął detonator i ustawił go na minutę, która powinna wystarczyć, by zdążyli oddalić się na bezpieczną odległość. Butem wbił detonator w materiał wybuchowy i opuścił celę z Mosesem wspartym na jego ramieniu. Bomba eksplodowała niczym wulkan, wyrzucając w górę gejzer ognia, dymu i kawałków kamienia. Cabrillo włożył but, ale nie tracił czasu na wiązanie sznurówek. Tak jak przypuszczał, ładunek zadziałał z siłą dużo większą, niż było potrzeba do tej operacji. Powstała dziura o średnicy półtora metra, miała poszarpane osmolone brzegi.

Wyskoczył przez otwór, potem pomógł wyjść Ndebele. Mężczyzna syknął głośno, gdy dotknął połamaną stopą podłoża.

– Wszystko w porządku?

– Myślę, że we właściwym czasie zapytam cię, skąd wziąłeś protezę. Moja stopa nie wystarczy mi na długo.

– Nie martw się. Znam dobrego lekarza.

– Nie jest chyba zbyt dobry, skoro straciłeś nogę.

– Uwierz mi, doktor Huxley jest świetna. Zaczęła ze mną współpracować po tym, gdy straciłem nogę.

Przedzierali się, czołgając, przez ciasny tunel, który umożliwiał wietrzenie pomieszczeń więziennych, gdy wiały pustynne wiatry.

Juan prowadził w kierunku wschodniej strony więzienia, skąd było najbliżej do pasa startowego. Na szczęście mieli wiatr za plecami. Po pięciu minutach znaleźli się na zewnątrz budynku. Słońce świeciło wyjątkowo jasno. Mężczyźni położyli się obok siebie przy wyjściu.

Cabrillo uruchomił komunikator.

– Beau Geste do Lawrence'a z Arabii. Słyszysz mnie, Larry?

– Idealnie, Beau – odezwał się Larry. – Jaka jest twoja sytuacja?

– Towarzyszy mi miejscowy pasażer. Jesteśmy przy zewnętrznej ścianie. Patrzę na pas startowy. Daj mi piętnaście minut na zabezpieczenie głównego celu i możesz po nas przylecieć. Chłopcy będą wiedzieli, że mają się zbierać, kiedy zobaczą samolot.

– Nie da rady, Beau. Wygląda na to, że nasi sojusznicy dostają porządne lanie. Nie wytrzymają tak długo. Podchodzę do lądowania.

– No to daj mi dziesięć minut.

– Szefie, nie żartuję. Nie masz na to czasu. Jeśli nie wylądujemy teraz, ludzi Mafany będziesz mógł zliczyć na palcach jednej ręki. To nie miała być operacja samobójcza. Powinniśmy ubezpieczać ich odwrót. – Już w trakcie komunikatu samolot pojawił się na niebie. – Mam też wiadomość od Maxa, nasza sytuacja zmieniła się.

Tym samym Linc zmusił Juana do wysiłku. Bez jego pomocy Moses nie dotarłby na pas startowy. Cabrillo musiał go nieść. Samolotowi groziło zbyt wielkie niebezpieczeństwo na ziemi, nie mógł czekać, aż wróci do więzienia i uratuje Geoffreya Merricka. W dodatku, gdy tylko ludzie Mafany rozpoczną odwrót, strażnicy rzucą się w pościg. Bez wsparcia z powietrza na otwartej pustyni zostaną wystrzelani jak kaczki.

Co do zmiany wspomnianej przez Maxa Harleya Juan musiał zaufać, że jego zastępca ma dużo lepszy obraz całej operacji.

Stary de havilland caribou był niezdarnie wyglądającym samolotem z pionowym statecznikiem o wysokości trzypiętrowego budynku oraz kokpitem umieszczonym nad przytępionym dziobem. Wysokie skrzydła umożliwiały załadunek stosunkowo dużej liczby rzeczy, a także skracały wymaganą do startu i lądowania długość pasa startowego. Maszyna, którą wynajął Tiny Gunderson, pomalowana była na biało, z wyblakłym niebieskim pasem biegnącym przez całą długość kadłuba.

Juan dostrzegł, że pilot przygotowuje się do lądowania. Musieli się zbierać.

– Chodźmy – powiedział do Mosesa Ndebele. Huk strzałów na dziedzińcu, mimo że tłumiony przez grube mury, wciąż brzmiał tak, jakby tysiące ludzi walczyło tam o życie.

Przełożył karabin do lewej ręki i podszedł do Afrykanina, by podnieść go i przerzucić przez ramię. Ndebele był wysokim mężczyzną, ale lata spędzone w więzieniu sprawiły, że strasznie wychudł. Nie ważył więcej niż sześćdziesiąt kilogramów. Normalnie Cabrillo udźwignąłby go bez trudu, ale był wyczerpany.

Z grymasem bólu wyprostował nogi. Gdy już ułożył sobie Mosesa na ramieniu, ruszył chwiejnie. Buty zapadały się w piasek, co zwiększało jeszcze ból mięśni nóg i pleców. Uważnie obserwował główną bramę więzienia, ale na razie nie pojawiali się w niej ludzie Mafany. Wciąż byli zajęci strażnikami. Wiedzieli, że im dłużej ich zajmą, tym większą szansę ucieczki będzie miał ich lider.

Dwusilnikowy samolot transportowy o długości ponad dwudziestu metrów wylądował, gdy Cabrillo był w połowie drogi do pasa startowego. Tiny wykonał manewr, który pozwolił mu skrócić odległość niezbędną do lądowania do mniej więcej stu pięćdziesięciu metrów, wzniecając przy okazji burzę piaskową. Dzięki temu jednak miał przed sobą wystarczająco dużo pasa, żeby wystartować bez konieczności cofania. Wyłączył śmigła, by nie wzbijały piasku, ale silniki zostawił włączone na zmniejszonej mocy. Ruch po lewej stronie zwrócił uwagę Juana. Spojrzał w tamtą stronę i zobaczył jedną z ciężarówek Mafany wyjeżdżającą z więzienia. Mężczyźni siedzący z tyłu kontynuowali ostrzał dziedzińca, podczas gdy kierowca zmierzał szybko w stronę samolotu. Chwilę później pojawiły się trzy kolejne ciężarówki, które nie jechały tak szybko. Próbowały maksymalnie opóźnić pogoń strażników.

Juan ponownie spojrzał w stronę caribou. Rampa ładowni powoli opuszczała się, a na jej szczycie z karabinem maszynowym w ręku stał Franklin Lincoln. Pomachał do Juana, ale całą uwagę skupiał na zbliżającej się ciężarówce. Był z nim też Afrykanin, jeden z ludzi Mafany, którego Juan wysłał poprzedniej nocy na spotkanie z samolotem.

Grunt pod nogami Cabrilla stał się bardziej stabilny – znak, że doszedł do pasa startowego. Przyspieszył, a adrenalina pozwoliła mu jeszcze przez kilka minut zapomnieć o bólu.

Dotarł wreszcie do rampy i wszedł do środka, zataczając się jak pijany. Po kilku sekundach przy rampie zahamowała ciężarówka. Doktor Huxley już czekała ze swoim zestawem medycznym. Do linki przeciągniętej pod sufitem przyczepiła kroplówki z solą fizjologiczną, rurki do transfuzji na wypadek, gdyby komuś potrzebna była krew. Juan położył Ndebele na wyłożonej nylonem ławeczce, po czym odwrócił się, by zobaczyć, czy może jakoś pomóc.

Linc otworzył tylną klapę ciężarówki. Leżało tam kilkunastu rannych mężczyzn, a ich jęki przebijały się przez warkot silników. Krew kapała z tylnej części pojazdu.

Lincoln podniósł pierwszego mężczyznę i wniósł go do ładowni samolotu. Pulaski był tuż za nim i niósł kolejnego. Mike i Eddie nieśli potężnego mężczyznę, w spodniach przesiąkniętych krwią. Juan pomógł zejść z ciężarówki mężczyźnie, który przyciskał ramię do klatki piersiowej. Mafana. Miał poszarzałą twarz, ale gdy zobaczył Mosesa Ndebele, krzyknął z radości. Przywitali się najserdeczniej, jak tylko potrafili.

W oddali trzy ciężarówki wjechały na pustynię, wzbijając tumany kurzu. Chwilę później ukazały się dwa kolejne pojazdy. Jeden pojechał za kolumną ciężarówek, drugi skierował się w stronę pasa startowego.

– Szefie. – Linc starał się przekrzyczeć hałas. – To już ostatni. Powiedz Tiny'emu, żeby nas stąd wyciągnął.

Juan pomachał na znak, że zrozumiał, i ruszył w stronę czoła samolotu. Tiny wychylał się z fotela, a widząc, że Cabrillo kciukiem daje mu znak, odwrócił się i zaczął przygotowywać do startu. Zmienił nieco nachylenie śmigieł i samolot wystartował.

Cabrillo wrócił na tył. Julia rozcinała kurtkę jakiemuś mężczyźnie. W klatce piersiowej widać było dwie dziury po kulach, a z ran wydobywały się bąbelki powietrza. Miał przebite płuca. Niezrażona brakiem odpowiednich warunków sanitarnych i kołysaniem startującego samolotu, opatrywała rannych.

– Musiałeś z tym czekać do ostatniej chwili? – zapytał Eddie, gdy Juan zbliżył się do nich. Uśmiechał się szeroko.

Cabrillo uścisnął jego wyciągniętą dłoń.

– Wiesz, jakim potrafię być kunktatorem. Z wami wszystko w porządku?

– Przybyło tylko siwych włosów. Kiedyś będziesz musiał mi powiedzieć, jak udało ci się zebrać armię na środku pustyni.

– Wielcy czarodzieje nigdy nie ujawniają swoich sekretów.

Samolot nabierał prędkości i wkrótce pędził znacznie szybciej niż ciężarówka strażników. Przez uchyloną rampę Juan widział, jak ze złością puścili kilka serii z karabinów, potem kierowca zatrzymał się i zawrócił, by gonić resztę ludzi Mafany. Po chwili z bramy więzienia wyjechały jeszcze dwie ciężarówki ze strażnikami.

Tiny odchylił drążek sterowniczy i stary caribou oderwał się od ziemi. Wibracje, które narastały podczas rozpędzania maszyny, ustąpiły. Ponieważ rampa miała pozostać uchylona, pacjenci zostali przeniesieni na przód samolotu. Linc stał na rampie zabezpieczony liną. Na głowie miał hełm z mikrofonem, przez który mógł porozumiewać się z kabiną pilotów.

Juan również przypiął się do liny i podszedł do byłego komandosa. Ciepły wiatr hulał po kabinie, a Tiny kierował samolotem tak, by znaleźć się poza ciężarówkami strażników. Ich wozy były szybsze i odrobili już prawie połowę dystansu, jaki dzielił ich od ludzi Mafany.

Ciężarówki zbliżały się do głębokiej doliny otoczonej wysokimi wydmami. Miały do niej mniej więcej kilometr. Tiny utrzymywał wysokość trzystu metrów. Przeleciał wzdłuż doliny, która jednak nagle się kończyła. Ślepy zaułek. Na końcu znajdowała się wydma tak stroma, że ciężarówki musiałyby poruszać się w tempie piechura.

– Zrób jeszcze jedno kółko! – krzyknął Linc do mikrofonu. – Wróć za ich plecy.

Kiwnął do Mike'a i Eddiego, by do nich dołączyli. Mężczyźni szybko zabezpieczyli się linami i pochylili, by utrzymać równowagę w przechylającym się samolocie. Linc otworzył skrzynię. Wewnątrz znajdowały się cztery wyrzutnie RPG od Mafany. Właśnie dlatego Juan posłał do Linca jednego z jego ludzi.

Linc dał każdemu po jednej wyrzutni.

– To będzie całkiem ciekawa lekcja strzelania! – krzyknął Mike. – Cztery ciężarówki, cztery wyrzutnie. My pędzimy około dwustu kilometrów na godzinę, a oni jadą pewnie pięćdziesiątką!

– Ludzie małej wiary – odparł Linc.

Samolot wyrównał lot przy wejściu do doliny. Tiny zmniejszył wysokość, walcząc z ciepłymi prądami powietrza wznoszącymi się od podłoża. Wydmy znajdowały się teraz nie dalej niż trzydzieści metrów od skrzydeł samolotu. Linc słuchał pilota, odliczając czas, jaki pozostał im do ostrzału konwoju ciężarówek. Gdy uniósł wyrzutnię do ramienia, reszta zrobiła to samo.

Wskazał na Juana i Jeremy'ego.

– Celujcie w podstawę wydmy po lewej stronie konwoju. Ja i Mike zajmiemy się prawą. Strzelajcie mniej więcej dwadzieścia metrów przed pierwszą ciężarówką.

Tiny jeszcze bardziej obniżył wysokość, ale wzbił się wyżej, gdy strażnicy zaczęli ostrzeliwać samolot. Wyrównał, kiedy mijali ostatnią ciężarówkę. Przez chwilę Juan i pozostała trójka spoglądali na konwój i okazało się, że każdy pistolet na dole skierowany jest w ich stronę.

– Teraz!

Odpalili równocześnie. Cztery pociski wyskoczyły z luf i popędziły w dół, a białe smugi dymu przecięły czyste powietrze. Samolot przelatywał nad ciężarówkami ludzi Mafany, gdy rakiety wbiły się w podstawy wydm i doprowadziły do oślepiającej erupcji piasku. I mimo że w porównaniu z otaczającym je bezkresnym morzem piachu wyglądały niewinnie, eksplozja osiągnęła zamierzony efekt.

Równowaga kątów i wysokości, która utrzymywała wydmy w miejscu, została naruszona. Strugi piasku spływały z obu stron, przyspieszały i narastały, jakby obie strony kanionu chciały dobiec do siebie. Pomiędzy nimi był konwój strażników.

Bliźniacze osuwiska sięgnęły podnóża doliny. Lawina z prawej strony poruszała się nieco szybciej, dlatego gdy dotarła do pojazdów, przewróciła je na bok. Z ciężarówek powypadali ludzie i broń i od razu dostali się pod drugą lawinę, która przysypała ich dziesięciometrową warstwą ziemi i piasku.

Jedynym śladem ich zbiorowego grobu była chmura kurzu.

Linc nacisnął guzik, by zamknąć rampę, i mężczyźni się cofnęli.

– I co ci mówiłem, Mike? – Linc uśmiechnął się. – Bułka z masłem.

– Nasze szczęście, że była tu dolina – odciął się Mike.

– Dupa, a nie szczęście. Widziałem dolinę, gdy przelatywaliśmy tu wczoraj w nocy. Juan celowo pokierował do niej ludzi Mafany, abyśmy mogli załatwić strażników za jednym zamachem.

– Niezły plan, szefie – przyznał Trono.

Juan nawet nie próbował ukryć uśmiechu zadowolenia.

– Tak to było. Tak to było – powiedział i odwrócił się w stronę Lincolna. – Max wszystko załatwił?

– „Oregon" jest zacumowany w Swakopmund. Max spotka się z nami na lotnisku. Będzie miał pomalowaną ciężarówkę z pustym kontenerem. Przeniesiemy rannych, a potem sami do niego wskoczymy. Max dowiezie nas na nabrzeże, gdzie celnik za pokaźną łapówkę podpisze list przewozowy, i zostaniemy przetransportowani na statek.

– A ludzie Mafany zamierzają dotrzeć do Windhoek – domyślił się Juan. – Stamtąd będą mogli dolecieć tam, gdzie znajdziemy dla Ndebele bezpieczne schronienie. – I dodał ostrzejszym tonem: – Wszystko się udało poza tym, że nie uratowaliśmy Geoffreya Merricka i nie będziemy mieć okazji, by go odszukać. Jestem pewny, że porywacze opuścili Diabelską Oazę kilka sekund po strażnikach.

– Ludzie małej wiary. – Linc po raz kolejny wypowiedział to zdanie, kręcąc głową.

Nina Visser, siedząc w cieniu plandeki przymocowanej do ciężarówki, dokonywała właśnie wpisu do dziennika. Robiła to od dawna, zaczęła jako kilkunastolatka. Uważała, że kiedyś ten notes będzie znakomitym źródłem informacji dla jej biografa. W to, że stanie się na tyle ważną osobą, by pisano o niej książki, nie wątpiła. Widziała siebie wśród liderów światowego ruchu na rzecz ochrony środowiska, takich jak Robert Hunter i Paul Watson, współzałożycieli Greenpeace.

Oczywiście prowadzona teraz operacja nie miała być brana pod uwagę. To po prostu wybryk, nigdy nie wyjdzie na jaw. Pisała z przyzwyczajenia, wiedząc, że zniszczy ten dziennik, a także inne, w których wspomina o udziale w projekcie Dana Singera.

Zamknęła notes i schowała długopis. Wyjście z zacienionego miejsca było porównywalne z otwarciem drzwiczek piekarnika. Popołudniowe słońce grzało niemiłosiernie. Wstała, otrzepała spodnie, osłoniła oczy przed światłem i wypatrywała samolotu, który obiecał przysłać Danny. Nawet przez okulary przeciwsłoneczne musiała patrzeć kilka sekund, by dojrzeć na niebie migoczący punkt. Jej przyjaciele, a wśród nich także Susan, też byli zmęczeni podróżą i spragnieni, gdyż nie wzięli ze sobą wystarczającej ilości wody.

Merricka, związanego i zakneblowanego, pozostawiono obok ciężarówki, gdzie padał tylko niewielki cień. Nie odzyskał przytomności od czasu, gdy podano mu heroinę. Na jego spalonej słońcem twarzy zasechł pot, a wokół ran krążyły muchy.

Samolot przeleciał nad zakurzonym pasem startowym, a gdy znajdował się bezpośrednio nad nimi, wszyscy zaczęli machać w jego stronę. Pilot w odpowiedzi poruszył skrzydłami i zataczał koło. Kilkadziesiąt metrów leciał nad pasem startowym, w końcu jednak udało mu się posadzić maszynę. Natychmiast zmniejszył prędkość i podjechał do końca pasa startowego, gdzie stała ciężarówka. Opuszczone miasto znajdowało się kilkaset metrów za nimi. Było to raptem kilka budynków, które pustynia przejęła już we władanie.

Rampa z tyłu samolotu zaczęła powoli opuszczać się, przypominała Ninie średniowieczne mosty zwodzone. Z samolotu wyszedł jakiś mężczyzna.

– Nina? – zapytał, przekrzykując szum silników.

Podeszła do niego.

– Jestem Nina Visser.

– Witam – rzucił lekkim tonem. – Dan Singer prosił, żebym przekazał, iż Stany Zjednoczone dysponują programem o nazwie Echelon. Dzięki niemu mogą podsłuchać wszystkie elektroniczne rozmowy prowadzone na całym świecie.

– I co z tego?

– Powinnaś bardziej uważać na to, co mówisz przez telefon satelitarny, bo wczoraj ktoś cię podsłuchiwał – odparł. Mimo że wciąż wydawał się nastawiony przyjaźnie, Cabrillo wyjął pistolet i wycelował w wąskie czoło Niny. Z rampy caribou zeszli jeszcze trzej mężczyźni prowadzeni przez Linca, każdy trzymał karabin MP-5 i mierzył do pozostałych ludzi. – Mam nadzieję, że nasz samolot wam się podoba. Ze względu na bardzo napięty kalendarz nie mamy czasu, by wciągać was siłą.

Jeden z fanatycznych obrońców środowiska przeniósł ciężar ciała na drugą nogę, pochylając się w stronę ciężarówki. Juan strzelił na tyle blisko jego stopy, by drasnąć skrawek gumowej podeszwy buta.

– Zastanów się.

Linc trzymał obrońców środowiska na muszce, umożliwiając Juanowi uwolnienie Geoffreya Merricka, a pozostali założyli porywaczom plastikowe kajdanki. Merrick był nieprzytomny, jego koszulę oblepiała zaschnięta krew. Julia została na pokładzie „Oregona" i opatrywała rannych ludzi Mafany, ale jeden z jej sanitariuszy przyleciał z nimi. Juan powierzył Merricka jego opiece. Przyniósł dwa kanistry wody.

– Jeśli będziecie ją racjonować, powinno wystarczyć mniej więcej na tydzień – powiedział, wrzucając zbiorniki na tył ciężarówki.

Przeszukał samochód i w schowku znalazł należący do Niny telefon satelitarny. Wyniósł również kilka strzelb i pistolet.

– Dzieci nie powinny bawić się bronią – rzucił przez ramię, wracając do samolotu. Nagle zatrzymał się. – Byłbym zapomniał.

Przyjrzał się i wypatrzył osobę, która starała się ukryć za brodatym młodzieńcem. Podszedł bliżej i złapał za ramię Susan Donleavy. Broniący jej chłopak próbował uderzyć Juana w głowę. Zrobił to nieporadnie, więc ten nie miał problemu z uniknięciem ciosu i przystawił studentowi lufę pistoletu między oczy.

– Chcesz spróbować jeszcze raz?

Chłopak odsunął się. Juan zacisnął kajdanki Susan wystarczająco ciasno, by dać jej znać, że najgorsze dopiero przed nią, i odprowadził ją do samolotu. Na rampie zatrzymał się przy dwóch członkach ekipy, by przypomnieć im o zadaniu. Mieli ze sobą gumowy zbiornik z paliwem odlanym z samolotu.

– Znacie plan?

– Pojedziemy z nimi około pięćdziesiąt kilometrów w głąb pustyni i tam ich wysadzimy.

– W ten sposób samolot wysłany przez Singera nigdy ich nie znajdzie – powiedział Juan. – Pamiętajcie tylko o współrzędnych GPS, żebyśmy mogli później ich stamtąd odebrać.

– Potem wracamy do Windhoek, ukrywamy gdzieś ciężarówkę i wynajmujemy pokój w hotelu.

– Gdy dotrzecie na miejsce, natychmiast skontaktujcie się z okrętem. Może będziemy mogli was wyciągnąć, zanim ruszymy do akcji na północy Konga.

Cabrillo już zamierzał zniknąć wewnątrz samolotu wraz ze swoim więźniem, ale jeszcze odwrócił się i krzyknął do obrońców środowiska.

– Zobaczymy się za tydzień!

Linc wbiegł tuż za nim, a Tiny natychmiast włączył pełną moc silników. Dziewięćdziesiąt sekund po lądowaniu już ruszali, zostawiając za sobą niedoszłych ekoterrorystów z rozdziawionymi ustami. Pewnie nigdy nie będą wiedzieć, co tak naprawdę się im przytrafiło.

Rozdział 23

Witam na pokładzie, szefie – powiedział Max Hanley, gdy Juan dotarł na szczyt drabinki prowadzącej na pokład „Oregona".

Uścisnęli sobie dłonie.

– Jak dobrze tu wrócić. – Juan z trudnością otwierał oczy. – Ostatnich dwanaście godzin było chyba najgorszych w całym moim życiu – dodał i odwrócił się, by pomachać Justusowi Ulendze, namibijskiemu kapitanowi łodzi „Pinguin", gdzie znajdowali się Sloane Macintyre i Tony Reardon. Juan wynajął rybaka w porcie Terrace Bay, reperując tam łódź po pirackim ataku.

W odpowiedzi uprzejmy kapitan stuknął palcami w daszek czapeczki bejsbolowej, uśmiechając się radośnie z powodu grubego pliku banknotów, który otrzymał za stosunkowo łatwe zadanie przetransportowania Juana i jego ludzi na statek oczekujący tuż za dwunastomilową linią przybrzeżną. Gdy tylko łódź odpłynęła na wystarczającą odległość od „Oregona", duży frachtowiec ruszył w kierunku północnym, wypuszczając kłęby dymu z jedynego komina.

Geoffreya Merricka wciągnięto na pokład na specjalnych noszach. Julia Huxley już pochylała się nad nim, a brzeg fartucha lekarskiego zamoczył się w plamie brudnego oleju. Na ubraniu pod fartuchem widoczne były zaschnięte plamy krwi. Od chwili gdy otwarto kontener z rannymi, opatrywała poszkodowanych. Obok czekało już dwóch sanitariuszy, którzy mieli zanieść Merricka do sali operacyjnej, Julia jednak chciała przebadać go jak najszybciej.

Susan Donleavy, z oczami zasłoniętymi opaską, została zaprowadzona przez Mike'a, Eddiego i Pulaskiego do okrętowego aresztu. Przez całą podróż nikt ani razu nie odezwał się do niej i widać było, że sytuacja jest dla niej trudna do zniesienia. Nie wyglądała jeszcze na pogodzoną z losem, ale wyraz twarzy zdradzał załamanie.

– I co z nim, pani doktor? – zapytał Juan, gdy Julia odsunęła stetoskop od klatki piersiowej Merricka.

– Płuca są czyste, ale serce bije słabo. – Spojrzała na kroplówkę, którą nad Merrickiem trzymał jeden z jej asystentów. – Aplikuję mu już trzecią dawkę soli fizjologicznej. Musi dostać trochę krwi, żeby podniosło się ciśnienie, zanim zacznę wyjmować pocisk z rany. I nie podoba mi się, że jest nieprzytomny.

– Czy to może przez heroinę, którą podali mu w Diabelskiej Oazie?

– Do tej pory powinna już zostać usunięta z organizmu. To coś innego. Ma też gorączkę, rana wygląda na zainfekowaną. Potrzebne są antybiotyki.

– A co z resztą? Z Mosesem Ndebele?

Westchnęła ciężko.

– Dwóch nie udało mi się uratować. Jeden jest w ciężkim stanie. Pozostali mieli rany niezagrażające życiu i jeśli tylko nie wda się zakażenie, wyjdą z tego. Z Mosesem sprawa jest poważniejsza. Zdrowa ludzka stopa składa się z dwudziestu sześciu kości. Kiedy oglądałam rentgen jego stopy, przestałam liczyć, gdy dotarłam do pięćdziesięciu ośmiu kawałków. Jeśli chcemy uratować mu nogę, to w ciągu kilku dni musi trafić do dobrego ortopedy.

Cabrillo w milczeniu skinął głową.

– A co u ciebie? – zapytała Huxley.

– Czuję się gorzej, niż wyglądam. – Z trudem zdobył się na uśmiech.

– No to musisz czuć się naprawdę gównianie, bo wyglądasz potwornie.

– To oficjalna diagnoza medyczna?

Julia przyłożyła mu dłoń do czoła, tak jak matka, która sprawdza, czy dziecko nie ma temperatury.

– Jasne – odparła. Gestem wydała polecenie sanitariuszom, żeby zabrali nosze z Merrickiem, i skierowała się w stronę najbliższego włazu. – Gdybyś mnie potrzebował, będę na dole.

Nim zniknęła, zawołał, gdyż przypomniało mu się coś, o czym nie powinien był zapomnieć.

– Julia, a jak sobie radzi Sloane?

– Wspaniale. Najpierw wygoniłam ją z pokoju medycznego, a później z gościnnej kajuty, gdyż musiałam urządzić tam salę pooperacyjną. Nawet zrobiłam z niej wolontariuszkę. Teraz jest w pokoju z Lindą. Chciała czekać na ciebie tu, na górze, żeby się przywitać, ale wysłałam ją do łóżka. Mieliśmy kilka bardzo pracowitych godzin, a ona wciąż jeszcze jest osłabiona.

– Dzięki – powiedział z wyraźną ulgą.

Julia razem ze swoją ekipą zniknęła pod pokładem.

Do Juana przysunął się Max, z jego fajki unosił się dym o zapachu cedru i jabłoni.

– Miałeś cholerne przeczucie, że namówiłeś mnie na kontakt z Langley i wykorzystanie Echelonu.

Jedną z pierwszych decyzji Juana, podjętych po odebraniu informacji, że próba uwolnienia Geoffreya Merricka nie powiodła się, było skłonienie Maxa do wykorzystania znajomości z Overholtem i danych systemu Echelon Agencji Bezpieczeństwa Narodowego. W każdej sekundzie na świecie dochodzi do setek milionów elektronicznych transferów danych: telefony komórkowe, zwykłe telefony, faksy, przekaźniki radiowe, telefony satelitarne, e-maile, wpisy na stronach internetowych. W Fort Meade, kwaterze głównej Agencji Bezpieczeństwa Narodowego, pracowały niezliczone, połączone ze sobą komputery, które poszukiwały w elektronicznej przestrzeni określonych wyrazów lub zwrotów mogących zainteresować agencję wywiadowczą. Mimo że system nie był zaprojektowany do podsłuchiwania w czasie rzeczywistym, to jednak znając odpowiednie parametry – takie jak rozmowa wychodząca z Diabelskiej Oazy oraz słowa Merrick, ratunek, zakładnik, Singer, Donleavy – Echelon był w stanie znaleźć nawet taką igłę w tym cybernetycznym stogu siana. W rezultacie zapis rozmowy Niny Visser z Danielem Singerem został przesłany do Maxa już trzy minuty po zakończeniu połączenia.

– Gdy złapano naszych chłopców, od razu pomyślałem, że człowiek Singera, obojętne, kto nim był, zechce go poinformować o zaistniałej sytuacji i odbierze nowe rozkazy. – Juan potarł oczy. – To zgraja amatorów. Nie mogli mieć planu awaryjnego.

– Co zrobiłeś z resztą porywaczy? – zapytał Max. Fajka zgasła, a na pokładzie było zbyt wietrznie, by znów ją zapalić.

Cabrillo skierował się do włazu. Myślami był już w przeszklonej kabinie prysznicowej, pod wodą tak gorącą, jaką tylko mógłby wytrzymać. Max szedł za nim.

– Zostawiłem ich tam, a wody wystarczy im na tydzień. Powiedziałem Langowi, żeby skontaktował się z Interpolem. Mogą zwrócić się do namibijskich władz, by przekazały ich do Szwajcarii. Tam zostaną im postawione zarzuty porwania, a Susan Donleavy będzie oskarżona o próbę zabójstwa.

– Ale dlaczego zabrałeś ją ze sobą? Dlaczego nie zostawiłeś jej, by gniła tam z tą całą resztą?

Cabrillo zatrzymał się i spojrzał na przyjaciela.

– Narodowa Agencja Bezpieczeństwa nie jest w stanie dokładnie określić pozycji Singera, a ona ją zna. Poza tym to jeszcze nie koniec sprawy. Porwanie Merricka było tylko początkiem tego, co jego dawny wspólnik zaplanował. Ją i mnie czeka jeszcze długa rozmowa.

Chwilę później dotarli do kabiny. Nie przerywając rozmowy, Juan zdjął brudne ubranie, a buty wyrzucił do kosza na śmieci, ale wcześniej z jednego wysypał z pół szklanki piasku, który dostał się przez przestrzeloną dziurę.

– Dobrze, że tego nie czułem – zauważył. Odczepił protezę bojową i odstawił na bok, planując, że odda ją do Magicznego Sklepiku, by przeładowali ukryty pistolet i wyczyścili mechanizm, do którego z pewnością dostał się piach.

– Mark i Eric zameldowali się w hotelu mniej więcej godzinę temu – powiedział Max, siadając na krawędzi wanny. Juan, jakby nie widząc wydobywających się z kabiny kłębów pary, wszedł pod prysznic. – Przepatrzyli prawie tysiąc sześćset kilometrów kwadratowych, ale nie zauważyli nic, co można by w jakikolwiek sposób powiązać z zaginioną bronią lub Kongijską Armią Rewolucyjną Samuela Makambo.

– A CIA? – zapytał Juan, przekrzykując szum wody. – Żaden z ich agentów w Kongu nie obserwuje Makambo?

– Nikt nic nie wie. Tak jakby facet miał zdolność rozpływania się w powietrzu.

– Jeden facet może zniknąć, ale nie ponad pół tysiąca jego zwolenników. W jaki sposób Murphy prowadził poszukiwania?

– Zaczęli od portu i zataczali w powietrzu coraz szersze kręgi, ze względów bezpieczeństwa oddalając się tylko na trzydzieści dwa kilometry poza zasięg łączności radiowej.

– Rzeka stanowi granicę pomiędzy Kongiem a Demokratyczną Republiką Konga. Znajdują się po jej południowej stronie?

– Te kraje łączy tylko podobieństwo nazwy, relacje między nimi są fatalne. Nie mogli uzyskać pozwolenia na wjazd do Demokratycznej Republiki, więc zostali po południowej stronie granicy.

– Nie wydaje ci się, że Makambo przerzucił broń na północ?

– To możliwe – zgodził się Max. – Jeśli północni sąsiedzi Konga osłaniają go, to nic dziwnego, że jest nieuchwytny.

– Mamy jeszcze kilka godzin, zanim wyczerpią się baterie komunikatorów – powiedział Juan. Zakręcił wodę i otworzył drzwi kabiny. Max podał mu gruby bawełniany ręcznik. – Połącz się z Markiem i powiedz, by zrobił co trzeba, żeby dostać się na drugą stronę granicy. Niech nasłuchuje. Broń jest nie dalej niż dwieście czterdzieści kilometrów od rzeki. Jestem tego pewny.

– Już do niego dzwonię. – Max się podniósł.

Juan uznał, że z trzydziestogodzinnym zarostem wygląda groźniej, więc postanowił nie korzystać z maszynki do golenia. Sine cienie pod oczami i czerwone obwódki nadawały mu wręcz demoniczny wygląd. Włożył czarne spodnie i czarną koszulkę z krótkimi rękawami, potem zadzwonił do Magicznego Sklepiku, by któryś z techników zajął się jego sztuczną nogą. Idąc do ładowni, zatrzymał się w kuchni i wziął kanapkę.

Linda Ross czekała na zewnątrz ładowni. W dłoni trzymała kieszonkowy komputer BlackBerry, dzięki któremu miała dostęp do bezprzewodowej sieci internetowej.

– Jak się czuje nasz gość? – zapytał Juan.

– Sam zobacz. – Przekręciła komputer tak, by widział ekran. – A przy okazji chcę ci pogratulować udanej akcji ratunkowej.

– Sam nie dokonałbym tego.

Susan Donleavy przywiązana była do metalowego stołu stojącego na środku przestronnej ładowni, tego samego, na którym dzień wcześniej Juan składał spadochron. Jedynym źródłem światła była lampa halogenowa, oświetlająca punktowo tylko okolice stołu, tak by Donleavy nie widziała nic więcej. Blackberry pokazywał obraz z kamery umieszczonej tuż nad lampą.

Susan miała zmierzwione włosy, a długi pobyt na pustyni i brak wody zrobiły swoje. Skórę na ramionach pokrywały krosty po ugryzieniach owadów, była spocona i blada, co sprawiało, że wyglądała na pokonaną. Dolna warga drżała co chwila.

– Gdyby nie była związana, pewnie obgryzłaby paznokcie do kości – powiedziała Linda.

– Jesteś gotowa?

– Przeglądam notatki. Od dawna nie prowadziłam przesłuchania.

– Jak powtarza Max, to tak jak z upadkiem z roweru. Zrobisz to raz i już nigdy nie zapomnisz.

– Mam nadzieję, że nie wpisał poczucia humoru do swojego listu motywacyjnego – odparła i wyłączyła blackberry. – Możemy iść.

Juan otworzył drzwi do ładowni. Uderzyła w nich fala ciepłego powietrza. Termostat został ustawiony na ponad trzydzieści stopni Celsjusza. Zarówno światło punktowe, jak i odpowiednia temperatura były częścią techniki przesłuchania, którą Linda zastosowała, licząc, że złamie Susan Donleavy. Cichutko weszli do pomieszczenia, ale zostali poza zasięgiem światła.

Dopiero po minucie Susan odezwała się.

– Kto tu jest? – Głos jej drżał, była przestraszona. Cabrillo i Ross milczeli.

– Kto tu jest? – powtórzyła, bardziej stanowczo. – Nie możecie mnie przetrzymywać. Mam swoje prawa.

Pomiędzy paniką a wściekłością jest bardzo cienka granica – trudność polega na tym, by nie przekraczać jej podczas przesłuchania. Nie można pozwolić przesłuchiwanemu na przejście ze strachu w złość; Linda miała w tej kwestii znakomite wyczucie. Widziała, że twarz Susan wykrzywił grymas złości, a mięśnie szyi napinają się. Weszła więc w zasięg światła, zanim tamta zaczęła krzyczeć. Susan była zaskoczona, że pojawiła się kobieta.

– Panno Donleavy, przede wszystkim chcę, abyś zrozumiała, że nie masz żadnych praw. Znajdujesz się na pokładzie okrętu pod irańską banderą, który jest na międzynarodowych wodach. Nie ma tu nikogo, kto w jakikolwiek sposób mógłby cię reprezentować. Masz dwie możliwości. Tylko dwie. Albo powiesz mi wszystko, co chcę wiedzieć, albo przekażę cię specjaliście od przesłuchań.

– Kim jesteście? Byliście wynajęci, by uratować Geoffreya Merricka, prawda? Już go macie, więc oddajcie mnie policji albo zróbcie cokolwiek innego.

– Wybieramy opcję „cokolwiek". To oznacza, że mówisz mi, gdzie teraz znajduje się Daniel Singer i jakie ma plany.

– Nie wiem, gdzie on jest – odpowiedziała szybko.

Zbyt szybko, zauważyła Linda. Pokręciła głową tak, jakby była rozczarowana.

– Miałam nadzieję, że będziesz bardziej chętna do współpracy. Panie Smith, proszę do nas dołączyć. – Juan wyszedł z mroku. – To jest pan Smith. Do niedawna pracował dla amerykańskiego rządu jako specjalista od wyciągania informacji od terrorystów. Być może słyszałaś plotki o tym, że USA przewozi więźniów do krajów, w których, że tak powiem, bardziej liberalny system prawny dopuszcza stosowanie tortur. On właśnie zajmował się przesłuchaniami z wykorzystaniem wszelkich niezbędnych środków.

Susan spojrzała na Juana, a jej dolna warga zaczęła drżeć.

Linda kontynuowała:

– Wyciągał wszystkie pożądane informacje od najtwardszych facetów na świecie, od ludzi, którzy przez dziesięć lat walczyli w Afganistanie z Rosjanami, a potem także z naszą armią, od facetów, którzy przysięgali, że prędzej zginą, niż poddadzą się niewiernemu.

Juan lekko dotknął ramienia Susan. To był gest intymny, bardziej pasujący do kochanka niż oprawcy. Zesztywniała, jakby nieco zawstydzona, ale krępujące sznury uniemożliwiły jakikolwiek ruch. Obawa przed bólem była dużo bardziej przerażająca niż jego doświadczanie. Umysł Susan już projektował obrazy okrutniejsze niż Linda i Juan mogli sobie wyobrazić. Pozwalali jej torturować się samej.

I znów Linda popisała się znakomitym wyczuciem czasu. Susan nie potrafiła już zapanować nad wyobraźnią, która produkowała coraz bardziej przerażające wizje. Starała się odnaleźć w sobie resztki odwagi, by zmierzyć się z tym, co ją czeka. Zadaniem Lindy było niedopuszczenie do skupienia się nad tym.

– Nie mam pojęcia, co będzie w stanie zrobić kobiecie – powiedziała Linda łagodnie. – Ale na pewno nie mam zamiaru tego oglądać – dodała i nachyliła się tak, że jej twarz zbliżyła się na kilka centymetrów do twarzy Susan. Upewniła się, że Juan wciąż jest w zasięgu wzroku. – Odpowiedz na moje pytania, a obiecuję, że nic ci się nie stanie.

Juan z trudem powstrzymał uśmiech. Susan Donleavy spojrzała na Lindę z takim zaufaniem, że był pewien – dowiedzą się więcej, niż będą chcieli.

– Susan, gdzie jest Daniel Singer? – szepnęła Linda. – Powiedz mi, gdzie on jest.

Usta Susan poruszały się tak, jakby walczyła z poczuciem zdrady, którego doświadczy, ujawniając to, co wie. I nagle, niespodziewanie, splunęła prosto w twarz Lindy.

– Pieprz się, suko. Nic nie powiem.

Linda zareagowała jedynie wytarciem policzka. Nie odsunęła się od Susan i wciąż mówiła szeptem.

– Powinnaś zrozumieć, że nie muszę tego robić. Naprawdę nie muszę. Wiem, że ochrona środowiska jest dla ciebie bardzo ważna. Być może nawet jesteś gotowa umrzeć za swoją sprawę. Ale nie masz pojęcia, co się stanie. Nie jesteś w stanie wyobrazić sobie, jakiego bólu doświadczysz.

Wyprostowała się i skinęła w kierunku Juana.

– Panie Smith, przepraszam, że na moją prośbę nie zabrał pan swoich narzędzi. Myślałam, że będzie bardziej chętna do współpracy. Przyniosę panu wiertła i całą resztę, a później zostawię was. – Spojrzała na Susan. – Pomyśl o tym, że od dziś każde spojrzenie w lustro będzie dla ciebie horrorem.

– Nie ma rzeczy, której nie poświęciłabym dla Dana Singera – odparła Susan z szaleństwem w oczach.

– Zadaj sobie pytanie: a co on poświęciłby dla ciebie?

– Tu nie chodzi o mnie. Tu chodzi o ochronę naszej planety.

Linda rozejrzała się po ciemnej ładowni, jakby czegoś szukała.

– Nie widzę tu nikogo innego, Susan, więc to zdecydowanie chodzi o ciebie. Singer w tej chwili siedzi sobie w bezpiecznym miejscu, a ty jesteś przywiązana do stołu. Pomyśl o tym przez chwilę. A potem pomyśl o tym, jak długo będziesz żyć z konsekwencjami dzisiejszego wyboru. Czekają cię lata spędzone w więzieniu. Możesz spędzić je w namibijskim więzieniu lub w europejskiej celi z bieżącą wodą i łóżkiem, na którym nie ma pcheł. Jeszcze nie zdecydowaliśmy, komu cię przekażemy.

– Jeśli mnie skrzywdzicie, zapłacicie za to. – Susan splunęła.

Linda uniosła brew.

– Proszę? Zapłacimy za to? – Roześmiała się. – Nie masz pojęcia, kim jesteśmy, więc jak chcesz zmusić nas do zapłaty? Nic nie rozumiesz. Panujemy nad tobą, nad twoim ciałem i duszą. Bezkarnie możemy zrobić z tobą, cokolwiek zechcemy. Ty już nie masz wolnej woli. Odebraliśmy ci ją w momencie, gdy cię złapaliśmy. Im szybciej to zrozumiesz, tym szybciej to wszystko się skończy.

Susan Donleavy milczała.

– No więc? Powiedz mi, co zaplanował Dan Singer, a ja przekażę cię władzom szwajcarskim; zarzutem będzie współudział w porwaniu. Przekonam Geoffreya Merricka, żeby zapomniał o próbie zabójstwa. – Do tej pory Linda smagała ją kijem, teraz przyszedł czas na marchewkę. – Nawet nie musisz mówić mi, gdzie on jest, zgoda? Powiedz tylko, co planuje, a ja sprawię, że twoje życie będzie niewyobrażalnie łatwiejsze.

Linda wykonała dłońmi gest przypominający źle wyskalowaną wagę.

– Dwa, trzy lata w szwajcarskim zakładzie karnym lub gnicie latami w więzieniu w kraju Trzeciego Świata. No, Susan. Podejmij decyzję. Powiedz mi, co planuje.

Był to element techniki przesłuchania, Linda podkreślała nieustannie, że zeznając, Susan nic nie straci, a bardzo wiele może zyskać. Gdyby Juan nie potrzebował informacji tak szybko, wybrałaby inną technikę przesłuchania, w formie otwartej rozmowy, która nie pociągnie za sobą żadnych konsekwencji. Mimo to wciąż robiła postępy. Opór, który przed momentem malował się na twarzy Susan, powoli ustępował niepewności.

– Nikt nigdy się o tym nie dowie. Powiedz mi, co on chce zrobić. Domyślam się, że to pewnie jakaś demonstracja. Coś, co chce pokazać Merrickowi. Mam rację, Susan? Po prostu kiwnij głową, jeśli mam rację.

Głowa Susan pozostała nieruchoma, ale powieki oczu opadły nieco.

– Widzisz, to nie było takie trudne. – Linda powiedziała to tak, jakby zwracała się do dziecka, które właśnie przełknęło lekarstwo. – Co to za demonstracja? Wiemy, że ma to coś wspólnego z ociepłaniem się Prądu Benguelskiego.

Na twarzy Susan pojawiło się wyraźne zaskoczenie, otworzyła usta w zdumieniu.

– Tak, tak – mówiła Linda – znaleźliśmy generatory napędzane falami i podmorskie grzejniki. Zostały zlikwidowane jakiś czas temu. Część planu Singera już poznaliśmy. A teraz ty powiesz mi resztę.

Susan wciąż milczała. Linda załamała ręce.

– To strata mojego czasu! Chciałam ci wyświadczyć przysługę, ale nie pozwalasz sobie pomóc. Świetnie. Jeśli tego chcesz, to tak właśnie będzie. Panie Smith – powiedziała Linda, wychodząc z ładowni, a Juan podążył za nią. Zamknął drzwi i przekręcił zamek.

– Boże, potrafisz być przerażająca.

Linda sprawdzała obraz z kamery.

– Najwyraźniej zbyt mało przerażająca. Myślałam, że się złamie.

– Co teraz robi?

– Stara się nie narobić w spodnie.

– Złamiemy ją?

– Wrócę tu za pół godziny – powiedziała Linda. – Będzie miała czas, by zastanowić się nad tym, co ją czeka.

– A jeśli nie zechce mówić?

– Jeżeli nie będę miała wystarczająco dużo czasu, żeby ją zmiękczyć, zastosuję narkotyki, czego nie lubię. Zbyt łatwo jest wyciągnąć od przesłuchiwanego to, co chcesz usłyszeć, zamiast prawdy. – Spojrzała znów na ekran. – Po namyśle… – Podniosła dłoń i zaczęła wystukiwać coś na klawiaturze komputerka. Gdy na ekranie pojawiła się ostatnia cyfra, Susan Donleavy zaczęła krzyczeć.

– Wracajcie! Proszę! Powiem wam, co on zamierza zrobić!

W oczach Lindy zamiast satysfakcji pojawił się cień smutku.

– Co jest? – zapytał Juan.

– Nic.

– Powiedz mi. O co chodzi?

Popatrzyła na niego.

– Nienawidzę tego robić. Mam na myśli łamanie ludzi. Kłamię, by dostać to, czego chcę. To sprawia, że wewnątrz jestem, nie wiem, jakby martwa. Wchodzę w czyjś umysł, żeby wygrzebać z niego informacje, i w końcu wiem o tych osobach wszystko: co myślą, jakie mają nadzieje i marzenia, znam każdy sekret, którego nigdy nie chcieli nikomu wyjawić. Po kilku godzinach będę wiedzieć o Susan Donleavy więcej niż ktokolwiek na świecie. Ale nie jestem przecież zaufaną przyjaciółką. To tak jakbym wykradała informacje. Nienawidzę tego, Juan.

– Nie miałem pojęcia – odparł łagodnie. – Gdybym wiedział, nigdy nie prosiłbym cię o to.

– Właśnie dlatego ci nie powiedziałam. Wynajęłeś mnie, bo mam doświadczenie i umiejętności, takie, jakich nie ma żaden członek załogi. To, że nie lubię części mojej pracy, nie znaczy, iż nie powinnam jej wykonywać.

Juan delikatnie uścisnął jej ramię.

– Dasz sobie radę?

– Jasne. Niech sobie pokrzyczy kilka minut, potem tam wejdę. Znajdę cię, gdy skończę. A potem wypiję za dużo wina i postaram się wyrzucić Susan Donleavy z mojej głowy. Odpocznij trochę. Wyglądasz okropnie.

– Najlepszy pomysł, jaki dziś słyszałem.

Odwrócił się. Zastanawiał się, jak bardzo każdy z nich poświęcał się dla Korporacji. Przystępując do zadania, zawsze mieli świadomość fizycznego zagrożenia. Ale były też ukryte koszty. Walka w cieniu oznaczała, że wszyscy usprawiedliwiali ich działania. Nie mogli po prostu powiedzieć tak jak żołnierze, że wykonują rozkazy. Świadomie znaleźli się tam, gdzie się znaleźli i robili to, co konieczne, by zapewnić ludziom bezpieczeństwo i spokój, nawet jeśli sami musieli łamać prawo.

To ciążyło na nim brzemieniem. Mimo że Korporacja regularnie lekceważyła prawo międzynarodowe, by zapewnić sukces kolejnej akcji, to obszary, które sprawiały, że nie czuł się komfortowo, musieli omijać.

Wiedział, że nie ma alternatywy. Wrogowie, z którymi mierzył się, pracując dla CIA, w większości postępowali według jakichś reguł. Jednak gdy uprawnioną formą ataku stało się uderzanie samolotami w drapacze chmur, reguły zostały wyrzucone do śmieci. Wojny nie polegały już na starciach armii na polach bitew. Toczyły się w metrze, meczetach, nocnych klubach i na placach targowych. W dzisiejszym świecie wszystkie chwyty były dozwolone.

Dotarł do kabiny i zaciągnął zasłony na iluminatorach. Teraz, gdy miał łóżko dosłownie na wyciągnięcie ręki, fala zmęczenia uderzyła z taką siłą, że aż się zachwiał. Rozebrał się i wskoczył pod świeżą pościel.

Długo jednak nie mógł usnąć.

Rozdział 24

Zadzwonił telefon. Juan po czerwonym kolorze słońca przebijającego się przez zaciągnięte firanki zorientował się, że spał tylko kilka godzin. Potrząsnął głową. Miał uczucie, że stoczył piętnastorundowy pojedynek z mistrzem bokserskim wagi ciężkiej. I przegrał.

– Słucham – powiedział, przesuwając językiem po podniebieniu, by pozbyć się słonego posmaku.

– Przepraszam, że przerywam twój piękny sen. – To był Max. Jego głos brzmiał tak, jakby budzenie prezesa sprawiało mu radość. – Ustaliliśmy kilka nowych rzeczy. Zwołałem zebranie w sali konferencyjnej. Za piętnaście minut.

– Zaostrzyłeś mój apetyt – odparł Juan. Skórę na kikucie nogi miał zaczerwienioną i opuchniętą. W ekipie Julii był zawodowy masażysta, a Juan dobrze wiedział, iż konieczny jest masaż, żeby noga funkcjonowała normalnie.

– Daniel Singer zamierza spowodować największy wyciek ropy w historii, a pomaga mu oddział najemników, który zaopatrzyliśmy w broń.

Ta wiadomość wymiotła resztki snu.

W ciągu czternastu minut Cabrillo dotarł do sali konferencyjnej. Maurice czekał już na niego z kawą, podał też omlet z kiełbasą i cebulą. W pierwszej chwili Juan pomyślał o Lindzie Ross. Siedziała na swoim stałym miejscu z włączonym laptopem. Jej twarz była blada niczym buzia porcelanowej lalki, a jasne oczy przypominały teraz ciemne, zaśniedziałe monety. Po przesłuchaniu Susan Donleavy, od którego minęło raptem kilka godzin, Linda wyglądała tak, jakby postarzała się o dziesięć lat. Próbowała uśmiechnąć się do Juana, ale uśmiech zniknął, zanim się pojawił. Cabrillo w odpowiedzi skinął głową. Dobrze rozumiał Lindę.

Franklin Lincoln i Mike Trono również byli obecni, by w ten sposób jakoś wypełnić nieobecność Erica Stone'a i Marka Murphy'ego.

Max przybył ostatni, a wchodząc do sali, rozmawiał jeszcze przez telefon.

– Zgadza się. Przybrzeżna infrastruktura naftowa. Nie wiem dokładnie gdzie, ale twój pilot będzie chyba miał kilka pomysłów – powiedział i zamilkł, słuchając głosu w słuchawce. – Wiem, że niektóre odbiorniki radiowe już pewnie nie działają. Wiem też, że przebudowałeś je tak, by część z nich wciąż jeszcze nadawała. Musisz podejść bliżej, żeby je zlokalizować.

– Murphy? – zapytał Juan, w pośpiechu połykając kawałek omletu.

– Chcę, żeby skupił się na wybrzeżu. Przeprowadziłem rozeznanie i dowiedziałem się, że przy ujściu rzeki Kongo znajduje się pas platform wiertniczych. Dokładnie na północ od prowincji Kabinda w Angoli.

– Angola jest na południe od Konga – odezwał się Eddie.

– Też tak myślałem – odparł Max, siadając na krześle. – Na północ od rzeki jest jednak enklawa, która leży na miliardach baryłek ropy naftowej. Warto zauważyć, że USA sprowadza więcej surowca z Angoli niż z Kuwejtu, co w jakiś sposób zaprzecza sensowi wojny prowadzonej kilka lat temu.

Juan odwrócił się do Lindy.

– Chcesz nas o czymś poinformować?

Rozprostowała ramiona.

- Jak wiecie, były wspólnik Geoffreya Merricka zmusił go, by wykupił jego udziały w firmie. Singer przeznaczył pieniądze na finansowanie działalności mającej na celu ochronę środowiska: lasów równikowych w Ameryce Południowej, zwalczanie kłusownictwa w Afryce, korumpował też najlepszych lobbystów w stolicach na całym świecie. Potem doszedł do wniosku, że pieniądze, które wydawał, wcale nie wpłynęły znacząco na zmianę nastawienia ludzi. Jasne, ocalił trochę zwierząt i kawałek lądu, ale nie sprawił, że ludzie zainteresowali się głównym problemem. A problemem było to, że choć wszyscy mówią, iż troszczą się o środowisko, to jeśli w grę wchodzą pieniądze, nikt nie jest skory do poświęcenia dotychczasowego stylu życia i zapoczątkowania zmian.

- I stąd ten jego radykalizm? – wtrącił Juan.

- Fanatyzm. To słowo bardziej pasuje – odparła Linda. – Według Susan związał się z grupami, które zajmowały się podpaleniami luksusowych domów budowanych w stanach Kolorado, Utah i Vermont, a także niszczeniem samochodów sportowo-terenowych, stojących na parkingach dilerów. Mówiła, że wkładał piłki golfowe do baków ciężarówek przewożących drewno oraz wsypywał piasek do korków wlewu paliwa.

- Piłki golfowe? – zdziwił się Linc.

- Paliwo do silników Diesla rozpuszcza je, w rezultacie psuje się silnik. Wyrządza to więcej szkody niż cukier lub sól. Singer chwalił się, że spowodował straty o wartości co najmniej pięćdziesięciu milionów dolarów. Wciąż jednak było mu mało. Myślał o tym, by pocztą wysyłać bomby szefom firm paliwowych, uznał jednak, że zginą tylko niewinni urzędnicy odbierający pocztę. Wiedział też, że nie zmieniłoby to sposobu myślenia ludzi.

Wtedy właśnie dowiedział się, że w kolejnych latach okresowe huragany będą wyjątkowo silne. Nie ma w tym nic nadzwyczajnego, po prostu część naturalnego cyklu, ale doszedł do wniosku, że media połączą to z globalnym ociepleniem. Wtedy też wpadł na pomysł, by dodatkowo wzmocnić siłę huraganów.

– Mieliśmy więc rację w kwestii podwodnych ogrzewaczy zainstalowanych u wybrzeży Namibii – wtrącił Juan.

– Odciął się od wszelkich ruchów ekologicznych i zaczął realizować swój plan – mówiła Linda. – Zatrudnił najwyższej klasy klimatologów i oceanografów, by jak najlepiej dobrać wielkość oraz rozmieszczenie grzejników. Zdaniem Susan wszyscy zatrudnieni wierzyli, że uczestniczą w typowo badawczym eksperymencie, nie mieli pojęcia, że coś takiego naprawdę jest zbudowane. Grzejniki są zaprojektowane tak, by podnieść temperaturę Prądu Benguelskiego i wód przy brzegu Afryki Zachodniej o kilka stopni. I jak mówiliśmy wcześniej: więcej ciepła to większe parowanie, a w rezultacie silniejsze burze.

Nie można wpłynąć na huragan, gdy już się uformuje – kontynuowała Linda. – Nawet wybuch nuklearny nie zmieni struktury oka cyklonu, szybkości wiatru czy kierunku przemieszczania się burzy. Singer jednak wierzy, że wpływając na przyczynę huraganu, stworzy hiperhuragan, czyli burzę o sile wykraczającej poza piątą kategorię w skali Saffira–Simp–sona.

– A co to ma wspólnego z wysadzaniem instalacji naftowych? – zapytał Eddie, nalewając sobie filiżankę kawy.

– Chce, żeby wokół tego rozpętała się burza medialna. Złoże nieopodal rzeki Kongo zawiera największe stężenie benzenu na świecie. Złoża na Alasce mają jedną tysięczną benzenu, a ropa z pól naftowych odkrytych w Angoli i Kongu ma sto razy większą jego zawartość, zawiera również arszenik. Składniki te są oddzielane w rafineriach, ale wypływająca z ziemi mieszanka ropy i kwasu benzoarsenowego jest substancją żrącą i rakotwórczą.

– Szaleniec chce zarazić tym mieszkańców Afryki Północnej? – rzucił Linc ze złością.

– Niezupełnie, ale z pewnością ileś tam osób zachoruje. Chodzi mu o to, by plama ropy rozprzestrzeniała się długo, wtedy część ropy wyparuje.

– A gdy już ropa znajdzie się w powietrzu – podsumował Juan – wiatry wiejące na zachód poniosą toksyczne chmury przez ocean nad Wschodnie Wybrzeże.

– Poziom skażenia nie będzie tak duży, by ludzie w Stanach Zjednoczonych zachorowali – ciągnęła Linda – ale Singer skorzysta na wywołanej tym panice i zwróci uwagę na problem.

– Odniesie sukces, gdy ropa dostanie się do morza – wtrącił Mike. – Nie można tego po prostu oczyścić, zanim zacznie przedostawać się do atmosfery?

– Jest to trudne z dwóch powodów – wyjaśnił Juan. – Po pierwsze, regulacje prawne dotyczące zanieczyszczeń związanych z ropą naftową w tej części świata są bardzo nieprecyzyjne. Nie mieliby wystarczającej liczby statków potrzebnych do takiej operacji. Po drugie, poprawcie mnie, jeśli się mylę, Singer planuje uszkodzenie wielu platform wiertniczych, by nawet, mając zabezpieczenie w sprzęcie, nie dało się w porę usunąć plam.

– Rzeczywiście tak to wygląda – zgodziła się Linda. – Robotnicy poradzą sobie z drobnym wyciekiem podczas niewłaściwego napełniania tankowca lub z małą dziurą w statku, ale z działającą tam armią Singera, która nie pozwoli im wziąć się do roboty, nic nie zrobią.

– Po jakim czasie ropa wyparuje do atmosfery? – zapytał Max.

– Natychmiast. Ale minie tydzień, nim chmury zaniosą ją na drugą stronę Atlantyku. Zadaniem najemników Singera jest możliwie najdłuższe utrzymanie platform wiertniczych. Jeśli utrzymają je przez kilka dni, to mówimy o katastrofie setki razy groźniejszej niż wyciek z „Exxona Valdeza".

Juan popatrzył na kolegów.

– Czyli naszym zadaniem będzie nie dopuścić do przejęcia przez nich platform wiertniczych, a jeśli się spóźnimy, będziemy musieli jak najszybciej odzyskać te cholerne platformy.

– Z tym może być problem – stwierdził Eddie, opierając ręce o stół. – Linda, mówiłaś Maxowi, że

Singer wynajął Samuela Makambo do ataku na platformy?

– Susan Donleavy wymieniła go z nazwiska, a także jego Kongijską Armię Rewolucyjną. Umowa jest prosta. Makambo nie ma w tym żadnego interesu politycznego. Za kilka milionów dolarów od Singera zrobi ze swoich ludzi mięso armatnie.

– Miły facet – powiedziała Linda sarkastycznie. – Ludzie popierają go z powodu swoich przekonań politycznych, a on wynajmuje ich, by umierali za kogoś innego. Nienawidzę Afryki.

– I nie obwiniam cię za to – odezwał się Eddie. – Ale widzisz w tym nasz problem? Dostarczyliśmy mu karabinów, wyrzutni rakiet i amunicji, by uzbroił kilka setek ludzi.

Juan natychmiast zrozumiał grozę sytuacji.

– „Oregon" ma wystarczającą moc, by poradzić sobie z połową światowych okrętów. Ale przy ataku terrorystów na platformy wiertnicze, w dodatku wykorzystujących robotników jako żywe tarcze, niewiele będzie mógł zrobić.

– Otóż to. – Eddie nachylił się nad stołem. – Odbicie platform wiertniczych będzie wymagało indywidualnej walki. Każdy członek załogi potrafi walczyć, ale jeśli Makambo przejmie choćby tylko pięć platform i na każdej umieści stu swoich ludzi, to odbijając platformy, stracimy może i trzy czwarte naszych ludzi. I nie wydaje mi się, byśmy uzyskali pomoc od angolskiej armii lub policji – dodał. – Kilka dni zajmie im samo zorganizowanie się. W tym czasie Singer zdąży zamienić całą deltę rzeki w jedną wielką cuchnącą plamę ropy, a wyciek z platform być może nigdy nie zostanie zneutralizowany. Jeśli nie powstrzymamy go przed atakiem, będziemy mieć najwyżej dzień na odbicie platform.

Trzeźwa ocena sytuacji dokonana przez Eddiego brzmiała jak wyrok i, co najważniesze, nikt nie miał argumentów, by ją podważyć.

Po chwili ktoś cicho zapukał w otwarte drzwi sali konferencyjnej. Juan odwrócił się i zobaczył Sloane Macintyre. Była ubrana w luźne spodnie i zwyczajną, białą koszulkę z krótkimi rękawami, a miedziane włosy opadały jej na ramiona. Nosiła rękę na temblaku. Zauważył, że zrobiła lekki makijaż. Tusz na rzęsach i cienie na powiekach wydobywały głębię szarych oczu, a zręcznie nałożony róż ukrywał bladość twarzy. Wargi miała pełne i błyszczące.

– Mam nadzieję, że nie przeszkadzam. – Uśmiechnęła się. Wyraźnie jednak zdawała sobie sprawę z tego, że przeszkadza.

Juan podniósł się.

– Pewnie, że nie. Jak się czujesz?

– Dziękuję, dobrze. Doktor Huxley mówi, że za kilka tygodni będę się czuć jak nowo narodzona, ale muszę stosować się do jej zaleceń. Cała załoga gada o akcji, podczas której uratowałeś nie tylko swoich ludzi i Geoffreya Merricka, ale także jakiegoś przywódcę z Zimbabwe.

– Uwierz mi, to była praca zespołowa.

– Usłyszałam wasze głosy i chciałam się przywitać. – Spojrzała na Juana. – Wciąż jesteś mi winny wyjaśnienie, co robicie i skąd macie taki niesamowity okręt.

– Wszystko ci powiem, obiecuję.

– Lepiej dla ciebie, jeśli powiesz – odparła i popatrzyła w stronę Lindy. – Do zobaczenia w kabinie.

– Trzymaj się, Sloane.

– I co, do diabła, zamierzamy zrobić? – Max od razu przeszedł do rzeczy.

– Oczywiście możemy skontaktować się z Langstonem – powiedziała Linda. – Jeśli nie będzie mógł przysłać tu sił szybkiego reagowania, to przynajmniej ostrzeże rządy Angoli i Konga o możliwości zagrożenia terrorystycznego.

– Jakie są nasze stosunki z tymi krajami? – zapytał Linc.

– Nie mam pojęcia.

– A może skontaktujemy się z ludźmi, którzy odeszli z Korporacji? Z Dickiem Truittem, Carlem Gannonem i Bobem Meadowsem – zaproponował Mike. – Wiem, że Tom Reyes prowadzi agencję ochroniarską w Kalifornii.

– A firmy naftowe nie mają własnych oddziałów ochrony? – odezwał się Max. – Przypuszczam, że mają takie jednostki. Juan!

– Co?

– Nudzimy cię?

– Nie. – Cabrillo wstał. – Zaraz wracam.

I nim ktokolwiek zdążył go zapytać, co zamierza zrobić, już go nie było. Pędził korytarzem co sił. Zazwyczaj szybko podejmował decyzje i teraz było tak samo. Musiał zadać pytanie, zanim się poświęci. Złapał Sloane tuż przed wejściem do kabiny Lindy.

– Juan. – Była zaskoczona jego nagłym pojawieniem się i poważnym spojrzeniem.

– Masz absolutną pewność, że diamenty trafiły na statek? – zapytał szorstko. Na to, co zamierzał zrobić, nawet więcej niż znaczne fundusze Korporacji nie byłyby wystarczające, a wątpił, by CIA sfinansowała jego pomysł.

– Proszę?

– „Rove". Na ile jesteś pewna, że na pokładzie były diamenty?

– Nie wiem, o co…

– Gdyby w grę wchodził zakład, jak byś stawiała? Sto do jednego? Tysiąc do jednego? Ile?

Zastanawiała się chwilę.

– H.A. Ryder w tamtym czasie był najlepszym przewodnikiem w Afryce i znał pustynię lepiej niż ktokolwiek. Jestem pewna, tak jak tu stoję, że przeprowadził tych ludzi przez Kalahari. Gdy dotarli do brzegu, mieli ze sobą kamienie.

– W takim razie są one na statku?

– Tak.

– Jesteś pewna.

– Tak.

– Świetnie. Dziękuję.

Odwrócił się, ale Sloane położyła mu dłoń na ramieniu.

– O co w tym wszystkim chodzi? Dlaczego pytasz o diamenty?

- Ponieważ zamierzam obiecać je komuś, jeśli mi pomoże.

- Nie wiesz, gdzie leży wrak. Mogą minąć lata, zanim zostanie odnaleziony.

Juan uśmiechnął się szelmowsko.

- Ktoś jest mi winien przysługę, więc go odnajdzie.

- Komu chcesz dać te diamenty i dlaczego? – Zaskoczona jego determinacją Sloane przez moment zapomniała, dla kogo pracuje i po co przyjechała do Namibii. – Chwileczkę. Te kamienie nie należą do ciebie. Są własnością mojej firmy.

- Zgodnie z prawem morskim należą do tego, kto je odnajdzie. A jeśli chcesz wiedzieć, po co ich potrzebuję, chodź ze mną.

Najpierw jednak Juan zatrzymał się przy swojej kabinie i wyjął coś z sejfu. Gdy dotarli do kabin dla gości, zapukał i wszedł. Moses Ndebele siedział na podłodze i rozmawiał z czwórką swoich ludzi. Każdy miał obandażowaną jakąś część ciała. Kije i kule leżały na podłodze niczym elementy dziecięcej układanki. Nie myśleli o tym, że odnieśli rany. Wszyscy cieszyli się, że ich przywódca wrócił.

Moses już podnosił się, ale Juan gestem dał mu znak, żeby nie wstawał.

- Twoja doktor Huxley mówi, że nie będę musiał kupować nowej nogi.

- Cieszę się, że to słyszę. Daję sobie radę z jedną, ale cholernie chciałbym mieć obie. – Uścisnęli sobie dłonie. – Mogę pomówić z tobą na osobności?

- Oczywiście, kapitanie. – Powiedział coś do swoich ludzi, a ci wstali i wyszli z pokoju.

Juan poczekał, aż ostatni zamknie drzwi, i dopiero wtedy odezwał się.

- Jakie są szanse, że uda ci się obalić rząd w Zimbabwe i przywrócić porządek w kraju?

- Jesteśmy mężczyznami, więc rozmawiajmy po męsku. Mam dobrych żołnierzy, ale mało broni. Jeśli rewoltę wzniecą ludzie słabo uzbrojeni, szybko zostanie stłumiona. Rząd jest bezlitosny. Liderzy nie cofną się przed niczym, byle tylko utrzymać się przy władzy.

– Co byłoby potrzebne do obalenia dyktatury?

– To, co jest potrzebne do rozwiązania każdego problemu. Czas i pieniądze.

– W kwestii czasu nic nie poradzę, ale jeśli mógłbym sfinansować wasze powstanie?

– Kapitanie, wiem, że jesteś człowiekiem odważnym i honorowym, ale mówimy tu o dziesiątkach milionów dolarów.

– Panie Ndebele, mówię o setkach milionów dolarów. – Juan przerwał na chwilę, by słowa wywarły odpowiednie wrażenie. – Są twoje, ale potrzebuję czegoś w zamian.

– Na razie nie będę pytał o pieniądze – odparł Ndebele. – Przyjaciele nie dyskutują o takich sprawach. Jakiej przysługi oczekujesz?

– Potrzebuję setki twoich najlepszych ludzi. – Cabrillo zaczął wyjaśniać sytuację. Ndebele słuchał w milczeniu, a Sloane tylko sapnęła, gdy usłyszała o huraganie niosącym truciznę, zmierzającym w stronę USA, a najprawdopodobniej w stronę jej rodzinnej Florydy.

– Moi ludzie są gotowi poświęcić się dla swoich dzieci i przyszłości kraju. Prosisz mnie, bym wysłał swoich do walki, w której nie mogą odnieść żadnych korzyści, a mogą wszystko stracić. Za wszystko, co dla mnie zrobiłeś, walczyłbym obok ciebie w każdym miejscu świata. Ale nie mogę prosić o to moich ludzi.

– Ale walczą za swój kraj. Robiąc to, pozyskasz fundusze niezbędne, byś mógł obalić rząd i przywrócić w Zimbabwe demokrację, o którą tak walczyliście po uzyskaniu niepodległości. Nie będę kłamać i nie powiem, że wszyscy wrócą z pola walki. Pewnie nie wrócą. Ale ich ofiara będzie zachętą dla innych. Wyjaśnij im, co zyskają, a zrobią to dla ciebie, dla kraju, a co najważniejsze, dla siebie.

Ndebele nic nie odpowiedział, tylko przez chwilę wpatrywał się w oczy Cabrilla.

– Zbierze się *indaba*, nasza rada. – Pomachał ręką w kierunku zamkniętych drzwi. – Pozwolę im podjąć decyzję.

– Nie mogę prosić o nic więcej. – Uścisnęli sobie dłonie. Juan wyjął z kieszeni sakiewkę i wziął Ndebele za rękę. Na jego otwartą dłoń wysypał diamenty, które otrzymał w zamian za broń. – Potraktuj to jako gest uczyniony w dobrej wierze. Są twoje, niezależnie od decyzji. Na biurku jest komunikator. Oficer dyżurny, który się odezwie, będzie wiedział, gdzie mnie znaleźć.

Na korytarzu Sloane zatrzymała Juana.

– To wszystko prawda? Skąd masz diamenty?

– Niestety, to prawda. Daniel Singer pracował nad tym od lat, a my mamy tylko kilka dni, by mu w szaleńczym przedsięwzięciu przeszkodzić. Co do pochodzenia diamentów, to mają one swój udział w całej tej historii.

– Zdaje się, że będę musiała poczekać, aby o tym usłyszeć.

– Przykro mi, ale tak. Muszę wrócić na spotkanie. Trzeba przedyskutować sporo spraw.

Sloane spojrzała mu w oczy.

– Chcę, byś wiedział, że pomogę ci w każdy możliwy sposób.

– To dobrze, bo gdy już znajdziemy „Rove'a", pomożesz mi zaszantażować twoich szefów, by kupili diamenty.

– To – powiedziała z szerokim uśmiechem – będzie dla mnie przyjemnością.

Zanim wrócił do sali konferencyjnej, wstąpił do swojej kabiny, by zadzwonić na stały ląd. Na Wschodnim Wybrzeżu było wcześnie rano, ale spodziewał się, że mężczyzna, którego chciał złapać, będzie już w swoim biurze.

Juan miał bezpośredni numer, więc gdy tamten odebrał telefon, odezwał się bez przywitania.

– Jesteś mi winny nogę, ale ucieszę się, nawet jeśli pożyczysz mi tylko rękę.

– Dawno się nie słyszeliśmy, prezesie Cabrillo – odparł Dirk Pitt. Siedział w swoim biurze na szczycie górującego nad Waszyngtonem budynku NUMA. – Co mogę dla ciebie zrobić?

Rozdział 25

„Oregon", napędzany wspaniałymi silnikami i niecierpliwością członków załogi, gnał na północ niczym chart. Prawie w każdej części statku coś się działo. W zbrojowni było pięciu mężczyzn, którzy odpakowywali broń dla ludzi Mosesa Ndebele. Czyścili ją i ładowali setki magazynków. Oficerowie sprawdzali systemy obronne statku, upewniając się, że lufy były drożne, pociski załadowane, a słone powietrze nie skorodowało pistoletów maszynowych i działek.

Pod pokładem technicy sprawdzali stan dwóch małych łodzi podwodnych. Usunięto z nich sprzęt i dołączono dodatkowe przetworniki dwutlenku węgla, by na pokładach mogło zmieścić się więcej ludzi. Zainstalowano również systemy antyradarowe, które sprawiały, że po zanurzeniu łodzie były niewykrywalne. Odgłosowi prac towarzyszył szum kompresora; na wszelki wypadek napełniano zbiorniki dla płetwonurków.

W kuchni wszyscy kucharze i pomocnicy szykowali racje żywnościowe dla walczących, a kelnerzy pakowali je w pojemniki próżniowe. W części medycznej panowała pełna mobilizacja przed ostrym dyżurem.

W tym czasie Juan Cabrillo siedział w fotelu w centrum dowodzenia i czytał wszystkie raporty. Żaden szczegół nie był zbyt mało ważny.

– Max – zawołał, nie odrywając wzroku od monitora. – Mam tu coś, co wskazuje, że ciśnienie w systemie przeciwpożarowym znacząco spadło.

– Zarządziłem próbę systemu w ładowni. Za mniej więcej godzinę wszystko powinno wrócić do normy.

– Okej. Hali, jaki jest spodziewany czas przylotu George'a?

Hali Kasim opuścił jedną słuchawkę.

– Właśnie wyleciał z Kabindy w Angoli z Murphym i Erikiem. Będziemy gotowi na spotkanie za mniej więcej dwie i pół godziny. Da nam znać dziesięć minut wcześniej, byśmy mogli zmniejszyć prędkość i przygotować hangar.

– A Tiny? Gdzie jest?

– Dziesięć tysięcy metrów nad Zambią.

Juan odetchnął z ulgą. Plan, jak wiele innych w ostatnim czasie, powstawał w pośpiechu. Wyciągnięcie setki najlepszych ludzi Mosesa z obozu dla uchodźców w pobliżu przemysłowego miasta Francistown w Botswanie nastręczało poważnych trudności. W przeciwieństwie do wielu krajów zlokalizowanych w pobliżu Sahary Botswana nie była tak skorumpowana, dlatego dostarczenie tylu ludzi na pokład samolotu bez paszportów kosztowało znacznie więcej, niż życzyłby sobie Cabrillo. Przyjaciel Tiny'ego oczyścił dla nich drogę na drugim końcu wyprawy i zapewnił, że w Kabindzie nie będzie żadnych problemów przy lądowaniu. „Oregon" dobije do głównego nabrzeża w mieście pięć godzin po ich lądowaniu i zaczeka tak długo, aż dotrą na pokład.

Stamtąd mieli udać się na północ w kierunku przybrzeżnych pól naftowych, gdzie Eric i Murphy zlokalizowali trzy z dziesięciu pistoletów AK-47 z radiowymi nadajnikami Korporacji. Pistolety znajdowały się na bagnach, niecałe osiem kilometrów od nowego terminalu dla tankowców i dziesięciu minut podróży łodzią od tuzina platform wiertniczych.

Juan skontaktował się z Langstonem Overholtem, gdy tylko Murphy się zameldował. Land od razu zaalarmował Departament Stanu, by mogli wysłać ostrzeżenie dla rządu Angoli. Tryby dyplomacji pracują powoli i informacje Juana rozpływały się we mgle, podczas gdy politycy pracowali nad swoim oświadczeniem.

Z powodu zagrożenia wybuchem wojny domowej na całym terytorium Kabingi firmy zarządzające platformami wiertniczymi utrzymywały własne oddziały ochrony. Terminal tankowców i zabudowania robotników były ogrodzone i patrolowane przez uzbrojonych strażników. Cabrillo rozważał bezpośredni kontakt z firmami naftowymi, ale wiedział, że zostanie zignorowany. Wiedział też, że siły, jakimi dysponowały firmy, dałyby sobie radę z intruzami i złodziejami, ale nie miały szans w potyczce z armią. Tak więc ostrzeżenie wysłane do firm naftowych spowodowałoby jedynie więcej ofiar wśród strażników.

Z powietrznego rekonesansu Murphy'ego dowiedział się również, że w slumsach niedaleko pól naftowych mieszkają setki ludzi. Liczba ofiar znacznie się zmniejszy, jeśli walki będą się toczyć na terenie należącym do firm.

Do centrum dowodzenia weszła Linda Ross, a za nią wsunęła się Sloane Macintyre, która zatrzymała się tuż za progiem. Na widok futurystycznego wyposażenia centrum aż otworzyła usta. Główny ekran umieszczony na ścianie podzielony był na dwanaście mniejszych, pokazujących różne miejsca na statku oraz dziób „Oregona" przecinający morskie fale.

– Linda powiedziała, że będę miała większe pojęcie o tym, co robicie, jeśli tu przyjdę – odezwała się w końcu Sloane, podchodząc do Juana. – Myślę, że teraz jestem jeszcze bardziej zdezorientowana niż kilka sekund temu. Co to jest?

– Serce i dusza „Oregona" – odparł. – Z tego miejsca możemy kontrolować ster, silniki, komunikację, ekipy ratunkowe i cały system uzbrojenia.

– Czyli jesteście z CIA?

– Nie. Jesteśmy prywatnymi obywatelami, którzy prowadzą dochodową firmę wykonującą rozmaite zlecenia, mające na celu zapewnienie ludziom bezpieczeństwa. Muszę jednak przyznać, że przez lata CIA dostarczała nam wiele zleceń, najczęściej tych najbardziej skomplikowanych. Na przykład sprzedaż broni grupie afrykańskich rewolucjonistów. Pistolety zostały tak zmodyfikowane, by umożliwiały potem zlokalizowanie armii. Niestety, zostaliśmy oszukani, o czym dowiedzieliśmy się w momencie, gdy odbijaliśmy Geoffreya Merricka. Teraz zamierzamy odzyskać broń i pokrzyżować plany byłemu partnerowi Merricka.

– Kto zapłacił wam za dostawę broni?

– Była to transakcja zawarta pomiędzy naszym rządem i rządem Konga. Większość pieniędzy pochodziła od CIA, resztę mieliśmy otrzymać ze sprzedaży diamentów, które uzyskaliśmy z wymiany za broń.

– Diamenty, które dałeś Mosesowi Ndebele w zamian za pomoc?

– Zgadza się. Zdaje się, że ta historia nie była tak długa, jak przypuszczałem. – Juan zaśmiał się.

– I to jest wasz sposób na życie? – A po chwili sama sobie odpowiedziała. – Oczywiście, że tak. Widziałam ubrania w szafie Lindy. Zupełnie jak na Rodeo Drive.

– Szefie, możemy porozmawiać na osobności? – zapytała Linda.

Nie podobał mu się ton jej głosu. Wstał z fotela i gestem zaprosił Sloane, by usiadła.

Odeszli z Lindą w drugi koniec pomieszczenia.

– O co chodzi?

– Przeglądałam notatki z przesłuchania i nie jestem pewna, ale wydaje mi się, że Susan Donleavy coś ukrywa.

– Coś?

– Nie chodzi o zamiary Singera. Wyciągnęłam z niej wszystko, co się dało. To coś innego. Nie mogę jednak dociec, o co naprawdę chodzi.

– Może chodzi o czas tej operacji – podsunął Juan.

– Możliwe. Nie wiem. Dlaczego tak myślisz?

– Prawie całą noc o tym myślałem – przyznał. – Singer planował wszystko od lat i od dawna używa generatorów i ogrzewaczy. Aż tu nagle atakuje pola naftowe, by rozlać kilka milionów ton toksycznej substancji. Dlaczego? Dlaczego teraz? Chce, żeby huragany przeniosły toksyczną chmurę przez ocean, ale nie jest w stanie przewidzieć, kiedy i gdzie uformuje się burza.

– Myślisz, że może to przewidzieć?

– Myślę, że jemu właśnie tak się wydaje.

– Nie da się tego przewidzieć. A na pewno nie z dużym stopniem prawdopodobieństwa. Huragany powstają bez schematu. Niektóre nigdy nie rosną w siłę i zanikają jeszcze nad oceanem.

– Właśnie. I to nie zadziałałoby na korzyść jego wielkiej demonstracji.

– Uważasz, że wie o nadchodzącej wielkiej burzy, która przeniesie jego toksyczną chmurę przez ocean?

– Powiem więcej. Moim zdaniem on wie, jaki kierunek obierze burza, i jest pewny, że toksyny dotrą do Stanów Zjednoczonych.

– Ale skąd może wiedzieć?

Juan przeczesał ręką krótko ostrzyżone włosy. Była to jedyna widoczna oznaka jego frustracji.

– Właśnie dlatego nie spałem. Trudno uwierzyć, że potrafi przewidzieć huragan, a tym bardziej jego trasę, ale działania Singera prowadzą nas tylko do jednego wniosku. Nawet bez naszego udziału ludzie Makambo zostaną w końcu pokonani i wyciek oleju zostanie zatrzymany. Singer nie może więc zagwarantować, że plama ropy odpłynie na odpowiednią odległość, a później zostanie w powietrzu na tyle długo, by została wciągnięta przez formujący się huragan. A jeśli nawet, to nie może mieć gwarancji, że burza nie powędruje inną drogą. Chyba że jest jeszcze jakiś element tej układanki, o którym nie wiemy.

– Spróbuję jeszcze z Susan – postanowiła Linda. – Zakończyłam przesłuchanie, gdy tylko dowiedziałam się wszystkiego o ataku na terminal naftowy.

Juan popatrzył na nią z podziwem. Starała się dać z siebie jeszcze więcej niż całą duszę. Zdawał sobie sprawę, jak bardzo stresujące jest dla niej przesłuchiwanie Susan Donleavy, ale nie mógł nic na to poradzić, wiedział, że będzie musiała je powtórzyć.

– Coś w tym jest – zgodził się Juan. – Jestem pewna, że odkryjesz, w czym rzecz.

– Zrobię co w mojej mocy – odparła Linda i odwróciła się.

– Informuj mnie.

Szesnaście kilometrów na północ od miejsca, w którym Tiny Gunderson siedział w samolocie na lotnisku w Kabindzie z setką żołnierzy, Daniel Singer rozmawiał z Samuelem Makambo, generałem Kongijskiej Armii Rewolucyjnej. Do świtu pozostały dwie godziny. Dżungla powoli wyciszała się, nocne stworzenia układały się do snu. Zadziwiające, jak one potrafiły zachować swój dobowy rytm, żyjąc obok rozświetlonych szybów naftowych. Wokół kryli się najlepsi żołnierze, których Makambo chciał poświęcić w tej misji. Czterystuosobowym oddziałem ekspedycyjnym dowodził pułkownik Raif Abala. Znalazł się tu z dwóch powodów: po pierwsze była to kara za klęskę nad rzeką Kongo, kiedy pozwolił handlarzom broni oddalić się z diamentami, a po drugie Makambo podejrzewał, że pułkownik wykrada diamenty z magazynów. Na pewno nie zmartwiłby się, gdyby Abala nie wrócił z tej wyprawy.

Żołnierze ukrywali się w zasięgu wzroku, w sąsiedztwie slumsów, które wyrosły przy polach naftowych kontrolowanych przez naftowego giganta Petromax. Nosili zwykłe, choć zniszczone ubrania i zachowywali się tak, jakby przybyli w poszukiwaniu pracy. Broń oraz łodzie ukryli w przybrzeżnych zaroślach, a uzbrojeni strażnicy pilnowali, by rybacy bądź okoliczni mieszkańcy nie zapuszczali się zbyt blisko.

– Pułkowniku – rzekł Makambo. – Znasz swoje obowiązki.

Makambo prezentował się jak prawdziwy dowódca. Mimo że jego zaprawione w bojach ciało obrastało z wolna tłuszczem, wciąż jednak zachował siłę. Uwielbiał nosić lustrzane okulary przeciwsłoneczne, podobnie jak jego mentor Idi Amin, i z dumą nosił też *sjambok*, laskę z plecionej skóry hipopotama. Pistolety, które spoczywały w kaburach, wykonane były przez Berettę, a same złote wykończenia warte fortunę.

– Tak jest – odpowiedział natychmiast Abala. – Stu ludzi popłynie w łodziach i rozpocznie atak na morski terminal załadowczy i platformy wiertnicze, a większość moich sił skupi się na ogrodzonym terenie.

– Najważniejsze, abyś przejął kontrolę nad generatorem, a także nad centrum zarządzania pompami – przypomniał z naciskiem Dan Singer, architekt całej akcji. – I nie wolno ich uszkodzić.

– Atak przeprowadzą moi najlepsi ludzie. Kiedy tylko przełamiemy ogrodzenie.

– Twoi ludzie wiedzą, jak obchodzić się z urządzeniami? – zapytał Singer.

– Wielu z nich pracowało tu, zanim rząd zabronił ludziom z naszego plemienia pracować w przemyśle naftowym w Kongu – odparł Abala. – Gdy tylko tankowiec, który jest właśnie napełniany, odpłynie od terminalu, moi ludzie włączą pompy na pełną moc i zrzucą ropę do oceanu.

– A na platformach wiertniczych?

– Zniszczą podwodne rury, które prowadzą surowiec do zbiorników umieszczonych na brzegu.

Singer wolałby wysadzić wielkie zbiorniki, ale były one umieszczone w ziemi i chronione tak, że ropa nie wydostałaby się do morza. A ropa, by mogła właściwie parować, musiała rozlać się na jak największej powierzchni. Odwrócił się do Makambo.

– Za każdą godzinę, przez którą twoi ludzie utrzymają terminal i będą wypompowywać ropę do morza, na twoje konto w Szwajcarii wpłynie milion dolarów.

– Te pieniądze bardzo przydadzą się mojej rewolucji i poprawianiu poziomu życia mieszkańców naszego kraju – odparł z kamienną twarzą przywódca partyzantów. Singer doskonale jednak wiedział, że lwia część pieniędzy pozostanie w kieszeni Makambo. – Zrobiłem ci tę przysługę i wezwałem moich żołnierzy do walki o lepsze jutro.

W trakcie poszukiwania najemników Singer dokładnie przyjrzał się Makambo i jego Kongijskiej Armii Rewolucyjnej. Bezduszni rzeźnicy, którzy torturowali i zastraszali bezbronną ludność cywilną, by w ten sposób zdobywać zapasy. W konflikcie był też element plemienny, jednak obrońcy praw człowieka informowali, że KAR zabiła więcej własnych ludzi niż rząd, przeciwko któremu walczyli. Poczynania Makambo stanowiły jeszcze jeden przykład despotycznej natury afrykańskich polityków.

– Bardzo dobrze – powiedział Singer. – W takim razie na mnie już czas.

Planował, że opuści Kabindę dzień przed atakiem, pozostał jednak tak długo, jak tylko mógł, z nadzieją że dostanie jakąś wiadomość od Niny Visser. Ona i jej towarzysze nie pojawili się na miejscu spotkania, w którym czekał na nich samolot, mimo że ślady kół wskazywały, że niedawno ktoś był w tamtym miejscu. Pilot podążał tropem jedynie przez kilka kilometrów, gdyż pustynne wiatry zasypały ślad. Krążył jeszcze nad tym rejonem, dopóki starczyło paliwa, potem wrócił do Windhoek.

Singer nakazał mu powrót do Kabindy, by mogli razem odlecieć do Nouakchott w Mauretanii, gdzie czekał na niego olbrzymi tankowiec, potajemnie zakupiony od libijskiej firmy. Okręt nazywał się „Gulf of Sidra" i wcześniej, przez wiele lat, pływał po Morzu Śródziemnym, transportując libijską ropę do Jugosławii i Albanii.

Gdy zwiedzał okręt z Susan Donleavy, uznała, że ładownie będą doskonałym miejscem do rozwoju jej organicznych flokulentów. Firma inżynieryjna, którą Singer wynajął do inspekcji okrętu, potwierdziła, iż może on przewozić ładunek o temperaturze do sześćdziesięciu stopni Celsjusza, jednak w raporcie wskazali również, że nie wiedzą o istnieniu terminali naftowych, na których tankowana ropa oddaje tak dużo ziemskiego ciepła. Singer podpisał umowę, uzyskał najłatwiejszą na świecie rejestrację pod liberyjską banderą i nawet nie zmieniał nazwy statku.

Susan nadzorowała później osadzanie wytwarzającego ciepło szlamu i kontrolowała to wszystko od czasu do czasu, zanim nie została „uprowadzona". Jej raporty wskazywały na to, że wszystko działa idealnie, dlatego Singer nie potrzebował jej w momencie uwalniania zawartości tankowca. Zawsze jednak mogło zdarzyć się coś, co wymagałoby jej fachowej oceny. Strata Niny i jej grupy nie martwiła go zbytnio.

Po prostu chciał, aby Susan mu towarzyszyła. Flokulent był jej oczkiem w głowie, a gdy skontaktowała się z Singerem i poinformowała o swoim odkryciu i jego ewentualnym zastosowaniu, chciała widzieć efekt.

I wtedy był też Merrick. Singer marzył, by zobaczyć przerażenie malujące się na jego twarzy na widok tworzenia się najgroźniejszego i najbardziej niszczycielskiego huraganu w historii Stanów Zjednoczonych. Może wtedy zdałby sobie sprawę, że właśnie ludzie tacy jak on są za to odpowiedzialni. Powiedział Merrickowi o swoim planie, dlatego miał nadzieję, że były wspólnik żyje i pozna prawdę o tym, co się wydarzy.

Ze względu na wyjątkową trudność prowadzenia tankowca nie mógł polegać na bandzie długowłosych ekologów, dlatego zatrudnił profesjonalną załogę, której milczenie można było kupić. Kapitan, grecki alkoholik, stracił licencję po wprowadzeniu okrętu na mieliznę w Zatoce Perskiej. Główny inżynier, również Grek, także nie stronił od butelki. Nie pracował na statkach, odkąd doprowadził do wybuchu w maszynowni i zginęło czterech ludzi. Sąd oczyścił go wprawdzie z zarzutów, ale zła opinia zrujnowała jego karierę.

Przy nich dwóch reszta załogi wyglądała jak aniołki.

– Atakujecie o świcie? – zapytał Singer.

– Tak. Masz wystarczająco dużo czasu, by dostać się na samolot. – Makambo uśmiechnął się szyderczo. On też nie zamierzał zostać na polu bitwy. Miał w pogotowiu szybką łódź, którą zamierzał płynąć wzdłuż wybrzeża aż do rzeki Kongo.

Singer nie skomentował tego.

– Pamiętaj, że każda godzina to milion dolarów. Jeśli twoi ludzie będą w stanie powstrzymać opór służb bezpieczeństwa i angolskiej policji przez czterdzieści osiem godzin, dorzucę dodatkowych pięć milionów. – Popatrzył na Abalę. – I dodatkowych pięć milionów dla pana, pułkowniku.

– Czas więc wydać okrzyk wojenny – powiedział Makambo, używając swego ulubionego cytatu. – I spuścić ze smyczy psy wojny.

Rozdział 26

Juan stał na mostku i obserwował stare szkolne autobusy, które podjeżdżały groblą na jedyne nabrzeże w Kabindzie. Każdy był pomalowany na jaskrawe kolory i wyrzucał kłęby spalin. Podjeżdżały do kontenerów, a niektóre ładowały już sprzęt rolniczy odebrany z rosyjskiego okrętu cumującego przed „Oregonem".

Ponieważ statek został pozbawiony balastu, co pozwoliło mu wpłynąć na płytsze wody, Juan miał lepszy widok na miasto i otaczające je wzgórza. Zaczynało świtać. Zauważył, że w okolicy nie zużywano zbyt wiele z bogatych angolskich złóż ropy naftowej.

Na nabrzeżu Max Hanley i Franklin Lincoln rozmawiali z celnikiem. Obaj byli ubrani jak szczury lądowe, co pasowało do nieudolnego zacumowania „Oregona". Towarzyszyli im kolega Tiny'ego Gundersona, który chciał upewnić się, że wszystko pójdzie dobrze, oraz Mafana, człowiek Ndebele. Celnik przekazał już walizkę swojej żonie, która przyszła na nabrzeże tylko po to, by zabrać do domu pieniądze pochodzące z łapówki.

Niespodziewanie nad podłogą mostka pojawiła się winda z centrum dowodzenia. Linda Ross nie czekała nawet, aż winda się zatrzyma, tylko szybko wyskoczyła i pobiegła w stronę szefa.

– Juan, masz wyłączony telefon. – Mówiła bardzo spokojnie. – Atak właśnie się zaczął. Hali przechwytuje rozmowy telefoniczne Petromaxu z ich siedzibą w Delaware. Szacują, że szturm na bramy przypuściło około czterystu uzbrojonych mężczyzn. A platformy wiertnicze donoszą, że w ich stronę płynie sporo małych łodzi. Ochrona kompletnie nie daje sobie rady.

Nie tracił nadziei i modlił się o to, żeby mieć choć jeden dzień, by popracować z ludźmi Ndebele, ale w głębi duszy wiedział, że tak się nie stanie. Musiał wierzyć, że czas nie zatarł ich umiejętności, które nabyli w wojnie domowej przed trzydziestu laty.

Cabrillo złożył dłonie przy ustach i krzyknął w stronę Maxa. Gdy Hanley popatrzył w górę, Juan gestem dłoni wskazał, by pospieszyli się na dole. Max powiedział coś do Mafany w momencie, gdy pierwszy autobus z piskiem opon zatrzymał się przy pomoście. Drzwi otworzyły się i w środku zobaczyli wielu mężczyzn. Pierwszy z nich pogratulował Mafanie uwolnienia Mosesa Ndebele, ale afrykański partyzant musiał powiedzieć mu, żeby od razu wchodzili na pokład. Mężczyźni przechodzili szybko, a do pomostu podjechały kolejne autobusy.

Juan włączył telefon i wybrał numer do hangaru, gdzie powinien być George „Gomez" Adams wraz ze swoim śmigłowcem.

– Nocne Linie Lotnicze.

– George, mówi Juan.

– O co chodzi, prezesie?

– Ludzie Singera rozpoczęli atak. Gdy tylko wyjdziemy z portu, chciałbym wysłać jeden z naszych BO-L-i.

Bezzałogowe obiekty latające były w dużej mierze zwykłymi samolotami wyposażonymi w miniaturowe kamery i detektory podczerwieni.

– Przygotuję je. Ale nie mogę pilotować dwóch rzeczy, jeśli w tym samym czasie będziesz chciał skorzystać ze śmigłowca.

– Tiny wchodzi na pokład wraz z ludźmi Ndebele. On będzie pilotować. Chcę tylko, żebyś go przygotował.

– Załatwione.

Cabrillo wyjrzał przez poręcz. Na pokład wchodzili w dwóch szeregach mężczyźni. Żaden z nich nie miał nadwagi, co zresztą go nie zdziwiło, gdyż mieszkali w obozie dla uchodźców. Kilku z nich było dobrze zbudowanych. Zauważył też, może zbyt wielu, siwowłosych, ale ogólnie dawni bojownicy o wolność wyglądali całkiem nieźle.

Zawołał Eddiego Senga, by ten spotkał się z nowo przybyłymi, ale szef operacji lądowych już stał na pomoście i kierował żołnierzy do ładowni, gdzie czekał na nich Moses Ndebele. Tam też mieli zostać wyposażeni w pistolety, amunicję i niezbędny ekwipunek.

Kiedy zaczął się atak, ludzie Juana zaczęli pracować jeszcze szybciej. Zresztą nie oczekiwał od nich nic innego.

Eric Stone obserwował ten pochód na ekranie wewnętrznej telewizji w centrum dowodzenia. Gdy Max i Linc weszli na pokład za ostatnimi żołnierzami Ndebele, silniki statku zwiększyły moc. Juan spojrzał w górę i zobaczył kłęby dymu wybywające się z komina „Oregona". Interkom zabrzęczał głośno.

– Jesteśmy gotowi – powiedział Eric.

Juan popatrzył wzdłuż statku. Widząc dokera stojącego przy cumie, dał mu znak i mężczyzna zrzucił ciężką linę ze słupka. Kabestan natychmiast zaczął ją zwijać. Juan powtórzył gest i kolejni dokerzy odczepiali pozostałe cumy. Zanim zdążył powiedzieć Stone'owi, że już są wolni, zauważył kotłującą się wodę między „Oregonem" a nabrzeżem. Minęli rufę rosyjskiego okrętu i Eric zwiększył magnetohydrodynamikę, utrzymując prędkość na takim poziomie, by statek nie podnosił dzioba lub nie zanurzał się głębiej. Dopiero gdy oddalili się milę od płycizny portowej, zwiększono moc.

Juan czekał na mostku jeszcze kilka chwil, wiedząc, że do czasu zakończenia misji są to ostatnie spokojne momenty. Uczucie strachu, jakiego doświadczył, gdy Linda powiedziała mu o rozpoczęciu ataku, ustępowało miejsca nowemu uczuciu, które znał bardzo dobrze, wywołane rzutem adrenaliny.

Nie czuł już bólu kikuta nogi ani bólu pleców. Nie brakowało mu też snu. Umysł koncentrował się na obecnym zadaniu, a ciało odpowiadało na wezwanie gotowe zrobić wszystko, czego zażąda umysł.

Odwrócił się do Lindy.

– Jesteś gotowa?

– Tak jest.

W windzie, w drodze do centrum dowodzenia, zapytał ją o Susan Donleavy.

– Zamierzałam porozmawiać z nią dzisiaj, ale cóż…

– Nic się nie stało – odparł Juan. Drzwi windy otworzyły się. – Hali? Coś nowego?

– Petromax stara się skontaktować z tymczasowym rządem, by poinformować go o ataku, ale na razie władze nie odpowiedziały. W zabudowaniach robotników nic się nie dzieje. Atak koncentruje się wyłącznie na platformach wiertniczych i terminalu załadowczym. Wygląda na to, że dwie platformy są już pod kontrolą terrorystów, a dwie bronią się za pomocą armatek wodnych. Komunikat radiowy z jednej z platform mówi, że w strzelaninie stracili kilku ludzi i najpewniej nie utrzymają się zbyt długo.

– Eric, za ile będziemy na miejscu?

– Za godzinę.

– Murphy, jak broń?

Mark Murphy wyciągnął szyję i popatrzył na Juana.

– Jesteśmy uzbrojeni jak na niedźwiedzia, szefie.

– W porządku. Aha, świetna robota z odnalezieniem broni wyposażonej w nadajniki radiowe. Bóg jeden wie, o ile trudniej byłoby, gdybyśmy musieli ich szukać gdzieś nad rzeką Kongo.

Cabrillo odwrócił się i zauważył siedzącego przy pulpicie na końcu pokoju Chucka „Tiny" Gundersona. Na ekranie komputera widoczny był obraz George'a Adamsa, który czyścił soczewki kamery umieszczonej na dziobie samolotu zwiadowczego.

– Wygląda dobrze – powiedział Tiny do mikrofonu. Przysunął ręce do klawiatury. – Odsuń się. Włączam silnik.

Gdy silnik małego samolotu zaczął pracować, kamera wpadła w wibracje.

– Okej, mamy zielone światło. W górę, w górę i poleciał.

Obraz zaczął się poruszać. Samolot rozpędzał się po pasie startowym, mijał wieże „Oregona", wreszcie wzniósł się nad barierką. Tiny, poruszając dżojstikiem, opuścił dziób samolotu, potem ponownie ruszył dżojstikiem i wzniósł samolot w górę.

Juan poszedł do kabiny, by się przygotować. Zanim przypiął nową protezę bojową i włożył czarne ubranie, włączył komputer, by zobaczyć obraz z samolotu bezzałogowego. Rzucając co chwila okiem na monitor, kontrolował przygotowanie broni.

Samolot leciał na wysokości trzysta metrów nad dużym półwyspem, który „Oregon" musiał opłynąć, by dotrzeć do terminalu naftowego Petromaxu. Mocniejszy odbiornik pozwolił im zwiększyć zasięg samolotu z dwudziestu do sześćdziesięciu kilometrów, dzięki temu nie musiał pozostawać tak blisko okrętu. Przeleciał nad terenami rolniczymi i dżunglą, a w końcu nad obszarem mangrowym, który oddzielał port od reszty Kabindy.

Tiny opuścił samolot na wysokość stu pięćdziesięciu metrów i poprowadził go nad jedyną drogą wiodącą do portu. W odległości kilku kilometrów od terminalu dostrzegł rząd ciężarówek. Domyślał się, po co tam stoją. Po chwili kamera ukazała, że drogę zatarasowały przewrócone drzewa. Grunt po obu stronach drogi był podmokły, więc ciężarówki z cysternami nie miały możliwości zawrócić. Przeszkodę mogłyby usunąć tylko wielkie buldożery, w przeciwnym razie pozostawało trwające tygodniami ściąganie drzew za pomocą łańcuchów. Jeśli rząd Angoli wysłał jakieś oddziały na pomoc, żołnierze będą musieli spory kawał drogi iść pieszo.

Studiując przed akcją satelitarne zdjęcia portu, Cabrillo przewidział takie właśnie posunięcie; zrobiłby to samo, gdyby dowodził atakiem.

Tiny zwiększył wysokość, gdyż samolot zbliżał się do terminalu. Z wysokości trzysta metrów na pierwszy rzut oka wszystko wyglądało normalnie. Na powierzchni dwustu akrów widoczne były baraki robotników, zbiorniki na ropę oraz urządzenia rekreacyjne. Między nimi ciągnęły się setki kilometrów rur o różnej średnicy, których zawiłe połączenia i labirynt skrętów rozumieli chyba jedynie ich konstruktorzy. Magazyny okazały się większe niż te, które Cabrillo kiedykolwiek widział, podobnie jak port dla transportowców i łodzi zabierających robotników na platformy i z powrotem. Od zabudowań ciągnęła się długa na półtora kilometra grobla, która prowadziła do morskiego terminalu ładunkowego dla supertankowców rozwożących ropę do wszystkich miejsc na świecie. Do terminalu przycumowany był olbrzymi tankowiec. Sądząc po wysokości farby ochronnej, zbiorniki miał puste.

Dostrzegł też wielki budynek skonstruowany na specjalnie do tego celu utwardzonej powierzchni w pobliżu najwyższego szybu wentylacyjnego terminalu. Dzięki rozpoznaniu przeprowadzonemu przez swoich ludzi Juan wiedział, że wewnątrz tej struktury znajdują się generatory General Electric, które dostarczają prąd do całej instalacji.

Trzy mile od brzegu znajdowało się dwanaście platform wiertniczych, mających połączenia z portem siecią rurociągów. Nie były one tak wielkie jak te, które widział na Morzu Północnym lub w Zatoce Meksykańskiej, ale każda z nich miała wysokość około sześćdziesięciu metrów, a całość podtrzymywały potężne słupy.

Wszystko wyglądało normalnie, dopóki nie przyjrzał się uważniej. Niektóre widoczne płomienie nie pochodziły z gazu spalanego celowo podczas wydobycia ropy. Paliło się kilka ciężarówek, gęsty dym buchał z jednego z budynków. Małe figurki leżące w bezładzie to ciała pracowników i ochroniarzy zastrzelonych przez żołnierzy Makambo, a to, co w pierwszej chwili Juan wziął za cienie rzucane przez ich zwłoki, było plamami krwi.

Tiny Gunderson poprowadził samolot wzdłuż brzegu i grobli. Rury doprowadzające ropę do terminalu przypominały grubością wagony kolejowe. Na widok ludzi uwijających się na platformach ładunkowych Juan zaklął. Odczepili rury od tankowca i surowa ropa naftowa czterema grubymi strumieniami wpadała prosto do morza. Brudna plama otaczała już jedno nabrzeże i powoli docierała do drugiego. Jeden z mężczyzn musiał zobaczyć samolot, pokazywał go palcami, inni spojrzeli w górę. Otworzyli ogień.

Prawdopodobieństwo trafienia samolotu było niewielkie, ale Tiny wzbił go w górę i poprowadził w kierunku najbliższej platformy. Juan zauważył, że i ją otaczała plama ropy, wystarczająco gruba, by rozbijać zmierzające w jej stronę fale. Jedyne co mógł zrobić ocean, to poruszać nią, jakby była wielkim kawałkiem czarnego jedwabiu. Prąd morski znosił plamę na północ, w dodatku zanieczyszczenie wciąż powiększało się, zasilane czarnym deszczem z platformy wiertniczej. Gdy samolot zbliżył się do drugiej platformy kontrolowanej przez terrorystów, Cabrillo zauważył, że tu plama ropy na powierzchni oceanu była większa niż przy pierwszej.

Juan miał wrażenie, że czuje ostry zapach ropy, który parzy gardło, powoduje łzawienie oczu. Takim obrzydzeniem reagował na bezmyślne, celowe działanie niszczące środowisko; a do tego jeszcze bezsensowna śmierć niewinnych ludzi. Demonstracja Singera była największym aktem ekoterroryzmu w dziejach ludzkości i jeśli nawet tłumaczył to chęcią ratowania planety, to jego działanie sprawi, że planeta będzie musiała zapłacić za to wysoka cenę.

A jeśli Korporacja zawiedzie, efekt tego działania odczuje pół świata.

Wziął ekwipunek i poszedł do ładowni. Było tam nie mniej niż stu ludzi. Kilku jego, a reszta Mosesa Ndebele. Afrykanie otrzymali już wszystko, co niezbędne, od pistoletów i amunicji począwszy, na ubraniu i obuwiu skończywszy. Wszyscy siedzieli na podłodze i słuchali uważnie tego, co mówił przywódca, który stał na podwyższeniu zrobionym z palet. Juan oparł się o drzwi i słuchał. Nie rozumiał ich języka, ale nie miało to znaczenia. W słowach Ndebele czuł pasję, podzielaną także przez wszystkich słuchaczy. Mówił przekonująco, ogarniał wzrokiem całe pomieszczenie, poświęcając każdemu z mężczyzn chwilę uwagi. Gdy jego spojrzenie zatrzymało się na Juanie, ten poczuł w klatce piersiowej ucisk, jakby Ndebele mówił dalej.

Gdy skończył, ludzie odpowiedzieli ogromnym aplauzem, głośne okrzyki zaczęły cichnąć dopiero po dwóch minutach.

– Kapitanie Cabrillo! – krzyknął Moses przez gwar. Mężczyźni natychmiast umilkli. – Powiedziałem moim ludziom, że walcząc u twojego boku, walczą u mojego. Powiedziałem, że po tym, co dla mnie zrobiłeś, jesteśmy braćmi. Powiedziałem im, że masz siłę słonia, spryt lamparta i zaciekłość lwa. Powiedziałem, że chociaż dziś walczymy w innym kraju, właśnie teraz zaczynamy odzyskiwać naszą ojczyznę.

– Nie mógłbym ująć tego lepiej – odparł Cabrillo. Zastanawiał się, czy powinien przemówić do tych ludzi, ale patrząc na nich, doszedł do wniosku, że nic nie mogło już zainspirować ich bardziej niż słowa Mosesa. Powiedział więc tylko: – Chcę wam podziękować, że moją walkę uczyniliście waszą walką. Przynosicie zaszczyt zarówno mnie, jak i swojemu krajowi.

Potem przywołał Eddiego.

– Masz już harmonogram rozkazów?

– Tak. – Włączył elektroniczną tablicę. – Mafana opowiedział mi o swoich ludziach przed ich przybyciem, dlatego mam już spore rozeznanie co do ich umiejętności. Mam także rozkład ludzi we wszystkich maszynach, które wezmą udział w ataku.

– Jakieś zmiany w stosunku do planu, który ustaliliśmy?

– Nie ma żadnych, prezesie.

– Świetnie. Możemy zatem wcielać go w życie.

Juan miał prowadzić atak na jedną z zajętych przez terrorystów platform wiertniczych, a Eddie kierować akcją na drugiej, dlatego pod ich dowództwem znalazło się wielu Afrykanów. Pozostali, na pokładach łodzi ratunkowych i innych jednostek pływających znajdujących się na statku, wespół z „Oregonem" dowodzonym przez Maxa, mieli zaatakować terminal ładunkowy i inne urządzenia.

Gdy szli na dół, Max odezwał się z centrum dowodzenia.

– Chcę, byście pamiętali o tym, że możemy wypuścić łodzie podwodne po dziesięciu minutach.

Juan spojrzał na zegarek. Eric dostarczył je szybciej, niż zapowiadał.

– Jeśli oczyścimy wejście, dotarcie do platform zajmie nam kolejnych dwadzieścia minut. Nie zbliżajcie się do brzegu, zanim wam nie damy znać.

– Uważałem na wczorajszej odprawie – powiedział Max. – Zanim zdążycie przypuścić kontratak, zrobimy mały wypad na terminal i wyślemy nasze łodzie ratunkowe. Zdejmiemy terrorystów atakujących pozostałe dwie platformy, a potem ustawimy się na pozycji w doku. Jeśli będziemy wystarczająco blisko, by wspomóc atak na terminal, Ski i Linc wyruszą w łodzi bojowej i wspomogą walkę o nabrzeże.

– Miejmy nadzieję, że Linda ma rację i ludzie Makambo nie zamierzają ginąć za terminal. Jeśli uderzymy na nich szybko i mocno, powinni od razu się poddać.

– A jeśli się myli i ci faceci naprawdę wierzą w swoją misję?

– Wtedy będzie to długi i krwawy dzień.

Statek wciąż był w ruchu i drzwi do ładowni pozostawały zamknięte, ale metalowa krata nad dziurą została usunięta i nad otworem wisiała już większa z dwóch łodzi podwodnych „Oregona", Nomad 1000. Łódź, która mogła zanurzać się na głębokość ponad trzystu metrów, błysnęła światłami umieszczonymi wokół dzioba. Jej ramię, delikatne niczym ludzka ręka, mogło przeciąć nawet grubą stal. Mniejsza łódź, Discovery 1000, wisiała nad nomadem gotowa do opuszczenia, kiedy tylko jej większa siostra wypłynie.

Linda miała towarzyszyć Juanowi, a Jerry Pulaski był gotowy, by wyruszyć z Eddiem. Atak na brzegu miał być prowadzony przez Franklina Lincolna i Mike'a Trona, którzy już ładowali ludzi do łodzi ratunkowych. Technicy sprawdzili łodzie podwodne, Juanowi nie pozostało więc nic innego, jak tylko życzyć sobie szczęścia i wejść po drabinie, którą podtrzymywał jeden z członków załogi. Łódź zakołysała się lekko, gdy dotarł na szczyt. Zasalutował Eddiemu i zniknął wewnątrz.

Juan wszedł do łodzi i zajął miejsce na stanowisku dowodzenia. Zajmował malutkie pomieszczenie z dwoma krzesłami, otoczone tuzinem ekranów komputerowych, panelem pełnym przycisków i lampek oraz trzema iluminatorami. Łódź była większa niż discovery, ale jej wnętrze ciaśniejsze z powodu grubszego kadłuba, potężnych akumulatorów, które dawały jej możliwość sześćdziesięciu godzin pływania, oraz komory dla nurków. Załoga Juana zrzuciła wystarczająco dużo ekwipunku, by ładowność zwiększyła się z sześciu do ośmiu osób, tyle mogła zabrać discovery. Oddziały atakujące platformy będą więc skromne, dlatego znaleźli się w nich tylko najlepsi ludzie Ndebele.

Linda weszła zaraz za nim. Instruowała mężczyzn, gdzie mają zająć miejsca, a Juan sprawdzał, czy nic nie zostało pominęte.

Cabrillo wpiął słuchawki do panelu komunikacyjnego.

– Nomad do „Oregona". Test łączności. Jak mnie słyszysz?

– Pięć na pięć, nomad – odparł natychmiast Hali. – Prawie skończyliśmy zwalnianie łodzi. Drzwi basenu otworzą się mniej więcej za minutę.

– Zrozumiałem.

Zerknął przez ramię, zobaczył, że Linda siada na swoim miejscu i kładzie karabin maszynowy obok jego broni.

– Wszyscy już siedzą? – zapytał. Kilku mężczyzn nie wyglądało na zadowolonych z ciasnoty, szczególnie że uprząż była zapięta bardzo mocno, ale zgodnie unieśli kciuki. – Mafana, wszystko w porządku?

Mimo drobnych obrażeń, jakich doznał w trakcie uwalniania Mosesa, były sierżant bardzo nalegał, by dołączyć do Juana.

– Teraz lepiej rozumiem Biblię – powiedział. Twarz Juana wyrażała zdziwienie, dlatego Mafana dodał: – Jonasz i wieloryb.

– To będzie krótka podróż i nie zanurzymy się głębiej niż na piętnaście metrów.

W pomieszczeniu wysokim na trzy piętra rozbłysły jasne światła stroboskopowe i rozbrzmiało buczenie, ale Juan wewnątrz łodzi nie słyszał zupełnie nic. Patrzył przez iluminatory, a wielkie drzwi na samym dole statku zaczęły się otwierać. Woda wlewała się przez metalową bramę i morze powoli dostawało się do wnętrza.

316

Z mechanicznym stukiem uprząż podtrzymująca łódź zaczęła zanurzać się w wodzie. Woda dotarła już do poziomu iluminatorów i wnętrze łodzi stało się jeszcze ciemniejsze, rozświetlane jedynie ekranami komputerów i słabym światłem pomieszczenia dla załogi. Gdy łódź mogła już swobodnie pływać, uprząż odczepiła się.

– Jesteście wolni. – W słuchawkach Juana odezwał się jeden z członków załogi „Oregona".

– Przyjąłem – odparł. Nacisnął guziki kontrolujące balast, by napełnić zbiorniki, i po kilku sekundach łódź podwodna opuściła basen okrętowy, wypływając na pełne morze. – Nomad wypłynął. Możecie opuszczać discovery.

Włączył silniki, nasłuchując ich szumu, potem nastawił komputer na głębokość piętnastu metrów, która była na tyle bezpieczna, żeby żaden człowiek nie zauważył łodzi z powierzchni wody. Główny komputer „Oregona" przygotował już właściwy kurs i przesłał go do łodzi podwodnej. Juanowi nie pozostało nic innego, jak tylko cieszyć się podróżą.

Pięć minut później Eddie poinformował, że wodowanie discovery zakończyło się sukcesem i są już w drodze do drugiej platformy wiertniczej.

Łódź rozwijała prędkość tylko dziesięciu węzłów, dlatego podróż do platformy zdawała się trwać wiecznie. Juan jednak wiedział, iż najbardziej frustrujące było to, że z każdą minutą do morza dostaje się więcej ropy naftowej. Gdyby to cokolwiek mogło pomóc, wyszedłby na zewnątrz i pchał łódź.

– „Oregon", tu disco. – W słuchawkach odezwał się Eddie. – Dotarliśmy do platformy i unosimy się tuż pod powierzchnią. Plama ropy ma już chyba z pięć kilometrów długości.

– Disco, tu nomad – powiedział Juan. – Komputer wskazuje, że za trzy minuty będziemy pod naszą platformą. Sądząc po ciemnej barwie wody, od pewnego czasu oni też płyną pod plamą ropy.

System GPS doprowadził nomada pomiędzy dwa wysokie słupy wspierające platformę i zatrzymał łódź o centymetry od trzeciej kolumny, na której znajdowała się drabina prowadząca na platformę.

– Houston, nomad wylądował.

– Zrozumiałem, nomad – odparł Hali. – Daj nam minutę, żeby Tiny mógł sprawdzić, czy nie macie na dole jakiegoś towarzystwa, i możecie wynurzyć się i otworzyć włazy.

Juan przełączył się na komunikator radiowy, potem zsunął się z krzesła i podszedł do włazu. Pistolet MP-5 miał przewieszony przez ramię. Mafana i jego ludzie odpięli pasy bezpieczeństwa.

– Juan! – zawołała Linda przez całą długość łodzi. – Hali mówi, że jest czysto. Na dole nie ma nikogo, ale Tiny szacuje, że około trzydziestu terrorystów plącze się po platformie.

– Już niedługo – mruknął, a potem nakazał Lindzie, by opróżniła zbiorniki z balastem.

Niczym potwór z filmów grozy, ze śmierdzącej plamy ropy rozlanej pod platformą wynurzył się szeroki tył nomada. Część kadłuba i wszystkie wystające nad powierzchnię elementy oblepiała maź. Ropa kleiła się również do włazu.

– Maski – nakazał Juan i włożył na twarz maskę chirurgiczną. Linda przebadała już skład toksycznej mieszanki oraz jej wpływ na ludzki organizm i wiedzieli, że jeśli będą przebywać w takich warunkach tylko kilka godzin, a później wejdą do dobrze wentylowanego pomieszczenia, nie było konieczności zakładania nieporęcznych masek gazowych.

Nacisnął guzik otwierający właz i dosłownie odrzucił go smród substancji chemicznych. Przebywanie w takiej bliskości plamy drażniło oczy, które piekły i łzawiły.

Wyszedł z łodzi i złapał linę przymocowaną do kadłuba. Wokół wspornika znajdowała się upstrzona skorupiakami platforma. Wskoczył i przywiązał linę do znajdującej się tam drabiny. Ustawiona w równej odległości od czterech wsporników rura wydobywcza była odczepiona od platformy i wpadała prosto do oceanu. Wewnątrz znajdowały się mechanizmy prowadzące wiertła, gdy poszukiwano tu ropy, i rury, przez które wydobyty surowiec trafiał do zbiorników znajdujących się na brzegu. Inaczej niż na pozostałych polach naftowych ropa była tu pod takim ciśnieniem, że nie musiano mechanicznie wypompowywać jej z ziemi, bo wypływała samoczynnie. Teraz, gdy terroryści zniszczyli rury lub otworzyli kilka zaworów, wpadała ciemnym wodospadem do oceanu, połyskując w porannym słońcu. Odgłos ropy uderzającej w brudną plamę przypominał grzmot.

Juan odwrócił wzrok od tego potwornego widoku i spojrzał w stronę ludzi wychodzących z nomada. „Oregon" płynął wzdłuż wybrzeża. Mimo że statek nie prezentował się pięknie, jego funkcjonalność stawiano ponad wyglądem. Pokład przypominał las dźwigów, a jednak w tej chwili wydawał mu się wręcz wspaniały. Max kierował się w stronę trzeciej platformy, gdzie pracownicy Petromaxu wciąż jeszcze walczyli z terrorystami, jednak informowali, że wkrótce wsiądą do łodzi ratunkowych. Ludzie broniący czwartej platformy zakomunikowali przez radio, że nigdy się nie poddadzą.

Po zamknięciu włazu łodzi podwodnej Linda ostatnia wskoczyła na platformę.

– Chodźmy! – krzyknęła. – Tutejsze powietrze zupełnie zniszczy moją skórę. Czuję, że ropa zalepia mi wszystkie pory. – Po chwili dodała z uśmiechem: – Możesz być pewny, że Korporacja zapłaci mi za każde spa, które sobie wybiorę.

Rozdział 27

Gdy „Oregon" ukazał się na horyzoncie, żaden z rebeliantów znajdujących się w łodziach skupionych przy trzeciej platformie nie zwrócił na niego uwagi. Koncentrowali się tylko na tym, by wspiąć się po drabinie i przejąć kontrolę nad platformą. Na razie ich próby trafiały na opór robotników, którzy za pomocą armatek wodnych strącali napastników do wody. Walka nie była jednak tak jednostronna. Mężczyźni w łodziach nieustannie nękali obrońców gradem kul. Czasami trafiali i jakiś robotnik spadał do oceanu. Napastnicy przyjmowali to wybuchami radości. W tej wojnie jedna strona dysponowała pistoletami na wodę, a druga automatycznymi karabinami. Jej koniec był więc przesądzony.

Siedzący w centrum dowodzenia przy stanowisku kontroli broni Mark Murphy spoglądał jednocześnie na obraz z sześciu kamer. Eric Stone siedział tuż obok, jedną ręką kontrolował ster i pompy odrzutowe, drugą trzymał na zaworach.

– Panie Stone, proszę ustawić nas w odległości pięciuset metrów od platform – powiedział Max, który siedział w fotelu dowódcy. – I oczyść dziób, żeby gatling miał prostą drogę do celu. Wepps, otwórz płyty chroniące gatlinga i przygotuj się do strzału na mój rozkaz.

Tiny Gunderson pokierował samolotem bezzałogowym wokół platformy tak, by Mark mógł wybrać swoje cele. Murphy określił cztery łodzie pływające wokół platformy jako Tango z numeracją od jednego do czterech. Gdy już zostały wprowadzone do pokładowego komputera, system nieustannie miał je na muszce. Wysoko na dziobie wysunął się sześciolufowy GE M61A1. Rotujące lufy kręciły się, a komputer dobierał trasę pocisków, biorąc pod uwagę ruch „Oregona", fale i prędkość odległego celu.

– Nomad do „Oregona". Dotarliśmy do platformy. – Głos Juana wypełnił centrum dowodzenia.

– Najwyższy czas – odparł Max. – Discovery czeka już od dwóch minut.

– Zatrzymaliśmy się po drodze na kawę. Jesteście już na pozycji?

– Czekamy na was i uruchamiamy łódź ratunkową. Wtedy zaczniemy.

– Jesteśmy gotowi.

Max zmienił kanał na konsoli komunikacyjnej.

– Centrum dowodzenia do łodzi ratunkowej. Mark, jesteś tam?

– Jesteśmy gotowi – potwierdził Trono bez emocji.

– Puszczamy łódź ratunkową, powodzenia.

Na pokładzie, niewidoczna z platformy wiertniczej łódź ratunkowa z sześćdziesięcioma stłoczonymi ludźmi została podniesiona z miejsca i spuszczona za burtę. Ramiona dźwigu powoli opuszczały łódź na wodę, a gdy tylko sięgnęła powierzchni oceanu, Mike natychmiast odczepił liny i włączył silnik.

Trono, odkąd po sześciu latach służby jako komandos i spadochroniarz, z pięcioma uratowanymi lotnikami na koncie, opuścił siły powietrzne, realizował się jako zawodowy kierowca łodzi motorowej. Dreszcz emocji wywołany lotem nad falami z prędkością bliską dwustu kilometrów na godzinę nieco zaspokoił jego głód adrenaliny. Jednak postanowił przyłączyć się do Korporacji, wnosząc bardzo cenne doświadczenie jednego z najlepszych sterników łodzi motorowej na świecie.

Leciał nad wodą. Rozłożył stateczniki i jeszcze bardziej zwiększył moc. Brzydka łódź posuwała się nad wodą niczym latająca ryba, trzymała się poza zasięgiem terrorystów, czekając na rozkaz, by zawrócić na wschód i wylądować w pobliżu terminalu Petromaxu. Stamtąd miała poprowadzić kontratak, by odbić go z rąk ludzi Makambo.

Na platformie, na którą kierował się „Oregon", doszło do niespodziewanej eksplozji. Tiny powiększył obraz z kamery i ujrzeli kilku rebeliantów przeładowujących wyrzutnię rakiet. W miejscu, w którym jeszcze przed chwilą dwaj robotnicy kierowali strumienie wody w rebeliantów, teraz palił się ogień i buchał ciemny dym. Robotnicy nie żyli, a armatka wodna była zniszczona.

– Mam kolejną rozmowę z platformy do centrali Petromaxu w Delaware – powiedział Hali. – Zamierzają opuścić platformę.

– Wcale nie – zaprotestował ostro Max. – Wepps?

– Mam ich.

Mark zwolnił zabezpieczenia gatlinga i pozwolił komputerowi odpalić działo. Było zdolne wyrzucać pociski ze zubożonym uranem z prędkością sześciu tysięcy sztuk na minutę, jednak Murphy zmniejszył rotację luf, aby w ciągu dwóch sekund działo zrobiło tylko osiem obrotów.

Terroryści znajdujący się pod platformą nigdy nie będą wiedzieć, co ich trafiło. W jednym momencie dwie z czterech łodzi pełnych cieszących się ludzi zniknęły w chmurze roztopionego aluminium i wyparowanych ciał.

Gatling zniszczył Tango Dwa i Cztery. Sternik Tango Jeden musiał jednak zauważyć, skąd dotarło uderzenie, gdyż schował łódź za jedną z kolumn i zniknął z zasięgu wzroku „Oregona". Komputer czekał na łódź chwilę dłużej, niż życzyłby sobie tego Murphy, więc gdy naciskał przycisk systemu kontroli gatlinga, zanotował w pamięci, by sprawdzić programowanie systemu.

Na głównym ekranie pojawiła się siatka pokazująca, gdzie aktualnie celowała lufa – dokładnie we wspornik. Oddalił obraz z kamery i znalazł czwartą łódź, która kierowała się w stronę kolejnej platformy. Nieznaczny ruch dżojstika wypośrodkował łódź na ekranie, a dłuższe naciśnięcie guzika zmiotło ją z powierzchni oceanu.

Przywrócił automatyczne ustawienie wielolufowego działa, które ponownie skierowało się w stronę ostatniej łodzi. Łódź ostrożnie wysunęła się zza wspornika, wystawiając na cel mniej niż kilkadziesiąt centymetrów kwadratowych powierzchni. Nawet z odległości pięciuset metrów, z chwiejącego się statku, było to wystarczająco dużo. Gatling ponownie wystrzelił. Silnik eksplodował, wyrzucił łódź ponad wodę, rozrzucając ośmioosobową załogę na wszystkie strony. Kilku ludzi wpadło do morza, inni zostali rzuceni na kolumnę, a dwóch najwyraźniej wyparowało.

– Platforma numer trzy zabezpieczona – powiedział Mark z długim wydechem.

– Zabierz nas do ostatniej platformy. – Max zdawał sobie sprawę, że dwie ekipy z łodzi podwodnych nie mają przed sobą łatwego zadania.

Cabrillo myślał dokładnie to samo, wchodząc po drabinie umieszczonej na zewnątrz platformy. Pod nim plama ropy pulsowała niczym żywy organizm zabijający ocean. Rozciągała się, dokąd sięgał wzrokiem, i prawdopodobnie dotarła już do betonowego falochronu znajdującego się przy terminalu Petromaxu. Dzięki wiejącemu z południa wiatrowi smród nie był tak uciążliwy jak na dole, ale petrochemiczna klątwa wciąż wisiała w powietrzu.

W przeciwieństwie do gigantycznych platform wiertniczych z Morza Północnego i Zatoki Meksykańskiej, na których przez kilka miesięcy mogło mieszkać kilkuset robotników, ta miała nie więcej niż sto dwadzieścia metrów kwadratowych powierzchni, z czego większą część zajmowały pająkowata wieża wiertnicza i pomalowany na jaskrawo dźwig służący do opuszczania i podnoszenia zapasów ze statków transportowych.

Było też kilka metalowych budynków przytwierdzonych do podłoża, które wystawały nieco poza brzegi platformy. W jednym z pewnością znajdowało się centrum kontroli, w pozostałych urządzenia sterujące przepływem wydobywanej ropy. Platformę poprzecinaną mnóstwem rur zagracał różnego rodzaju sprzęt – połamane świdry, wiertła i za małe pojemniki. Mimo że platformy miały dopiero kilka lat, były zapuszczone i zaniedbane. To, że nie widzi ciał robotników, uznał za dobry znak.

U podnóża wieży wiertniczej z głębi ziemi tryskał wulkan ropy naftowej. Hebanowa fontanna sięgała pięciu metrów, po czym pod własnym ciężarem opadała na ziemię i natychmiast zastępowała ją kolejna porcja. Surowiec spływał przez dziury w podłodze platformy i wpadał do oceanu. Przy takiej ilości nie można było stwierdzić, czy rury zostały trwale uszkodzone, czy tylko otwarto zawory.

Cabrillo zdawał sobie sprawę, że najdrobniejsza iskra może wywołać pożar. Eksplozja prawdopodobnie położyłaby wszystkie drzewa rosnące wzdłuż brzegu.

Gdy dotarli na platformę, terroryści kręcili się w pobliżu. Kilku bez większego zainteresowania spoglądało poza platformę, upewniając się, że nikt się nie zbliża – uważali, że w pełni kontrolują sytuację.

Dopiero pojawienie się „Oregona" przy trzeciej platformie i zdmuchnięcie ich towarzyszy sprawiło, iż przywrócili w swoich szeregach dyscyplinę. Dowódca trzydziestoosobowego oddziału zorganizował patrole, które miały obserwować, czy w ich tronę nie płynie jakiś statek, a inni trzymali w pogotowiu wyrzutnie rakiet na wypadek, gdyby okręt znalazł się w zasięgu celu. Gdy czteroosobowy patrol pojawił się na dolnej platformie, Juan i jego ludzie ukryli się w jednym z pomieszczeń.

„Oregon" wciąż posuwał się wzdłuż platform wiertniczych. Terroryści nie wzmogli czujności, przeciwnie, zainteresowanie patrolu osłabło, a pozostali wychylali się przez najdalszą burtę, obserwując, jakie szkody okręt wyrządził ich towarzyszom atakującym czwartą platformę. Juan wiedział, że większość żołnierzy Makambo to nastolatkowie lub niewiele starsi, nie wierzył, że generał Makambo dostarczył Singerowi swoich najlepszych ludzi, niezależnie od tego, ile mu zapłacono. Nie pozwolił sobie jednak na rozpamiętywanie tego, że przywiodła ich tu bieda i beznadzieja, a skupił się na tym, że przeprowadzają atak terrorystyczny i trzeba ich powstrzymać.

Wskazał Mafanie, by ten zajął pozycję na szczycie schodów, i zszedł na dół, żeby skonsultować się z Lindą Ross.

– To była pierwsza zaatakowana platforma, więc spodziewam się, że zdobyli ją bez większego oporu – szepnął, choć jego głos nie mógł przebić się przez szum wylewającej się ropy. – Dopiero przy drugiej platformie załoga zdążyła się pozbierać i zorganizować obronę.

– Myślisz, że ich otoczyli i gdzieś zamknęli?

– Wiem, że ci faceci są bezwzględni, ale byłoby to bardziej praktyczne niż rozstrzelanie stu robotników.

– Chcesz, żebym poszła ich odszukać?

Juan skinął głową.

– Gdy już odbijemy platformę, będą nam potrzebni, żeby zamknąć dopływ ropy, a jeśli na platformie Eddiego nikt nie przeżył, musimy ich przetransportować, by tam też zamknęli. Weź trzech ludzi i przeszukaj wewnętrzne pomieszczenia. Musi tam być jakaś jadalnia lub coś podobnego. Coś na tyle dużego, by pomieścić całą załogę.

– Już się do tego zabieram.

Cabrillo nie mógł ukryć uśmiechu, gdy zobaczył Lindę na czele trzech mężczyzn dwukrotnie większych od niej. Przypomniało mu to bajkę o Złotowłosej i Trzech Misiach. Najmniejszy niedźwiadek miał sto osiemdziesiąt centymetrów wzrostu. Wspiął się po schodach i położył obok Mafany. Ponownie dokładnie przyjrzał się platformie, oceniając kąt strzału, miejsca, w których można się ukryć, obszary, do których mogliby się wycofać, gdyby było to konieczne. Czuł na sobie wzrok Mafany.

– Chcesz ich po prostu zaatakować, prawda? – zapytał Cabrillo.

– To najlepszy plan, jaki mam – przyznał Mafana z szerokim uśmiechem. – Wcześniej zawsze działało.

Juan kiwnął głową i wydał Mafanie rozkazy. Sierżant przekazał je swoim ludziom. Afrykanie bezszelestnie wspięli się po schodach. Cabrillo określił precyzyjnie miejsca zasadzki.

Mimo że mężczyźni przywykli tylko do walk w dżungli, w nieznanym dla siebie terenie poruszali się sprawnie, z cierpliwością wytrawnego łowcy – łowcy, który całą młodość spędził na tropieniu najgroźniejszego z drapieżników: człowieka. Po dziesięciu minutach wszyscy byli już rozlokowani. Juan ponownie sprawdził pokład, upewniając się, że każdy jest tam, gdzie powinien być. Ostatnią rzeczą, jaka była mu potrzebna, było ostrzelanie własnych ludzi.

Usatysfakcjonowany wspiął się po kilku ostatnich stopniach i pobiegł za róg pobliskiego kontenera. Przycisnął się do ściany i trzykrotnie sprawdził gotowość broni. Dowódca terrorystów znajdował się w odległości stu metrów od niego. Rozmawiał przez radio, prawdopodobnie z dowódcą całego natarcia, który stacjonował na brzegu. Juan podniósł strzelbę i celownikiem laserowym odnalazł klatkę piersiową mężczyzny, na lewo od środka.

Chwilę później czerwona kropka lasera została zastąpiona dziurą po kuli. Mężczyzna po prostu upadł tak, jakby nie miał kości. Tłumik sprawił, że nikt nie słyszał wystrzału, ale wielu rebeliantów widziało. W jednej chwili wszyscy poderwali się, złapali za broń i szukali kryjówki.

Gdy jeden z ludzi Juana otworzył ogień z AK-47, który otrzymał z okrętowej ładowni, trzydzieści strzelb odpowiedziało tym samym. Rój pocisków przeciął powietrze. Cabrillo upewnił się, że żaden z jego ludzi nie jest zbyt blisko wieży wiertniczej, by nie zmuszać rebeliantów do strzelania w tamtą stronę.

Sześciu rebeliantów zginęło w pierwszym ataku, potem Juan zdjął dwóch kolejnych, którzy pojawili się za kontenerem, ale intensywność walk dopiero się nasilała. Jeden z jego ludzi przemieszczał się do drugiej kryjówki, ale został postrzelony w nogę. Poturlał się po podłodze w odległości kilku metrów od Juana. Bez chwili namysłu Juan otworzył osłaniający ogień, wyskoczył z ukrycia i wciągnął mężczyznę za kołnierz.

– *Ngeyabongo* – syknął tamten, ściskając krwawiące udo.

– Nie ma za co – odparł Juan, wiedząc, co mężczyzna chciał mu powiedzieć. Chwilę później jego słowa nabrały innego znaczenia, gdy rakieta wystrzelona z wyrzutni trafiła w dalszą część kontenera.

Linda żałowała, że światła na platformie nie są wyłączone, bo wtedy mogłaby uzyskać przewagę, zakładając gogle noktowizyjne.

Niższy poziom platformy składał się głównie z czterech pomieszczeń z maszynami, jednak gdy weszli na wyższy, znaleźli się w labiryncie korytarzy i połączonych ze sobą pokoi. Znaleźli kilka małych sypialni dla ludzi, którzy przebywali na platformie dłużej niż jedną zmianę, a także kilka pomieszczeń biurowych dla pracowników administracyjnych.

Sprawdzanie każdego pokoju było mozolne, ale konieczne. Im dłużej to trwało, tym dłużej prezes walczył bez niemal połowy swoich ludzi. Zgadzała się z jego taktyką, ale wolałaby mieć większy udział w walce.

Wyjrzała za kolejny róg i zobaczyła dwóch rebeliantów leżących na podłodze po dwóch stronach drzwi z bronią w rękach. Szybko cofnęła się, zwracając tym samym uwagę swoich ludzi. Wskazała na swoje oczy, następnie gestem za róg i pokazała dwa palce. Język znaków był uniwersalny i znany każdemu, kto brał udział w wojnie. Skinęli głowami. Wskazała jednego z nich i gestem nakazała, by położył się na podłodze. Pokręcił głową, pokazując na swojego kompana, zamarkował strzał z pistoletu i uniósł kciuk. Dawał jej znak: on jest lepszym strzelcem. Linda zatwierdziła zmianę snajpera i mężczyzna ustawił się na pozycji.

Laserowy celownik jej H&K wypisywał na suficie bezładne wzory, gdy zbliżyła się o kilkadziesiąt centymetrów w stronę rogu. Ostrożnie opuściła broń. Wysunęła się zza rogu i oddała dwa strzały w klatkę piersiową dalszego strażnika, w tym czasie drugi mężczyzna puścił serię w stronę bliższego. Jego AK-47 zagłuszyło strzały z jej wyciszonego pistoletu.

Wyskoczyli zza rogu i pobiegli w stronę drzwi. Nagle pojawił się trzeci strażnik i wszyscy naraz wystrzelili do niego, odrzucając podziurawione ciało na barierkę. Gdy strzały ucichły, Linda usłyszała dobiegające zza drzwi strzały i okrzyki spanikowanych ludzi.

Dobiegła pierwsza i trzema strzałami rozwaliła zamek. Uderzyła w drzwi i wpadła do pomieszczenia. Niemal przefrunęła kilka metrów, nim upadła. Szybko podniosła się na kolana i mocno ścisnęła pistolet. Zaalarmowani strzelaniną dwaj strażnicy, którzy znajdowali się w środku, na oślep strzelali do zgromadzonych pracowników platformy.

Panował totalny chaos. Mężczyźni biegali i krzyczeli, przewracali się o siebie, próbując wydostać się z tego piekła, podczas gdy inni, ciężko ranni, padali na ziemię. Linda została potrącona przez dwóch mężczyzn, gdy składała się do strzału, i trzy pociski wylądowały w ścianie, tworząc efektowne dziury. Kolejni dwaj robotnicy zostali zabici, zanim zdążyła przeładować pistolet i trafić jednego ze strażników w głowę.

Jej trzej ludzie nawoływali robotników, by położyli się na ziemię, gdyż chcieli odnaleźć drugiego terrorystę. Gdy Linda zabiła pierwszego z rebeliantów, drugi przestał strzelać. Chciał ukryć się wśród uciekających robotników.

– Nikt nie wychodzi! – krzyknęła Linda. Jej wysoki głos prawie zginął w ogólnym hałasie. Snajper jednak usłyszał, wraz z pozostałymi dwoma zablokował drzwi i nie ustąpiły pod naporem robotników.

Linda podniosła się i przyglądała twarzom. Przez moment widziała drugiego terrorystę, ale w tej chwili nie mogła go znaleźć. Nagle dostrzegła ruch po lewej stronie. Drzwi kuchenne poruszyły się na dwustronnych zawiasach. Pobiegła przez pokój, a mężczyźni, widząc pistolet w jej dłoni i morderczy błysk w oczach, usuwali się z drogi.

Gdy dobiegła do masywnych drzwi, nogą pchnęła je do wewnątrz. Uderzyły w coś twardego i wróciły do poprzedniej pozycji. Nie było żadnej reakcji, więc Linda przykucnęła i powoli weszła do środka. Po lewej stronie widziała zmywarkę do naczyń i korytarz prowadzący do jakichś magazynów lub na zewnątrz kuchni, jednak widok reszty kuchni zasłaniały jej drzwi.

Gdy odwracała się, by sprawdzić prawą stronę, silna dłoń chwyciła ją za kark. Podniosła się i poczuła przyciśniętą do pleców zimną lufę strzelby. Rebeliant mówił coś w swoim ojczystym języku, wyrzucając słowa, których nie rozumiała, ale wiedziała, o co chodzi. Była jego zakładnikiem i zginie, jeśli ktokolwiek zechce go zaatakować.

Dotarcie do czwartej platformy i wyczyszczenie morza z rebelianckich łodzi zajęło „Oregonowi" mniej niż dziesięć minut. Tylko jedna została przy platformie w rezultacie ataku na pierwszą grupę łodzi, ale powietrzne oko Gundersona dostrzegło, że trzy łodzie płyną w kierunku nabrzeża załadunkowego. Zamiast wzmacniać lądowy atak, Max rozkazał Markowi zdjąć te łodzie. Od chwili, kiedy Murphy mierzył do ostatniej łodzi, odległość znacznie wzrosła i dopiero po pięciu sekundach gatling trafił w wyznaczone cele. Ostatnia łódź zniknęła pod powierzchnią oceanu przecięta prawie na pół.

Gdy łódź tonęła, Eric wykonał manewr, po którym „Oregon", przy głuchym jęku metalowych elementów, niemal obrócił się w miejscu i ruszył w stronę doku.

– „Oregon" do „Liberty" – odezwał się Max. Mimo że nigdy nie nadali łodziom oficjalnych nazw, „Liberty" była przydomkiem największej łodzi ratunkowej. Ta, którą Juan wypuścił przy brzegu Namibii, nazywała się „Or Death".

– Tu „Liberty" – odparł Mike Trono.

– Zabezpieczyliśmy czwartą platformę i teraz zajmujemy pozycję, by osłaniać wasze natarcie – powiedział Max. Zbliżenie się do dobrze uzbrojonego doku w słabo uzbrojonej łodzi ratunkowej było samobójstwem, jednak ze wsparciem dział „Oregona" Cabrillo i inni członkowie sztabu byli niemal pewni, że lądowanie przebiegnie pomyślnie.

– Przyjąłem, „Oregon". Mam was w zasięgu wzroku. Wygląda na to, że potrzebujecie jeszcze pięciu minut, zanim zwrócimy się w stronę lądu.

– Nie czekajcie na mnie – odezwał się Eric, jeszcze mocniej przyciskając zawory. – Będę na pozycji, zanim zbliżycie się na półtora kilometra do plaży.

Max przełączył monitor, żeby zobaczyć stan jego ukochanych silników, i spostrzegł, że Stone doprowadził je tuż pod czerwoną linię. Wszelkie obawy, jakie miał podczas lądowania na rzece Kongo, zniknęły. Stara łajba dawała z siebie wszystko i jeszcze trochę.

– Ruszamy.

Mike trzymał wodolot trzy kilometry od brzegu, kręcąc leniwe kółka, dopóki nie nadszedł moment ataku. Skręcił na wschód, kierując się w stronę zestawu wielkich zbiorników na południowym końcu terminalu. Samolot zwiadowczy dostarczył informacji, że jest to rejon najmniejszej aktywności rebeliantów, jednak z pewnością zostaną dostrzeżeni i żołnierze przerzucą siły w to miejsce, by odeprzeć atak.

Musiał uważnie sterować między miejscami, gdzie była rozlana ropa, która powoli tworzyła jedną wielką plamę. Nie miał pojęcia, jaką może obejmować powierzchnię, ale z tego, co widział, sytuacja już była groźna. Tak jak w Cieśninie Księcia Williama po katastrofie „Exxona Valdeza".

Stał na tylnym kokpicie, by mieć widok na wszystko, co dzieje się dookoła, i nie usłyszał zbliżającego się samolotu bezzałogowego, zagłuszonego przez szum silników wodolotu. Tiny prowadził go teraz sześć metrów nad jego głową, machał skrzydłami, zbliżając się do falochronu.

– Wariat – mruknął z uśmiechem i popatrzył na płaski monitor, który w pośpiechu zainstalowano wczoraj.

Wszystko wyglądało tak, jak podczas pierwszego przelotu nad urządzeniami naftowymi. W okolicy zbiorników i generatorów nie widział żołnierzy. Dopiero gdy Tiny pokierował samolot na północ, można było dostrzec rebeliantów. Niektórzy pilnowali bramy, inni opróżniali stojące tam ciężarówki z cysternami. Szerokie strumienie ropy wypływały z tyłu każdego pojazdu i przelewały się przez falochron. Grupa ludzi na nabrzeżu załadowczym przygotowywała kolejne pompy, by wypluwały ropę prosto do morza. Linc miał rozpocząć atak w tym miejscu, a Mike i jego ekipa mieli ich osłaniać.

Nagle, gdy byli o półtora kilometra od nabrzeża znajdującego się najbliżej zbiorników, zostali zauważeni. Żołnierze zbiegali z grobli i wsiadali do pojazdów Petromaxu, by jak najszybciej dostać się na drugi koniec przystani. Jechali ciężarówkami, wózkami widłowymi, nawet dźwigiem, wszystkim, czym dało się jechać. Inni pędzili pieszo, miotając się po terminalu jak szaleńcy.

– „Oregon", widzicie to, co ja widzę?
– Widzimy – odparł Max.

Mark Murphy wciągnął osłony, za którymi kryły się czterdziestomilimetrowe automatyczne działa Bofor, i aktywował podnośniki, które przygotowały broń do wystrzału. Ekran jego komputera automatycznie podzielił się na dwie części, na jednej pokazując celownik gatlinga, na drugiej działo przeciwlotnicze. Najszybciej, jak mógł, rozpoczął określanie celów, poruszał drążkami sterowniczymi, a gdy tylko komputer zasygnalizował, że obiekt został zlokalizowany, natychmiast oznaczał cel. Działa zaczęły wyrzucać wybuchowe pociski, a gatling wypluwał strumień ognia pięć metrów nad burtą „Oregona". Broń szukała już nowych celów, zanim wybrzmiała pierwsza salwa.

Gatling zgarnął bok ciężarówki, a jego niemal ponaddźwiękowe pociski wyrwały silnik spod maski, masakrując całe wnętrze kabiny, i wyrywały w przyczepie dziury wielkości pięści. Siła pocisków sprawiła, że dwunastotonowy pojazd przechylił się na prawą stronę i przewrócił.

Para działek o średnicy 40 mm wyrywała dziury w asfalcie przed jadącym samochodem terenowym, na którego tyle i przy drzwiach stali uzbrojeni mężczyźni. Kierowca zręcznie manewrował, ale w końcu lewa przednia opona wpadła w dziurę, a trzecia seria pocisków uderzyła tuż za prawą przednią oponą. Siła eksplozji wyrzuciła samochód w górę, a rebelianci pofrunęli na wszystkie strony niczym lalki rzucone przez rozzłoszczone dziecko.

– Eric – odezwał się Murph, nie podnosząc głowy znad ekranu komputera. – Przekręć nas trochę w bok. Jesteśmy już w takiej odległości, że możemy odpalić nasze działka 30 milimetrów.

Kontrolowane z innego miejsca działka M-60 mogły indywidualnie namierzać cele. Używano ich najczęściej do obrony przez łodziami, ale sześć ciężkich dział maszynowych bez trudu mogło poradzić sobie także z pojedynczymi celami na brzegu. Były ukryte na pokładzie w zbiornikach na paliwo, a na rozkaz Murphy-'ego pokrywy otworzyły się, lufy obniżyły do pozycji horyzontalnej i skierowały w stronę brzegu. Każde stanowisko miało własną kamerę na podczerwień. Gdy już zostały rozlokowane, Mark skierował uwagę na swój system broni i pozwolił strzelcom wykonywać ich robotę. Po chwili działa maszynowe dodały swoje szczękające dźwięki do symfonii jego kompozycji.

Po kolejnych pięciu minutach zlokalizowano żołnierzy biegnących na oślep do nabrzeża, przy którym Mike chciał zatrzymać wodolot i zacumować. Rebelianci po dwóch, po trzech zdołali dotrzeć do nabrzeża, przeskakując z kryjówki do kryjówki w chwilach, gdy działa M-60 były zajęte. Także jedna ciężarówka z uzbrojonymi mężczyznami zdołała wyjechać poza ogrodzenie, robiąc sobie tarczę ze wszystkich urządzeń naftowych.

Murphy wykonał zadanie. Oczyścił z wrogów większość strefy lądowania Mike'a, jednak wciąż jeszcze było z kim walczyć. A dopóki Trono i jego afrykański oddział nie oczyszczą terenu z rebeliantów, Linc i Pulaski nie mogli zaatakować nabrzeża dla tankowców i powstrzymać terrorystów przed wypuszczaniem do morza czterysta ton ropy naftowej na minutę.

Rozdział 28

Eddie Seng, patrząc na ropę naftową wypływającą ze złoża znajdującego się głęboko pod platformą wiertniczą, miał ochotę zastrzelić piętnastu rebeliantów, którzy poddali się po pięciominutowej wymianie ognia. Starania pracowników Petromaxu, by zatrzymać wyciek, na niewiele się zdały.

Spojrzał znów na terrorystów klęczących rzędem na skraju platformy z rękami skrępowanymi z tyłu. Żaden nie miał więcej niż dwadzieścia pięć lat, a gdy kolejno mierzył ich wzrokiem, żaden nie był w stanie wytrzymać jego zimnego spojrzenia. Podziurawione kulami ciała sześciu rebeliantów, zastrzelonych podczas błyskawicznego ataku ludzi Eddiego, zostały ułożone obok siebie i przykryte kawałkiem brezentu.

Podczas trwającego minutę ataku ranny został jeden z ludzi Eddiego i była to tylko powierzchowna rana nogi. Rebelianci, kiedy tylko zdali sobie sprawę z siły ataku, natychmiast rzucili broń i podnieśli ręce do góry, a kilku nawet zaczęło płakać. Eddie zszedł pod platformę i zastał załogę w jadalni. Dowiedział się, że ośmiu robotników zginęło podczas pierwszego ataku.

Zginął główny inżynier platformy, dlatego tamowaniem wycieku dowodził jego zastępca. Mężczyzna podszedł do Eddiego. Kombinezon i rękawice miał pokryte ropą, a twarz koloru mahoniu umazaną smarem.

– Możemy to naprawić – powiedział łamaną angielszczyzną. – Górną choinkę zastąpili dwunastocalowym zaworem. Otworzyli zawór, by ropa mogła swobodnie wypływać, i ułamali dźwignię. Choinkę chyba wyrzucili do wody.

Eddie domyślał się, że choinka była czymś w rodzaju czapy na szybie, która rozdzielała ropę do rur biegnących w stronę brzegu.

– Ile czasu wam to zajmie?

– Mamy jeszcze jedno drzewko w magazynie. Nie jest tak mocne jak to, które straciliśmy, ale na pewno pomoże. Zajmie to około trzech godzin.

– No to nie trać czasu na rozmowę ze mną.

Mimo że dzieliło ich półtora kilometra, a ropa wpadająca do morza huczała niczym pędzący pociąg, Eddie wyraźnie słyszał odgłos strzałów dochodzących z platformy odbijanej przez prezesa. Wiedział, że Juan ma znacznie trudniejsze zadanie.

Przez chwilę Cabrillo nie miał pojęcia, gdzie się znajduje ani nawet jak się nazywa. Dopiero gdy nieustający hałas broni maszynowej przebił się przez dzwonienie w uszach, wszystko sobie przypomniał. Otworzył oczy i z trudem powstrzymał krzyk. Wisiał dwanaście metrów nad bulgoczącą masą ropy oblewającej wsporniki platformy. Gdyby nie rozwieszona wokół wyższego pokładu siatka bezpieczeństwa, zostałby zdmuchnięty do morza. Kontener, za którym się chował, unosił się na plamie ropy, nigdzie jednak nie widział mężczyzny, który w chwili wybuchu wyrzutni rakiet znajdował się obok niego.

Przewrócił się na plecy i niczym pająk zaczął się wspinać po chybotliwej siatce. Obserwował platformę, chcąc mieć pewność, że żaden z partyzantów go nie zlokalizował. Kiedy dotarł na górę, ostrożnie wychylił się ponad brzeg. Terroryści wciąż kontrolowali platformę, a opór ze strony jego ludzi był coraz słabszy. Ocenił, że tylko kilku jeszcze walczyło, a sądząc po częstotliwości wystrzałów, kończyła się im amunicja. Rebelianci najwyraźniej nie mieli takich problemów, gdyż strzelali bez przerwy.

Gdy upewnił się, że nikt go nie widzi, sturlał się z siatki pod ramiona ruchomego dźwigu. Sprawdził broń i wymienił na wpół zużyty magazynek. Nie miał zbyt dobrego widoku na pole walki, nie mógł więc strzelać do rebeliantów bez ryzyka sprowokowania kolejnego wystrzału z wyrzutni rakiet. Szybko przebiegł kawałek i przylgnął do tylnej ściany dźwigu, rozglądając się przy okazji za lepszą kryjówką.

Nagle zza skrzyni wybiegł partyzant, składał się do rzutu granatem w stronę miejsca, gdzie leżał ranny żołnierz Mafany. Jednym strzałem Juan zdjął terrorystę, a po chwili granat tamtego eksplodował, unosząc ciało partyzanta i jego towarzysza w ognistym podmuchu.

Zanim ktokolwiek zdołał się domyślić, skąd padł strzał, Juan wybiegł zza dźwigu, rzucił się przez pokład i schował za stertą rur wiertniczych. Ustawił się tak, by móc patrzeć przez całą długość rur. Widok był nieco dezorientujący, obraz widziany okiem muchy, nie przeszkodziło mu to jednak zauważyć, że jeden z rebeliantów przesuwa się w stronę maszynowni, która znajdowała się w pobliżu tryskającej z uszkodzonego szybu fontanny ropy.

Juan włożył lufę MP-5 do jednej z rur i trzykrotnie wystrzelił. Dwa pociski otarły się o wnętrze rury i chybiły celu, ale trzeci trafił terrorystę w podbrzusze. Partyzant zatoczył się i pochłonęła go lawina ropy. Został w nią wciągnięty i zniknął w spadającej do oceanu kaskadzie.

Cabrillo schował się za stertą rur, a pół tuzina rebeliantów rozpoczęło ostrzał. Obijane pociskami rury wydzwaniały przerażającą symfonię. Nagle zdał sobie sprawę z tego, że atak może się nie powieść. Jeśli Linda nie upora się z zadaniem na dolnym pokładzie i nie wesprze ich swoimi ludźmi, będzie musiał poważnie pomyśleć o zarządzeniu odwrotu. „Oregon" nie mógł im pomóc, bo to groziło podpaleniem platformy.

Opór stawiało tak wielu rebeliantów, że pomysł powrotu do małej łodzi podwodnej równy byłby samobójstwu. Zginęliby, docierając najwyżej do jednej czwartej długości drabiny prowadzącej w dół. Juan musiał więc pomyśleć o innym rozwiązaniu i rozważyć wykorzystanie łodzi ratunkowych platformy, które można było automatycznie i szybko opuszczać. Tyle tylko, że łodzie znajdowały się na drugim końcu platformy i musieliby pokonać otwartą przestrzeń.

Uruchomił radio i poszukał częstotliwości Lindy. Na rurach zagrała kolejna salwa wystrzelona w jego stronę.

– Linda, tu Cabrillo. Zostaw robotników i jak najszybciej melduj się na górnym pokładzie. – Nie odzywała się, więc Juan ponownie wywołał jej imię. Gdzie ona, do cholery, jest?

Od dwóch lat spędzała w sali treningowej, założonej przez Eddiego na „Oregonie", pięć godzin tygodniowo, co w sumie dało ponad pięćset godzin, dlatego głos Juana był dla Lindy wystarczającym bodźcem – opanować panikę i szybko przejść do ataku. Cofnęła się i błyskawicznie odwróciła. Niedoszły zabójca nie zauważył nawet, że kolba jego pistoletu spoczywa teraz na jej biodrze. A silne uderzenie łokciem w jego mostek sprawiło, że poczuła nagle zjełczały oddech napastnika. Potem walnęła go pięścią w krok, przypominając sobie słowa Eddiego, wypowiadane podczas treningu kontrataku: „Jeśli czujesz na plecach jego ciężar, przewróć go. Jeśli nie, chwyć mocno, dopóki sam się nie przewróci".

Czując gwałtowny wydech napastnika, złapała go za rękę, wysunęła biodro i przerzuciła przez ramię, trzymając z całej siły, by ich wspólna waga przygniotła go mocno do ziemi. Mężczyzna otwierał usta niczym wyrzucona z wody ryba. Linda uderzyła go dłonią w odsłoniętą część gardła. Przewrócił oczami

335

i znieruchomiał. Będzie miała go z głowy na dobrych kilka godzin.

Podniosła się i wtedy zobaczyła mężczyznę obserwującego ją przez drzwi do jadalni. Opuszczał właśnie lufę AK-47. Uznała go za „snajpera", Skłoniła się lekko, a mężczyzna odpowiedział szerokim uśmiechem.

Wyjęła kajdanki i na wszelki wypadek przypięła terrorystę do nogi od pieca. Po powrocie do jadalni zauważyła, że dwaj jej ludzie wciąż pilnują drzwi, by żaden z robotników nie uciekł, wpadając prosto do piekła na górnym pokładzie.

Na podłodze leżały ciała. Kilka osób zginęło w strzelaninie, ale większość to byli ranni, którzy ucierpieli podczas zamieszania. Kilku robotników już starało się im pomóc i ułożyć ich w wygodniejszych pozycjach, a do krwawiących ran przykładali chusteczki i kawałki materiału. Kierował nimi biały mężczyzna z wianuszkiem jasnych włosów otaczających czerwoną łysinę. Miał największe dłonie, jakie kiedykolwiek widziała. Gdy podniósł się po udzieleniu pomocy mężczyźnie leżącemu obok wywróconego stołu, zauważył ją i podszedł.

– Mała damo, nie wiem, kim jesteś ani skąd się tu wszyscy wzięliście, ale do diabła, kochana, ogromnie się cieszę, że was widzę. – Mówił z wyraźnym teksańskim akcentem. – Jestem Jim Gibson, główny inżynier tej platformy.

Linda wiedziała, że tak właśnie tytułuje się szefów morskich platform wiertniczych.

– Ross. Nazywam się Linda Ross. Proszę chwileczkę poczekać – odparła, poprawiając słuchawkę radiową umieszczoną w uchu. – Juan, tu Linda.

– Dzięki Bogu. Potrzebuję ciebie i twoich ludzi. Natychmiast. Dostajemy w dupę. Robotnikami zajmiesz się później – dodał, a odgłos strzałów podkreślił znaczenie jego słów.

– Są już bezpieczni. Idziemy do was. – Popatrzyła na wielkiego Teksańczyka. – Panie Gibson.

– Jim.

– Jim. Chcę, abyś tu został i zajął się swoimi ludźmi. Na górze wciąż znajdują się terroryści. Uszkodzili platformę i ropa wylewa się do morza. Gdy uporamy się z rebeliantami, będziecie w stanie zamknąć dopływ ropy?

– Pewnie, że tak. Co się dzieje?

Wkładając nowy magazynek do pistoletu maszynowego, wyjaśniła pokrótce.

– Grupa rebeliantów z Konga została wynajęta do tego, by przejąć kilka platform i terminal załadowczy.

– To jakaś polityczna sprawa?

– Jim, obiecuję, że gdy to wszystko się skończy, wyjaśnię ci całą historię. Teraz muszę już iść.

– Możesz opowiedzieć mi to wszystko podczas kolacji. Znam świetną portugalską restaurację w Kabindzie.

– Znam lepszą w Lizbonie – rzuciła przez ramię. – Ale ty płacisz.

Mike utrzymywał „Liberty" na kursie wprost na falochron i dopiero w ostatniej chwili skręcił sterem i pociągnął za drążki. Łódź głębiej się zanurzyła, a burta dotknęła betonowej ściany tak delikatnie, że nie ucierpiał nawet jeden z przytwierdzonych do niej małży.

Przedni właz otworzył się i na nabrzeże zaczęli wybiegać mężczyźni, od razu poszukujący dogodnych kryjówek. Od strony terminalu dobiegł cichy odgłos strzałów, jednak w zasięgu Marka Murphy'ego i Mike'a Trona było na razie niewielu rebeliantów.

Mike zebrał swój sprzęt i wyskoczył na nabrzeże. Nie było tam nic, do czego można by przywiązać łódź, więc wyjął pistolet załadowany specjalnym, dwudziestodwumilimetrowym nabojem i wystrzelił sześciocalowy uchwyt, wbijając go w beton. Przeładował pistolet i strzelił ponownie, po czym przywiązał linę zwisającą z burty „Liberty".

Bojownicy o wolność nie zapomnieli nauk wyniesionych z ciężkich lat po wojnie domowej. Byli właściwie rozstawieni, każdy z nich osłaniał jednego z kolegów. Ich pierwszy cel znajdował się w odległości mniejszej niż sto metrów. Mike popatrzył na metaliczny pasek znajdujący się po wewnętrznej stronie jego lewego rękawa i zaklął. Połączenie przerwane.

Nie mając wyboru, poprowadził atak, skacząc z miejsca na miejsce, a w tym czasie ktoś zza jego pleców strzelał, by utrzymać terrorystów na dystans. Mimo że było ich zaledwie kilku, z każdą sekundą pojawiali się kolejni, najwyraźniej zawodził system czujników na „Oregonie".

Pierwszą swoją ofiarę sześćdziesięcioosobowy oddział dopadł w momencie, gdy jeden z rebeliantów niespodziewanie wyłonił się zza małej szopy i otworzył ogień w iście hollywoodzkim stylu. Był to atak samobójczy, zanim jednak napastnik zginął, zdołał trafić czterech ludzi Mike'a, w tym jednego na pewno śmiertelnie.

Posuwali się dalej, pędząc i klucząc, chowając się za każdym wystającym fragmentem zabudowań. Była to walka uliczna w najgorszej możliwej postaci, z przeciwnikami, którzy mogli pojawić się w każdym miejscu.

Radio Mike'a zatrzeszczało, więc schował się za uszkodzoną ciężarówką i nasłuchiwał.

– „Liberty", tu Sokole Oko. Przepraszam za opóźnienie, ale musiałem cię ponownie przyłączyć. – To był Tiny Gunderson, który sterował samolotem bezzałogowym.

Trono ponownie spojrzał na dziwny kwadrat przytwierdzony do wewnętrznej strony rękawa jego czarnej wojskowej kurtki. Srebrzysty materiał przeobraził się i na kwadratowym ekranie pokazywał teraz przekazywany przez samolot szpiegowski obraz terminalu dla tankowców. Rozdzielczość monitora była taka jak na wielkim ekranie w centrum dowodzenia, jednak z powodu ograniczonej mocy zasilania zamiast ciągłego obrazu pojawiły się w dziesięciosekundowych odstępach tylko migawki. Technologia była majstersztykiem, jednak wciąż zdarzały się błędy.

Obraz zmienił się, gdy Tiny ustawił go na lokacji Mike'a. Wtedy zobaczył po drugiej stronie magazynu trzech rebeliantów, którzy zamierzali oskrzydlić jego ludzi. Zamiast wyjaśniać, skąd się o tym dowiedział, wyskoczył zza ciężarówki i pobiegł z powrotem, by mieć na celowniku róg budynku, za którym czaili się partyzanci. Pokrętło na granatniku podwieszonym pod pistoletem maszynowym pozwalało mu zmniejszać średnicę lufy i w ten sposób spowalniać pocisk oraz wybierać dowolny zasięg. Oszacował, że narożnik budynku znajduje się w odległości czterdziestu metrów, i ustawił pokrętło. Broń wydała zabawny odgłos, jednak efekty strzału nie były do śmiechu. Granat wylądował w odległości kilkudziesięciu centymetrów od ściany budynku i eksplodował, przebijając się przez cienką, metalową ściankę i ludzkie ciało.

Spojrzał na rękaw i ujrzał trzech partyzantów spowitych w chmurę powstałą po wybuchu.

Teraz, dzięki pomocy anioła stróża osłaniającego ich z powietrza, tempo przemieszczania się wzrosło dwukrotnie, gdyż Mike dokładnie pokazywał swoim ludziom, skąd nadejdzie natarcie, i to zanim terroryści zdążyli się pojawić.

Do generatora mocy na terminalu dotarli, nie tracąc ani jednego człowieka więcej. Mimo dźwiękoszczelnych ścian budynku było słychać huczące silniki wykorzystywane do produkcji prądu. Mike wybrał już pięciu żołnierzy, którzy mieli mu towarzyszyć, a pozostałym rozkazał, by przemieszczali się dalej i wsparli atak Linca na przystań.

Przestrzelił zamek i dostał się do wnętrza budynku generatora. Odgłos silników nasilił się; bez zatyczek do uszu mogliby pozostać w środku tylko kilka minut. Wbiegł, omiatając sporą przestrzeń laserowym celownikiem H&K. W rzędzie na betonowych i stalowych wspornikach stały trzy odrzutowe silniki General Electrics. Błyszczące rury doprowadzały do nich powietrze, a wyziewy odprowadzane były na zewnątrz poczerniałymi od gorąca przewodami.

Pracował tylko jeden silnik. Max wyjaśniał im podczas odprawy, że instalacje takie jak ta korzystają na przemian z dwóch silników, mając trzeci na wypadek natężonej pracy. Zamiast zrównać elektrownię z ziemią, działem z „Oregona" postanowili wyłączyć tylko jeden silnik, wiedząc, że ludzie naprawiający uszkodzenia będą potrzebować prądu.

Mike, osłaniany przez swoich ludzi, pędził w stronę sterowni znajdującej się blisko frontu budynku. Przez potrójne szklane drzwi widzieli tam dwóch robotników doglądających elektrowni oraz trzech strażników. Pracownicy Petromaxu uważnie studiowali olbrzymi panel rozświetlony kolorowymi diodami. Strażnicy i robotnicy stali zbyt blisko siebie, by ryzykować strzał, więc Mike strzelił nad ich głowami, rozbijając szkło na drobniutkie kawałeczki. Na wszelki wypadek wrzucił do wnętrza granat ogłuszający.

Przykucnął, by nie zmiotła go fala powietrza powstała po detonacji, potem wbiegł do pokoju, zanim ktokolwiek zdążył się podnieść. Uderzył najbliższego z rebeliantów pistoletem, jego ludzie zajęli się pozostałymi. Podszedł do inżynierów. Jeden z nich był lekko pokaleczony przez odłamki, drugi zszokowany.

Krzyknął, usiłując przebić się przez odgłos pracującego silnika.

– Możesz to wyłączyć? – Wskazał kciukiem silnik.

Inżynier patrzył na niego tępo. Mike ponownie wskazał na silnik i przejechał dłonią po gardle. Uniwersalny gest zadziałał. Mężczyzna skinął głową i podszedł do panelu kontrolnego. Myszką przewinął kilka odczytów na komputerze, klikając przy tym odpowiednie ikony. Początkowo wyglądało na to, że nic nie działa, jednak po pewnym czasie przejmujący hałas spadł poniżej poziomu bólu i wciąż słabł, aż w końcu zamilkł. Mike zwrócił się w stronę przywódcy swoich ludzi.

– Zostańcie tutaj i nie pozwólcie nikomu uruchomić tego silnika. – Wcześniej przekazał mu już krótkofalówkę. – Daj mi znać, jeśli pojawią się jacyś rebelianci.

– Tak, *Nkosi*. – Z tonu jego głosu można było wywnioskować, że nie lubi pozostawać poza walką. – A co z nimi? – Lufą pistoletu pokazał związanych strażników.

Mike ruszył biegiem w kierunku wyjścia.

– Jeśli będą sprawiać jakieś kłopoty, ich zastrzelcie.

– Tak, *Nkosi*. – W tej odpowiedzi było więcej entuzjazmu.

Linda na bieżąco odbierała od Juana informacje o przebiegu walki. Polecił, żeby przeszła cały dolny pokład i wyszła na górę w dalszej części platformy, tak by znaleźć się za największą grupą strzelców.

Tymczasem on dawał swoim ludziom znaki rękami, koordynując ostateczne natarcie, które – miał nadzieję – w końcu złamie rebeliantów. Jeśli nie, to pogrąży ich wszystkich. To było jego decydujące posunięcie, zostały mu bowiem tylko dwa magazynki.

– Okej, Juan. Jesteśmy na pozycjach – powiedziała Linda. – Widzę czterech z nich. Są za dużym zbiornikiem. Jest jeszcze jeden, który próbuje zbliżyć się do dźwigu.

– Powiedz mi, kiedy będzie w odległości metra od podnośnika. Zdejmę go. A wy weźcie tych czterech, których widzicie. Myślę, że kilku innych wisi za platformą na siatce zabezpieczającej. Nie wiem, czy się poddali, więc miejcie na nich oko.

– Przyjęłam. Twój cel ma jeszcze dziesięć metrów do przejścia.

Juan czekał, przywierając plecami do gorących rur. Mimo chaosu i potężnej dawki adrenaliny część jego umysłu wciąż koncentrowała się na planie Daniela Singera. Niezależnie od tego, jak daleko tamten się posunął, Juan uważał, że Singer znalazł sposób, by stworzyć taki huragan, który zwieńczy jego dzieło. W końcu był genialnym inżynierem. Dzięki temu przecież stał się multimilionerem jeszcze przed trzydziestką. Jak powiedziałby Max: człowiekowi może i poluzowała się śrubka, ale maszyna wciąż działa.

– Pięć metrów – zameldowała Linda.

Cokolwiek zaplanował Singer, z pewnością było to przedsięwzięcie na wielką skalę, Juan jednak nie miał pojęcia, co to mogło być. Nie wiedział, w jaki sposób można by wpłynąć na miejsce powstania, siłę lub trasę huraganu. Znów opanowała go złość. Jeśli Singer opracował taką technologię, dlaczego w ten sposób ją wykorzystuje? Huragany i ich kuzyni z Pacyfiku i Oceanu Indyjskiego, czyli tajfuny i tsunami, które powodowały miliardy dolarów strat, co roku zabijały tysiące ludzi. Jeśli chciał ocalić planetę, to zapobieżenie takim tragediom byłoby wspaniałym krokiem w tym kierunku. Bezsensowne straty denerwowały Juana. Tak jak ten atak, jak rewolucja Samuela Makambo, służąca jedynie zadowoleniu jej przywódcy, jak korupcja trawiąca ojczyznę Mosesa Ndebele. To wszystko doprowadzało go do szału.

– Dwa metry.

Boże, jak bardzo czuł się zmęczony tą walką. Gdy upadł mur berliński i rozpadł się Związek Radziecki, jego przełożeni w CIA wyrazili uznanie za świetnie wykonaną robotę. Juan jednak wiedział, że najgorsze miało dopiero nadejść, gdyż świat dzielił się wyznaniowo i etnicznie, a z cienia wyłonił się nowy rodzaj walki.

Nienawidził mieć racji.

– Zdejmuj go.

Skupił się ponownie na walce. Wychylił się zza rur i wypuścił krótką serię, która trafiła czołgającego się terrorystę w plecy i w bok. Ściana ognia rozbłysnęła po jego lewej stronie, gdyż kilku rebeliantów zaczęło strzelać do niego. Natychmiast zostali zdjęci przez Lindę i jej zespół. Juan wybiegł zza rur, strzelając, by w ten sposób zmusić przeciwników do ujawnienia swoich pozycji. Jego pozostali ludzie byli na to przygotowani i po raz drugi od początku bitwy na platformie rozgorzała taka strzelanina, jakby otworzyły się bramy piekieł.

Była to najbardziej zacięta walka wręcz, w jakiej kiedykolwiek uczestniczył. Pociski świstały w powietrzu, a niektóre przelatywały tak blisko niego, że czuł ich ciepło. Przeskoczył nad beczką ropy, która przewróciła się i toczyła prosto na niego.

Linda zauważyła jednego z ludzi strzelających do Juana, ale jej strzał nie sięgnął celu, gdyż rebeliant zdążył schować się za stosem rur. Ruszyła za nim. Czuła się tak, jakby wbiegła w las metalowych drzew. Sposób, w jaki krzyżowały się i nachodziły na siebie rury, dawał strzelcowi sporą przewagę. Niezależnie, w którą stronę patrzyła, w górę czy w dół, widok zawsze przysłaniały jakieś rury.

Zdała sobie sprawę, że w każdej chwili może wpaść w pułapkę, i zaczęła się wycofywać. Nigdy nie zatrzymywała spojrzenia na jednym miejscu dłużej niż sekundę, gdyż obawiała się, że napastnik może zajść ją z boku.

Okrążała pionową rurę, grubą jak kanał, gdy nagle pojawiła się dłoń, która pociągnęła za lufę jej pistoletu. Linda przewróciła się. Miała nadzieję, że coś sensownego wpadnie jej do głowy w ciągu tej ostatniej sekundy, ale zdołała pomyśleć tylko o tym, że zginie po popełnieniu szkolnego błędu.

Pistolet wypalił z hukiem działa. Rebeliant, który stał nad nią rozciągnięty niczym maska na Halloween, po prostu zniknął. Spojrzała w górę i zobaczyła stojącego w pobliżu Jima Gibsona, z uniesioną dymiącą lufą wielkiego rewolweru.

– Mówiąc wprost, nie wolno mi wnosić tego złomu na teren platformy, ale zawsze uważałem, że przepisy są dla gamoni. – Wyciągnął dłoń i pomógł jej wstać. – Wszystko w porządku, kochaniutka?

– Ocalona przez prawdziwego kowboja. Czy może być coś lepszego?

Znając każdy nit, każdą śrubkę i spaw na platformie, Jim Gibson bez trudu wyprowadził ją z tego labiryntu. Nagle zdali sobie sprawę, że nie słyszą już wystrzałów.

Linda wyjrzała ostrożnie. Pięciu terrorystów stało z rękami uniesionymi tak wysoko, że wyglądali, jakby stali na palcach. Dwóch kolejnych wychyliło się z siatki bezpieczeństwa, gdzie dotąd się ukrywali.

– Juan, chyba wszystko skończone – powiedziała do mikrofonu.

Cabrillo wysunął się spod beczki i wstał. Nigdy nie ufał poddającym się, dlatego szybko podbiegł do nich.

– Na ziemię! Szybko! Wszyscy na ziemię!

Linda również podbiegła. Afrykanie już opatrywali rannych i szukali zabitych, a Juan wiązał ręce tych, którzy się poddali. Gdy skończyli, wezwał statek.

– Nomad do „Oregona". Cel został zabezpieczony. Powtarzam, cel został zabezpieczony.

– Słyszałem, nie musisz powtarzać – odparł Max. – Może jestem starszy od ciebie, ale na pewno nie głuchy. – A po chwili dodał: – Dobra robota. Nawet przez chwilę nie miałem wątpliwości.

– Dzięki. Jak wygląda sytuacja?

– Mike wyłączył generator. Ropa wciąż wycieka z rurociągu ładowniczego, ale bez pomp nie jest to tak wielki wyciek. Tylko grawitacja sprawia, że ciągle jeszcze ciekcnie.

– Linc jest już gotowy?

– Zgodnie z planem miał wejść do akcji pięć minut po wyłączeniu generatora. Właśnie startuje.

Niczym odrzutowiec katapultowany z pokładu lotniskowca, tak półsztywna czarna łódź została wypchnięta po teflonowej rampie przez mechanizm „Oregona" prosto do oceanu. Łódź, zbudowana przez wojskowy oddział firmy Zodiac w kanadyjskim Vancouver, miała długi kadłub w kształcie litery V, co dawało jej większą stabilność, i nadmuchiwaną kurtynę umożliwiającą transport dodatkowego ładunku. Bez trudu radziła sobie z każdą wielkością fal, a dzięki dwóm trzystukonnym silnikom rozwijała prędkość czterdziestu węzłów.

Linc stał za sterem, a tuż obok niego Jerry Pulaski. Mieli na sobie kamizelki kuloodporne. Na łodzi zamontowano dodatkowe osłony, dzięki którym śródokręcie pozostawało niezniszczalne. U ich stóp leżały dwa czarne futerały, a w nich strzelby Barrett M 107 kaliber 50 milimetrów o zasięgu ponad półtora kilometra. Dzięki temu ogromne strzelby były prawdopodobnie najlepszymi karabinami snajperskimi, jakie kiedykolwiek wyprodukowano.

Przy tak wielkiej ilości ropy pokrywającej powierzchnię wody w okolicy terminalu ani Juan, ani Max nie chcieli ryzykować, by śruby „Oregona" pokryły się mazią. Żaden z nich nie chciał też ryzykować strzelania do delikatnych rur pompujących ropę, nie mając stuprocentowej pewności trafienia celu. Tylko od Linca i Pulaskiego zależało stworzenie osłony dla ataku Mike'a od strony grobli.

Pędzili przez fale w stronę burty zakotwiczonego supertankowca i zwolnili tylko dlatego, że łódź zaczęła płynąć przez plamę ropy. Warstwa zanieczyszczenia miała grubość kilkunastu centymetrów i sięgała gumowego pontonu przytwierdzonego do burty. Na szczęście napęd znajdował się poniżej poziomu mazi, inaczej poruszaliby się z trudem.

„Oregon", znajdujący się za ich plecami, ponownie był w ruchu. Manewrował, starając się uzyskać odpowiedni kąt do strzału w kierunku najważniejszej części zabudowań. Mimo że nie celowali bezpośrednio w groblę lub w szerokie nabrzeże, Max nie widział żadnych przeciwwskazań, by mierzyć z gatlinga w ocean tuż przy tych obiektach.

Przez ogromną lornetkę Pulaski obserwował okolice tankowca, wypatrując terrorystów. Wyglądało, że statek jest czysty. Dla bezpieczeństwa postanowili jednak zacumować przy dziobie, w odległości kilkuset metrów od najbardziej oczywistego punktu obserwacyjnego.

Dotarli do rzędu boi oznaczających strefę stu metrów od ogromnego statku i wciąż nikt do nich nie strzelał.

– Głupi, tak jak się spodziewaliśmy – podsumował Linc.

Z bliska statek przypominał bardziej wielką metalową ścianę niż coś, co miało przemierzać oceany. W dodatku pokład znajdował się kilkadziesiąt metrów nad nimi, a to za sprawą pustych zbiorników.

Gdy Linc sterował, by przybić jak najbliżej, Pulaski przygotowywał pistolet, którym miał wystrzelić kotwicę z pokrytymi kauczukiem ramionami. Zanim ich łódź zniknęła pod krzywizną kadłuba, Ski odstrzelił haki, do których przytwierdzone były dwie liny z nanowłókien. Haki przeleciały nad burtą, a gdy Pulaski ciągnął je do siebie, mocno zaczepiły się o burtę. Linc w tym czasie rzucił linę cumowniczą z przytwierdzonym do niej wielkim magnesem.

Lina z nanowłókien była zbyt cienka, by się po niej wspinać, miała za to wytrzymałość większą niż stal. Pulaski przytwierdził liny do kołowrotka na łodzi i upewnił się, że strzemiona były w dobrym stanie. Gdy przygotował wszystko, Linc otworzył futerały ze strzelbami snajperskimi. W każdej był magazynek z dziesięcioma nabojami, dodatkowo obaj mieli jeszcze dziesięć magazynków.

– Twój powóz czeka – powiedział Pulaski i włożył stopę do strzemienia.

Linc zrobił to samo i nacisnął przycisk uruchamiający kołowrotek. Lina zaczęła nawijać się na kołowrotek. Strzemię Pulaskiego zacisnęło się. Zaczął się wznosić, w jednej ręce trzymając linę, w drugiej strzelbę snajperską. Gdy był dwa metry nad łodzią, także Linc zaczął się unosić.

Po kilkunastu sekundach dotarli na szczyt. Pulaski przeskoczył przez barierkę. Natychmiast uniósł strzelbę i przystawił celownik do oka, przeszukując pokład i ogromną nadbudówkę nad nim. Strzemię Linca utknęło w kołowrotku i zablokowało linę, zmuszając go do samodzielnego pokonania ostatnich dwóch metrów.

– Czysto – stwierdził Pulaski, nie odwracając się w jego stronę.

Zaczęli przesuwać się w kierunku rufy. Każdy z nich biegł kilkadziesiąt metrów, a drugi ubezpieczał go i obserwował pokład. Mimo że nic nie wzbudzało ich niepokoju, stosowali technikę żabich skoków. Dotarcie do sterowni zajęło im trzy minuty i po raz pierwszy podeszli do burty od strony portu, żeby spojrzeć na nabrzeże ładunkowe. Bliźniacze żurawie były wyższe niż statek, ale ich grube rury zwisały niedbale, więc wyciekająca z nich ropa spadała sześć metrów w dół, po czym uderzała w nabrzeże i spływała do morza.

Wystarczył rzut oka, by stwierdzić, że jest tam co najmniej setka partyzantów gotowych do obrony doku. Wystarczyło czasu, żeby zbudować barykady i umocnić pozycje. Trono i jego ludzie mieli przed sobą trudne zadanie, jeśli Mike i Pulaski nie będą w stanie odwrócić uwagi obrońców.

– Co ty na to? – zapytał Pulaski. – Tak wystarczy, czy chcesz dostać się jeszcze wyżej?

– Wysokość jest dobra, ale zbyt się rzucamy w oczy, mogą przecież obserwować statek. Chodźmy na dach nadbudówki.

Gdy weszli do wnętrza nadbudówki i pokonywali niekończące się schody, Linc przedstawił Maxowi ich sytuację, a przy okazji dowiedział się, że Mike i jego ludzie przedarli się do terminalu i zajęli swoje pozycje.

Byli już prawie na szczycie schodów, gdy nagle otworzyły się drzwi i ukazał się mężczyzna ubrany w czarne spodnie i białą koszulę z epoletami. Linc wyjął pistolet i wymierzył, zanim tamten zdał sobie sprawę z tego, że nie jest sam.

– Proszę, nie! – krzyknął.

– Cicho. – Mike cofnął pistolet. – Jesteśmy dobrymi ludźmi.

– Jesteście Amerykanami? – Oficer był Anglikiem.

– Zgadza się, kapitanie – odparł Linc. Marynarz miał na ramionach cztery złote belki. – Jesteśmy tu po to, by zakończyć to całe zamieszanie. Musimy dostać się na dach.

– Oczywiście. Chodźcie za mną. Co tu się dzieje? Wiem tylko tyle, że tankujemy statek i nagle jakiś wariat wyrywa rury, uszkadzając mój okręt. Dzwoniłem do biura, ale nikt nie odbierał. Niewiele później moi obserwatorzy zauważyli uzbrojonych ludzi na nabrzeżu. Teraz to wygląda tak, jak podczas mojej służby na Falklandach.

– Powiem tylko tyle, że pańskiej załodze nic się nie stanie. Niech pan trzyma ich z dala od pokładu lub innych otwartych przestrzeni.

– Rozkaz wydałem już rano – zapewnił kapitan.

Dotarli do szczytu klatki schodowej.W suficie znajdowała się klapa, do której można było dotrzeć tylko po drabinie. Pulaski bez słowa ruszył do góry.

Linc wyciągnął dłoń.

– Dziękujemy, kapitanie. Teraz już sobie poradzimy.

– Och, oczywiście. Powodzenia. – Uścisnął dłoń Linca.

Pulaski otworzył właz, wspiął się na dach, a chwilę po nim podążył Linc. Z góry nie dało się w żaden sposób zamknąć włazu, więc musieli uważać, by nikt nie zaszedł ich z tej strony.

Dach nadbudówki był płaską, pomalowaną na biało stalową powierzchnią, na którą cienie rzucały komin okrętu i rząd anten. Gdy dotarli do krawędzi dachu, położyli się i ponownie spojrzeli na nabrzeże. Na końcu grobli widzieli Mike'a i jego mały oddział czekający na ich sygnał. Nieopodal brzęczał samolot bezzałogowy.

– „Oregon", tu Linc. Jesteśmy na pozycji. Dajcie nam chwilę na oznaczenie celów. Nie rozłączajcie się.

Po załadowaniu strzelb i rozstawieniu na dachu magazynków, by w razie potrzeby móc szybko zmieniać pozycję, obserwowali wrogich żołnierzy, żeby ustalić, którzy są dowódcami. Brak dowództwa osłabi przeciwnika.

– Będę przeklęty – mruknął Linc.

– Co?

– Na godzinie jedenastej. Facet w okularach przeciwsłonecznych.

Pulaski przesunął strzelbę tak, by widzieć, o kim mówi Linc.

– Mam go. Tak? Więc? Kto to jest?

– To, mój przyjacielu, pułkownik Raif Abala. Podstępny sukinsyn, który wykiwał nas podczas sprzedaży broni. Prawa ręka generała Makambo.

– Wygląda na to, że wypadł z łask, skoro generał przysłał go tu – zauważył Pulaski. – Chcesz go zdjąć w pierwszej kolejności?

– Nie. Chciałbym zobaczyć jego twarz, gdy zda sobie sprawę z tego, co się dzieje i kto jest kto. Jesteś gotowy?

– W mojej połowie doku mam co najmniej czterech oficerów i kolejnych sześciu, którzy wiedzą, co robią. Reszta to mięso armatnie.

– Okej. No to zaczynamy. „Oregon", jesteśmy gotowi.

– Wchodzimy tam – usłyszał Mike'a Trona.

W odpowiedzi Max zezwolił Markowi Murphy'emu na odpalenie gatlinga. W odległości dziesięciu metrów od grobli eksplodowały woda i naftowa maź. Wyglądało to tak, jakby ocean stworzył wielką ścianę. Rebelianci skulili się, bezskutecznie usiłując schronić przed brudnym prysznicem. Żołnierz stojący na grobli opuścił posterunek i rzucił się w stronę doku.

Dopóki hałas gatlinga wszystko skutecznie zagłuszał, Linc i Pulaski strzelali najszybciej, jak potrafili. Jeden strzał odpowiadał jednej ofierze śmiertelnej. Za każdym razem. Po wystrzeleniu pięciu rund widzieli, jak zaskoczeni stratą swoich dowódców żołnierze rozglądają się wokół. Odsunęli się więc od krawędzi dachu. Gdy Linc ponownie spojrzał przez celownik, zobaczył Abalę wrzeszczącego na swoich ludzi. Widząc strach malujący się na twarzach podwładnych, wywnioskował, że nic to nie dało. W oddali Mike i jego oddział ostrożnie posuwali się wzdłuż grobli.

Ponownie odnaleźli swoje cele i znów dowództwo rebeliantów się uszczupliło. Jeden z żołnierzy w końcu zdał sobie sprawę, że strzały dochodzą z góry i spojrzał w stronę tankowca. Już otwierał usta, żeby ostrzec towarzyszy, ale Pulaski zdążył go w porę uciszyć.

– Mike, jesteś około trzydziestu metrów od pierwszej zasadzki. – Tiny Gunderson odezwał się przez radio.

– Co oni robią? Mój ekranik znowu nie działa.

– Gdybym miał obstawiać, powiedziałbym, że rozmawiają o poddaniu się. Nie, czekaj, pomyłka. Jeden stara się zachęcić ich do walki. Nie, czekaj jeszcze. Dostał. Ładny strzał, *aki*.

– To byłem ja – odezwał się Linc.

– Odwaga opuściła ich szeregi – oznajmił Tiny. – Odrzucili broń i rękami sięgają do nieba.

Ta pierwsza oznaka kapitulacji złamała także opór pozostałych partyzantów. Na całej długości grobli, a także w doku rebelianci odkładali broń. Tylko Abala sprawiał wrażenie, że chce jeszcze walczyć, i machał pistoletem jak szaleniec. Wrzeszczał na młodego partyzanta, prawdopodobnie żądając od niego, by ten podniósł swój AK-47. Żeby powstrzymać go przed zamordowaniem bezbronnego żołnierza, Linc odstrzelił mu kawałek stopy.

Oddział Mike'a zneutralizował pokonanych partyzantów, zwalając na stos ich AK-47, i na wszelki wypadek przeszukał wszystkich.

Linc i Pulaski pozostali w swoim snajperskim gnieździe, upewniwszy się, że nie ma już nigdzie terrorystów.

– To ostatni z nich – powiedział Mike. Stał nad pułkownikiem Abalą, który w doku zwijał się z bólu. – Kto tak fatalnie spudłował?

– To nie było pudło, synu – odparł Linc. – Gdy tylko wyjdzie ze szpitala, to właśnie on obwini za całe to zamieszanie Makambo i Singera.

Dziesięć minut później Pulaski i Linc byli już na dole. Linc podszedł do Abali i przykucnął obok niego. Pułkownik rebeliantów mocno zszokowany nawet go nie zauważył, więc Linc lekko klepnął go w twarz. Na ustach Abali pojawiła się piana, a pod ciemną skórą dało się zauważyć trupią bladość.

– Pamiętasz mnie, wariacie? – zapytał Linc. Oczy Abali otworzyły się szeroko. – Zgadza się. Rzeka Kongo jakiś tydzień temu. Myślałeś, że możesz nas wykiwać. Ale tak to właśnie wygląda. – Linc nachylił się nad nim. – Nigdy, ale to nigdy nie zadzieraj z Korporacją.

Gdy armia Angoli w końcu dotarła do terminalu Petromaxu, „Oregon" – z całym sprzętem, załogą i ludźmi Mosesa Ndebele, żywymi lub martwymi – był już daleko poza horyzontem.

Angolscy żołnierze na miejscu dowiedzieli się, że robotnicy zakręcili już ropę wyciekającą do morza z nabrzeża ładowniczego, zamknęli też dwa wycieki na platformach wiertniczych. Znaleźli również osiemdziesiąt sześć ciał ułożonych przed budynkiem biurowym i ponad czterystu związanych i zamkniętych wewnątrz partyzantów, w tym wielu rannych. Jeden z nich, z zakrwawionym bandażem na postrzelonej stopie, miał na szyi zawieszoną tabliczkę, na której było napisane: „Nazywam się Raif Abala. Jestem pułkownikiem w Kongijskiej Armii Rewolucyjnej generała Makambo i zostałem wynajęty do zorganizowania tego aktu terroryzmu przez Daniela Singera, dawnego współwłaściciela Merrick/Singer. Rozumiem, że jeśli nie będę współpracować, to ludzie, którzy nas dziś powstrzymali, znajdą mnie.

Miłego dnia".

Rozdział 29

Nędzny wygląd „Oregona" był tylko zmyślnym kamuflażem, ale opłakany stan „Gulf of Sidra" wiernie odzwierciedlał rzeczywistość. Przez dwadzieścia lat tankowiec przemierzał w tę i z powrotem Morze Śródziemne, przewożąc tysiące ton ropy naftowej, podczas gdy właściciele zagarniali każdy wypracowany przez okręt funt. Każdą zepsutą część zastępowano inną, na wpół zużytą częścią, reperowano je w pośpiechu, przytwierdzano za pomocą taśmy klejącej i sznurka lub po prostu wyrzucano. Kiedy nawaliła okrętowa oczyszczalnia ścieków, tak przebudowano kanalizację, że nieczystości odprowadzane były bezpośrednio do morza. Urządzenia klimatyzacyjne bardziej rozganiały powietrze po całej nadbudówce, niż je chłodziły. Gdy zepsuła się kuchenna chłodnia, kucharze tak musieli gospodarować jedzeniem, by mimo rozmrożenia niektórych składników nie dopuścić do ich popsucia.

Czarny kadłub „Gulf of Sidra" pokrywały rdzawe plamy, a na nadbudówce widać było gdzieniegdzie goły metal. Jedyny komin statku pokrywała gruba warstwa sadzy i nikt by się nie domyślił, że kiedyś pomalowano go na żółto i zielono. Nowością na okręcie była zwisająca nad rufą szalupa ratunkowa, umieszczona tam na rozkaz kapitana, który podjął taką decyzję, usłyszawszy, dokąd ma płynąć.

Szeroki na czterdzieści metrów i długości trzech boisk do piłki nożnej „Gulf of Sidra" wydawał się niewielki w porównaniu ze stojącym przy terminalu Petromaxu tankowcem o wyporności trzystu pięćdziesięciu tysięcy ton, a przestarzała budowa statku pozwalała mu zabrać jednorazowo zaledwie sto cztery tysiące ton surowca.

Mimo że widoczna z daleka sylwetka stojącego na kotwicy okrętu stanowiła jedną z cech charakterystycznych krajobrazu portu w Nouakchott, jego odpłynięcie pozostało niemal niezauważone. Tankowiec wyruszył z portu natychmiast po przybyciu Daniela Singera z Angoli i obecnie znajdował się już w odległości ponad trzystu kilometrów od brzegu.

Okręt kierował się w stronę przemieszczającego się nad Atlantykiem tropikalnego niżu, który mógł przerodzić się w huragan. Byłaby to burza, na którą czekał Singer; idealne warunki, by sprawdzić to, co według opinii najsłynniejszych meteorologów i obliczeń najpotężniejszych komputerów powinno się wydarzyć.

Temperatura w kabinie przekraczała trzydzieści stopni Celsjusza, dlatego Singer większość czasu spędzał na mostku, gdzie wiała przyjemna bryza.

Właśnie usłyszał wiadomość podawaną przez BBC o tym, że wojsko angolskie udaremniło atak partyzantów Samuela Makambo. Niemal stu rebeliantów poniosło śmierć, a czterystu zostało aresztowanych. Przez chwilę Singer zastanawiał się, czy pułkownik Abala, jedyny, który mógł go zidentyfikować, żyje, ale w końcu uznał, że to nie ma znaczenia. Gdyby został powiązany z tym atakiem, możliwość pojawienia się w sądzie byłaby dla niego tylko dodatkową reklamą. Wynająłby najlepszych prawników i przeniósłby sprawę do Międzynarodowego Trybunału Sprawiedliwości w Hadze, wykorzystując naturalnie okazję, by wygłosić mowę oskarżycielską, wskazując najgroźniejszych trucicieli środowiska.

W związku z udaremnionym atakiem najbardziej martwiło go to, że według szacunków do morza dostało się tylko dwanaście tysięcy ton ropy. Mimo że to poważna katastrofa ekologiczna, było to jednak zdecydowanie mniej niż miliony ton, na które liczył. Nie mogło więc być mowy o trującej chmurze, która dotarłaby do południowej części Stanów Zjednoczonych. Może i będzie to największy huragan, jaki kiedykolwiek nawiedził USA, ale zabraknie toksycznej chmury. A bez tego nie wywoła spodziewanej paniki.

Wiedział, że gdy burza się skończy, będzie musiał skontaktować się z mediami i wyjaśnić – a może nawet zrobi to wcześniej – w jaki sposób przypadkowa bitwa w odległej części planety zapobiegła katastrofie. Kolejny przykład na to, jaką siecią współzależności opleciona jest Ziemia, jak pozwalamy przypadkowi decydować o naszej przyszłości.

Adonis Cassedine, kapitan statku, zszedł z mostka. W przeciwieństwie do swojego przystojnego imiennika rodem z mitologii greckiej, był zgorzkniałym mężczyzną z nieogoloną twarzą i czujnymi oczkami. Miał krzywy nos, najpewniej efekt złego złożenia po złamaniu, a poplamione okulary wspierały się na jednym zdeformowanym uchu.

– Właśnie otrzymałem wiadomość z kontenerowca znajdującego się kilkaset kilometrów przed nami – powiedział. Do zachodu słońca pozostawało parę godzin, a w oddechu kapitana już można było wyczuć tani dżin. Tyle że jeszcze nie bełkotał i tylko trochę się zataczał. – Znajdują się w zasięgu burzy o sile czterech stopni i wietrze wiejącym z północnego wschodu.

– Tworzy się huragan – odparł Singer. – Dokładnie tam, gdzie chcemy. Nie na tyle daleko, by nie zmieścić się w określonym kursie, i nie tak blisko, by połączyć się z innym.

– Mogę cię tam doprowadzić. Ale nie podoba mi się to.

Znowu to samo. Singer był już wystarczająco zły z powodu niepowodzenia misji Makambo. Nie chciał teraz słuchać narzekań podpitego dziwaka.

– Ten statek jest stary. Kadłub już zaczyna gnić, a to, co wieziesz w ładowni, ma zbyt wysoką temperaturę. To dodatkowo osłabia metal.

– Pokazywałem ci raporty inżynierów, którzy stwierdzili, że kadłub wytrzyma ładunek o takiej temperaturze.

– Ble ble. – Cassedine machnął ręką. – Faceci-
ki w garniturach, którzy nie mają pojęcia o morzu.
Chcesz nas wpakować w huragan, a ja ci mówię, że
statek rozpadnie się na pół, jeśli tylko burza osiągnie
poziom szósty.

– Słuchaj, cholerny pijaku. Dostajesz więcej forsy,
niż kiedykolwiek widziałeś w swoim nędznym życiu.
Wystarczająco dużo, byś kolejne dekady mógł spędzić
przy butelce. W zamian oczekuję, że wykonasz to, czego chcę, i że nie będziesz mnie wkurzał swoimi prze-
widywaniami, obawami i opiniami. Jasne?

– Chcę tylko powiedzieć...

– Cisza! – wrzasnął Singer. – Nic nie chcesz powiedzieć. A teraz wynoś się, zanim twój oddech przy-
prawi mnie o mdłości.

Patrzył na kapitana tak długo, aż ten wycofał się
na mostek. Wierzył, że większość alkoholików to ludzie
słabi, ten też. Jak dotąd wykonywał wszystkie polece-
nia, wystarczyło tylko zadbać, żeby był stale na rauszu.
Singer nie miał wyrzutów sumienia, że wykorzystuje
taką słabość. Tak samo jak nie miał wyrzutów sumienia, wykorzystując ekologicznych fanatyków Niny Visser i chciwość Samuela Makambo. Jeśli tego wymagało
uświadomienie ludziom, jak wielką szkodę wyrządzają
planecie, niech tak będzie. Czy Geoffrey Merrick nie
wykorzystał geniuszu Singera w celu stworzenia ich
wynalazku? To przecież on wykonał lwią część roboty, podczas gdy Merrick zgarnął większość zysków.

Wszyscy wokół wierzyli, że Singer wolał pozostać
w cieniu, z dala od błysków fleszy. Co za głupota. Któż
nie chciałby otrzymywać dowodów uznania, pochwał
i nagród? On też tego pragnął, ale media zdawały się
dostrzegać tylko jedną połowę firmy Merrick/Singer,
tę bardziej fotogeniczną, z ładniejszym uśmiechem,
humorem i ujmującym sposobem bycia. To nie była
wina Singera, że trema paraliżowała go przy mównicy,
że w telewizji wyglądał jak nieboszczyk, a w wywia-
dach wypadał jak szalony naukowiec. Nie miał więc
wyboru, pozostawało mu życie w cieniu – wkurzało
go jednak, że był to cień Merricka.

Żałował, że nie ma z nim teraz byłego partnera. Pozbawiało go to możliwości panowania nad Merrickiem. Chciał spojrzeć mu w oczy i krzyknąć: To twoja wina! Pozwoliłeś trucicielom zanieczyszczać środowisko, a teraz zobaczysz tego konsekwencje.

Splunął za burtę i patrzył, jak ślina spada w dół, aż staje się częścią oceanu, kroplą w największym wiadrze świata. On też kiedyś był taki, był małą częścią czegoś znacznie większego, co pozbawiało go wiary w to, że sam może coś zmienić.

Dłużej już nie będzie taki mało ważny.

Pierwszym rozkazem Juana po powrocie na „Oregon" było zarządzenie kursu na północ, tam, gdzie Afryka wybrzuszała się w stronę Atlantyku. Do miejsca, gdzie gorące wiatry, które wiały znad Sahary, wyparowywały na tyle dużo wody, że mogły tworzyć się huragany. Nie poszedł do swojej kabiny, dopóki nie upewnił się, że płyną właściwym kursem. Kadłub „Liberty" został wyszorowany, zbiorniki paliwa napełnione, a łódź z powrotem zawisła na wysięgniku. Dwie małe łodzie podwodne oczyszczono z mazi, ich akumulatory naładowano, a wyjęty wcześniej sprzęt powrócił na swoje miejsce. Gatlingi oraz działa 30 milimetrów i 40 milimetrów zostały sprawdzone, lufy i podajniki pocisków wyczyszczone, a cała broń ponownie załadowana. Zbrojarze pakowali w skrzynie pistolety AK-47, którymi walczyli ludzie Mosesa Ndebele, metkowali prawie pięćset sztuk broni odebranej partyzantom Makambo. Juan nie zapomniał o nagrodzie, jaką obiecał Lang Overholt za odzyskanie tej broni.

Mimo że był bardzo zajęty, nie mógł się równać z Julią Huxley i ludźmi z jej zespołu, którzy zajmowali się dwudziestoma trzema pacjentami, musieli wyjąć trzydzieści jeden kul i składali lub zszywali tyle organów ludzkich, że wyglądało to tak, jakby nigdy nie mieli już opuścić sali operacyjnej. Julia zrzucała jedną parę zakrwawionych rękawic chirurgicznych po to, by natychmiast włożyć drugą i zająć się kolejnym pacjentem. W pewnym momencie jej anestezjolog zażartował, że podał więcej znieczulenia niż sędzia na konkursie jedzenia chili.

Po piętnastu godzinach nieprzerwanej pracy zszyła ranę po kuli na ramieniu Mike'a Trona, której on nie zauważył podczas walki, i wreszcie wiedziała, że to już koniec. Gdy Mike zeskoczył ze stołu, Julia z teatralnym jęknięciem zajęła jego miejsce.

– Przestań, Huxley – drażnił się z nią Mike. – Łatanie ran jest dużo łatwiejsze niż ich odnoszenie.

Odpowiedziała mu, nie otwierając oczu.

– Po pierwsze, to twoje małe otarcie nie jest żadną raną. Kot, którego kiedyś miałam, drapał mnie dużo mocniej. Po drugie, jeśli nie doceniasz mojej pracy, z przyjemnością zdejmuję ci szwy i pozwolę krwawić trochę dłużej.

– Tak, tak. A co z przysięgą Hipokratesa?

– Miałam skrzyżowane palce, gdy ją składałam.

Pocałował ją w policzek.

– Słodkich snów, doktorku. Dziękuję.

Gdy tylko Mike opuścił oddział medyczny, coś przysłoniło światło lampy zawieszonej nad stołem. Zobaczyła nad sobą prezesa. Miał ponury wyraz twarzy, domyśliła się, że już wiedział.

– Chcę ją zobaczyć.

Poprowadziła Juana do małego, chłodnego pokoju, gdzie na środku stał stół. Na jednej ze ścian były cztery szuflady z nierdzewnej stali. W milczeniu wysunęła jedną z nich. Znajdowało się tam ciało zapakowane w matową, plastikową torbę. Juan rozsunął trochę suwak i cofnął się, by uważnie przyjrzeć się bladoszarej twarzy Susan Donleavy.

– Jak ona to zrobiła?

– To straszna śmierć – odparła Julia, która w tej chwili była już dziesięć tysięcy razy bardziej wyczerpana niż jeszcze przed chwilą. – Wysunęła język najdalej, jak potrafiła, po czym bezwładnie osunęła się do przodu. Brodą uderzyła w podłogę, odgryzając sobie język. Potem przetoczyła się na plecy i najzwyczajniej utopiła się we krwi. Nie potrafię sobie wyobrazić tego, że można tak upadać i nie bronić się przed tym rękami.

– Miała ręce związane za plecami.

– Przecież nawet w ostatniej chwili mogła prze-kręcić głowę. – Popatrzyła ze smutkiem na ciało. – Być może próbowała tego kilka razy, aż w końcu nabrała odwagi na decydującą próbę.

Cabrillo przez chwilę nic nie mówił. Przypominał sobie pościg łodzią w zatoce Sandwich, gdy on i Sloane dowiedzieli się, że Papa Heinrick został zamordowa-ny. Uciekający wolał rozbić łódź, niż dać się złapać. Pomyślał, że być może powodował nim strach przed afrykańskim więzieniem, ale prawda była taka, że fa-cet poświęcił się dla sprawy tak jak Susan Donleavy.

– Nie – powiedział z pewnością w głosie. – Zrobiła to za pierwszym razem.

– Przeglądałeś zapis monitoringu z jej celi?

Odwrócił się w jej stronę.

– Nie musiałem. Znam ten typ.

– Fanatyk.

– Właśnie. Podczas II wojny światowej dla żołnie-rzy japońskich wziętych do niewoli odgryzanie języka było alternatywą dla harakiri.

– Przykro mi, Juan. Po statku krąży plotka, że mogła znać jeszcze jakieś ważne informacje.

– Znała – powiedział. – I wydaje mi się, że Geof-frey Merrick też je zna. Musisz spróbować go obudzić.

– Zapomnij o tym. Wciąż ma zbyt niskie ciśnienie. Nie sprawdziłam jeszcze rany pod kątem odłamków, do-piero co udało mi się opanować zakażenie. Śpiączka nie jest już tak głęboka, ale jeszcze nie czas, by go wybudzić.

– Julio, nie mam innego wyboru. Singer zaplano-wał atak właśnie na dzisiaj rano, ponieważ zamierza też coś innego. Porwał Merricka, gdyż chciał, by on także zobaczył, co to jest. Przesłuchując Susan, Lin-da dowiedziała się, że Singer kilka godzin przebywał w Diabelskiej Oazie i rozmawiał z Merrickiem. Założę się, że wtedy o wszystkim mu powiedział.

– Chcesz postawić na szali jego życie?

– Tak – odparł bez zastanowienia. – Cokolwiek planuje Singer, zamierza wykorzystać do tego huragan. Myślę, że wynalazł sposób, by w jakimś sensie nim sterować. Muszę ci wyjaśniać, co to oznacza? Wzięłaś przecież wolne, by móc ochotniczo pomagać w Nowym Orleanie po przejściu Katriny.

– Urodziłam się tam.

– Możemy zapobiec temu, chyba nie chcesz, by inne miasta spotkał taki sam los. Julio, masz pełną autonomię w zakresie działań medycznych, ale tylko dlatego, że ja tak powiedziałem. Jeśli chcesz, bym wydał ci rozkaz, zrobię to.

Wahała się przez chwilę, zanim podjęła decyzję:

– W porządku.

Juan wiedział, że powinien poprosić Lindę o przeprowadzenie przesłuchania, gdyż to jej specjalność, ale nie wyciągał przecież informacji od opornego jeńca, a jedynie miał porozmawiać z na wpół przytomną ofiarą.

– Chodźmy.

Huxley wzięła trochę sprzętu medycznego i poprowadziła Juana do sali pooperacyjnej. Wcześniej Geoffrey Merrick przebywał w pokoju sam, teraz dzielił go z trzema rannymi Afrykanami. Spaloną słońcem twarz miał pokrytą specjalnym żelem, by przyspieszyć proces gojenia, ale pod tą powłoką Juan dostrzegał kredową bladość. Po sprawdzeniu oznak życia Julia wstrzyknęła środki pobudzające do kroplówki.

Merrick powoli dochodził do siebie. Oczy pozostawały zamknięte, a jedyną oznaką życia był język, przesuwał nim po wyschniętych wargach. Julia lekko zwilżyła mu usta. Zamrugał i otworzył oczy. Popatrzył na Julię, potem na Juana, po czym znów skierował wzrok na lekarkę. Był zdezorientowany.

– Doktorze Merrick, nazywam się Juan Cabrillo. Jest pan bezpieczny. Został pan odbity z rąk ludzi, którzy pana porwali. Obecnie przebywa pan na oddziale medycznym mojego statku.

Zanim Merrick odpowiedział, Julia zapytała:

– Jak się pan czuje?

– Chce mi się pić – wycharczał.

Wzięła szklankę z wodą i przez słomkę pozwoliła mu się napić. Pociągnął chciwie kilka łyków.

– Jak pana klatka piersiowa?

358

Przez chwilę zastanawiał się nad odpowiedzią.

– Zdrętwiała.

– Został pan postrzelony – powiedział Juan.

– Nie pamiętam.

– Susan Donleavy postrzeliła pana podczas akcji ratunkowej.

– Jej nie porwali – powiedział Merrick. Powoli wracała mu krucha pamięć. – Myślałem, że ją torturowali, ale wszystko było upozorowane.

– Kiedy pana przetrzymywano w więzieniu, pewnego dnia pojawił się tam Daniel Singer. Pamięta to pan?

– Chyba tak.

– Rozmawialiście ze sobą.

– Gdzie teraz jest Susan?

– Zabiła się, doktorze – odparł Juan. Merrick spojrzał na niego. – Zrobiła to, byśmy nie dowiedzieli się, co planuje Singer.

– Platformy wiertnicze. – Głos Merricka przechodził w szept, podczas gdy jego ciało walczyło z lekami, by wrócić do stanu nieprzytomności.

– Zgadza się. Zaplanował atak na platformy wiertnicze u wybrzeży Angoli w celu spowodowania wielkiego wycieku ropy. Co jeszcze planował? Powiedział panu?

– Musicie go powstrzymać. Ropa jest wyjątkowa toksyczna. – Jego ostatnie słowa były niewyraźne.

– Powstrzymaliśmy. Atak na platformy nie powiódł się. Plama ropy zostanie opanowana.

– Statek. – Merrick powoli zapadał w sen.

– Przy terminalu stał tankowiec, ale nie został zaatakowany.

– Nie. Singer ma statek.

– Do czego go wykorzystuje?

– To odkrycie Susan. Pokazała Singerowi. Myślałem, że to tylko test, ale ona zdążyła już dopracować to do perfekcji – powiedział Merrick, zamykając oczy.

– Co takiego dopracowała do perfekcji, Geoff? Co Susan udoskonaliła? Doktorze Merrick?

– Organiczny żel, który zmienia wodę w budyń.

359

– Po co? – Juan obawiał się, że za chwilę Merrick straci przytomność. – Do czego to ma być wykorzystane?

Przez prawie dwadzieścia sekund Merrick nie odzywał się.

– Ciepło – wyszeptał w końcu. – Wydziela dużo ciepła.

I to właśnie było to, czego tak uparcie szukał Cabrillo. Huragany potrzebują ciepła i Singer zamierzał im go dostarczyć. Jeśli uwolni to, co przygotowała Susan Donleavy, prawdopodobnie w samym środku tworzącego się huraganu, ciepło wydzielane przez żel uruchomi reakcję pogodową dokładnie o czasie i w miejscu pożądanym przez Singera. Dlatego właśnie wiedział, kiedy powinien zaatakować terminal Petromaxu. Dominujące wiatry zaniosą wyziewy z plamy ropy na północ, dokładnie tam, gdzie Singer sprowokuje powstanie huraganu.

Juan wiedział, że wody w pobliżu zachodniego brzegu Afryki to najlepsze miejscem, w którym Singer powinien wyrzucić do morza swój żel, ale teren ten był bardzo rozległy, a czasu na prowadzenie dokładnych poszukiwań brakowało. Musiał w przybliżeniu określić współrzędne, gdzie należy go szukać.

– Jakim statkiem płynie Singer? – Wiedział, że najpewniej będzie to tankowiec, ale nie chciał swoimi podejrzeniami naprowadzać na wpół przytomnego mężczyzny.

Merrick nie odzywał się. Oczy miał zamknięte, a usta lekko rozchylone. Julia wpatrywała się w monitor, a z wyrazu jej twarzy Juan wyczytał, że nie podobało jej się to, co widzi.

Potrząsnął Merricka za ramię.

– Geoff, jaki to statek?

– Juan – powiedziała Julia ostrzegawczym tonem.

Głowa Merricka przekręciła się w stronę Juana, ale jego oczy pozostały zamknięte.

– Tankowiec. Kupił tankowiec.

Monitor zaczął piszczeć, ponieważ tętno Merricka gwałtownie spadło. Julia pchnęła Juana, krzycząc:

– Tracimy go! Dawaj nosze! – Odrzuciła kołdrę przykrywającą Merricka, a jeden z jej ludzi wbiegł do pokoju z defibrylatorem.

Nagle Merrick otworzył oczy. Widać w nich było ból. Wyciągnął dłoń i złapał Juana za rękę. Poruszył ustami, a ruch warg jakby układał się w trzy słowa, ale nie miał siły, by wypowiedzieć je głośno.

Alarm przerywany przeszedł w ciągły sygnał.

– Gotowe. – Julia przyłożyła końcówki defibrylatora do klatki piersiowej Merricka. Juan cofnął dłoń i Julia mogła uruchomić impuls elektryczny, który miał przywrócić akcję serca. Merrick drgnął. Monitor pokazał jedno uderzenie, po czym wrócił do linii prostej.

– Epi! – Sanitariusz podał jej strzykawkę z adrenaliną. Igła sprawiała wrażenie nieprawdopodobnie długiej. Znalazła miejsce pomiędzy żebrami Merricka i wstrzyknęła adrenalinę prosto w serce. – Zwiększyć do dwustu dżuli.

– Ładuje, ładuje, ładuje – mówił jej podwładny, obserwując aparaturę. – Idzie.

Ponownie przystawiła końcówki do klatki piersiowej Merricka, a przy wstrząsie jego ciało prawie spadło z łóżka. Linia na monitorze ponownie drgnęła.

– No dalej, dalej – zachęcała go Julia. Po chwili akcja serca wróciła. Początkowo dość nieregularnie, ale zaczęła się stabilizować. – Dajcie tu wentylator – powiedziała, a potem spojrzała na Cabrillo. – Warto było?

Popatrzył jej w oczy.

– Dowiemy się, gdy odnajdziemy statek o nazwie „Gulf of Sidra".

Rozdział 30

„Oregon" płynął na północ. Pogoda pogarszała się, musieli więc zadbać o zachowanie równowagi, by nie narażać rannych na kolejne obrażenia spowodowane gwałtownymi przechyłami statku. Julia skorzystała z doświadczeń dziewiętnastowiecznych medyków i najciężej rannych umieściła w hamakach, dzięki czemu kołysali się równo ze statkiem i byli chronieni na wypadek większej fali. Nie opuściła też Merricka na dłużej niż dwadzieścia minut od chwili, gdy przywróciła akcję serca.

Znając już nazwę statku, Murphy i Eric w pół godziny ustalili, że tankowiec „Gulf of Sidra" od miesiąca kotwiczył u wybrzeży Mauretanii, jednak wczoraj wypłynął w morze. Statek, kiedyś własność libijskiego przedsiębiorstwa państwowego, niedawno został sprzedany nowo utworzonej firmie CroonerCo, zarejestrowanej w Liberii.

Mając te informacje, mogli w przybliżeniu określić obszar, w którym powinien się znajdować. Obszar, gdzie wkrótce znajdzie się tropikalny niż, formujący się dziewięćset kilometrów od wybrzeży Afryki. Musieli jak najszybciej znaleźć się w tym rejonie.

Chcąc jeszcze bardziej zawęzić teren poszukiwań, Juan skontaktował się z Langiem Overholtem, by ten skorzystał z amerykańskich rządowych satelitów szpiegowskich i określił dokładne współrzędne. Teraz, gdy już wszyscy wiedzieli, o co toczy się gra, Overholt przedstawił ustalenia Cabrilla dyrektorowi CIA. Chwilę później szczegóły poznał również prezydent i niemal natychmiast wydano rozkazy Straży Przybrzeżnej, Marynarce Wojennej, a także Narodowej Agencji Morskiej i Podwodnej oraz krajowym służbom meteorologicznym, zajmującym się śledzeniem huraganów. Do akcji włączono również krążownik wracający z patrolu na Morzu Czerwonym oraz niszczyciel, który składał właśnie wizytę w porcie w Algierze. W odległości dwudziestu godzin od krytycznego rejonu znajdowały się także dwie atomowe łodzie podwodne.

O sytuacji powiadomiono rząd brytyjski – zaproponowali wysłanie dwóch okrętów z Gibraltaru i jednego z Portsmouth. Dotarłyby do celu wprawdzie kilka dni po okrętach amerykańskich, ale chęć pomocy została doceniona.

Juan jednak wiedział, że chociaż tyle okrętów poszukuje tankowca, „Oregon" pierwszy dotrze do centrum burzy i to na jego barki spadnie obowiązek powstrzymania Daniela Singera.

Sloane Macintyre przemykała korytarzem, niosąc tacę z kolacją, którą osobiście przyrządził Maurice. Ramię wciąż miała na temblaku i szła dość nieporadnie. W pewnej chwili nawet wsparła się ramieniem o ścianę, by zachować równowagę. Była już prawie dwudziesta trzecia, po drodze nie spotkała nikogo. Doszła do drzwi i delikatnie zapukała w nie stopą. Nikt się nie odzywał, więc postanowiła zapukać mocniej, ale i tym razem nikt nie odpowiedział.

Postawiła tacę na wyłożonej dywanem podłodze i otworzyła drzwi. Wewnątrz paliło się słabe światło.

– Juan – zawołała cicho i podniosła tacę. – Nie było cię na kolacji, więc poprosiłam Maurice'a, by coś ci przygotował.

Weszła do środka, nie czując się jeszcze jak intruz. Lampa rzucała światło na połowę biurka. Drugą połowę oświetlał blady blask komputerowego monitora. Krzesło było odsunięte, jakby Juan właśnie wstał, ale nie zobaczyła go ani przy szafce z dokumentami, ani przy zabytkowym sejfie, ani na sofie pod przyciemnionym iluminatorem.

Postawiła tacę na biurku i ponownie zawołała go, zbliżając się do drzwi ciemnej sypialni. Leżał z twarzą w poduszce i zanim Sloane zobaczyła go całego, wycofała się, przekonana, że jest nagi. Gdy zawstydzona spojrzała jeszcze raz, zorientowała się, że miał na sobie bokserki w cielistym kolorze, a nad nimi widniał biały pasek bladej skóry. Przez chwilę obawiała się, że nie oddycha, ale zauważyła, że jego klatka piersiowa uniosła się niczym miech.

Po raz pierwszy ośmieliła się patrzeć na jego kikut. Skóra była czerwona, pomarszczona i wyglądała na otartą, niewątpliwie efekt jakiejś walki. Mięśnie ud miał wyraźnie zarysowane, wyrobione i nawet kiedy spał, nie wyglądały na rozluźnione. Żaden mięsień nie wyglądał na rozluźniony. Całe ciało wydawało się napięte. Wstrzymała oddech i słuchała, jak przez sen zgrzyta zębami.

Plecy były mozaiką starych blizn i świeżych ran. Dostrzegła sześć jednakowych śladów. Miała nadzieję, że to ślady chirurgicznej interwencji, a nie rany od noża, gdyż zaczynały się nad nerką, a kończyły gdzieś pod spodenkami.

Gdy składała rzucone niedbale na podłogę ubranie, zastanawiała się, kto inny zapłaciłby tak wysoką cenę, by robić to, co on robi. Mimo że ledwo przekroczył czterdziestkę, swoimi bliznami mógłby obdzielić co najmniej dwóch ludzi. Jakaś nieznana siła nieustannie pchała go w niebezpieczne sytuacje.

Nie miało to nic wspólnego z manią samobójczą – na pewno. Słuchając jego przekomarzań z Maxem, mogła wywnioskować, że Juan Cabrillo kocha życie jak mało kto. I może o to chodziło. Za punkt honoru postawił sobie, by inni mieli możliwość cieszenia się życiem w takim samym stopniu jak on. Uczynił siebie obrońcą, nawet jeśli ci, o których się troszczył, nigdy nie mieli dowiedzieć się o jego działaniach. Wróciła w myślach do rozmowy, podczas której zapytała go, kim mógłby być, jeśli nie kapitanem „Oregona". Odpowiedział, że ratownikiem medycznym; nieść ludziom pomoc anonimowo, nie dbając o zaszczyty.

Nagle z kieszeni jego spodni wypadł portfel.

Popatrzyła na Juana. Nawet nie drgnął. Poczuła się winna, ale nie tak bardzo, by powstrzymać ciekawość. Otworzyła portfel. Tylko pieniądze w różnych walutach. Żadnych kart kredytowych, żadnych wizytówek, nic, co pozwoliłoby go jakoś zidentyfikować. Powinna była się domyślić. Nie nosiłby ze sobą niczego, co mogłoby powiązać go ze statkiem lub dać wrogom informacje, kim naprawdę jest.

Rozejrzała się po pokoju. Cichutko podeszła do biurka, cały czas zerkając na Juana. Otworzyła środkową szufladę. Właśnie tu Juan chował siebie. Znalazła wykonaną ze złota i onyksu zapalniczkę Dunhilla i zdobioną obcinaczkę do cygar. Wzięła do ręki amerykański paszport i zobaczyła, że prawie każda strona jest opieczętowana. Wolała go z krótkimi włosami, takimi jakie miał teraz, niż z dłuższymi jak na zdjęciu sprzed sześciu lat. Natrafiła jeszcze na dwa inne amerykańskie paszporty. Jeden ze zdjęciem flejtucha o nazwisku Jeddediah Smith i chwilę zajęło jej rozpoznanie Juana w przebraniu. Były też paszporty z innych krajów wystawione na inne nazwiska oraz odpowiadające im karty kredytowe, a także licencje kapitana statku wystawione zarówno na Juana, jak i na Smitha. Znalazła też złoty kieszonkowy zegarek z wygrawerowaną dedykacją dla Hectora Cabrilla od Rosy. Domyślała się, że należał do jego dziadka. Pośród różnych bibelotów były też listy od jego rodziców, stary identyfikator z CIA, mały, zabytkowy pistolet, szkło powiększające w oprawie z kości słoniowej i zardzewiały scyzoryk Cub Scout.

W głębi szuflady znajdowało się inkrustowane tureckie pudełko, wewnątrz znalazła coś, czego nigdy by się nie spodziewała – złotą obrączkę ślubną. Zwyczajna, prosta obrączka, mało porysowana, chyba bardzo krótko ją nosił. Zastanawiała się, jak głupia musiała być kobieta, która pozwoliła Juanowi odejść. Taki mężczyzna zdarzał się raz na milion i jeśli miało się szczęście go spotkać, powinno się zrobić wszystko, by związek utrzymać. Przyjrzała się uważnie i zauważyła jeszcze kawałek papieru wciśnięty tak, że pokrywał cały spód pudełka.

Zanim sięgnęła, przez chwilę walczyła z pokusą szpiegowania, ciekawością i obserwowaniem śpiącego Juana. Był to policyjny raport wypadku samochodowego w Falls Church w Wirginii, w którym zginęła Amy Cabrillo. Łzy napłynęły do oczu Sloane. Czytając suchy, policyjny raport, dowiedziała się, że stężenie alkoholu we krwi żony Juana prawie trzykrotnie przekraczało dopuszczalną normę.

Cóż, mężczyzna taki jak Juan mógł ożenić się tylko raz. Z kobietą, co do której był pewien, że będzie mógł się z nią zestarzeć. A ta kobieta zawiodła go. Sloane nienawidziła jej. Otarła policzek i ostrożnie włożyła wszystko na miejsce, podniosła tacę i wyszła.

Gdy zamknęła drzwi, zza rogu korytarza wyszła Linda Ross.

– Cześć – powiedziała szybko Sloane, by ukryć zakłopotanie. – Nie widziałam Juana na kolacji, więc przyniosłam mu trochę jedzenia. Śpi.

– To dlatego płaczesz?

– Ja… – Nie potrafiła powiedzieć nic więcej.

Linda uśmiechnęła się ciepło.

– Nie martw się. To będzie nasz sekret. Juan jest chyba najlepszym mężczyzną, jakiego kiedykolwiek spotkałam.

– Czy ty i on…

– Przyznaję, facet przystojny jak diabli i choć przyszło mi to do głowy, gdy po raz pierwszy weszłam na pokład, to jednak między nami do niczego nie doszło i nigdy nie dojdzie. Jest moim dowódcą i przyjacielem i obie funkcje są zbyt istotne, by psuć to wszystko głupim romansem.

– To mężczyzna, który może żyć tylko z jedną kobietą.

– Wiesz o Amy?

– Szperałam tu i ówdzie i znalazłam policyjny raport.

– Nie mów Juanowi, że to widziałaś. Myśli, iż nikt z załogi nie wie, że jest wdowcem. Max popełnił błąd i powiedział o tym kiedyś Maurice'owi, a ten, cóż, plotkuje jak stara baba. Ale tak. To prawdopodobnie byłaby tylko krótka przygoda. Nie dlatego jednak, że jest w żałobie po stracie Amy. Ma inną miłość, z którą nie może konkurować żadna kobieta.

– „Oregon".

Linda skinęła głową.

– Przemyśl więc dokładnie, co chcesz zrobić, zanim na cokolwiek się zdecydujesz.

– Dzięki.

Po chwili drzwi do kabiny Juana otworzyły się i Cabrillo wyjrzał na korytarz. Odgłos otwieranej szuflady biurka zbudził go, ale udawał, że śpi, by nie spłoszyć Sloane. Będzie musiał porozmawiać z Maxem o jego niezdolności do zachowywania sekretów, podobnie zresztą i z Maurice'em. Zamknął drzwi, rozmyślając, że to, co usłyszał, sprawi, iż decyzja, którą rozważał, będzie trudniejsza do podjęcia.

Juan był w kabinie dla gości i rozmawiał z Mosesem Ndebele. Jego ludzie leżeli na łóżkach obezwładnieni chorobą morską. Przypadł mu do gustu intelekt Ndebele, a także jego zdolność do przebaczania, zważywszy, czego doświadczył od rządu swojego kraju. W przeciwieństwie do ludzi, którzy zyskując władzę, robią wszystko z myślą tylko o własnych korzyściach, Moses Ndebele naprawdę chciał dla Zimbabwe tego, co najlepsze. Mówił o reformach ekonomicznych, o przywróceniu zdolności produkcyjnych świetnie niegdyś funkcjonującemu przemysłowi rolniczemu. Mówił o władzy dzielonej pomiędzy plemionami, a także o ukróceniu nepotyzmu, który niszczył wiele afrykańskich krajów.

A najbardziej zależało mu na tym, żeby obywatele Zimbabwe nie obawiali się już swojego rządu.

Cabrillo upewnił się, że jego umowa z Mosesem to dobre posunięcie. Mieli szansę odtworzenia tego, co kiedyś było światłem środkowej Afryki i obiektem zazdrości innych krajów. Teraz wystarczyło tylko znaleźć łódź, która od stu lat spoczywała na dnie morza, gdzieś na obszarze obejmującym mniej więcej tysiąc sześćset kilometrów kwadratowych.

Poczuł, jak okręt nagle zmienił kierunek. Ocenił, że o jakieś piętnaście stopni, i już wstawał, gdy zadzwonił telefon.

– Ktoś go znalazł. – Max przekazał mu wiadomość, na którą wszyscy czekali od trzydziestu godzin. Przeprosił Mosesa i wyszedł.

– Został zlokalizowany przez coś, co nazywa się Mag-Star – mówił Hanley. – Najwyraźniej jest to nowy satelita wojskowy, który może wykryć zniekształcenie, jakiego w polu magnetycznym Ziemi dokonuje wielki, metalowy okręt.

Juan już zetknął się z tą technologią.

– Jak daleko od niego jesteśmy?

– Około dwustu czterdziestu kilometrów. I wyprzedzając twoje kolejne pytanie, wciąż jesteśmy okrętem najbliższym celu.

Obliczając prędkość i odległość, Juan powiedział:

– Czyli spotkamy się o zachodzie słońca, choć od pewnego czasu nie widać tu słońca.

Od świtu „Oregon" płynął pod pokrywą coraz bardziej gęstniejących chmur, a fale uderzające w kadłub statku osiągały wysokość pięciu metrów. Okręt walczył dzielnie z falami. Jednostka była zaprojektowana tak, by mogła radzić sobie z dużo większymi trudnościami przy jeszcze większych prędkościach. Jednak mimo najlepszych chęci doktor Huxley, ranni poważnie cierpieli podczas takiej podróży. Wiatr osiągnął już prędkość trzydziestu węzłów, a podmuchy dochodziły do ośmiu stopni w skali Beauforta. Deszcz jeszcze nie zaczął padać, ale prognoza przewidywała, że nastąpi to w ciągu najbliższych godzin.

– Rozprawienie się z „Gulf of Sidra" w taką pogodę będzie trudne – zauważył Max. – Ciemność jedynie pogorszy sprawę.

– Nie musisz mi o tym mówić – odparł Juan. – Zaraz tam będę.

Chwilę później wszedł do centrum dowodzenia. Zwykli obserwatorzy zostali zastąpieni najlepszymi ludźmi Korporacji. Sterowanie było trudne, gdyż statek kołysał się mocno, i musieli przytrzymywać się ścianki lub kontuaru. Eric Stone siedział już za sterem; Mark Murphy, ubrany w koszulkę z nadrukiem potępiającym zabijanie wielorybów, usadowił się przy pulpicie sterującym bronią, a Hali podłączał się do systemu komunikacyjnego. Linda Ross weszła do pomieszczenia, a Linc i Eddie stanęli pod ścianą. Wszystko ich różniło – poza niezwykle wysokimi kompetencjami.

Gdy tylko Juan usiadł w fotelu, Max opuścił miejsce, z którego obserwował swoje ulubione silniki. Na głównym ekranie widoczny był satelitarny obraz Atlantyku. Chmury zaczynały układać się w znajomy, spiralny wzór formującego się huraganu. Obraz zmieniał się co kilka sekund, by pokazać przemiany zachodzące w burzy podczas ostatnich kilku godzin. Oko właśnie zaczynało się formować.

– No dobrze. Gdzie my jesteśmy, a gdzie jest „Gulf of Sidra"? – zapytał Juan.

Stone wystukał coś na swoim komputerze i na ekranie pojawiły się dwie świecące ikony. „Gulf of Sidra" znajdował się na skraju formującego się oka, a „Oregon" dopływał tam od strony południowego wschodu.

Przez ponad godzinę obserwowali obraz, który na bieżąco był uaktualniany przez Narodowe Biuro Rozpoznania, tajną agencję rządową, nadzorującą prawie wszystkie amerykańskie satelity szpiegowskie. Im bardziej burza przybierała kształt huraganu, tym bliżej oka trzymał się tankowiec Singera.

– Mam dodatkowe informacje od Overholta – powiedział Hali, patrząc na swój komputer. – Mówi, że NBR ma jakieś nowe dane na temat celu. Sprawdzając ich dzienniki pokładowe, byli w stanie odtworzyć kurs na dwie godziny przed tym, zanim ich namierzyli. Eric, przesyłam to do ciebie.

Gdy tylko Eric otrzymał e-mail z drugiego końca pokoju, natychmiast wprowadził nowe współrzędne.

– Już wprowadzam. – Nacisnął „enter".

Ikonka oznaczająca „Sidrę" cofnęła się o kilka centymetrów, po czym zaczęła przesuwać się do przodu. Wyglądało na to, że oko huraganu formuje się raczej wzdłuż jej kursu, a nie że statek płynie wzdłuż brzegów oka.

– Co u diabła? – mruknął Cabrillo.

– Miałem rację! – krzyknął Eric.

– Tak, tak. Jesteś geniuszem – odparł Mark, a potem zwrócił się do Juana. – Zrobiliśmy sobie w kabinie burzę mózgów. Przy okazji włamaliśmy się do głównego komputera firmy Merrick/Singer. Susan Donleavy nie trzymała danych w komputerze. Albo miała własne stanowisko komputerowe, albo ręcznie sporządzała notatki. Wszystko, co znaleźliśmy na temat projektu, to wstępna propozycja, ale nawet to było dość wątłe.

Jej pomysł polegał na stworzeniu organicznego flokulentu.

– Co to takiego?

– Mieszanka, która powoduje, że śmieci i inne ciała stałe znajdujące się w wodzie zbijają się w jedną masę – wyjaśnił Eric. – Jest to wykorzystywane w oczyszczalniach ścieków, by wyodrębnić zanieczyszczenia.

– Chciała znaleźć sposób, by związać organiczny materiał wyodrębniony z morskiej wody tak, by zmienić wodę w żel.

– Po co? – zapytał Max.

– Tego nie powiedziała – odparł Mark. – I prawdopodobnie nikt w komitecie przyznającym granty nie interesował się tym, gdyż dostała zielone światło bez wyjaśnienia celu badań.

Stone kontynuował swój wywód.

– Z twojej rozmowy z Merrickiem wiemy, że jest to reakcja egzotermiczna i, na ile mogę się domyślać, nie jest zrównoważona. Ciepło w końcu zabije żywe organizmy, a żel ponownie wróci do postaci zwykłej morskiej wody.

– Rozumiem – odparł Juan. – Ale nie widzę sensu takiego działania.

– Jeśli Singer utworzy linię flokulentu, to będzie działało, ale tylko przez chwilę. – Mark prychnął pogardliwie, by podkreślić swój punkt widzenia. – Huragan zaabsorbuje trochę ciepła, ale niewystarczająco dużo, by zmieniło to jego kierunek i siłę.

Do rozmowy wtrącił się Eric.

– Moim zdaniem, jeśli rozrzuci to w okręgu, tak jak formuje się huragan, to sam będzie w stanie określić, gdzie i kiedy uformuje się oko i co najważniejsze, jak wielkie ono będzie.

– A im ciaśniejsze oko, tym szybciej wiatr będzie krążyć wokół niego – dodał Max.

– Huragan Andrew, zbliżając się do Miami, miał oko o średnicy dwudziestu kilometrów – powiedział Murphy. – Naturalne procesy wyznaczają dolną granicę średnicy oka. Singer jednak może sprawić, by siła huraganu osiągnęła więcej niż pięć punktów w skali

Saffira–Simpsona. Może również być w stanie kontrolować kierunek huraganu, gdy ten będzie przemieszczać się nad Atlantykiem, i naprowadzić go na dowolne miejsce na wybrzeżu Stanów Zjednoczonych.

Cabrillo z uwagą patrzył na monitor. Wyglądało na to, że „Gulf of Sidra" robi dokładnie to, co przewidzieli Eric i Murphy. Okręt zaczynał właśnie spiralny ruch i po drodze niewątpliwie wyrzucał z siebie ciepło, które wytworzył żel przygotowany przez Susan Donleavy. Dzięki temu burza miała zyskać na sile. Singer chciał sprawić, by oko huraganu było możliwie najciaśniejsze, przez co siła huraganu mogła być większa niż to, co stworzyłaby sama natura.

– Jeśli zamknie to cholerne koło, nie będziemy mogli już nic zrobić – podsumował Eric. – Oko zdoła się uformować i żadna siła na ziemi nie będzie w stanie go powstrzymać.

– Macie jakieś pomysły, gdzie może wysłać ten huragan?

– Gdyby to ode mnie zależało, wysłałbym go ponownie do Nowego Orleanu – powiedział Murphy. – Ale nie wiem, czy ma nad tym aż taką kontrolę. Bezpiecznym wyjściem byłoby skierowanie go nad Florydę, gdzie ciepłe wody przybrzeżne nie zdołają go osłabić. Miami i Jacksonville są najbardziej prawdopodobnymi miastami. Andrew spowodował straty w wysokości dziewięciu miliardów, a był huraganem czwartej kategorii. Wpuść w jakieś miasto huragan szóstego stopnia, a drapacze chmur się poprzewracają.

– Max – odezwał się Juan, nie patrząc w jego stronę. – Jaka prędkość?

– Nieco poniżej trzydziestu pięciu węzłów.

– Sternik, zwiększyć do czterdziestu.

– Pani doktor to się nie spodoba – wtrącił Max.

– Ja już i tak podpadłem, żądając wybudzenia Merricka.

Eric wykonał rozkaz, zwiększając poziom magnetohydrodynamiki. „Oregon" zaczął płynąć jeszcze szybciej, z hukiem przecinając coraz większe fale. Widok z zewnętrznej kamery pokazywał, że dziób, uderzając w falę, prawie w całości chował się pod wodą.

Cabrillo podszedł do konsoli komunikacyjnej i wystukał numer hangaru. Telefon odebrał mechanik i na prośbę Juana zawołał pilota.

– Nie lubię, gdy do mnie dzwonisz – oświadczył Adams na powitanie.

– Dasz radę to zrobić, George?

– To będzie koszmar. Ale myślę, że tak, dopóki nie spadnie deszcz. I nie chcę słyszeć żadnych narzekań, jeśli podczas lądowania uszkodzę podwozie Robinsona.

– Nie powiem ani słowa. Przygotuj się do dziesięciominutowego alarmu i czekaj na mój sygnał.

– Załatwione.

Juan rozłączył się.

– Wepps, w jakim stanie są nasze rybki?

Po obu stronach dzioba „Oregona", poniżej poziomu wody znajdowały się dwie tuby, z których można było wystrzelić rosyjskie torpedy Test-71. Każdy z dwutonowych pocisków naprowadzanych na cel miał zasięg szesnastu kilometrów, maksymalną prędkość czterdziestu węzłów i mieścił w sobie sto pięćdziesiąt kilogramów materiału wybuchowego. Gdy Cabrillo projektował „Oregona", chciał umieścić na nim amerykańskie torpedy MK-48 ADCAP, ale w żaden sposób nie mógł do tego przekonać Langstona. Radzieckie torpedy jednak i tak mogły zatopić wszystko, z wyjątkiem najlepiej uzbrojonych okrętów wojennych.

– Nie masz chyba zamiaru storpedować „Sidry", prawda? – zapytał Mark. – Wtedy cały ładunek żelu zostanie wyrzucony w jednym miejscu. Na tym etapie tak wiele ciepła w jednym miejscu może spowodować dokładnie taki sam efekt, jak ten, gdy statek zrobi całe koło.

– Po prostu rozważam nasze możliwości – odparł Juan.

– No to w porządku. – Mark poprosił o meldunek na temat stanu torped. – Trzy dni temu były wyciągane z tub na rutynową inspekcję. W rybce z tuby jeden wymieniono akumulator. Obie są teraz w pełni naładowane.

– Do czego zmierzasz? – zapytał Juana Max.

– Najprostszym rozwiązaniem jest przerzucenie tam naszych ludzi, opanowanie tankowca i zamknięcie pomp zrzucających żel do oceanu.

– Wiesz, prezesie – powiedział Eric – jeśli odciągniemy go na wystarczającą odległość od oka huraganu i znów zaczniemy zrzucać żel do wody, ciepło może spowodować duże parowanie, przez co powstanie kolejny ośrodek niskiego ciśnienia. To powinno rozerwać burzę i dosłownie ją zlikwidować.

– O Boże! – wykrzyknął niespodziewanie Hali. Stuknął w guzik na panelu i pomieszczenie wypełnił natarczywy głos.

– Powtarzam, mówi Adonis Cassedine, kapitan VLCC „Gulf of Sidra". Sztorm uszkodził nasz kadłub. Nie mamy ze sobą ładunku, więc na morzu nie ma żadnego skażenia, ale jeśli dojdzie do większego uszkodzenia kadłuba, będziemy musieli opuścić okręt – meldował Grek i podał swoje współrzędne. – Ogłaszam alarm. Czy ktoś mnie słyszy? Mayday, mayday, mayday.

– Bez ładunku. Bo w to uwierzę – powiedział Max. – Co mamy zrobić?

Cabrillo siedział nieruchomo, podpierając dłońmi brodę.

– Niech się trochę spocą. Nie przestanie nadawać, nawet jeśli nikt nie będzie mu odpowiadał. Eric, za ile dotrzemy na miejsce?

– Mniej więcej za trzy godziny.

– Przy takim sztormie z pękniętym kadłubem „Sidra" nie wytrzyma tak długo – swierdził Max. – Szczególnie jeśli uszkodzenie obejmuje także kil.

Juan przyznał mu w duchu rację. Musieli coś zrobić, choć możliwości mieli ograniczone. Ale pozwolenie na to, by tankowiec się przełamał, było najgorszą z nich. Odpadała też koncepcja Erica, żeby wykorzystać okręt do rozerwania burzy. Najlepsze, i na to liczył, było pójście statku na dno z możliwie najmniejszą ilością wypompowanego żelu. Torpedy Test-71 załatwiłyby sprawę, ale kadłub mógł też godzinami unosić się na wodzie, zanim ostatecznie zostałby zatopiony, a to znaczyło, że przez kolejne godziny ładunek będzie wyciekać.

Natchnienie przyszło, gdy pomyślał, co spotkało jego i Sloane na „Or Death", gdy łódź została trafiona pociskiem wystrzelonym z jachtu chroniącego generatory. Zatonęła natychmiast, ponieważ dziób został uszkodzony, gdy płynęła z dużą szybkością. Cabrillo nie rozważał niezliczonych zagrożeń dla jego szalonego pomysłu. Od razu przystąpił do działania.

– Linc, Eddie, idźcie do magazynów i przynieście mi sześćdziesiąt metrów hiperthermu, to coś z elektromagnesami na futerałach – powiedział. Materiał wybuchowy przypominający plastik był mieszanką zbudowaną na bazie magnezu, zdolną wytwarzać temperaturę dwóch tysięcy stopni Celsjusza, co było wykorzystywane do operacji ratunkowych i przecinania stali pod wodą. – Spotkajmy się w hangarze. Eddie, ubierz się po drodze. Nie wiem, jakie powitanie zgotują nam na „Sidrze".

– A co ze mną? – zapytał Linc.

– Przykro mi, ale mamy ograniczenia wagowe.

Max położył rękę na ramieniu Juana.

– Oczywiście wymyśliłeś coś przebiegłego i podstępnego. Może nas oświecisz? – Gdy Cabrillo wyjaśnił im swój plan, Hanley pokiwał głową. – Tak jak mówiłem, przebiegły i podstępny.

– A jest jakiś inny sposób?

Rozdział 31

Na twarzy George'a Adamsa malowała się koncentracja, palce mocno zacisnął na sterownikach Robinsona. Wiatr i wściekle kręcący się główny wirnik potrząsały małym helikopterem stojącym na lądowisku, ale nie wzniósł się, dopóki nie przyszła na to pora.

„Oregon" opadł na fali i ściana wody nagle wzniosła się nad pokładem, jej szczyt zakrzywił się i zagroził zatopieniem helikopterowi i jego trzem pasażerom.

– Mów do mnie, Ericu – powiedział, kiedy statek zaczął wznosić się na kolejnej fali.

– Tak trzymaj, kamera jest niemal na samym szczycie. Okej, tak, jest duży przeciek po drugiej stronie. Masz mnóstwo czasu.

W chwili gdy statek podniósł się, Adams dodał więcej mocy Robinsonowi, wiedząc, że kiedy wystartują, „Oregon" raczej opadnie pod nimi, niż wzniesie na ukrytej fali i uderzy w helikopter. Gdy wzbili się w powietrze, frachtowiec gwałtownie opadł. George zanurkował, by przyspieszyć, a potem wzniósł się w nawałnicę, poza zasięg wzbierającego morza. Musiał lecieć z wiatrem, by przed zanurzeniem się w burzę nabrać prędkości i wysokości. Bombardowany przez wiejący pięćdziesiąt węzłów na godzinę wiatr Robinson poruszał się ponad oceanem tylko sześćdziesiąt węzłów na godzinę, niewiele szybciej niż „Oregon", ale Juan chciał dotrzeć do „Gulf of Sidra" tak szybko, jak to możliwe.

Jeśli plan się powiedzie, statek byłby w zasięgu torpedy, zanim on i Eddie zakończyliby zakładanie ładunków burzących hipertherm.

– Szacuję, że lot będzie trwać godzinę i dwadzieścia minut – powiedział George.

– Juan – odezwał się Max przez radio.

– Mów.

– Cassedine wysyła kolejne S.O.S.

– W porządku, odpowiedz tak, jak uzgodniliśmy.

– Jak sobie życzysz. – Max pozostawił kanał otwarty, żeby Cabrillo mógł słyszeć rozmowę. – „Gulf of Sidra", tu statek motorowy „Oregon", kapitan Max Hanley. Usłyszałem wasze wołanie o pomoc i zmierzam w waszym kierunku, ale ciągle jesteśmy dwie godziny drogi od was.

– Dzięki Bogu, „Oregon"!

– Kapitanie Cassedine, proszę opisać waszą sytuację.

– Mamy pęknięcie w śródokręciu od strony bakburty i nabieramy wody. Pompy pracują pełną parą i na razie nie toniemy, ale jeśli rozdarcie się poszerzy, będziemy musieli opuścić statek.

– Czy dziura powiększyła się od chwili powstania?

– Nie. Uderzyła w nas nagła fala i rozdarła pokrywę. Od tego momentu sytuacja jest stabilna.

– Gdybyście skierowali się na wschód, moglibyśmy szybciej do was dotrzeć.

Nie była to prawda, ale jeśli „Gulf of Sidra" odwróciłby się w miarę wypluwania swojej trucizny, zniekształciłoby to nieco oko huraganu. Poza tym był to test na sprawdzenie, kto sprawował kontrolę na statku – jego kapitan czy Daniel Singer.

Przez moment w eterze zapanowała cisza, a kiedy Cassedine ponownie się odezwał, w jego głosie pobrzmiewał strach.

– To niemożliwe, „Oregon". Mój inżynier zgłasza uszkodzenie steru.

– Prawdopodobnie ma pistolet przy głowie – powiedział Juan do Maxa.

Przewidzieli taki scenariusz, więc Max odpowiedział jak gdyby nigdy nic.

– Rozumiem, uszkodzenie steru. W tym wypadku, kapitanie, nie możemy ryzykować kolizji. Skoro jesteśmy oddaleni od was o szesnaście kilometrów, będę prosił o wejście na łodzie ratunkowe.

– Co, a potem rzucicie linę na mój statek i zażądacie go za ratunek?

Juan zachichotał.

– Ten facet stoi w obliczu śmierci, a boi się, że ukradniemy jego statek.

– Kapitanie, „Oregon" to ważący tysiąc ton statek rybacki – skłamał Max gładko. – Nie moglibyśmy holować tankowca nawet po stawie, nie mówiąc już o holowaniu podczas huraganu. Po prostu nie chcę ryzykować, że jakiś opuszczony statek staranuje nas w środku burzy.

– Aha, rozumiem – powiedział wreszcie Cassedine.

– Ilu macie ludzi na pokładzie?

– Trzech oficerów, dwunastu członków załogi i jeden dodatkowy. Razem szesnastu.

Ten dodatkowy to Singer, pomyślał Juan. Niewielu
ludzi, biorąc nawet pod uwagę standardy zautomaty-
zowanych obecnie nowoczesnych tankowców, zwykle
mających nieliczną załogę, ale podejrzewał również, że
była ona wystarczająca dla zamiarów Singera.

– Zrozumiałem – powtórzył Max. – Szesnastu
ludzi. Wywołam was, kiedy będziemy w zasięgu. Wyłączam się.

– Zrozumiałem, kapitanie Hanley. Dam znać natychmiast, jeśli nasza sytuacja się zmieni. Wyłączam
się.

– Nie przyzwyczajaj się zbytnio do tego kapitana Hanleya – powiedział Juan, kiedy tankowiec się
rozłączył.

– Miło brzmi. Więc nie sądzisz, że Singer zejdzie
razem z nimi?

– Trudno powiedzieć. Choć zaskoczyły go kompli-
kacje, może próbować wypełnić swoją misję bez załogi
na pokładzie. Będą musieli zwolnić, żeby zwodować
łodzie, ale jeśli Cassedine pokaże mu, jak odzyskać
szybkość, wtedy bez problemu mógłby dotrzeć do sze-
ściomilowej strefy ciszy.

– Ty byś tak zrobił?

– Gdybym był nim i zaszedł tak daleko... Tak,
myślę, że doprowadziłbym to do końca.

– To znaczy, że po pierwsze Singer jest bardziej
szalony niż szczur w kiblu, a po drugie, uważałbym
na niego, kiedy będziecie kłaść ładunki.

– Będziemy ostrożni.

Godzinę później George wywołał przez radio
„Oregona", by powiadomić, że osiągnęli pierwszy
punkt lotu. Nadszedł czas, żeby oczyścić „Gulf of Sidra" z załogi.

– „Oregon" wzywa kapitana Cassedine'a – powiedział Max przez radio.

– Tu Cassedine, mów „Oregon".

– Znajdujemy się szesnaście kilometrów od was. Jesteście przygotowani do opuszczenia statku?

– Nie chcę się kłócić kapitanie – odpowiedział Cassedine – ale mój radar pokazuje, że jesteście około pięćdziesięciu kilometrów od nas.

– Wierzycie radarowi przy fali wysokości sześciu metrów? – zadrwił Max. – Mój radar was nawet nie pokazuje. Polegam na GPS-ie i według naszych szacunków jesteście szesnaście kilometrów od nas. – Hanley wyrecytował długość i szerokość geograficzną punktu oddalonego szesnaście kilometrów na wschód od „Gulf of Sidra". – To nasza obecna lokalizacja.

– A, tak. Widzę, że jesteście dokładnie w takiej odległości.

– Możemy podejść bliżej, jeśli zreperowaliście ster.

– Nie, nie zreperowaliśmy, ale dodatkowy członek załogi zgodził się zostać na pokładzie, żeby nad tym popracować.

– I zostawicie go? – Max grał rolę zmartwionego marynarza.

– Jest właścicielem statku i zna ryzyko – powiedział Cassedine.

– Zrozumiałem – odpowiedział Max z udawanym niepokojem. – Kiedy zwodujecie łódź i zejdziecie z tankowca, obierzcie kurs pod kątem dwustu siedemdziesięciu stopni i nadajcie sygnał z radiopławu na częstotliwości alarmowej, żebyśmy mogli na was trafić.

– Kurs dwieście siedemdziesiąt stopni i sygnał na częstotliwości stu dwudziestu jeden i pół megaherca. Wodujemy za kilka minut.

– Powodzenia kapitanie, Bóg z panem – odparł Max poważnie.

Nawet jeśli Cassedine i jego załoga świadomie pomagali Singerowi, sam jako żeglarz rozumiał niebezpieczeństwo wejścia na łódź ratunkową przy takim stanie morza.

Piętnaście minut później Hali Kassim ustawił pasmo sto dwadzieścia jeden i pół megaherca w centrum szybkiego reagowania, żeby każdy mógł usłyszeć z głośników wysoki, kierunkowy dźwięk.

– Masz to Juan?

– Tak, słyszę to. Zmierzamy w tym kierunku.

Lecąc na wysokości piętnastu tysięcy metrów, przedarli się przez chmury jakieś półtora kilometra od supertankowca. O dziewięćdziesiąt ton cięższy niż „Oregon", sunął po falach płynniej, czasem tylko rozpryskując wodę o tępy dziób. Mogli jedynie dostrzec małą, żółtą drobinkę oddalającą się od olbrzymiej, czerwonej platformy. To była jego łódź ratunkowa, a Cassedine, tak jak mu powiedziano, zmierzał na zachód, oddalając się od „Oregona", więc nie mógł w niczym przeszkodzić. Widzieli również, że tankowiec nabiera pary po tym, kiedy zwolnił, by spuścić łódź ratunkową.

– Sprawdź to – powiedział George, pokazując palcem.

W pobliżu burty „Gulf of Sidra", z jego boku około półtora metra poniżej relingu, łukiem wydobywał się silny strumień jakiejś cieczy. Doszło do wycieku z urządzenia pobierającego wodę morską, systemu rur i pomp, które zasysały albo pozwalały się pozbyć nadmiaru wody.

Ale to nie wyciekała woda. Ciecz tryskająca z dziury o średnicy dziewięćdziesięciu centymetrów była gęsta i lepka jak olej, który zanieczyścił zatokę w pobliżu terminalu Petromaxu w Angoli. Tyle tylko, że ta była przezroczysta i zdawała się rozprzestrzeniać po oceanie szybciej, niż wskazywałaby na to praca pompy.

– Rozrasta się sama z siebie – odezwał się Eddie z tylnego siedzenia. Obok niego leżały zwoje ładunków hiperthermu. – Elementy organiczne w żelu zanieczyszczają otaczającą wodę i zamieniają ją w glut.

Okrążyli supertankowiec, by spojrzeć na uszkodzenia od strony bakburty. Dostrzegli wielkie rozdarcie w kadłubie, ciągnące się od linii wody aż do poręczy. Ponieważ kadłub kołysał się razem z falami, rozdarcie otwierało się i zamykało jak pionowe usta. Morze wokół otworu pokrywał rozrastający się kożuch grubego, żelatynowego puchu.

– Gdzie mam cię spuścić? – zapytał George.

– Jak najbliżej wycieku – powiedział Juan.

– Nie chcę ryzykować opryskania, więc będę musiał pozostać w odległości przynajmniej trzystu metrów.

– Nie będziemy mieć czasu, by zapolować na Singera, dlatego kiedy po nas wrócisz, dopilnuj, by stało się to szybko.

– Zaufaj mi, prezesie, nie chcę się ociągać przy tym wietrze ani sekundy dłużej niż to konieczne.

Podchodząc do tankowca z wysokości trzystu metrów, Adams obrócił ich pod wiatr. Niespokojne morze zdawało się pulsować tuż pod płozami. Przelecieli nad relingiem. George całkowicie panował nad małym helikopterem, mimo wiatru utrzymując jego stabilność, i dawał popis lotniczych umiejętności podczas zmniejszania wysokości. Utrzymywał się sześć metrów ponad pokładem, gdy statek wznosił się na najwyższych falach.

– Eddie, skacz.

Eddie Seng otworzył drzwi, walcząc o ich utrzymanie jedną stopą, podczas gdy drugą wypychał ładunek. Materiały wybuchowe upadły na pokład jak splątane gniazdo węży. Kiedy ostatni zniknął ponad progiem, Eddie wyprostował się, a wiatr zatrzasnął drzwi.

– Teraz najtrudniejsza część – zamruczał George, patrząc na horyzont, oceniając fale i częstotliwość podmuchów. Kilka kropel deszczu zabębniło w przednią szybę. Nie pozwolił jednak temu złowieszczemu zdarzeniu zakłócić koncentracji.

Juan i Eddie czekali z rękoma na klamkach i pistoletami maszynowymi przewieszonymi przez plecy.

Piana przetoczyła się przez całą szerokość dzioba, kiedy statek natrafił na kolejną monstrualna falę; gdy wzniósł się na niej, George zaczął opuszczać Robinsona. Ocenił odległość perfekcyjnie. Pokład był nie więcej niż półtora metra od płóz helikoptera, kiedy statek znów zaczął opadać.

– Do zobaczenia, chłopcy.

Cabrillo i Seng otworzyli drzwi i skoczyli bez wahania, pozwalając Adamsowi wznieść się, zanim statek zderzył się z kolejną falą.

Juan uderzył w pokład i przetoczył się, zdumiony, że metal był tak gorący. Z trudem mógł wytrzymać temperaturę nawet przez grubą tkaninę munduru, więc poderwał się szybko na nogi. Wiedział, że ciepło przeniknie przez gumowe podeszwy butów w ciągu paru minut. Nie martwił się protezą, nigdy jej nie czuł, ale druga stopa i stopy Eddiego były zagrożone poparzeniami, jeśli zadanie zajęłoby zbyt wiele czasu.

– Zaraz się rozpuści – odezwał się Eddie, jakby czytając w jego myślach.

– Fale uderzające w dziób powinny go trochę schłodzić – powiedział Juan, kiedy dotarli do stosu materiałów wybuchowych. Pomachał do George'a, unoszącego się tysiąc pięćset metrów nad nimi. Adams obserwował ich na wypadek, gdyby pojawił się Singer.

Z powodu bezwładu „Gulf of Sidra" Juan ocenił, że zmiana kursu statku albo danie na wsteczny nie przyniosłoby oczekiwanego efektu. Najlepszym sposobem na powstrzymanie Singera było rozlokowanie hiperthermu tak szybko, jak to możliwe.

Tnące metal ładunki wybuchowe miały długość sześciu metrów, a na końcach przewodzące elektryczność klipsy, żeby poszczególne sekcje można było połączyć w jeden ładunek. Detonator i bateria mogły być umieszczone pomiędzy dwoma dowolnymi segmentami, ale w celu uzyskania pożądanego rezultatu należało je ulokować jak najbliżej środka.

Juan podniósł zwoje hiperthermu na ramiona i ugięły się pod nim kolana. Kiedy skończył, lewą skarpetkę miał przesiąkniętą potem.

– Gotowy? – upewnił się.

– Ruszajmy.

Chwiejąc się, szli w stronę dzioba i ciągnęli za sobą rzędy szarych ładunków. Wiatr i ruchy statku sprawiły, że zataczali się jak pijani, ale nie rezygnowali. Kiedy wreszcie doszli do obszaru zmoczonego wodą, zobaczyli kłęby unoszącej się z pokładu pary.

To przypomniało Juanowi pobyt w gorących źródłach Yellowstone, kiedy był dzieciakiem. Dziewięć metrów od dzioba zrzucił z pleców ciężar. Na tyle blisko, na ile mogli podejść, nie ryzykując zmycia z pokładu przez uderzenie fali.

– Jak to wygląda, George? – wydyszał.

– Obleciałem mostek, ale nie zobaczyłem nikogo. Pokłady są pełne rur i rozgałęzień. Nigdzie nie widzę Singera.

– A co u ciebie, Max?

– Jesteśmy w zasięgu torped i czekamy na twój znak.

– W porządku.

To, co Juan uznał za rozbryzg fali uderzającej o przód statku, okazało się początkiem ulewnego deszczu. Osłabł po kilku sekundach, ale nie ustał. Mieli do wykonania dwa zadania: uniemożliwienie statkowi wykonania zwrotu oraz położenie ładunków i powrót na „Oregona", zanim deszcz uniemożliwi latanie. Mógł tylko żywić nadzieję, że będą mieć więcej szczęścia, wykonując to pierwsze.

Eddie rozkładał ładunki w poprzek statku, wzdłuż łączeń, gdzie zespawano dwie części kadłuba. Juan zajmował się detonatorem, testując go kilkakrotnie pilotem, który nosił w kieszeni, zanim zostawił go z pierwszą częścią hiperthermu. Potrzeba było sześciu sześciometrowych sekcji, żeby objąć tankowiec na całej szerokości. Każda z nich zawierała baterię, która po aktywacji generowała pole magnetyczne przytrzymujące ładunek na stalowym pokładzie i niepozwalające mu na przemieszczanie się wraz z ruchem statku.

Eddie i Juan musieli pracować razem nad opuszczeniem ładunków po obu stronach statku tak, żeby końcówki dyndały w wodzie. I znów elektromagnesy przycisnęły je do kadłuba wzdłuż jednego z zespawanych łączeń. Kiedy skończyli, mieli przed sobą rząd materiałów wybuchowych, które pokrywały każdy centymetr statku powyżej linii wody. To, co pozostało, ułożyli w stercie na pokładzie.

Kiedy tylko Eddie wykonał ostatnie połączenie, Juan wywołał przez radio George'a, by ich wciągnął. Deszcz padał coraz mocniej, bliskie, poziome tafle cięły widoczność tak, że oddalone mgliste kształty wyglądały jak zjawy. Kiedy Adams przygotowywał się do najbardziej skomplikowanego podejścia, jakie kiedykolwiek wykonywał, Cabrillo wywołał Hanleya.

– Max, ładunki zostały założone. Możesz odpalać torpedy. Powinniśmy się stąd wydostać do czasu, kiedy się pojawią.

– Zrozumiałem – odpowiedział Max.

W centrum szybkiego reagowania Mark Murphy otworzył zewnętrzne drzwi torpedowe i włączył program sterowania w swoim komputerze. Na ekranie pojawiły się trójwymiarowa siatka prezentująca faktyczny obraz stworzony na podstawie obrazu z radaru i hydrolokatory. Wyraźnie widział „Gulf of Sidra", który płynął siedem kilometrów od „Oregona".

– Wepps, na mój znak odpal pierwszą torpedę – wydał rozkaz Max. – Cel! Pal!

Otoczona bąbelkami skompresowanego powietrza, sześciometrowa torpeda została wystrzelona z silosu i umieszczona blisko dwadzieścia metrów od macierzystego statku, zanim srebrowo-cynkowe baterie włączyły napęd elektryczny. Tylko kilka sekund zabrało torpedzie T-71 nabranie operacyjnej szybkości czterdziestu knotów.

Na ekranie mógł obserwować broń zmierzającą w kierunku tankowca. Małe niteczki pokazywały podążające jej śladem kable przewodzące. Teraz pozwolił rybce płynąć wolno, ale miał drążek sterowy, gdyby zaistniała potrzeba pokierowania torpedą.

– Odpal drugą.

Murphy wypuścił drugą torpedę. Dźwięk jej odpalenia przeszedł przez statek jak głuchy kaszel. Po chwili zameldował:

– Obydwie torpedy odpalone i zmierzają we właściwym kierunku.

– Juan – zawołał Max – para rybek jest w drodze, nadszedł czas, by się ewakuować!

– Pracuję nad tym – odpowiedział Cabrillo.

Patrzył w górę. George coraz bardziej obniżał Robinsona. To była już trzecia próba posadzenia helikoptera na pokładzie. Wyjący wiatr przerwał dwie pierwsze piętnaście metrów nad pokładem. Podmuch uderzył w helikopter i George natychmiast wyrównał, ustawiając go bokiem, żeby dotrzymać kroku prędkości „Gulf of Sidra", wynoszącej siedemnaście knotów.

– No, dawaj. – Eddie przebierał nogami, żeby uchronić podeszwy przed usmażeniem. – Przecież to potrafisz.

Robinson ciągle zniżał się, wirnik rozrzucał deszcz. Za przednią szybą mogli dostrzec Adamsa. Na jego twarzy gwiazdora filmowego widać było pełną napięcia koncentrację. Ślizgi unosiły się trzy metry ponad pokładem i kiedy „Sidra" wzniosła się na kolejnej fali, odległość zmniejszyła się. Eddie i Juan zajęli pozycje umożliwiające im otwarcie tylnych drzwi helikoptera i wskoczenie do środka tak szybko, jak to możliwe.

Adamsowi, czekającemu, aż tankowiec wzniesie się na sam szczyt fali, udało się utrzymać helikopter dokładnie w tej samej pozycji przez blisko piętnaście sekund. Kiedy statek znów zaczął opadać, pozwolił Robinsonowi zejść kilka dalszych centymetrów. Cabrillo i Seng otworzyli drzwi i wskoczyli do środka w chwili, gdy helikopter odbił się z powrotem w powietrze. Adams szybko zakręcił zawory i oddalili się od supertankowca.

– To był fantastyczny lot. – Juan usadowił się wygodnie i zapiął pas bezpieczeństwa.

– Nie gratulujcie mi jeszcze. Ciągle jeszcze muszę wylądować na „Oregonie" – odparł Adams. Potem uśmiechnął się. – Ale to było rzeczywiście cholernie subtelne, jeśli mogę sam siebie ocenić. Och, po prostu, wiecie, to rozdarcie w środkowej części kadłuba powiększyło się. I pokład też zaczął pękać.

– To teraz nie ma już większego znaczenia. – Juan włączył radio. – Max, jesteśmy bezpieczni. Gdzie są torpedy?

– Oddalone o dwa tysiące metrów i zbliżają się. Za cztery minuty uderzą.

Atlantyk był zbyt wzburzony, by zobaczyć pędzące torpedy, chociaż mężczyźni w helikopterze zamierzali obejrzeć z wysokości dwustu trzydziestu metrów spektakularny wybuch.

– Wysadzę hipertherm na dziesięć sekund przed uderzeniem – mówił Juan. – Uderzenie z obydwu burt i sterburty rozerwie wszystko poniżej linii wody, a materiały wybuchowe wypalą wszystko ponad nią. Dziób odpadnie jak kromka chleba.

Murphy wrócił do sieci.

– Będę podawał zasięg. Przy pięćdziesięciu metrach wysadzaj.

Minęły trzy pełne napięcia minuty, kiedy Mark nakierowywał torpedy, żeby uderzyły w obydwie burty „Gulf of Sidra", dokładnie w to miejsce, w którym Juan i Eddie położyli ładunki. Juan trzymał detonator w ręku, jego kciuk był w pogotowiu.

– Sto metrów – poinformował Mark.

Kiedy torpedy zbiegły się przy tankowcu, przybliżyli się do powierzchni wody, by lepiej widzieć delikatne linie ich trasy. Murphy kierował nimi doskonale.

– Siedemdziesiąt pięć.

Adams, który miał świetny wzrok, zauważył to pierwszy.

– Co to, do diabła, jest?1 – krzyknął nagle.

– Co? Gdzie?

– Ruch na pokładzie.

Wtedy dostrzegł to także Cabrillo. Maleńka postać biegnąca od dzioba „Gulf of Sidra" w czerwonym przeciwdeszczowym kombinezonie; doskonały kamuflaż, by podejść do labiryntu rur i dojść na dziób niezauważony.

– To Singer! Uważaj!

Nacisnął guzik detonatora i odwrócił głowę, by osłonić oczy przed intensywnością wybuchu. Kiedy jednak nie zobaczył jasnej jak słońce łuny, spojrzał na statek. Ładunki były ciągle na miejscu, ale nie wybuchły.

– Wepps, przerywamy! Przerywamy!

Mark Murphy mógł spowodować samozniszczenie torped, ale zamiast tego wysłał sygnał spowalniający mknącą broń i użył obydwu dżojstików, żeby zanurkowały. Obserwował ich opadanie na monitorze. Nie wyglądało na to, że uda im się przejść pod olbrzymim kadłubem, ale nic więcej nie mógł zrobić. Znajdowały się teraz wystarczająco blisko, by polecenie autodestrukcji uszkodziło dno statku i skazało go na powolną śmierć, która pozwoliłaby na wydostanie się całego ładunku.

– Nurkuj, dziecino, nurkuj! – zawołał Eric Stone z sąsiedniego stanowiska.

Max wstrzymał oddech, patrząc na główny monitor, który pokazywał drogę torped. Przeszły półtora metra od płaskiego dna tankowca i trzy metry od siebie. Wszyscy w centrum operacyjnym odetchnęli.

– Opuść mnie tam. – Cabrillo wskazał tankowiec. Adams zanurkował.

– Nie gwarantuję jednak, że będę mógł cię zabrać. Mam mało paliwa.

– To bez znaczenia. – W głosie Juana pobrzmiewała furia.

Robinson leciał nad dziobem tankowca niczym jastrząb zrywający się do lotu, jego ślizgi znajdowały się nie więcej niż trzy metry od pokładu, kiedy Adams zaczął ścigać Singera po statku. Juan odpiął już pas bezpieczeństwa i był gotowy z ramieniem opartym o drzwi. Odpiął MP-5 i rzucił na siedzenie. Kiedy skakał za pierwszym razem, pistolet maszynowy łupnął go boleśnie w bok, a ten skok miał być jeszcze gorszy.

Singer musiał usłyszeć helikopter, bo spojrzał przez ramię do góry. Wytrzeszczył oczy i zaczął biec jeszcze szybciej. W ręku trzymał czarny przedmiot, w którym Juan rozpoznał baterię detonatora. Skręcił w prawo, starając się zmusić prześladowców do lotu nad rurami wystającymi metr ponad pokład. Chciał dobiec do poręczy i wyrzucić baterię do morza.

Juan otworzył drzwi. To miał być skok z trzech metrów przy prędkości helikoptera przynajmniej ośmiu kilometrów na godzinę, ale mimo to skoczył. Uderzył o pokład, staczając się po rozgrzanej stali, aż zderzył się z podparciem pompy. Podniósł się na nogi, czując skutki tego zderzenia. Rzucił się do biegu, ściskając kurczowo pistolet.

Singer widział go wyskakującego z helikoptera i przyspieszył. Ale nieważne, jak bardzo chciał wyrzucić baterię za pokład i ukończyć misję, bo człowiek za nim biegł szybciej. Znów spojrzał przez ramię i zobaczył zbliżającego się Juana z twarzą wykrzywioną wściekłością.

Kolejna fala sprawiła, że kadłub statku zajęczał. Rozdarcie ze strony bakburty zamknęło się, kiedy fala wygięła kil. Potem, kiedy minęła, ponownie się otworzyło, rozdziawiając się nawet szerzej niż przedtem. Singer zobaczył szczelinę i był wystarczająco daleko od barierek, by ją ominąć, kiedy się zamykała, ale nie przewidział, że potem tak szybko rozedrze pokład.

Starał się ją wyminąć i dziwacznie się uniósł, kiedy jego noga wpadła do środka, rozdzierając spodnie i ciało o wyszczerbioną krawędź. Pakunek z baterią potoczył się. Krzyknął z bólu, kiedy druga noga wpadła do dziury. Wisiał ponad oleistą, wełnistą powierzchnią, która ciągle chlupała w zbiorniku. Parzący metal zostawiał pęcherze na rękach, gdy starał się wydostać, zanim szczelina znów się zamknie.

Cabrillo przyskoczył do niego z wielką szybkością w momencie, kiedy tankowiec podniósł się znowu i dwie strony rozdartych nożyc zamknęły się. Upadł z Singerem wśród rozbryzgu ciepłej cieczy i przenikliwego krzyku, który wdarł się do jego mózgu. Kiedy się ocknął, spojrzał na Singera. Nogi poniżej górnej części ud zostały odcięte. Krew płynęła strumieniami, które w deszczu stawały się różowe.

Podczołgał się i odwrócił Singera twarzą do góry. Był przeraźliwie blady, miał niebieskie usta. Nagle przestał krzyczeć, jakby jego mózg nie odczuwał już bólu. Wchodził w stan szoku.

– Dlaczego? – zapytał Juan.

– Musiałem – wyszeptał Singer. – Ludzie muszą działać, zanim nie jest za późno.

– Nie pomyślałeś, że przyszłość sama się o siebie zatroszczy? Sto lat temu z powodu zanieczyszczeń przemysłowych nie widziałeś słońca w Londynie. Technologia ewoluowała i dym zniknął. Mówicie, że dzisiejszy problem to samochody powodujące globalne ocieplenie. Za dziesięć albo dwadzieścia lat wynajdą coś, co sprawi, że silnik spalinowy stanie się przestarzały.

– Nie możemy czekać tak długo.

– Więc powinniście wydawać swoje miliony na wymyślenie tego wcześniej, a nie trwonić je na demonstracje, które prawdopodobnie nic nie zmienią. To jest wasz problem, Singer. Wszystko to propaganda i spotkania z prasą, nie konkretne rozwiązania.

– Ludzie domagaliby się działań – powiedział słabo.

– Na dzień lub tydzień. Żeby spowodować zmiany, potrzebujesz alternatywy, nie ultimatum.

Singer nie odpowiedział, ale kiedy umarł, bunt był ostatnią rzeczą, która wygasła w jego oczach.

Fanatycy tacy jak on nigdy nie zrozumieją natury kompromisu i Juan wiedział, że niepotrzebnie się trudził. Zerwał się na nogi, by odzyskać baterię, i zaczął biec w stronę dzioba.

– Mów do mnie, Max.

– Masz trzy minuty, zanim torpedy stracą zasilanie.

Nie mieli załadowanych więcej torped, jeśli więc Juan nie wysadzi teraz hiperthermu, dopiero za trzydzieści minut można będzie wpuścić nowe, a wiedział, że „Gulf of Sidra" przełamie się do tej chwili.

– Nie czekaj na mnie, żeby nie wiem, co się działo. Jeśli nie zdołam zdetonować hiperthermu, uderz w statek torpedami. Może będziemy mieć szczęście i wybuch zapali ładunki.

– Słyszę cię, ale to mi się nie podoba.

– A myślisz, że jak ja się czuję? – powiedział Juan, biegnąc.

Tankowiec wydawał się nieskończenie długi. Burty były jak horyzont, który nigdy się nie przybliża. Ciepło emanujące z pokładu sprawiało, że pot zlewał Juana za każdym razem, kiedy lewą stopą uderzał o podłoże, czuł pękające pęcherze. Ignorował to i biegł dalej.

– Dwie minuty – powiedział Max, kiedy Cabrillo dotarł wreszcie do rzędu ładunków przedzielających pokład.

Kiedy Singer wyszarpał baterię z detonatora, zerwał druty przewodzące elektryczność zapalającą ładunek. Juan musiał przede wszystkim odłączyć detonator spomiędzy dwóch rzędów materiałów wybuchowych, żeby przypadkowo nie połączyć obwodu. Używając kieszonkowego noża, który ocalił w Diabelskiej Oazie, musiał zedrzeć plastikową izolację i odsłonić miedź, zanim skręci razem druciki. Były trzy i każdemu poświęcił trzydzieści sekund.

Światełko umieszczone na detonatorze zaświeciło na zielono. Obwód się zamknął.

– Jedna minuta, Juan.

Przypiął część hiperthermu do jednej strony detonatora i zmierzał do drugiej, kiedy usłyszał przez radio:

– Szefie, tu Murphy. Torpedy są oddalone o sto pięćdziesiąt metrów.

– To dobrze. Niemal skończyłem. Mam!

Ciąg został połączony. Odwrócił się i zaczął biec w stronę rufy powstrzymywany przez kłujący ból, który promieniował ze zwęglonej stopy. Ścigał się teraz z dwiema torpedami zmierzającymi ku statkowi z prędkością czterdziestu knotów. Przebiegł trzydzieści metrów, kiedy Murphy zameldował, że torpedy są w odległości czterdziestu metrów. Przyspieszył pomimo bólu.

– Pięćdziesiąt metrów, szefie – powiedział Mark, jakby to była jego wina.

Juan przebiegł jeszcze kilka metrów, zanim przycisnął guzik pilota.

Błyszczącym łukiem, który mógł rywalizować ze słońcem, palił się hipertherm, jego magnezowe jądro dochodzące do temperatury dwóch tysięcy stopni. Płomień wystrzelił ze środka statku niczym błyskawica, czyniąc stal pokładu miękką jak wosk, a potem jeszcze podgrzewał ją tak, że skapywała do ładowni jak woda. Dziób spowijała trującą chmura dymu. Światło wypełniło niebo, zamieniając ponurą szarość w brylantową biel. Materiały wybuchowe przecięły w poprzek pokład i pracowały dalej, tnąc w mgnieniu oka kadłub aż do linii wody.

Z odległości dziewięćdziesięciu metrów Juan czuł żar na plecach i gdyby nie padało, prawdopodobnie zapaliłyby mu się włosy na głowie.

Tak samo szybko, jak się zapalił i płonął, hiper-therm wygasł, pozostawiając długie, wąskie cięcie z brzegami, które świeciły od gorąca.

Zdołał przebiec następnych czterdzieści metrów, zanim torpedy Test-71 uderzyły w statek dokładnie poniżej miejsca, w którym ładunek rozciął kadłub. Wstrząs dwóch eksplozji podniósł go do góry i rzucił na pokład, kiedy woda i rozdarty metal rozprysły się od wybuchu. Dziób odłączył się od reszty tankowca i natychmiast zatonął. Siła jego wejścia w ocean spowodowała wlewanie się wody do magazynów, skutkując wydostaniem się około trzech czwartych załadunku cieczy w pobliżu rufy przez rury, które łączyły zbiorniki. Płyn wystrzelił też z rozdartego boku, wysyłając wytryśnięty żel na więcej niż trzydzieści metrów. Wiedzieli, że tak się stanie, ale uznali, że to niewielka cena, bo pozostałości organiczne zostały zatrzymane na statku.

Juan zatoczył się, czując obręcz wokół głowy. Zobaczył ocean wspinający się tam, gdzie niegdyś był dziób, ścianę wody zdającą się rosnąć, kiedy statek wpadał w objęcia morza. Tankowiec „Gulf of Sidra" przypieczętował swój los, bo jego wielki, masywny, dieslowski silnik ciągle obracał turbinami, wbijając go pod fale z prędkością siedemnastu węzłów.

– Juan, tu George. – Spojrzał w górę i ujrzał wiszący nad nim helikopter. – Sądzę, że mam wystarczającą ilość paliwa, by spróbować.

– Nie zdążysz – powiedział Juan, znów szybko biegnąc. – Ta świnia tonie szybciej, niż myślałem. Pójdzie pod wodę za mniej niż minutę.

– Jednak spróbuję. Spotkamy się przy relingu rufy.

Cabrillo ciągle biegł.

– Wkraczamy do akcji – zawołał Max Hanley z „Oregona". – Grupy ratunkowe przygotowują się, jeśli masz zamiar się utopić.

Juan biegł w kierunku sterburty, by uniknąć miejsc, w których kadłub został wyłamany. Za nim wznosiło się morze. Już trzeci raz tankowiec został zalany i za każdym razem coraz bardziej się zanurzał.

Dotarł do nadbudówki i posuwał się wąską przestrzenią po coraz bardziej stromym pokładzie. Dotarł do masztu z przemoczoną liberyjską flagą w chwili, kiedy woda dotarła do krawędzi kwater. Nie było śladu George'a Adamsa w Robinsonie. Cabrillo mógł tylko trzymać się i modlić, żeby nie wpaść zbyt głęboko, kiedy statek gwałtownie się pod nim obniży.

Nagle zza wariacko przechylonej nadbudówki wyłonił się helikopter. Z drzwi zwisała lina zrobiona z pasków od karabinów, ubrań roboczych, kawałków kabla znalezionego gdzieś w kokpicie i spodni Eddiego Senga przywiązanych na końcu.

Bulaje znajdujące się poniżej Juana eksplodowały, wypchnięte przez sprężone powietrze, kiedy woda wypełniła nadbudowę. Odwrócił się od strumienia szkła i spojrzał w górę na czas, by zobaczyć wiszące nad nim spodnie Eddiego.

Podskoczył, kiedy znalazły się nad jego głową, złapał i został poderwany w powietrze. Kręcił się i wirował jak moneta na końcu sznureczka. „Gulf of Sidra" zniknął pod wodą, a jego grób znaczyła plama żelu, o wiele tysięcy mniejsza, niż chciał tego Daniel Singer.

Pierwszą osobą, która powitała ich w hangarze „Oregona" po niewiarygodnym lądowaniu George'a, był Maurice, ubrany nienagannie w swój markowy, czarny garnitur ze śnieżnobiałą serwetką przewieszoną przez ramię. W drugiej ręce trzymał talerz ze srebrną przykrywką. Kiedy Juan, zataczając się, wyszedł z Robinsona, a Max, Linda i Sloane podbiegli w radosnym pośpiechu, Maurice podszedł i zdjął z rozmachem przykrywkę.

– Tak jak pan sobie życzył, kapitanie.

– Życzyłem sobie? – Otępiały ze zmęczenia Juan nie miał pojęcia, o czym mówił steward.

Maurice był zbyt oschły, by się uśmiechnąć, ale jego oczy zabłysły rozbawieniem.

– Wiem, że w sensie technicznym to nie huragan, ale wierzę, że ucieszy pana ser Gruyere i suflet z homara z pieczoną Alaską na deser.

Jego wyczucie czasu było tak perfekcyjne, że delikatny suflet jeszcze nie wystygł i unosiła się z niego para. W hangarze rozległ się śmiech.

To był dziesiąty szkwał w tym roku na Atlantyku i dlatego zasługiwał na nazwę. Chociaż zaczął zmieniać się w huragan z olbrzymią mocą niszczenia, jego oko nigdy się w pełni nie wykształciło. Meteorolodzy nie potrafili wyjaśnić, dlaczego. Nigdy nie widzieli takiego zjawiska.

Tradycyjnie każda burza była nazywana odpowiednią literą alfabetu, więc pierwszy sztorm zaczynał się na literę A, drugi na B i tak dalej. Kiedy przyszła kolej na dziesiąty, sztorm, który nigdy nie nadszedł, niewiele osób pamiętało, że otrzymał nazwę Tropikalny Sztorm Juan.

Rozdział 32

Samochód terenowy wiozący Juana, Maxa, Sloane i Mafanę mknął przez pustynię. Ugotowany silnik ryczał, kiedy Juan pędził z zawrotną prędkością. Moses Ndebele chciał wybrać się na wycieczkę, ale lekarze z prywatnego, południowoafrykańskiego szpitala zabronili mu – zbyt duży wysiłek po operacji strzaskanej stopy. Więc, chociaż ufał Juanowi bezgranicznie, wysłał w zastępstwie starego sierżanta.

Spóźnili się trochę na spotkanie. Człowiek z firmy, która wypożyczyła im wóz, był także ochotnikiem w policji Swakopmund. Przyszedł późno, bo brał udział w aresztowaniu grupy Europejczyków uwięzionych na pustyni, odpowiedzialnych za porwanie, do którego doszło w Szwajcarii.

Odkryty samochód wtoczył się na wzgórze i Juan zjechał, pozostawiając głębokie bruzdy. Pojazd skakał na zawieszeniu, kiedy czwórka pasażerów spoglądała na położoną niżej dolinę.

„Rove" wyglądał, jakby był zakotwiczony na oceanie piasku. Małe wydmy okrążały jego kadłub niczym delikatnie kołyszące się fale. Gdyby nie brak komina, złamany żuraw i fakt, że każda plamka farby została zdrapana, mógłby wyglądać tak, jak wyglądał przed wiekiem, zanim został zakopany przez najgorszą burzę piaskową stulecia.

W pobliżu znajdował się olbrzymi helikopter transportowy, pomalowany na jasny turkus, z nazwą NUMA umieszczoną na wirniku. Obok niego stały dwie koparki, których użyto do usunięcia dziewięciu metrów piasku więżącego statek, i gromadka pracowników odpoczywających w cieniu białego namiotu z konopi.

Juan pochylił się i pocałował Sloane w policzek.

– Miałaś rację. Gratuluję.

Ucieszyła się z komplementu.

– Czy były jakieś wątpliwości?

– Mnóstwo – odezwał się Max z tylnego siedzenia.

Sloane odwróciła się i żartobliwie klepnęła go w nogę.

Juan wrzucił bieg i samochód zjechał po wydmie. Ich pojawienie się postawiło robotników na nogi. Dwóch oddzieliło się od reszty i ruszyło przez pustynię w stronę rampy dającej dostęp na pokład „Rove'a". Jeden trzymał pod pachą skrzynkę.

Cabrillo zatrzymał się przy rampie i wyłączył silnik. Jedynym dźwiękiem była teraz delikatna bryza. Odpiął pasy i gramolił się z siedzenia, kiedy podeszło dwóch mężczyzn. Byli dobrze zbudowani i niewiele młodsi od niego, chociaż jeden miał zupełnie siwe włosy i oczy tak niebieskie jak on. Drugi był ciemniejszy, w typie latynoskim, z nieschodzącym z twarzy wyrazem zdziwienia.

– Nie znam zbyt wielu ludzi, którzy zaimponowali Dirkowi Pittowi – powiedział siwy mężczyzna z NUMA. – Więc kiedy miałem szansę spotkać jednego z nich, skorzystałem z niej. Prezes Cabrillo, jak rozumiem?

– Juan Cabrillo. – Uścisnęli sobie dłonie.

– Nazywam się Kurt Austin, a ten drań to Joe Zavala. Przy okazji, dzięki za wyciągnięcie nas z akcji czyszczenia w Angoli, gdzie NUMA prowadzi działania.

– Miło mi pana poznać. Jak się mają sprawy?

– Lepiej niż się spodziewałem. Nasz statek był akurat w okolicy na misji pomiarowej. Joe mógł zmodyfikować pogłębiarkę używaną do pobierania próbek oleju. Możemy pompować olej bezpośrednio do zbiorników na brzegu. Z Petromaxem, mającym wiele urządzeń w Nigerii, zanieczyszczenie powinno być usunięte w mniej niż dwa tygodnie.

– Miło to słyszeć – powiedział Juan i dodał samokrytycznie: – Gdybyśmy byli parę minut wcześniej, nie byłoby potrzeby takiego czyszczenia.

– A parę godzin później byłaby większa.

– To prawda. – Cabrillo przedstawił swoich towarzyszy. – To prezes Korporacji Max Hanley, Mafana reprezentuje Mosesa Ndebele, a to Sloane Macintyre, powód, dla którego stoimy dwanaście kilometrów od oceanu, ale patrzymy na statek parowy.

– Niezły widok, co?

– Nie żebym się skarżył, ale w jaki sposób tak szybko go znaleźliście?

Zanim odpowiedział, Joe Zavala wyciągnął ze skrzynki butelki lagera Tusker. Szkło było zimne jak lód i pokryte szronem. Otworzył i poczęstował wszystkich.

– To najlepszy sposób, jaki odkryłem, na pobicie pyłu.

Trącili się butelkami.

– Ach! – wydyszał Zavala. – To jest to.

– Wracając do pana pytania – powiedział Austin, wycierając usta. – Przekazaliśmy ten problem naszemu miejscowemu geniuszowi komputerowemu, Hiramie Yeagerowi. Zebrał wszystkie skrawki informacji o burzy, która przeszła tej nocy, kiedy zaginął „Rove", wyciągając je ze starych dzienników pokładowych, wspomnień ludzi żyjących w Swakopmund, dzienników misjonarzy, raportów sporządzonych przez brytyjską admiralicję dotyczącą zmian w nawigacji na wybrzeżu wschodniej i zachodniej Afryki, kiedy już się skończyła.

Wrzucił to wszystko do komputera i dodał dane meteorologiczne z tego regionu sto lat od sztormu. Dzień później Max wyrzucił odpowiedź.

– Max? – zdziwił się Hanley.

– Tak nazywa swój komputer. Stworzył mapę linii brzegowej tak jak wygląda ona dzisiaj, z linią biegnącą równolegle do niej, sięgającą od dwóch kilometrów do szesnastu w głąb lądu. Jeśli „Rove" był blisko brzegu, by zabrać pasażerów, którzy zbili fortunę na diamentach, musiał być zakopany gdzieś wzdłuż tej linii.

– Różne odległości są spowodowane różnymi warunkami geologicznymi i drogami wiatru – dodał Zavala.

– Kiedy już mieliśmy mapę, polecieliśmy wzdłuż linii helikopterem, śledząc magnetometr.

– Robiłam to samo przez wiele dni – przyznała Sloane – ale szukałam na morzu. Mogłam przeprowadzić więcej badań.

– Trafienie zajęło nam dwa dni. Znajdował się mniej niż dziewięć metrów od miejsca, które wskazał Max.

– Zdumiewające.

– Próbowałem przekonać Hirama, żeby komputer przepowiedział mi numery w totka – zażartował Zavala. – Mówi, że potrafi to zrobić, ale nie pozwolił mi pytać.

– Użyliśmy radaru penetrującego ziemię, aby upewnić się, że to statek, a nie kupa żelaza, jak na przykład meteoryt – kontynuował Austin. – Potem zostało już tylko usunięcie piasku.

Zavala otworzył kolejne butelki.

– Jest tu mnóstwo piasku.

– Czy byliście już w środku? – zapytała Sloane.

– Czekaliśmy z tym na was. Zapraszam na pokład.

Poprowadził ich na trap i na szarawy pokład „Rove'a". Wykonali wspaniałą robotę, usuwając piach, nawet zamiatając kąty. Jedyny piasek, który tu się znajdował, przywiał wiatr.

– Okna na mostku są powybijane albo przez sztorm, albo przez piasek, który dostał się do środka. Jakkolwiek... – Zawiesił głos i uderzył w klapę. Metal zadźwięczał. – Pustynia nie wdarła się do pomieszczeń załogi.

– Poluzowałem już koło obrotowe – powiedział Zavala. – Bardzo proszę, panno Macintyre.

Sloane przekręciła koło o pół obrotu, by uwolnić zasuwy. Pociągnęła i strużka piasku wysypała się na uszczelkę. Mesa za nią była oświetlona tylko przez kilka punktów świetlnych z małych bulajów wzdłuż dwu ścian. Nie licząc zasp piasku pokrywających podłogę, wyglądała tak, jakby przez sto lat nikt tędy nie przeszedł. Meble stały na swoim miejscu. Piec zdawał się gotowy do podgrzania stojącego na nim czajnika, a latarnia zwisająca z sufitu potrzebowała chyba tylko zapałki, żeby zaświecić.

Ale kiedy oczy przywykły do ciemności, zobaczyli coś, co wyglądało pierwotnie jak worek ubrań przerzucony przez stół, a okazało się zmumifikowanymi szczątkami dwóch mężczyzn, którzy zmarli, stojąc naprzeciwko siebie. Ich skóra stała się szara, bo ciała wyschły i wydawały się kruche jak papier. Jeden z nich nie miał na sobie nic oprócz przepaski na biodrach i resztki pióra w opasce na głowie. Drugi nosił proste odzienie, a obok miejsca, gdzie położył głowę, leżał ogromny kapelusz, który jedenaście dekad temu był biały.

– H.A. Ryder – wyszeptała Sloane. – Ten drugi musi być jednym z wojowników Herero, których wysłał ich król, by odszukali kamienie.

– Musieli zostać zaatakowani, kiedy uderzył sztorm – powiedział Austin, wracając z krótkiego korytarza. – Jest tam tuzin lub więcej ciał leżących w kabinach. Prawdopodobnie zginęli w walce. Wiele ran od pchnięć. Ciała Herero nie noszą śladów, więc zapewne umarli z głodu, kiedy statek został zakopany.

– Ale jego nie zabili. – Juan wskazał na ciało Rydera. – Zastanawiam się, dlaczego?

– Wygląda na to, że zostali tylko ci dwaj – zauważył Zavala. – Mogli umrzeć z odwodnienia, kiedy skończyły się zapasy wody.

– Ryder cieszył się popularnością w swoich czasach – odezwała się Sloane. – Możliwe, że się znali. Może byli przyjaciółmi sprzed napadu.

– To zagadka, której nigdy nie rozwiążemy. – Max sięgnął po jedną z toreb leżących pod stołem. – A to kolejna.

Kiedy podniósł sakiewkę, wysuszona skóra rozerwała się i diamenty spadły kaskadą na piasek. Nieoszlifowane i słabo oświetlone, a jednak błyszczały jak pochwycony blask słońca. Wszyscy się ucieszyli. Sloane podniosła dwudziestokaratowy kamień i przytrzymała go przy bulaju, by ocenić jego głębię. Mafana nabrał pełne dłonie diamentów i pozwalał im przelatywać między palcami. Wyraz jego twarzy powiedział Juanowi, że nie myślał o sobie, ale o tym, jak wiele te kamienie znaczą dla jego ludzi.

Stary sierżant rozerwał kolejne torby i zaczął przebierać w kamieniach, wyłuskiwał największe i najczystsze. Wybór był duży, ponieważ górnicy, którzy przynieśli diamenty królowi, brali jedynie najwspanialsze, jakie wykopali. Oglądając diamenty, zwrócił się do Juana:

– Moses powiedział, że dałeś mu garść kamieni jako zapłatę – rzekł Mafana uroczyście. – Kazał mi oddać ci dwa, jako podziękowanie naszego ludu.

Rozbroił Juana tym gestem.

– Mafana, to nie jest konieczne.

– Ty i twoi ludzie walczyliście i umieraliście za te kamienie. To wasza sprawa. Moses powiedział, że tak odpowiesz, więc wtedy miałem ofiarować to panu Hanleyowi. Powiedział też, że jest mniej sentymentalny od ciebie i przyjmie to w imieniu twojej załogi.

– Miał rację – potwierdził Max i wyciągnął ręce. Mafana dał mu kamienie. – Kiedyś bawiłem się w jubilera, na moje oko jest tu około miliona dolarów.

– Mógłbyś zrobić dobrą robotę, bawiąc się tym. – Sloane wzięła największy kamień ze stosu. – Tylko ten

397

jeden będzie wart około miliona, kiedy zostanie pocięty i wypolerowany.

Max wytrzeszczył oczy, wywołując salwę śmiechu.

Godzinę później, kiedy każde z nich przeszukało statek, Sloane znalazła Juana stojącego na dziobie „Rove'a" ze splecionymi z tyłu rękami.

– O czym tak myślisz? – zapytała. – Chciałoby się wsiąść na żaglowiec i wziąć kurs na pierwszą lepszą gwiazdę...

Odwrócił się i uśmiechnął.

– Tylko uważaj na mielizny.

– Czytałam dziennik pokładowy. H.A. Ryder nadal pisał, kiedy zostali zasypani. Kurt miał rację co do Herero atakujących w czasie sztormu. Wycięli całą załogę, wszystkich, z wyjątkiem Rydera. Wódz Herero pracował kiedyś dla niego jako przewodnik i zawdzięczał mu życie, kiedy zaatakował go lew. Nie miało to jednak znaczenia. Ułaskawienie było tymczasowe.

– Co się wydarzyło?

– Sztorm szalał dobry tydzień. Kiedy wreszcie się skończył, nie mogli otworzyć drzwi, a przez zbyt małe bulaje nie mogli się przecisnąć. Znaleźli się w pułapce. Mieli wystarczającą ilość wody i jedzenia, by przetrwać co najmniej miesiąc. Umierali jeden po drugim, aż zostali tylko Ryder i wódz Herero. Sądzę, że najpierw zmarł Ryder, bo w dzienniku nie było nic o śmierci towarzysza.

– To numer jeden na mojej liście sposobów, w jakie nie należy umierać – powiedział Juan.

– W dzienniku znalazłam jeszcze coś, o czym wspomina Ryder. Coś bardzo interesującego. Napisał, że kiedy on i jego kompani ukradli diamenty Herero, nie zabrali wszystkiego, zostawili cztery naczynia na piwo wypełnione kamieniami. Wiem z historii, że ich król nigdy nie zapłacił nimi Brytyjczykom za ochronę przed Niemcami, okupującymi jego ziemię. Kamienie muszą tam ciągle być.

– Zapomnij o tym. – Juan uśmiechnął się. – Kiedy ostatni raz ci pomogłem, skończyłem uwięziony na gigantycznym, metalowym wężu na środku oceanu, a pode mną tonął supertankowiec. Jeśli chcesz szukać więcej diamentów, proszę bardzo. Ja pójdę szukać czegoś bezpieczniejszego. Na przykład terrorystów.

– Tak mi to tylko przyszło do głowy – powiedziała, drażniąc się.

Cabrillo pokręcił głową.

– Skoro już jesteśmy przy diamentach, jest parę spraw, o które chcę cię zapytać.

– Wal.

– Jesteś pewna, że za te kamienie możesz dostać wysoką cenę?

– Moja kompania kupi je po cenie zbliżonej do pełnej wartości rynkowej, żeby utrzymać monopol. Nie spodoba im się, że sama im nie zwrócę kamieni, ale na dłuższą metę nie będą mieli wyboru. Nie martw się, Moses dostanie więcej kasy niż trzeba, żeby doprowadzić tę sprawę do końca.

– W takim razie drugie pytanie. Zakładam, że kiedy będzie po wszystkim, nie zostaniesz pracownikiem miesiąca. Zastanawiałem się, czy nie chciałabyś czegoś zmienić w życiu zawodowym?

– Proponuje mi pan pracę, prezesie Cabrillo? – Jej uśmiech był jaśniejszy niż którykolwiek ze znalezionych diamentów.

– Godziny pracy są długie, praca niebezpieczna, ale jak widziałaś, zapłata może być całkiem niezła.

Podeszła do niego tak blisko, że ich ciała niemal się zetknęły.

– Rozmawiałam niedawno z Lindą i odniosłam wrażenie, że między członkami załogi nie panują braterskie stosunki.

– Romanse biurowe są wystarczająco trudne. Jest nawet gorzej, kiedy wszyscy mieszkają razem.

Powiodła koniuszkiem palca po jego nagim ramieniu i spojrzała mu w oczy.

– W takim razie muszę z siebie coś wyrzucić, zanim w ogóle zacznę rozważać zabawę w piratów.

– Co takiego? – zapytał zachrypniętym głosem.

– To – powiedziała, kiedy ich usta się spotkały.